PAF

CW00384353

collection tempus

Paul BONNECARRÈRE

PAR LE SANG VERSÉ

La Légion étrangère en Indochine

Préface d'Etienne de Montety

PERRIN

www.editions-perrin.fr

© Librairie Arthème Fayard, 1968
et Perrin, 2006 pour la présente édition
ISBN : 978-2-262-02609-7

tempus est une collection des éditions Perrin.

*Aux 309 officiers, 1 082 sous-officiers et
9 092 soldats de la Légion étrangère morts
pour la France en Indochine.*

*Qui sait si l'inconnu qui dort sous l'arche immense,
Mêlant sa gloire épique aux orgueils du passé,
N'est pas cet étranger devenu fils de France
Non par le sang reçu mais par le sang versé ?*

PASCAL BONETTI.

Préface

C'est Franck, un légionnaire des années 1980, qui m'a raconté l'histoire : il venait d'arriver dans son régiment, tout frais sorti de quatre mois d'instruction rude au 4ᵉ Etranger, à Castelnaudary. Depuis son engagement, les rites n'avaient pas manqué : administratifs et sanitaires à Aubagne, militaires à Castelnaudary, jusqu'à la remise du fameux képi blanc au terme d'une belle et émouvante cérémonie qui faisait de lui un vrai légionnaire. Or ce soir-là, dans une chambrée du 2ᵉ régiment étranger de parachutistes, deux copains, des anciens, l'avaient attrapé et lui avaient demandé : « Connais-tu *Par le sang versé* ? »

Le jeune légionnaire ne comprit pas. Connaissait-il seulement la fameuse formule qui parcourt bien des harangues, clôt d'innombrables oraisons funèbres et tire son origine d'une tradition qui fait d'un légionnaire un citoyen français sitôt qu'il a reçu une blessure au combat, à plus forte raison quand il y a laissé la vie ? Le sacrifice de soi vaut tous les certificats de naturalisation. « Non par le sang reçu mais par le sang versé », ce bel alexandrin a même donné lieu à un poème, signé Pascal Bonetti (1920) :

Qui sait si l'inconnu qui dort sous l'arche immense,
Mêlant sa gloire épique aux orgueils du passé
N'est pas cet étranger devenu fils de France
Non par le sang reçu mais par le sang versé ?

Que lui voulait-on ? Devant son visage de marbre, l'œil légèrement inquiet, ses camarades demandèrent à Franck de se mettre à genoux et lui tendirent avec une solennité un peu outrée un livre. L'un d'eux proféra ces mots : « Si tu veux comprendre la Légion, lis ça. »

« Ça », c'était un fort volume un peu défraîchi, orné d'une photo noir et blanc représentant un soldat devant un fusil mitrailleur ; son titre : *Par le sang versé* ; son auteur : Paul Bonnecarrère. Il me semble que mon légionnaire m'a assuré qu'à la Légion, le livre était recherché jusque dans les bacs des soldeurs pour permettre la pérennité de cette cérémonie clandestine. Il le lut le soir même, avec avidité, également pris par le récit et l'impatience d'être admis dans la confrérie de ceux qui ont été initiés.

Comprendre la Légion, le conseil est un peu inexact. Le récit de Paul Bonnecarrère traite d'une période particulière vécue par la Légion étrangère. Effectifs, situation militaire, tout était exceptionnel entre Cao Bang et Saigon dans les années 1945-1954. L'auteur relate des opérations conduites essentiellement par un régiment, le 3ᵉ REI, et notamment par un commandant d'unité légendaire, Antoine Mattei. Figure de la Légion, soldat hors norme, le capitaine Mattei n'a jamais cessé de défier les lois de la guerre et les règles de l'armée française : un officier pour temps troublés, inacceptable en temps de paix. Il est le fil rouge de ce livre fleuve, où la guerre est toujours à hauteur d'homme, faites d'embuscades, de coups de main plutôt que de stratégies d'état-major et de décisions ministérielles.

D'où vient *Par le sang versé* ? L'auteur, ancien journaliste, correspondant de guerre, racontait qu'il devait la vie à la Légion étrangère : perdu en plein désert après le crash de son avion, il n'avait dû son salut qu'à l'intervention d'une patrouille de légionnaires : une poignée de soldats surgissant des sables, comme au cinéma, et lui tendant sans mot dire une bouteille de bière glacée.

Son récit est à l'avenant, mi-historique et mi-romanesque. Inspiré par les journaux de marche que les unités des régiments tenaient avec minutie, enrichi des témoignages des acteurs de l'époque, il vaut les meilleurs documentaires par sa précision, et les fictions les plus palpitantes par ce qu'il réserve d'aventure, de coups de théâtre, de pittoresque, d'humour : ainsi le transfert de jeunes et jolies religieuses de Thai-Binh par une compagnie de légionnaires qui leur offriront protection et gîte, ou le ravitaillement en tabac d'une compagnie encerclée dans Nam-Dinh, au moyen des tirs d'obus chargés de cartouches de cigarettes. Il arrive que les épopées les plus folles se déclenchent uniquement pour sauver un blessé, racheter une imprudence, ou tenir une promesse d'ivrogne. Chaque fois le courage est exalté, mais pas forcément pour la gloire de la France et de ses armes. Parfois pour le seul bien-être d'un copain ou l'honneur de la Légion, *patria nostra*. Le lecteur découvre des pages dont certaines auraient pu être écrites par Kessel, Bodard, mais où se seraient invités Courteline et le Sapeur Camember.

Des héros anonymes surgissent, comme le sergent Osling, ancien médecin militaire allemand marié à une Française de confession juive, engagé à la 13e DBLE, la légendaire unité de Narvik et Bir-Hakeim. Citons aussi un autre sergent, Burgens, connu des manuels d'histoire sous le nom d'Hervé de Broca, ancien élève de l'Ecole normale supérieure, qui fut sous-secrétaire d'Etat de Vichy avant d'entamer discrètement, à cinquante ans passés, une nouvelle vie en Indochine, au grade de sergent-major. Singulier légionnaire qui rédigeait ses rapports en latin impeccable.

Ces hommes sont d'hier. Ils pourraient être d'aujourd'hui. Qui sait si leurs « descendants », comme eux râleurs, gaffeurs, excessifs, et comme eux incroyablement courageux, ne hantent pas les quartiers de la Légion étrangère à Djibouti, Calvi ou Orange ? Leurs exploits n'ont guère à voir avec le quotidien d'un jeune légionnaire dans une unité de 2006. En la matière, la nostalgie peut même être mauvaise conseillère. Pourtant des valeurs, des codes non écrits continuent à circuler dans les rangs. C'est ce qui contribue à perpétuer l'esprit de corps, force principale d'une institution.

Et peut-être que, demain, des lycéens de Bobigny, Libourne ou Marseille, séduits, amusés, intrigués par les aventures d'Antoine Mattei, faisant écho dans leur esprit à celles de James Bond, de XIII et du capitaine Alatriste, qui sait s'ils ne prendront pas à leur tour le chemin d'Aubagne, serviront dans les conflits futurs où la France sera engagée, méritant même peut-être un jour l'hommage de la nation, au titre du sang versé ?

PREMIERE PARTIE

1

Au mois de mars 1946 l'acheminement des troupes françaises vers l'Extrême-Orient commence à s'effectuer à une cadence accélérée : tous les navires disponibles sont mis à la disposition de l'armée ; on affrète de nombreux paquebots étrangers afin d'assurer le transport en Indochine du Corps expéditionnaire français. Parmi les premières unités, s'embarque la Légion étrangère.

Un an a passé depuis l'agression japonaise du 9 mars 1945. Les massacres de la garnison d'Ha-Giang, de Lang-Son, de la citadelle d'Hanoï sont connus de tous les légionnaires. Les récits de ces tueries, souvent déformés et amplifiés, courent de bouche à oreille. Tous savent que du 5ᵉ Etranger, il ne reste qu'un bataillon restreint.

Le 2ᵉ régiment étranger d'infanterie est regroupé au complet à Saigon le 2 mars ; puis c'est le tour de la 13ᵉ demi-brigade qui débarque le 10 sous le commandement du colonel Brunet de Sairigné ; enfin suivra le 3ᵉ Etranger dont le regroupement s'échelonnera jusqu'au 22 mai.

Jamais, dans l'histoire de la Légion, un régiment ne fut constitué par des éléments aussi disparates que ce 3ᵉ Etranger. Survivants du célèbre *Afrika Korps*, S.S. du front de l'Est, nazis de tout âge et de tout grade, avaient cherché un refuge au sein de la Légion et s'étaient retrouvés à Bel-Abbès pour s'engager vers d'autres combats.

Les statistiques de l'époque établissent que le 3ᵉ Etranger était formé de 33 p. 100 d'Allemands, 7 p. 100 d'Espagnols, 6 p. 100 de Polonais, 5 p. 100 de Français, 5 p. 100 d'Italiens et 17 p. 100 de Suisses (la plupart des Français et beaucoup d'Allemands qui s'engageaient dans la Légion étrangère prétendaient être de nationalité suisse). Mais ce qui différenciait ces hommes bien plus que leur nationalité et que leur mentalité, c'était la diversité de leur expérience militaire. Il y avait là de tout jeunes gens, presque des enfants qui venaient d'être transformés en soldats après quatre semaines d'une instruction hâtive à Sidi-Bel-Abbès ; d'autres, au contraire, étaient des militaires chevronnés, des vétérans de tous les combats du monde ; certains s'étaient affrontés sur les champs de bataille de la deuxième guerre mondiale.

Le 31 mars 1946, 1 740 légionnaires appartenant au 3ᵉ Etranger quittent Marseille à bord du *Johan de Witt*, paquebot hollandais affrété par la France. Ils constituent trois bataillons placés sous le commandement du colonel Lehur.

La traversée du canal de Suez est marquée par la désertion du légionnaire Wrazzouk. Ce passage deviendra par la suite le lieu de prédilection des déserteurs. A chaque traversée d'un transport de troupes, des dizaines d'hommes sauteront par-dessus bord dans l'espoir d'atteindre la rive égyptienne à la nage. Vingt pour cent seulement y parviendront, les autres, surpris par les remous, périront noyés ou broyés. Wrazzouk fut le précurseur de cette série d'évasions téméraires. Il réussit à atteindre la terre. Plusieurs de ses compagnons qui l'observaient à la jumelle le virent s'écrouler, épuisé, sur la rive ouest du canal.

Dans la nuit du 20 au 21 avril, le *Johan de Witt* se trouve dans le détroit de Malacca. La veille, il avait fait escale à Sabang. Le paquebot glisse sur une mer d'huile. La nuit est superbe. A bâbord, on aperçoit les lumières de la côte. La ville de Kelang semble être à portée de voix, bien qu'une dizaine de kilomètres séparent le navire du rivage.

Il est près d'une heure du matin. Dans la cabine qu'il partage avec trois autres gradés, le sergent-chef Edwin Klauss est tiré brusquement de son sommeil. Aussitôt il se rend compte des raisons de son réveil en sursaut : les machines du navire ont changé de rythme, puis elles ont stoppé totalement tandis que sur le pont les haut-parleurs hurlent en hollandais d'incompréhensibles instructions.

Klauss est un grand diable sec d'une maigreur extrême. Son crâne rasé accentue les angles coupants de son visage. Ses yeux sont si clairs que parfois, au soleil, le bleu et le blanc se confondent. Dans les diverses compagnies de Légion qu'il a traversées depuis douze ans, il est resté célèbre pour son extraordinaire instinct de bête de combat.

Tandis que Klauss enfile son pantalon, Bianchini, à son tour, se réveille.

« Quoi ? qu'est-ce qui se passe ? marmonne-t-il.

— Je n'en sais rien. Le bateau s'arrête et les Hollandais braillent. Je vais voir. »

Sur les deux autres couchettes, affalés, les sergents Favrier et Lantz dorment tout habillés. On les y a transportés moins d'une heure avant, ivres morts, conséquence de l'apparition d'une bonbonne de cinq litres de bols après l'escale de Sabang.

Klauss se dirige à grands pas vers l'échelle d'accès au pont des 2ᵉ classe. Il est suivi de Bianchini qui, hébété, tente en marchant de mettre de l'ordre dans sa tenue. Le pont grouille de marins qui s'agitent. Trois d'entre eux manœuvrent un projecteur. Le commandant du paquebot est là, un haut-parleur autonome à la main. Klauss reconnaît un des marins et l'interroge en allemand. Le marin répond brièvement. Klauss hoche la tête, puis se tourne vers Bianchini.

« Trois rombiers qui ont cherché à tailler la route en sautant par-dessus bord. Les cons ! Pas une chance

sur un million : le détroit est infesté de requins et
la terre est à plus de cinq milles.

— Dans ce cas, je vais me recoucher », annonce
Bianchini.

Le colonel Lehur et le lieutenant Mattei ont rejoint
le commandant hollandais. Ils assistent en spectateurs à la manœuvre. Avec des gestes rapides et
précis six marins s'affairent pour mettre un canot
à la mer. Dans un grincement de palans, l'embarcation se rapproche de la surface calme de l'eau,
puis à cinquante centimètres, elle est larguée brusquement. Les six hommes détachent alors la chaloupe, prennent leur place aux avirons, et se mettent
à ramer en cadence en direction des fugitifs.

Le projecteur a repéré deux des déserteurs. Ils
nagent maladroitement avec des mouvements rageurs
qui les essoufflent. Lorsque l'embarcation parvient
à leur hauteur, ils se laissent hisser à bord sans
résistance.

Du pont du *Johan de Witt* le projecteur décrit
des demi-cercles méthodiques pour tenter de découvrir le troisième homme, tandis que, debout à l'arrière du canot, le patron marin attend les ordres.
Le colonel Lehur et le lieutenant Mattei suivent sur
l'eau la lente exploration du faisceau lumineux.

« Vous êtes sûr qu'ils étaient trois ? interroge le
colonel.

— L'homme de quart est formel, répond Mattei. Il
les a vus sauter, deux les pieds en avant, le troisième a plongé.

— Alors il s'est noyé, consignez-le au rapport. »

Le projecteur s'éteint. Le commandant hollandais
donne l'ordre au patron du canot de retourner à
bord. La manœuvre a duré une vingtaine de minutes.

Le sergent-chef Klauss qui avait quitté le pont,
vient de réapparaître. Un instant, il regarde la chaloupe et ses huit occupants. Un coup d'œil lui suffit
pour identifier les deux légionnaires qui ont été

repêchés. Il s'approche du colonel et du lieutenant, salue à distance réglementaire, puis se présente d'une voix de stentor.

« Sergent-chef Klauss, 1ᵉʳ bataillon, 4ᵉ compagnie, au rapport, mon colonel.

— Oui, répond distraitement Lehur.

— Mon colonel, j'ai identifié les déserteurs, ils appartiennent à ma compagnie. »

Mattei dresse l'oreille. Il commande la 4ᵉ compagnie.

« Transmettez une note écrite au lieutenant Mattei, lance Lehur en se retournant, indifférent.

— Mon colonel, si je peux me permettre, insiste Klauss.

— Quoi encore ?

— Mon colonel, les deux repêchés, c'est rien du tout. Mais le troisième, c'est Krugger.

— Et alors ?

— Mon colonel, Krugger, ce n'est pas le genre qui se noie bêtement. »

Lehur se tourne vers Mattei, interrogateur.

« Exact, mon colonel ! Je vous parlerai de Krugger.

— Bien. Mattei, demandez au commandant s'il est possible de poursuivre la recherche dix minutes. »

Le Hollandais accepte de faire remettre la chaloupe à la mer. Il donne l'ordre à ses marins de contourner le navire. Un petit projecteur est branché sur une batterie à l'avant du canot.

Krugger est repéré à l'arrière du paquebot. Dès qu'il se sent pris dans le faisceau du projecteur, il s'enfonce dans l'eau. Puis il se met à nager en souplesse obligeant la chaloupe à le suivre. Il est en slip. Il nage admirablement. Il faut plusieurs minutes au canot pour le rejoindre.

Du pont, ils sont maintenant une centaine à suivre l'opération. Deux marins tendent leurs bras à Krugger qui les saisit. Pendant une fraction de seconde il feint la soumission. Puis il tire à lui brusquement les deux hommes qui, déséquilibrés, tombent à la mer. Le légionnaire agrippe le bord, fait un rétablissement. Il est dans le canot. Le patron, surpris, est projeté à l'eau d'un violent coup de poing.

Krugger attrape un aviron qu'il tient par la pelle. Les trois marins restants le dévisagent, affolés. D'un coup de bélier, Krugger expédie le plus proche par-dessus bord en lui brisant trois côtes. Pris de panique, les deux autres se jettent à l'eau le plus loin possible. Krugger s'installe alors aux avirons et se met à ramer, rageusement. L'embarcation est trop lourde pour un seul homme. Il la déplace à peine.

Sur le pont du paquebot, le commandant hollandais a donné l'ordre de mettre une seconde embarcation à la mer. Lehur et Mattei ont suivi la scène sans un mot. Le colonel s'est saisi du haut-parleur. Il se place près du projecteur qui tient maintenant le canot de Krugger dans son faisceau. Tous à bord suivent les vains efforts du légionnaire qui tente de s'éloigner du navire. La voix du colonel, déformée par le mégaphone, rompt le silence.

« Krugger ! Je vous donne une minute pour vous rendre. Après je fais ouvrir le feu. Vous n'avez aucune chance. »

Krugger arrête de ramer. Il jette un regard circulaire. Il semble sortir d'un cauchemar. Il aperçoit les six marins qui nagent autour du canot. Deux d'entre eux soutiennent le blessé qui fait la planche. Alors, Krugger les aide à remonter à bord. Aucun n'a le moindre mouvement d'animosité à son égard. Epuisé, vaincu, le légionnaire va s'asseoir à l'arrière de l'embarcation.

Lorsque, quelques instants plus tard, Krugger prend pied sur le pont, le colonel Lehur lui assène une gifle d'une telle violence qu'il est projeté par terre. Autour d'eux des rires nerveux éclatent. L'incident est momentanément clos. Les trois fugitifs sont mis aux fers. Le colonel Lehur a simplement déclaré qu'il aviserait.

En pénétrant dans sa cabine, Klauss trouve Bianchini souriant, allongé sur sa couchette. La veilleuse est allumée et il fume tranquillement un petit cigare hollandais.

« Tu as vu ? questionne Klauss.

— Oui, par le hublot. Il les a foutument fait gicler, les Hollandais.

— Pas si malin que ça, constate Klauss. Les types ne s'y attendaient pas. Et puis, c'est pas leur boulot. Leur boulot, c'est la marine. Et ça, ils l'ont fait proprement. On ne peut pas reprocher à des spécialistes de ne pas être brillants en dehors de leur spécialité.

— Krugger ne s'est pas mal défendu dans la sienne.

— Grotesque, tranche Klauss. Notre spécialité, c'est la discipline, pas la bagarre de beuglant.

— Au fait, d'où sort-il ce Krugger ?

— Je n'en sais pas beaucoup plus que toi. De l'armée allemande certainement. Il est arrivé à Bel-Abbès, il y a deux mois. Sans doute un soldat de métier. Je mettrais ma main au feu qu'il était officier.

— En tout cas, il va déguster. »

Le 21 avril à neuf heures du matin, le lieutenant Mattei se présente dans la cabine du colonel Lehur. Il tient à la main la feuille dactylographiée qui constitue le dossier du légionnaire Rudolf Krugger. Le colonel y jette un bref regard.

« Vous en savez davantage, je suppose ? questionne-t-il.

— Oui, mon colonel. Krugger est un ex-lieutenant de la Wehrmacht. Croix de fer. Multiples citations. Evadé d'un camp de prisonniers américain de la région de Munich l'année dernière. A gagné l'Algérie par l'Autriche, l'Italie, la Tunisie, apparemment seul. Sa mère était d'origine australienne. Il a de la famille à Sydney. Je suppose que le but de sa tentative d'hier était de gagner l'Australie. Sinon il aurait déserté à Port-Saïd comme tout le monde.

— Et les deux autres ?

— Sans intérêt. Ils ont été probablement entraînés par Krugger. Il devait compter sur eux pour créer une diversion.

— C'est bon, Mattei. Faites monter Krugger. »

Le lieutenant Mattei est un petit Corse courtaud et trapu, à la nuque de buffle. De la tête aux pieds, tout est carré, taillé à coups de hache. Il sort de la cabine sans répondre. A pas lents il se dirige vers la cale où se trouvent les quartiers disciplinaires du bord.

Deux hommes gardent l'entrée de la cellule improvisée : un marin hollandais et un légionnaire. A l'arrivée de Mattei, le légionnaire se fige dans un garde-à-vous spectaculaire qui surprend le marin. Par réflexe, il se redresse gauchement.

Les trois déserteurs sont assis sur un banc. Krugger est toujours en slip, les deux autres sont vêtus de leur pantalon et de leur chemise encore humides. Mattei les dévisage un instant, sans un mot, puis il se tourne vers la sentinelle.

« Va me chercher une tenue pour le grand et ramène-lui aussi de quoi se raser. »

Quelques instants plus tard Krugger est prêt. Pendant qu'il se rasait et s'habillait, Mattei n'a pas prononcé une seule parole. Au moment où le légionnaire ajustait le dernier bouton de sa chemise, le lieutenant lui dit simplement :

« C'est bon. Suis-moi. »

L'un des deux déserteurs se lève alors timidement.

« Mon lieutenant. Vous ne voulez pas rassurer Péjou ? Il pense qu'on va nous fusiller. »

Mattei hausse les épaules.

« Sûrement pas à bord d'un bateau. Tout ce que vous risquez, c'est qu'on vous pende. »

Dans la cabine du colonel, Krugger se tient au garde-à-vous, immobile depuis plusieurs minutes. Lehur consulte des dossiers, affectant d'ignorer la présence du soldat auquel il n'a pas ordonné le repos. Assis sur le bras d'un fauteuil, Mattei attend lui aussi. Enfin Lehur lève les yeux vers le légionnaire figé :

« Alors, si je comprends bien, tu as pris la Légion étrangère pour une agence de voyages ? »

Krugger ne répond pas. Il demeure immobile.

« Je vais te dire une chose, poursuit le colonel. Peu m'importe ton passé : il ne me regarde pas. Mais, dans le présent, tu viens de te conduire comme une gouape et, ce qui est plus grave pour toi, comme un imbécile et un mauvais soldat. Si l'homme de quart ne vous avait pas repérés immédiatement, tu entraînais deux de mes légionnaires vers une mort certaine. »

Lehur s'est levé. Il contourne son bureau et fait face à Krugger.

« Tu as quelque chose à dire ?

— Rien, mon colonel. »

Sans transition et sans colère, le mince et sec colonel Lehur frappe alors brutalement Krugger à l'estomac. Le grand légionnaire se casse en deux. Lehur cogne ensuite plusieurs fois sur la pommette droite qui éclate, puis du poing gauche sur l'œil qui enfle instantanément. Krugger chancelle mais ne tombe pas. Lorsque la grêle de coups cesse, il se remet péniblement au garde-à-vous. Son visage est couvert de plaies. Il saigne du nez. Il n'a pas proféré une plainte. Il n'a pas cherché à se protéger de ses mains.

« C'est bon, déclare Lehur. Mattei, reconduisez-le. »

Krugger ramasse son képi, s'en coiffe, salue et effectue un demi-tour réglementaire. Mattei conduit à l'infirmerie le légionnaire toujours muet.

« Ah ! je vous attendais, mon lieutenant, annonce le caporal infirmier, qui rit de bon cœur en badigeonnant au mercurochrome le visage tuméfié de Krugger.

— Et les deux autres ? ajoute-t-il.

— Ils passent à travers », répond simplement Mattei.

Avant de s'engager dans le labyrinthe qui mène aux locaux disciplinaires, Mattei s'arrête dans sa cabine et y fait entrer Krugger. Il lui verse une rasade de whisky :

« Je suppose, Krugger, que vous avez compris. Ce qui vient de se passer fait partie des traditions de la Légion. C'est en quelque sorte notre manière à nous de laver notre linge sale en famille. Vous n'êtes pas le premier et vous ne serez pas le dernier. Mais considérez que c'est un traitement réservé aux hommes que le colonel estime. »

Krugger hoche la tête.

« Mon lieutenant, ce qu'il n'aurait pas dû faire, c'est de me gifler devant les autres hier au soir. La trempe, je m'en fous. Pensez-vous que je sois un mauvais soldat ? Détrompez-vous : si je reste dans votre compagnie, je vous montrerai comment sait mourir un officier allemand. »

Rudolf Krugger devait tenir sa parole. Moins de deux mois plus tard, le 18 mai 1946, lors d'une embuscade légère dans la région de Thu-Duc, il était frappé d'une balle dans la gorge. Il se trouvait derrière une jeep qu'il avait évacuée au premier coup de feu. Il trouva la force de dire à Mattei :

« Ça y est, mon lieutenant. »

S'appuyant du coude sur le pneu de secours de la jeep, il réussit à rester au garde-à-vous, immobile, inondé par son sang. Lorsque, enfin, il bascula en avant pour s'effondrer, le visage dans la boue, il avait cessé de vivre.

Le légionnaire Rudolf Krugger était mort debout.

2

Après trois semaines de traversée, le 25 avril 1946, à neuf heures trente du matin, le *Johan de Witt* accoste le long du quai principal de Saigon. La chaleur moite est déjà étouffante. Chargés de leurs trente kilos individuels de paquetage et de leur pesant fusil Enfield, les légionnaires, inondés de sueur, se bousculent et s'accrochent pour quitter le navire. Sur le quai, les choses s'arrangent à peine : pas le moindre coin d'ombre, les instructions sont imprécises et les compagnies se regroupent dans le désordre.

Les légionnaires resteront sur le quai jusqu'à dix-sept heures. Les seules images qu'ils garderont de Saigon seront celles de marchands ambulants qui, toute la journée, passeront parmi eux dans l'espoir de leur vendre quelques fruits ou légumes frais. Enfin, d'un scout-car descendent deux officiers porteurs des affectations de chaque compagnie. Les 120 légionnaires qui forment la 4e compagnie apprennent que leur destination provisoire se trouve dans les environs immédiats de Thu-Duc ; ils ont moins d'une heure pour gagner à pied la gare de Saigon où un train les attend.

Pour eux ces consignes ne signifient rien : ils ignorent où se trouve Thu-Duc. Leur seule préoccupation est la distance qui les sépare de la gare : ils devront la parcourir, courbés sous le poids de leurs fardeaux, par une chaleur à peine décroissante.

Le train qui les attend donne aux légionnaires la

première image de la guerre. La motrice et les
wagons sont protégés par des sacs de sable disposés
en abris pour les tireurs de F. M. (quatre par voiture). Çà et là, sur toute la longueur du convoi, des
points d'impact et des traces de balles témoignent
d'attaques récentes.

Les hommes de la 4ᵉ compagnie s'entassent sur
les banquettes en bois. Par instinct, les anciens se
postent près des fenêtres, leurs armes à portée de
la main.

Un sergent de la Coloniale qui traîne sur le quai
renseigne le groupe de Klauss.

« Thu-Duc ? Vous êtes vernis ! C'est le Nogent de
Saigon, à peine quinze bornes et la vie de château ! »

Le train met plus d'une heure pour atteindre Thu-
Duc, roulant à peine plus vite qu'un homme au pas.

Pendant ce court trajet, la curiosité, l'agitation et
l'étonnement des jeunes contrastent avec l'indifférence de leurs aînés. Dans chaque compartiment les
anciens sont assis, étrangers au paysage, à la vie, à
l'atmosphère de ce pays nouveau. Ce qui compte
pour eux, c'est qu'ils sont assis, et leur attitude
blasée évoque celle des usagers des lignes de banlieue.
Les jeunes, en revanche, se disputent les rares places
d'où on peut apercevoir quelque chose.

Les postes militaires de Bînh-Hoa-Xa, de Apuong-
Nhi et de Bon-Do sont découverts perchés sur les
collines. Enfin, c'est la petite gare de Thu-Duc, puis
de nouveau la marche à pied et l'installation dans
une plantation désertée. Les locaux sont en dur.

Les 120 légionnaires sont placés sous le commandement du sergent-chef Klauss ; aucun officier ne
les a accompagnés. Jusqu'à nouvel ordre, Klauss est
responsable de la 4ᵉ compagnie, il est relié au P. C.
par un seul poste radio.

D'un regard expert, le sergent-chef a jugé la situation : le poste vient d'être quitté par la Coloniale,
la défense en est malaisée, et surtout inapte à
assurer la protection des quelques paillotes qui, à
une centaine de mètres, composent un village.

Les sergents Favrier et Lantz fouinent partout, inspectent les pièces nues, cherchant à découvrir avant les autres un abri plus agréable, tandis que Bianchini a déjà ordonné à son groupe de nettoyer une grande pièce rectangulaire et de monter les lits. Klauss dispose des sentinelles, organise un tour de garde pour la nuit.

Alors commence l'installation de la Légion étrangère. Lentement, à la lumière des torches électriques, la machine se met en route ; les murs nus commencent à vivre ; un étrange fourbi est déballé des sacs ; affaires personnelles, souvenirs trouvent leur place auprès de chaque lit, et les hommes, pourtant exténués, ne penseront pas à prendre de repos avant d'avoir créé, chacun, le cadre qui lui est propre. A intervalles réguliers, les sentinelles, troublées par le chant monotone des insectes et par les bruits étranges et inconnus montant des rizières, ouvrent le feu au hasard, brisant pour un instant la lancinante jérémiade de la nuit.

Une semaine plus tard, la routine a succédé à la fièvre. Des tranchées ont été creusées, un réseau de fils de fer barbelés défend l'accès du poste, un rideau serré de bambous sert de protection aux guetteurs, qui doivent, désormais, rendre compte de chaque coup de feu tiré et être en mesure, chaque matin, de préciser la trajectoire de leurs balles et en désigner le point d'impact.

Par roulement, les légionnaires se rendent à Thu-Duc distant de quatre kilomètres. La route semble sûre et aucun incident ne sera à déplorer pendant plusieurs mois.

La bourgade de Thu-Duc, dont ils ont fait leur paradis, comprend deux bistrots (dont l'un, la *Mère casse-croûte*, sert aussi de bordel) et une officine de jeux. Quelques heures par semaine, les permissionnaires y échappent à la monotonie de la vie de poste.

Chaque matin, six hommes et un gradé partent en patrouille, d'une allure lente et routinière. Ils ont tous le sentiment de l'inutilité de ces promenades quotidiennes. Mais Klauss a appris qu'un poste qui ne sort pas s'asphyxie, et il respecte scrupuleusement les consignes.

La vie de la 4ᵉ compagnie n'a rien de particulier. Dans un cercle de cinquante kilomètres autour de Saigon, le 3ᵉ Étranger s'est regroupé au fur et à mesure de l'arrivée des navires. Le colonel Lehur a installé son P. C. à Long-Binh, à vingt-cinq kilomètres au nord-est de Saigon. C'est de là qu'il a supervisé l'implantation des compagnies dans des postes qui ceinturent la ville et qui tous ressemblent à Thu-Duc.

Pendant les trois premiers mois d'implantation du 3ᵉ Étranger autour de Saigon les légionnaires découvriront la guérilla des embuscades, sans cadence, sans système, sans logique. Une patrouille est attaquée par des forces dix fois supérieures à son effectif, elle est généralement décimée, puis le calme revient souvent plusieurs semaines avant que l'on apprenne que, à une centaine de kilomètres de là, une autre patrouille vient, à son tour, de tomber dans un guet-apens...

La grande superficie sur laquelle étaient répartis les bataillons, la rareté et l'irrégularité de ces attaques-surprises, faisaient qu'elles étaient peu redoutées des petits groupes qui chaque matin quittaient les postes pour ce qu'ils appelaient la « promenade ».

Néanmoins, une psychose était née et elle devait rapidement tourner à l'obsession : ne pas tomber vivant aux mains de l'ennemi.

Les combattants viets dont la cruauté était connue de tous, semblaient vouer à la Légion une haine toute particulière, et les soldats du 3ᵉ Étranger qui tombaient entre leurs mains étaient martyrisés avec un raffinement sadique qui dépasse l'imagination.

Dix-sept d'entre eux furent retrouvés crucifiés dans les ruines d'un village incendié, à une vingtaine de kilomètres seulement au sud-est de Saigon. Entre les épaules, la peau de leur dos avait été découpée horizontalement au rasoir et clouée à la barre de chaque croix. Les mains avaient été liées derrière le montant vertical, de manière à permettre leur coulissement.

On estime que le supplice de ces hommes avait duré plusieurs jours avant qu'ils ne connaissent la délivrance de la mort : cédant à la fatigue, ils s'arrachèrent eux-mêmes la peau du dos, se laissant basculer en avant millimètre par millimètre.

D'autres furent empalés au bambou. Liés assis à des chaises percées, un bambou aiguisé planté sous leur siège les déchiquetait avec une atroce lenteur (la croissance d'un bambou est de plusieurs centimètres par jour).

Certains furent enduits de sirop de sucre et garrottés sur une fourmilière (les fourmis rouges d'Indochine ont la taille d'une petite abeille).

Ces atrocités, et bien d'autres, hantaient l'esprit des hommes et avaient fait naître en eux une idée maîtresse : le suicide plutôt que la capture, et cette tragique résolution était appliquée sans hésitation par chaque soldat, chaque gradé, chaque officier à l'instant où il jugeait que sa défense était devenue désespérée.

La méthode la plus courante était, bien entendu, la dernière balle que l'on gardait pour soi. Mais de nombreux légionnaires estimaient que c'était une balle gâchée et avaient appris (souvent des médecins de bataillon) comment se donner la mort à l'aide d'un poignard de combat, en bloquant la pointe entre deux côtes à hauteur du cœur et en frappant un coup sec sur le manche.

Le 26 juin 1946 à neuf heures du matin, six hommes de la 8e compagnie quittent le poste de Giong-Trom à soixante kilomètres au sud-ouest de Saigon. Ils sont précédés à 400 mètres environ par une patrouille de la Coloniale commandée par le sous-lieutenant Bacle.

La destination des deux patrouilles est le village de Cao-Mit distant d'une douzaine de kilomètres.

Les hommes comptent les parcourir en trois heures, demeurer deux heures à Cao-Mit et être de retour à leur poste dans la soirée.

Parmi les légionnaires se trouve un tout jeune Français, Lucien Mahé ; trois Allemands, Kreur, Kraatz et Hampe ; un Italien, Pazut. La responsabilité de ce petit groupe incombe à un sergent allemand, Gunther Roch.

Roch n'a pas la réputation d'être un sensible. C'est un colosse blond qui méprise et sanctionne la faiblesse. Il exécute les ordres comme un robot sans chercher à les comprendre, sans jamais les commenter, et il attend de ses subordonnés la même obéissance aveugle. Kreur et Kraatz sont arrivés ensemble à la Légion. Dans l'armée allemande ils étaient tous deux sous-officiers d'infanterie, ils appartenaient à la même unité, ils ne se quittaient jamais. Kraatz a récemment refusé une possibilité de promotion, en dédaignant l'offre de participer à un peloton qui lui aurait permis d'accéder au grade de caporal-chef, mais l'aurait éloigné deux mois de la 8ᵉ compagnie et donc de son camarade Kreur. Les hommes de la 8ᵉ les ont surnommés les « siamois ».

Lucien Mahé est le benjamin de la compagnie, tout le monde ignore comment et pourquoi, il y a six mois, il est arrivé à Bel-Abbès. Son âge est souvent un sujet de raillerie. Pour que son incorporation soit acceptée, il a dû prétendre être âgé d'au moins dix-huit ans, mais malgré une saine et solide constitution il ne semble pas avoir plus de seize ou dix-sept ans. Quant à Pazut, l'Italien, c'est un ancien policier fasciste, petit, malin, au teint de pruneau. Il doit peser tout au plus une soixantaine de kilos, rien n'altère jamais sa bonne humeur et il a le goût de la plaisanterie facile. Pourtant il passe son temps à se plaindre de tous et de tout.

Après un quart d'heure d'une marche lente et précise, les six hommes sont en nage ; les insectes attirés par l'odeur de la sueur tournoient, bourdonnent, se posent, piquent, semblent se jouer des gifles que les légionnaires se plaquent sur le cou et les jambes, dans d'inutiles efforts.

Seul, en tête, le sergent Roch paraît insensible à la danse des moustiques, il marche, réglant de son pas de métronome, la cadence de ses hommes.

Comme à chaque mission, Pazut placé en serre-file vocifère, prenant à témoin de son infortune tous les saints du ciel. De temps en temps, Kraatz lance :

« Ta gueule, Pazut, tu nous emmerdes ! »

Un instant l'Italien se calme, puis son monologue reprend au même rythme, jusqu'au suivant : « Ta gueule, Pazut, tu nous emmerdes ! »

A l'approche de Cao-Mit l'humeur de Pazut se modifie. Sur la musique d'une rengaine napolitaine, il improvise maintenant des paroles à la manière d'un chanteur de flamenco.

Kreur constate :

« Le moral du Rital va mieux, c'est un vrai compteur kilométrique ce gars-là. Quand il chante, c'est qu'on n'est plus loin du but.

— N'empêche, réplique Hampe, que je le trouve bruyant, l'endroit ne me paraît pas tellement choisi pour se faire remarquer. »

Roch interrompt :

« Tu t'imagines que je le laisserais gueuler si on avait une chance de passer inaperçus ! S'il y a des viets dans le secteur ils savent d'où on est parti et où on va, c'est pas le silence de Pazut qui changerait quelque chose.

— Sincèrement, vous y croyez aux viets dans le secteur, sergent ? interroge Kraatz. Trois mois qu'on traîne par ici et on n'en a pas vu un seul.

— Je ne suis pas là pour croire ou pas croire, je suis là parce qu'on m'a dit d'y être », tranche Roch.

Il est juste midi lorsque le groupe de Roch arrive sur la place de Cao-Mit. Les hommes de la Coloniale sont déjà installés au bistrot. Le sous-lieutenant Bacle s'est rendu au rapport chez le chef de poste.

Les cinq légionnaires s'assoient à leur tour devant

une table bancale et commandent des canettes de
bière qu'ils ingurgitent d'un trait. La bière semble
ressortir instantanément par tous les pores de leur
peau. Les cinq hommes ruissellent, ils s'essuient simplement le haut du visage d'un revers de manche,
ou à l'aide d'un mouchoir douteux, pour protéger
leurs yeux. Pour le reste, ils ont pris l'habitude. L'intérieur de leur casque de liège, et les sangles en
cuir de leur sac et de leur fusil sont imprégnés de
transpiration ; le cuir en garde une curieuse souplesse et exhale une odeur qui leur est devenue
familière.

C'est une compagnie de la Coloniale qui occupe
le poste de Cao-Mit, 120 hommes, 80 p. 100 de Marocains.

« Dites, les gars, déclare Pazut, il paraît qu'ils ont
un bordel ici, on a peut-être le temps de se refaire
une santé avant de rentrer au bagne !

— T'as surtout le temps de te faire plomber !
remarque Kraatz. Avec le tas de boucs qu'il y a ici,
elles doivent pas être fraîches les putes ! »

Tous, sauf Pazut, éclatent de rire.

« Les boches, constate Pazut, c'est né raciste, ça
crève raciste, y a pas à sortir de là. »

Kraatz ne relève pas, il se contente de hausser les
épaules avec dédain. Pazut semble embarrassé :

« Je te demande pardon, je voulais juste rigoler,
je voulais pas te vexer.

— Tu m'as pas vexé, et tu ferais mieux d'offrir à
boire au lieu de pleurnicher.

— Ça, c'est une idée, tranche Lucien Mahé. Pazut
n'a qu'à payer à boire chaque fois qu'il dit une
connerie.

— Comme ça, constate Kreur, on sera bourré du
matin au soir. »

Vers quinze heures, les légionnaires ont déjà parcouru un tiers du chemin du retour, mais la marche
leur semble plus pénible qu'à l'aller. Ils sont alourdis

par le repas et la bière, et la chaleur est devenue presque intolérable.

La patrouille parvient à l'endroit où la piste longe un bourbier marécageux. Sur leur gauche la densité de la forêt rend la jungle insondable ; à droite quelques banians émergent du marécage — sorte de figuiers géants dont les branches paresseuses tombent mollement dans l'eau glauque.

L'écho créé par le premier coup de feu vibre encore quand, d'un bond gigantesque, le sergent Roch se jette à l'abri d'un banian, soulevant une flaque de boue dans le marais. Instinctivement les hommes l'imitent, leur surprise n'a duré qu'une fraction de seconde. Lucien Mahé, le petit Français de seize ans, est resté sur la piste, gisant les bras en croix, il a été tué sur le coup d'une balle dans la tempe. Autour des cinq survivants tout semble calme ; c'est devant eux que le tir se déclenche sur la patrouille de la Coloniale qui les précédait.

La voix de Roch est restée paisible. Il parle juste assez fort pour être entendu des quatre légionnaires tapis derrière leurs arbres :

« On remonte par le marécage par sauts de dix mètres, en se planquant derrière les arbres. Les viets sont de l'autre côté dans la forêt, deux F. M. en batterie à chaque arrêt. Il faut essayer de dégager les Coloniaux.

— Compris, jette Kraatz. On vous suit. »

Au troisième bond, le groupe est repéré et « allumé » par les viets. L'ennemi se révèle beaucoup plus nombreux que ne l'avait pensé Roch. Son tir est précis et efficace. Les légionnaires ne peuvent pas bouger de l'abri que forment pour eux les troncs énormes des banians. Un peu au hasard chacun d'eux lance deux grenades dans la forêt de l'autre côté de la piste.

Trois ou quatre grenades font du dégât ; elles obligent les viets à se découvrir, et aussitôt les deux fusils mitrailleurs se mettent à cracher. Plusieurs viets sont atteints.

Roch se retourne pour situer ses hommes. Kreur

et Kraatz sont réfugiés derrière le même banian, ils ont un F. M. et un pistolet mitrailleur. Trois ou quatre mètres sur leur gauche, un peu en retrait, Hampe sert le second F. M. Pazut a disparu.

Pendant un instant les viets cessent leur tir, cherchant sans doute à user les nerfs des légionnaires et à les amener à commettre une faute, puis brusquement, contre toute logique, quatre d'entre eux se précipitent à l'assaut en criant. Roch en abat deux sur la piste au pistolet mitrailleur, et s'aperçoit étonné que les deux autres sont également tombés foudroyés. Pourtant ils ne se trouvent pas dans la ligne de tir des trois légionnaires qu'il a situés derrière lui.

De nouveau c'est l'accalmie. Roch se retourne une fois de plus et comprend que Pazut a trouvé un refuge dans un buisson formé d'un fouillis verdoyant d'aréquiers nains, à peine à cinq mètres en retrait sur sa droite. Sans quitter la piste et la forêt des yeux, le doigt sur la détente de son pistolet mitrailleur, Roch se met à parler à voix basse mais en prenant soin d'articuler tous ses mots.

« Pazut, je crois que j'ai repéré ta planque. Si tu m'entends, réponds juste un mot.

— J'entends bien, chef, répond instantanément Pazut qui se trouve à l'endroit précis où Roch l'avait situé.

— *Gut !* Tu restes où tu es. Tu ne me réponds pas, tu ne bouges plus, tu ne tires plus.

— Mais... interrompt Pazut.

— Ta gueule ! J'ai dit : pas un mot. Je pense qu'ils ne t'ont pas repéré. Tu t'étouffes, c'est un ordre. Tu m'entends : un ordre. »

Cette fois Pazut ne répond pas.

Kreur et Kraatz ont entendu le monologue du sergent. Ils ont compris. Ils sont un peu plus éloignés de Roch ; pour se faire entendre, ils sont obligés de parler un peu plus fort.

« On est foutus, chef ? lance Kraatz.

— Ta gueule. Tu verras bien. »

Roch sait que son groupe est perdu. Il estime les

agresseurs à une centaine au moins. Le silence revenu
en avant laisse présumer l'anéantissement de la
patrouille de la Coloniale qui progressait en tête. En
transmettant ses ordres à Pazut, il vient une dernière fois d'appliquer à la lettre le règlement de la
Légion : préserver dans la mesure du possible la
vie d'un homme qui pourra faire un rapport.

Soudain un tir d'enfer se déclenche. Roch se rend
compte qu'il ne s'était pas trompé dans son estima-
tion. En outre, les viets possèdent des armes automatiques. Les écorces des banians sont criblées et,
malgré le vacarme étourdissant des détonations les
légionnaires perçoivent le claquement étrange que
font les balles en ricochant sur la surface nauséa-
bonde du marécage dans lequel ils ont cherché refuge.
Économisant leurs munitions, espaçant leur riposte
de cinq minutes en cinq minutes, les légionnaires
ne tirent qu'une rafale à la fois. Leur seule ressource
reste de signaler leur présence à l'ennemi et de
l'empêcher de passer à l'attaque.
Les cinq hommes savent qu'ils ne peuvent pas
compter sur un envoi de renforts : une compagnie
entière pourrait être anéantie par les viets embusqués, et ni Cao-Mit, ni Giang-Trom ne possèdent
d'artillerie.
Hampe décide d'en finir. Il bondit de son abri,
tenant son fusil mitrailleur sous le bras, le trépied
avant replié. Debout sur la piste, il tire sans interruption, hurlant en allemand les pires insultes. Il est
atteint d'une rafale en pleine poitrine. Il tombe à
genoux. Plusieurs tireurs s'acharnent sur lui, épar-
gnant la tête afin de prolonger son agonie. Hampe
est maintenant à quatre pattes ; par un miracle
d'énergie, il trouve la force de dégoupiller une grenade et de la maintenir contre la culasse mobile de
son fusil mitrailleur sur lequel il s'écroule. Il est
probablement mort lorsque trois secondes plus tard
la grenade explose, secouant son corps d'un dernier

sursaut. Hampe a respecté l'ultime consigne : détruire son arme. La terre sèche de la piste a absorbé le sang du légionnaire avec la gloutonnerie d'un buvard, laissant seulement auprès du corps déchiqueté une pâle tache rosâtre.

Bien qu'ils ne parviennent pas à distinguer les silhouettes des combattants viets Kraatz et Kreur ont repéré plusieurs des emplacements de feu de l'ennemi. Ils tirent, coup par coup, au fusil mitrailleur. De son côté, le sergent Roch lance des grenades à intervalles irréguliers. Les viets ne peuvent envisager une attaque à découvert sans encourir des pertes superflues. Ils savent que les légionnaires sont inexorablement pris au piège, car en cette période de pleine lune, la nuit ne leur permettra pas de se replier. Ils savent qu'ils ont tout le temps pour la mise à mort.

Entre deux jets de grenade Roch ne regarde même plus dans la direction de la forêt : il demeure assis, adossé au tronc du banian, laissant à Kraatz et Kreur le soin de déceler une attaque éventuelle. Il a allumé une cigarette. En tirant les premières bouffées, il détache calmement le bracelet métallique de sa montre qu'il regarde un instant avant de la jeter aussi loin que possible dans le marécage. Son geste n'est pas passé inaperçu de Kraatz et Kreur qui pourtant ne le commentent pas.

Un peu plus tard, Kraatz interpelle le sergent.

« On a du schnaps, chef. Vous en voulez ?

— Envoyez. Pas de refus. »

Kraatz vide un bidon de l'eau qu'il contient et y verse la moitié d'un second bidon, puis le lance d'un geste précis vers l'abri du sergent, après avoir soigneusement vissé le bouchon.

Les trois Allemands ont échangé ces brèves paroles en français : toujours serré dans sa cache, Pazut se demande si c'est par courtoisie à son égard ou simplement par habitude. Pendant un instant Kreur et Kraatz parlent entre eux à voix trop basse, et ni Roch ni Pazut ne saisissent le sens des paroles qu'échangent les « siamois ». Puis, de nouveau, Kraatz élève la voix pour s'adresser au sergent :

« Kreur va tenter une sortie par-derrière, chef. On le couvre au maximum dans dix secondes. D'accord ?

— Aucune chance.

— Et alors ?

— Alors, d'accord. »

Presque simultanément le F. M. de Kraatz et le pistolet mitrailleur de Roch crépitent tandis que Kreur s'élance dans le marécage. Après trois pas, l'eau boueuse a atteint sa taille. Il fait des efforts désespérés pour s'éloigner, mais il s'enlise de plus en plus. L'eau arrive jusqu'à sa poitrine quand il est transpercé par plusieurs balles qui le frappent dans le dos. Il s'enfonce verticalement et disparaît un instant. Comme il s'était débarrassé de ses chaussures et de sa cartouchière, son corps réapparaît à la surface plusieurs minutes avant de s'enfoncer définitivement. Il n'a pas saigné, et au bout d'un moment ni Roch ni Kraatz n'auraient pu désigner avec certitude le point de sa disparition.

Les deux survivants ne se regardent pas. Roch dévisse son bidon et avale une large gorgée d'alcool de riz. Une heure encore ils tiendront en échec la compagnie viet, économisant les coups qu'ils tirent, se contentant de faire la preuve de leur vitalité. Dans son abri, Pazut continue à respecter les consignes : il fait le mort.

Le jour baisse rapidement et, sans avertir, Kraatz profite de la lumière incertaine pour tenter de rejoindre le sergent. Gêné dans sa course par le F. M. dont il n'a pas voulu se séparer, il est repéré au deuxième bond et frappé d'une balle en plein flanc juste avant d'atteindre son but et de s'écrouler, à l'abri, auprès de Roch qui l'aide à trouver une position supportable. La blessure du légionnaire n'est pas mortelle mais il perd son sang et Roch ne dispose d'aucun moyen pour enrayer l'hémorragie. De toute façon tous deux savent que cela ne servirait à rien. Ils se partagent le reste du bidon d'alcool. Roch allume une nouvelle cigarette et, du regard, en propose une au blessé qui refuse d'un signe. Alors, très vite, sans aucune hésitation, Roch saisit le F. M. et tire une rafale entière dans la nuque de son compagnon, puis, avec des gestes d'automate il démonte l'arme et en jette les pièces, une à une, au loin dans le marécage. Enfin, sans transition, il arme de nouveau son propre pistolet mitrailleur et retourne le canon contre sa tempe : son pouce crispé sur la détente commande le tir d'une rafale entière. Son corps s'affale mollement.

Pazut garde un long moment dans ses oreilles le sifflement provoqué par le fracas des détonations.

Dans la forêt les viets ont compris. Avec méfiance trois d'entre eux sortent de leur abri. L'absence de réaction et l'inspection sommaire du charnier leur font conclure à l'anéantissement de la patrouille. Alors, sur un cri aigu de l'un des éclaireurs, un tourbillon vociférant déferle sur la piste. A coups de crosse, les viets s'acharnent sur les cadavres dont ils font éclater les crânes.

Horrifié, Pazut profite de leur excitation pour quitter son abri en rampant dans la boue. Il s'est débarrassé de ses chaussures et de son casque. De toutes ses armes, il ne conserve que son poignard de commando. Après quelques mètres, il s'enfonce dans le marécage. Bien que la profondeur de l'eau soit bien inférieure à sa taille, il ne laisse émerger que sa tête, il avance sur ses genoux qui reposent sur le fond boueux. En une heure, il parcourt ainsi une centaine de mètres puis il reprend pied sur un terrain mou et herbeux. Devant lui, il distingue dans le clair de lune un groupe de paillotes lépreuses qui semblent abandonnées. Avec d'infinies précautions il s'en approche, constate l'absence de vie, et va se terrer, épuisé, dans l'une d'elles.

La paillote est infestée de rats que l'intrusion du légionnaire n'effraie même pas. Dans un coin il aperçoit une couche surélevée de quelques centimètres, reposant sur des cales de bois. A l'opposé un silo à riz pourvu d'un couvercle. Pazut s'y glisse et ramène le couvercle sur lui. Sa petite taille lui permet de se tenir recroquevillé dans le réservoir qui, de fabrication sommaire, et détérioré, laisse passer l'air tout en le protégeant des rats. Par une fente, placée face à la porte de la paillote, Pazut a un champ visuel suffisant pour déceler la moindre approche.

Pendant près d'une heure, rien ne se passe et Pazut commence à reprendre espoir. Soudain, il est tiré de sa torpeur optimiste par un tumulte croissant : les viets s'abattent sur les paillotes comme une nuée de sauterelles. Épouvanté, le légionnaire distingue un groupe qui tire, en les traînant dans la poussière, les corps de ses quatre compagnons liés par les pieds. Les cadavres sont pendus à deux branches d'arbre ; la lumière d'un feu de bois allumé par les rebelles projette sur les paillotes de sinistres ombres mouvantes. Pazut a dégagé son poignard de sa gaine. Comme on le lui a enseigné, il en bloque la pointe entre deux côtes à hauteur du cœur. Il attend, décidé à ne pas se rendre s'il est découvert.

A la lueur du feu, il aperçoit plusieurs femmes. Elles portent le même uniforme sommaire que les soldats rebelles. Elles sont armées. Une heure encore se passe. Puis un couple pénètre dans la paillote de Pazut. La femme rit ; elle tire le viet par sa manche. Pazut accentue la pression de son poignard contre sa poitrine. Il se blesse sans s'en apercevoir. Le couple s'installe sur le grabat. En riant par petites saccades, la femme déshabille le soldat.

« Ils vont baiser, ces salopards ! pense Pazut. Si par miracle je sors de là, on ne me croira jamais. »

Plusieurs hommes se relaieront sur le grabat. Ils paraissent avoir l'habitude. Puis une autre femme prendra la place de la première et les ébats sexuels se poursuivront toute la nuit.

Un peu avant l'aube, la troupe au complet s'éva-

nouit. Pazut attend encore une demi-heure avant de
bouger. Quand, enfin, il sort du silo, il tremble de
froid et de peur. Ses membres sont presque paralysés.
Il a saigné toute la nuit sans s'en apercevoir. Pourtant
il parvient à marcher. Un instant, il hésite à couper
les cordes qui soutiennent les corps pendus de ses
compagnons. Mais il juge que ce serait prendre un
risque inutile : les viets ont abandonné le secteur
et Pazut peut tenter de regagner de poste de Giang-
Trom.

Toute la journée Pazut se déplace par petits bonds
comme un animal traqué, attentif au moindre bruit
suspect. Vingt fois il se terre dans une immobilité
totale, insensible aux piqûres de moustiques, aux
fourmis qui s'infiltrent dans les jambes de son pantalon par grappes entières. Il s'oriente par instinct.
Lorsque enfin il aperçoit les lumières du poste, il
est près de vingt heures ; la nuit est tombée et il lui
reste une nouvelle difficulté à surmonter : il ignore le
mot de passe et il connaît la méfiance dont font
preuve les sentinelles de la Coloniale. Au « Qui va
là ? » lancé par une voix à forte résonance nord-
africaine, il répond bêtement : « C'est la Légion. »
Une rafale de fusil mitrailleur crépite instantanément. Les balles ricochent sur un rocher, à peine à
deux mètres de lui. Les nerfs de Pazut craquent ; il
se jette à plat ventre, les deux mains sur le crâne ;
il écrase son nez sur la terre rocailleuse ; il est
secoué d'un tremblement convulsif, il geint, il pleure.
La sentinelle continue à tirer coup par coup dans
la direction d'où proviennent les plaintes. Miraculeusement, Pazut n'est pas atteint. Par chance un caporal-
chef, bientôt suivi d'un sergent, ont rejoint le poste
de guet, attirés par le bruit de la fusillade. Bien
qu'excessivement méfiants, ils font cesser le feu et
tentent d'engager le dialogue ; le sergent hurle :
« Qui va là ? »
Il faut plus d'une minute à Pazut pour se reprendre
et crier à son tour :

« Pazut, Légion étrangère ! Tirez pas, mon lieutenant ! Tirez pas ! »

Sans relâcher sa vigilance, le sergent lance :

« Qu'est-ce que tu fous là ? »

Pazut reprend ses esprits, l'espoir renaît brusquement en lui.

« Survivant du groupe Roch, 8e compagnie, 3e Étranger. »

Evidemment ça colle : le sergent n'ignore rien de l'embuscade de la veille. Néanmoins une ruse n'est pas exclue, les viets peuvent avoir obtenu les renseignements criés par le légionnaire en fouillant les morts ou en torturant un survivant.

Pazut est trop loin pour être atteint par le faisceau de la lampe torche portative, que les coloniaux ont braqué dans sa direction.

« Tu distingues le bout du faisceau ? crie le sergent à Pazut.

— Oui, mon lieutenant, j'en suis pas loin.

— Tu vas te présenter de face à la lumière ! A poil, tu m'entends, à poil ! Si tu gardes seulement ton bracelet-montre, je te flingue comme un lapin.

— Compris, mon lieutenant, lance Pazut en commençant à arracher ses vêtements. A poil, complètement à poil. Compris.

— Et les mains en l'air, les doigts écartés », ajoute le caporal.

Conscient du danger qui le menace, Pazut suit les instructions à la lettre. Nu comme un ver il s'avance lentement dans le faisceau lumineux. A chacun de ses pas, les trois hommes de la Coloniale se détendent davantage. De son côté Pazut reprend de l'assurance malgré sa situation grotesque. Quand il n'est plus qu'à cinq mètres, l'évidence balaie le dernier doute.

Le caporal, un pied-noir, lance, narquois :

« Ils sont gironds dans la Légion ! C'est une vraie petite caille, ce rombier ! »

Mais lorsque Pazut pénètre enfin · dans l'abri, personne n'a plus envie de plaisanter : le petit légionnaire s'écroule la tête dans les mains, repris par ses convulsions nerveuses. Le sergent enlève sa chemise et aide Pazut à l'enfiler, puis il l'escorte jusqu'à la popote des sous-officiers où le capitaine Joliot les rejoindra, recueillant le premier le témoignage de Pazut, qui figure en détail dans le journal de marche du 3ᵉ Étranger.

Maìs ce récit, Pazut n'en réserva pas l'exclusivité aux dossiers de l'armée. Il tint de véritables conférences de popotes, mimant et contant la fin tragique de ses compagnons. Il narra l'épisode du silo de riz et les ébats des viets avec un tel luxe de détails, qu'il fut surnommé par les légionnaires de la 8ᵉ compagnie : « Le voyeur. »

Ce surnom lui resta et fut même employé par la suite par des hommes qui ignoraient tout de son aventure.

Blessé trois ans plus tard sur la frontière de Chine, Pazut fut rapatrié et réformé. Il tient aujourd'hui un bar à Cattane en Sicile, d'où il était originaire.

3

Violentes et cruelles, les embuscades se renouvelaient à une cadence de plus en plus accélérée, mais les légionnaires qui vécurent cette fin d'année 1946 en Cochinchine en gardent un doux souvenir. Leur enfer était encore devant eux.

L'implantation du 3e Étranger en Extrême-Orient avait été précédée de quelques mois par celle du 2e qui avait vu, lui aussi, ses bataillons et ses compagnies dispersés sur l'ensemble de la Cochinchine. Il ne restait à Saigon qu'une compagnie de base arrière, cantonnée à la sortie nord de la ville.

Le lieutenant-colonel Babonneau, commandant en second du 2e Étranger, avait établi ses quartiers au sein de cette compagnie, la 8e, qui était composée uniquement de vétérans, survivants des campagnes de Tobrouk, Bir-Hakeim et d'Italie. Le lieutenant-colonel Babonneau avait lui aussi participé à ces combats qui avaient contribué à affirmer sa réputation de baroudeur héroïque. S'exposant souvent inutilement sur les champs de bataille, Babonneau considérait que les risques qu'il courait étaient largement compensés par l'estime qu'il gagnait ainsi aux yeux de ses hommes.

Les faits d'armes du lieutenant-colonel Babonneau illustrent l'histoire de la Légion étrangère. Mais si son souvenir reste aujourd'hui légendaire, ce n'est pas seulement à sa témérité au combat qu'il le doit.

Par ses excentricités Babonneau avait retardé son

avancement et il ne jouissait en haut lieu que d'une estime modérée. En revanche, il n'existait pas, au 2ᵉ Étranger, un seul légionnaire qui ne se serait précipité au feu pour lui. Sur ses états de service, les citations les plus glorieuses voisinent avec les blâmes les plus inattendus.

De taille moyenne, le lieutenant-colonel Babonneau possédait une force herculéenne, c'était un sanguin, buveur jovial et coléreux ; il s'exprimait dans le langage imagé et chantant des Gascons. Malgré son grade et son âge, il continuait à accompagner souvent ses hommes en patrouille, marchant en tête de colonne un long bâton à la main, occupant la place d'un sous-officier.

L'étrangeté de son comportement ne s'arrêtait pas là. Chaque samedi à l'heure du quartier libre, le colonel sortait avec ses légionnaires, vêtu d'une tunique de 2ᵉ classe et d'un képi blanc. Il faisait la tournée des bistrots et des bordels, se livrant à de gigantesques beuveries qui voyaient généralement leurs dénouements aux postes de gendarmerie.

Pendant vingt-quatre heures ses hommes l'appelaient « Babs », le tutoyaient et cela sans affectation ni malice. Jamais aucun d'eux ne chercha à profiter de la situation pour en tirer un avantage quelconque et jamais durant le service la moindre allusion aux écarts hebdomadaires du colonel n'était faite.

Par une soirée étouffante de la fin du mois de juin 1946, le lieutenant-colonel Babonneau est distrait d'un routinier travail de paperasserie par l'apparition inattendue du légionnaire Boris Volpi, qui se tient au garde-à-vous à un mètre derrière la porte ouverte de son bureau.

Volpi n'est pas un inconnu pour le colonel : depuis des années l'estime qu'il lui porte s'est souvent muée en faiblesses, créant une situation dont le légionnaire abusa inconsciemment maintes et maintes fois.

Volpi est un géant polonais blond aux muscles longs. Il a un visage sans défaut et il possède le charme qui émane souvent de ce genre de colosses slaves. Depuis son engagement à la Légion, huit ans auparavant, Volpi a acquis et confirmé une réputation d'homme à femmes, laissant derrière lui un nombre sans cesse croissant de conquêtes déçues.

Le lieutenant-colonel Babonneau (dont il fut longtemps l'ordonnance) recevait régulièrement toutes sortes de plaintes relatives au comportement du grand Polonais. Amours déçues, confiances trahies, promesses méconnues, maris bafoués, parents déshonorés. Devant ces doléances, le lieutenant-colonel compatissait, promettait des sanctions et les appliquait. Mais auparavant, il recevait d'homme à homme les confidences et les explications de Volpi, et il retirait un vif plaisir à l'audition des récits du légionnaire qui se justifiait gauchement, basant ses excuses sur une moralité toute personnelle.

Ce jour-là, Volpi a l'œil droit tuméfié et le colonel pressent un récit croustillant.

« Entre ! dit-il. Qu'est-ce que tu veux ?

— Mon colonel, j'ai encore fait une connerie.

— Ça, je m'en doute, il n'y a qu'à voir ta gueule.

— Faut pas rigoler, mon colonel, c'est grave !

— Je t'écoute.

— Voilà, mon colonel, j'étais en train de baiser...

— ...Tes histoires commencent toujours de la même façon.

— Faut pas rigoler, mon colonel, c'est grave.

— Bon, vas-y.

— C'était la congaï d'un type de la Coloniale et le v'là qui s'amène et qui gueule et qui me balance une pêche sans prévenir ; alors moi, je la lui rends et y gicle à trois mètres ; alors le v'là qui gueule qu'il est colonel et qu'il va me faire passer le falot ; alors je le regarde mieux et m'aperçois qu'il dit vrai, qu'il est bien colonel ; alors je lui balance une pêche plus fort pour qu'il se taise. La salope se met à guculer à son tour, alors je lui balance aussi une pêche et je me rhabille et je m'en vais pendant qu'ils dorment tous les deux. Et puis après, j'ai pensé que j'allais avoir des ennuis. »

Babonneau, attentif, a écouté le récit du légionnaire ; pas un muscle de son visage n'a bougé et il est impossible de déceler ses sentiments.

Pourtant le lieutenant-colonel est intérieurement ravi. L'image qu'a fait naître en lui l'exposé de Volpi l'amuse considérablement. D'autre part, il y a de sérieuses chances pour que le colonel rossé étouffe l'affaire, préférant passer l'éponge plutôt que de s'exposer aux sarcasmes sournois qu'accompagnerait immanquablement une enquête officielle. Néanmoins, Babonneau juge préférable de prendre certaines précautions.

Sans adresser un mot à Volpi, il convoque le sergent de garde qui se présente instantanément :

« Fous-moi Volpi en taule ! ordonne-t-il. Et marque-le rentrant à la date d'hier.

— Motif ? » interroge le sergent.

Babonneau hausse les épaules.

« Comme d'habitude : pédérastie. Trouve n'importe quoi. »

Le sergent se fend d'un large sourire.

« A vos ordres, mon colonel. »

Puis, se tournant vers Volpi :

« Allez ! Amène-toi, Suzanne ! »

Volpi serre les poings. Ce n'est pas la première fois que le colonel use de ce subterfuge pour le dédouaner ; non seulement il laisse les plaignants sans arguments, mais il remplit de joie la compagnie tout entière, aux dépens du don Juan.

Vers dix heures du soir, Babonneau s'aperçoit que son calcul était faux : un coup de téléphone de la Sécurité militaire l'informe qu'une plainte a été déposée contre un de ses légionnaires pour agression sur la personne d'un officier supérieur. Il est hors de question d'étouffer l'affaire, le plaignant faisant preuve d'une implacable fureur.

Quelques instants plus tard, le colonel X appelle

à son tour Babonneau. Il se montre courtois mais intraitable. Il déclare être certain de reconnaître son agresseur, d'autant plus facilement qu'il est persuadé de l'avoir marqué d'un coup violent à l'œil droit. Il informe Babonneau qu'il se présentera le lendemain, accompagné des représentants de la police militaire, afin de reconnaître le coupable, dans le cas où Babonneau ne l'aurait pas d'ici là identifié.

Après avoir assuré l'officier de la Coloniale de sa collaboration, Babonneau raccroche, inquiet. Il n'est pas question de livrer Volpi au conseil de guerre, l'une des règles d'or de la Légion est de laver son linge sale en famille. Les sanctions appliquées au sein des bataillons ne sont pas plus douces envers les coupables, souvent même plus sévères, mais ceux-ci sont jugés dans l'esprit Légion, sur une base de moralité différente. Enfreindre cette loi serait grave, et Babonneau en est conscient.

Il lui faut moins d'un quart d'heure pour mettre au point un système de défense et lorsqu'il sort de son bureau à grands pas, le sourire qu'il arbore dénote sa satisfaction.

Il est près de minuit lorsque le lieutenant-colonel ordonne le rassemblement de la compagnie dans la cour du cantonnement. Il faut moins d'un quart d'heure à la centaine d'hommes pour être alignés en tenue sur quatre colonnes au garde-à-vous. Un lieutenant, quatre adjudants et une dizaine de sergents ont réglé la manœuvre.

Avant d'ordonner le repos, le colonel déclare :

« Légionnaires, j'ai besoin de volontaires... »

La compagnie au complet avance d'un pas, respectant ainsi une autre règle sacrée de la Légion étrangère. La coutume veut que l'on interrompe l'officier qui réclame des volontaires avant qu'il expose les raisons de sa requête, soulignant ainsi qu'à la Légion tous sont volontaires pour tout.

« ...Merci, repos, déclare Babonneau. Ce que j'ai à vous demander est assez spécial. L'un de vous s'est

mis ce soir dans une situation qui ressort du conseil
de guerre. Je ne peux pas le couvrir, car il est iden-
tifiable par un cocard qu'il a reçu à l'œil droit. Et
demain matin la police va venir passer une inspection
de la compagnie à laquelle il m'est impossible de
m'opposer.

— Compris, mon colonel, coupe le lieutenant. Exécution par groupes de dix. Sans que ça dégénère,
vous vous balancez mutuellement un gnon sur l'œil
droit. »

Les hommes prennent l'ordre avec bonne humeur.
La perspective de recevoir un coup est largement
compensée par le fait qu'ils vont avoir à en donner un.

Le lendemain, devant le colonel X et la prévôté
médusés, Babonneau feint la surprise avec une parfaite mauvaise foi, laissant entendre que l'initiative
de cette mascarade incombe sûrement au coupable.

« Que voulez-vous, déclare-t-il au colonel X, à la
Légion les hommes se soutiennent, mais comptez sur
moi pour poursuivre l'enquête. »

Le colonel X reconnaît pourtant formellement Volpi,
déclenchant ainsi la seconde phase de l'opération.

« Volpi ! dit Babonneau en riant, vous ne pouvez
que faire erreur. C'est la folle du régiment ! La seule
vue d'une femme lui fait horreur. D'ailleurs, il est en
prison depuis vingt-quatre heures. Je n'ai pas vérifié
le motif, mais c'est sûrement encore une histoire
d'homosexuels. »

S'apercevant tout à coup qu'il va être la risée du
contingent tout entier si l'affaire s'ébruite, le colonel X tourne les talons sans saluer. Babonneau n'en
entendra jamais plus parler. Quant à Volpi, il restera
six semaines en prison après s'être fait menacer,
comme chaque fois, de castration à la prochaine
incartade.

Le colonel Babonneau ne devait pas demeurer
longtemps en Indochine : peu après cet incident, il
était rapatrié à la suite d'une blessure qui, malgré

sa gravité, ne figure pas dans ses états de service.

Après une soirée particulièrement houleuse passée en compagnie de ses hommes, le lieutenant-colonel Babonneau fit le pari de rattraper en jeep la « rafale » — le train rapide Saigon-Hanoï — et de franchir avant lui le passage à niveau (ouvert en permanence) du poste de Kan-Hoa, distant d'une vingtaine de kilomètres.

Il y réussit presque. Hélas ! l'arrière de la jeep fut happé par le train, et le véhicule projeté à dix mètres avec ses quatre occupants qui se retrouvèrent à l'hôpital de Saigon. La carrière du lieutenant-colonel Babonneau prenait fin.

Pour la Légion, elle, la guerre, allait pourtant bientôt commencer.

4

Le 18 novembre 1946, le 3ᵉ Étranger est regroupé à Saigon en vue de son prochain embarquement pour le Tonkin. Dans toute la Cochinchine les légionnaires plient bagage sans espoir de retour. Une fois de plus les souvenirs sont entassés à la hâte. On fait le ménage à fond avant de quitter les lieux ; cela fait partie de l'orgueil de la Légion. La plupart des hommes ont des liaisons avec des congaïs ; les adieux sont souvent déchirants, accompagnés de promesses qui ne dupent personne. Même les gradés ignorent leur destination, mais cela ne les préoccupe pas. Ils ne savent pas non plus grand-chose de la nature des combats dans lesquels ils seront engagés. Cela aussi les laisse indifférents.

Les 3ᵉ, 4ᵉ, 5ᵉ et 6ᵉ compagnies du 1ᵉʳ bataillon embarquent le 20 novembre à Saigon à bord du croiseur auxiliaire *Jules-Verne*. Ils apprennent quelques heures plus tard que leur destination est Haïphong.

Le troisième et dernier jour de la traversée est un calvaire pour les légionnaires. Le *Jules-Verne* a pénétré à l'aube dans le golfe du Tonkin. La mer est démontée et le croiseur roule et tangue. Un fort vent arrière rabat la fumée vers le pont sur lequel les hommes sont affalés comme des loques. Vers dix-huit heures le croiseur double le cap de Doson, et la mer s'apaise — véritable lac à l'embouchure de la rivière Cä Cân qui conduit au port d'Haïphong.

Il faut moins d'une heure aux légionnaires pour

récupérer et lorsque vers vingt heures le *Jules-Verne* pénètre dans le port, les hommes attentifs, silencieux et stupéfaits, découvrent la ville dévastée, les foyers d'incendie encore nombreux, les ruines, les cendres du grand centre industriel tonkinois.

Depuis près d'un an on se bat dans Haïphong. Au début de 1946, la ville fut envahie par les troupes chinoises qui pillèrent et ravagèrent le Tonkin. A cette époque, Tchang Kaï Chek avait résolu d'exterminer le Viet-minh, et, malgré sa répugnance, Ho Chi Minh fut contraint de faire appel au Corps expéditionnaire français.

Au printemps de 1946, en accord avec le Viet-minh, la division Leclerc, appuyée par l'artillerie de marine, débarquait à Haïphong et chassait les Chinois au cours de sanglants combats qui achevèrent la destruction de la ville.

Les quelques mois qui suivirent furent plus calmes, mais l'étrange situation créée par la coexistence des troupes viets et françaises se détériorait de jour en jour. Au milieu de l'automne, devant la pression croissante du Viet-minh sur les postes français, le Corps expéditionnaire passait à l'attaque dans Haïphong, se rendant maître de ce qui restait de la ville. Le 21 novembre la Légion étrangère débarquait en renfort.

Sur le quai, Klauss, Bianchini, Favrier et Lantz rassemblent les hommes de la 4e compagnie. Le lieutenant Mattei n'est pas à leur tête ; il a été hospitalisé à Saigon, victime d'un type d'attentat qui, à l'époque, coûtait la vie à de nombreux officiers français : il a absorbé une soupe chinoise assaisonnée de fibres de bambou — empoisonnement aussi facile qu'indétectable, destiné à perforer l'estomac.

En l'absence de Mattei, le sergent-chef Klauss apprend qu'il reste seul responsable de la 4e compagnie et qu'une patrouille de la division Leclerc va le conduire sur les hauteurs de la ville où se trouve son cantonnement provisoire.

Les légionnaires de la 4e compagnie se mettent en route à travers les rues dévastées. Une odeur âcre et pestilentielle s'élève des charniers. Des centaines de morts n'ont pas trouvé de sépultures et pourrissent, déchiquetés par les chiens affamés ou les rats.

La compagnie Klauss est affectée dans un quartier en partie épargné, en bordure de la ville, à proximité de la route du terrain d'aviation de Catby. Les légionnaires pénètrent étonnés dans une vaste et fastueuse habitation. C'est la copie d'un palais chinois qui reflète bien tout l'insolite de la situation à Haïphong. Les meubles sont intacts et précieux, d'immenses tapis recouvrent le sol, sur les murs des glaces géantes renvoient leur image. Le premier étage est aussi luxueux : une enfilade de chambres et de salles de bain, de marbre et de laque, dans lesquelles il ne manque que l'eau.

Les hommes s'installent au rez-de-chaussée, dépliant leurs lits ; au premier, les quatre gradés tirent les chambres à la courte paille.

Le lendemain, l'euphorie de ce premier contact a fait place à une certaine inquiétude. Combien de temps va durer cette situation inattendue ? Quelle est leur mission ? Où se trouve le danger et jusqu'à quel point faut-il se tenir sur ses gardes ? Le temps seul apportera une réponse aux légionnaires qui verront plusieurs jours passer sans incidents.

Les viets sont partout, mais ne se manifestent pas, laissant les patrouilles françaises circuler en ville. Les hommes de Klauss établissent la jonction avec le reste du bataillon ; trois patrouilles régulières sont établies chaque jour. L'une assure le ravitaillement qui consiste uniquement en rations « pacific », les deux autres partent en reconnaissance.

Malgré ses mouvements quotidiens, la compagnie se laisse envahir par une torpeur croissante et sombre doucement dans l'ennui. Mais surtout un besoin se fait sentir, tournant rapidement à l'obsession : l'alcool. Dans tout Haïphong il est impossible de trouver la moindre bouteille de bière ; les foyers ne sont pas ravitaillés et les caves ont été détruites et pillées par les vagues successives de soldats qui depuis près d'un an déferlent sur la ville meurtrie.

Favrier et Lantz imaginent alors de fabriquer du « pastis » à l'aide d'un litre d'alcool à 90° (volé à l'antenne chirurgicale) et d'un flacon d'élixir parégorique obtenu grâce à la complicité de six légionnaires, atteints soi-disant d'un malaise intestinal. L'absorption du breuvage ne leur procure pas l'effet escompté, ils se tordent de douleur une journée entière sous l'œil goguenard de plusieurs de leurs compagnons avec lesquels ils avaient refusé de partager. Deux autres qui avaient ingurgité un litre d'eau de Cologne ne connurent pas un sort meilleur.

C'est dans les premiers jours de décembre que les hommes de Klauss font la connaissance de Ki.

Ki est un petit Eurasien de treize ou quatorze ans. Il se présente un matin au poste de garde du palais ; il est vêtu de haillons, mais il s'adresse, dans un français sans faute et sans accent, à la sentinelle :

« Je voudrais parler au général de la Légion étrangère ! »

Klauss est à proximité, et la sentinelle se tourne vers lui.

« Mon général, on vous demande. »

Klauss dévisage le gamin.

« Qu'est-ce que tu veux, morpion ? »

Ki ne se démonte pas.

« Je connais les grades de l'armée française, vous êtes sergent-chef, je voudrais parler au général.

— Y a pas de général. Ici c'est moi qui commande. Alors explique-toi ou *raus* ! »

Indécis et hésitant, le gamin dévisage Klauss, puis il déclare :

« Je voudrais m'engager dans la Légion étrangère. »

Des éclats de rire saluent cette déclaration. Vexé, le gosse reprend :

« Je peux être soldat, je sais lire et écrire le chi-

nois, le français et l'espagnol. Je connais le maniement des armes et j'ai vingt ans. »

Les rires reprennent de plus belle.

Pourtant, sauf sur son âge, Ki ne mentait pas.
Orphelin, il avait été recueilli vers l'âge de cinq ans
par les missionnaires espagnols de l'ordre de San
Felice qui l'avaient instruit et élevé. Il avait ensuite
traîné dans les armées chinoises et viets, plus ou
moins contre son gré, gagnant sa nourriture en rendant les services les plus inattendus. Enfin depuis
six mois, il servait de mascotte à une compagnie de
la division Leclerc. C'est un officier qui lui avait
conseillé de tenter sa chance à la Légion, lui expliquant qu'ainsi il pourrait se procurer un nom et
obtenir par la suite la nationalité française.

Un grand Hongrois ricane.

« C'est pas une pouponnière ici, retourne voir ta
nourrice ! »

Avec l'agilité d'un jeune chat Ki bondit ; il pousse
le légionnaire à hauteur de la ceinture, le déséquilibre
d'un coup de talon derrière la jambe ; l'homme surpris se retrouve assis par terre. Ki se recule sur la
défensive et sort de sa poche un couteau à cran
d'arrêt dont il fait jaillir la lame.

« Donne-moi ce couteau, petit con ! » hurle Klauss.

Très à l'aise, Ki replie la lame et tend le couteau
au sergent.

« Je ne lui aurais pas fait de mal, c'était juste
pour vous montrer que je peux être soldat. »

Le grand Hongrois s'est relevé et s'approche du
gamin.

« Je vais lui foutre une fessée, annonce-t-il.

— Ça suffit », tranche Klauss, qui ajoute en se
tournant vers le gosse : « Tu as bouffé ?

— Je veux d'abord être soldat.

— On verra plus tard. Viens bouffer. »

A partir de cet instant, Ki reste à la 4ᵉ compagnie,
rendant des services aux uns et aux autres, les dis-
trayant par son mélange de gentillesse et de crapu-
lerie, mais son incorporation dont il ne cesse de

parler est devenue un sujet de raillerie. Pourtant Klauss a exposé son cas à ses supérieurs qui n'ont pas rejeté a priori l'idée de laisser le gamin s'engager, déclarant simplement qu'ils en référeraient eux-mêmes en haut lieu. Comme Ki s'est rendu compte que les légionnaires ne peuvent pas pour l'instant faciliter son admission dans l'armée, il fait une concession : il ne parlera plus de son incorporation, mais il veut un uniforme. Cette nouvelle requête devient un nouveau sujet de plaisanteries et de sarcasmes que le gosse essuie sans se décourager.

Ki consacre chaque jour plusieurs heures à tourner dans la ville où il se promène tranquillement, fouinant et furetant partout, comme un jeune chiot. Il y a quinzaine de jours qu'il a fait son apparition quand le hasard va lui donner l'occasion de prendre une éclatante revanche sur ses nouveaux compagnons.

Il est midi ; la patrouille vient de rentrer ; les hommes se débarrassent de leurs armes et rejoignent dans le rang les légionnaires qui font la queue pour la distribution des rations « pacific ».

Dans le jardin une longue table de bois est disposée sur des tréteaux. Les premiers arrivés s'y assoient, les autres s'installent adossés à un arbre ou affalés sur le perron de pierre. Tous, d'un geste mille fois répété, déchiquettent les boîtes qui contiennent l'éternel « singe », quelques biscuits et un fromage savonneux. Ki touche sa ration. Le matin il a ciré une vingtaine de paires de bottes et lavé le linge des sous-officiers, apportant en maugréant sa contribution pour la nourriture qu'on lui distribue. Il réclame en vain l'attribution de tâches plus nobles, mais ne récolte en réponse à ses suggestions que des éclats de rire et des tapes sur les fesses.

Ki s'installe à proximité du sergent Favrier. Il porte une musette en bandoulière, et s'assoit par terre d'un air naturel. Alors, simplement, il s'adresse au sergent :

« Vous pouvez me prêter votre couteau une seconde, sergent ? »

Favrier lance son couteau suisse au gamin sans même lever les yeux.

Ki fait alors la démonstration de sa fabuleuse nature de comédien. Comme si c'était la chose la plus normale, il sort de sa musette une bouteille de bordeaux 1942 et commence à la déboucher avec des gestes de professionnel.

Le « nom de Dieu ! » lâché par un homme fait relever les yeux de Favrier qui reste, interdit, la bouche ouverte devant le spectacle. En quelques secondes, un silence total a fait place au brouhaha ; les hommes se rassemblent en cercle autour du gamin qui est maintenant occupé à extirper quelques fragments de bouchon restés dans le goulot. Il continue à jouer admirablement la comédie de l'indifférence et du naturel. Favrier le saisit par le col de sa chemise en loques.

« Où as-tu trouvé ça, petit sagouin ? »

Ki feint à merveille l'étonnement et lève vers le sergent des yeux candides.

« Vous mettez pas dans cet état, sergent, ce n'est qu'une malheureuse bouteille de pinard. Je vais vous en donner un verre si ça peut vous calmer. »

Favrier éclate et arrache la bouteille au gamin. Klauss intervient d'une voix calme.

« Favrier, tu n'as pas honte ? »

Le sergent se reprend et les dents serrés rend la bouteille au gosse qui, ravi, déclare :

« Alors, amenez vos quarts. »

La bouteille est partagée entre les dix hommes qui ont les réflexes les plus rapides. Favrier reçoit la valeur d'un dé à coudre qu'il déguste avec tendresse, puis il se saisit de la bouteille vide et la contemple.

« Nom de Dieu ! constate-t-il, ce n'est pas de là mise en bouteille à Saigon, c'est directement importé de France. »

Il est tout à fait calmé. Il se tourne reconnaissant vers Ki.

« Dans le fond, tu n'es pas un mauvais petit, tu n'en as même pas pris pour toi, tu n'aimes pas le vin peut-être ? »

Ki n'attendait que cela pour faire éclater sa bombe.

« Si, sergent, j'adore ça, mais, moi, j'en ai ! »

De nouveau le silence se fait brusquement ; même Klauss s'est rapproché, il commence à se douter du jeu auquel se livre le gamin.

« Qu'est-ce que tu veux dire ? » interroge Favrier d'une voix changée par l'émotion.

Ki se rend compte que sa victime mord à l'hameçon encore plus violemment qu'il ne l'avait espéré.

« C'est simple, sergent. Ce n'est pas une bouteille que j'ai trouvée, c'est une mine. »

Favrier bondit et saisit une fois de plus le gosse par sa chemise, le soulevant presque de terre.

Cette fois, Klauss éclate de rire.

« Mais non, Favrier, la soif te fait perdre les pédales. Tu n'as rien compris. La seule chose que j'ignore c'est si le morpion bluffe ou pas. Mais ce qui est sûr, c'est qu'il prépare un beau chantage.

— C'est quoi le chantage, chef ? interroge Ki.

— C'est quand on a une chose et qu'on en veut une autre et qu'on dit : « Si vous me donnez ce que « je veux, vous aurez ce que je détiens. »

— C'est ça, c'est ça, admet Ki joyeux. Mais c'est pas du chantage, c'est du commerce.

— Je connais peut-être un autre moyen de le faire parler », interrompt Favrier.

Klauss hausse les épaules.

« Tu serais bien emmerdé si je te mettais au défi d'essayer. »

Puis, s'adressant à Ki :

« Allez, annonce la couleur. Qu'est-ce que tu proposes ?

— Vous le savez, chef. Je veux un uniforme, un sac, tout. Même un fusil.

— J'aime mieux te dire tout de suite : le fusil, rien à faire. L'uniforme, on peut essayer. »

Plein d'espoir, Favrier ajoute :

« Je peux aller chercher une petite taille à la baraque d'intendance. On peut dire qu'Alfieri s'est pris dans les barbelés. »

Alfieri est un minuscule Italien sensiblement de la même taille que le gamin. Il se rapproche, attentif.

« J'ai de la sape en rab. Je peux m'arranger directement avec le gosse.

— Ta gueule ! coupe Favrier. C'est moi qui traite. Personne d'autre. »

Klauss n'a pas perdu de sa bonne humeur :

« Vous déconnez, bande d'ivrognes ! Vous êtes prêts à tout. »

Il ajoute, se tournant vers Ki :

« Tu n'as pas envie de te taper un sergent de Légion ? C'est le moment ou jamais. »

Favrier ne goûte pas la plaisanterie. Klauss poursuit :

« Je vais faire un bon pour l'Intendance. Il est normal qu'on sape le gosse : il nous rend des services. Et puis on peut le considérer comme étant en instance d'incorporation.

— Alors tu nous dis où sont planquées les bouteilles, propose Favrier.

— Rien à faire, réplique Ki. Je vous amène dix bouteilles en échange de mon uniforme. Après on verra. »

Favrier est tellement subjugué par l'idée de voir apparaître dix bouteilles de bordeaux, qu'il ne se rend pas compte qu'en acceptant le marché, il se livre, pieds et poings liés, aux exigences futures du gamin. Klauss, lui, en est parfaitement conscient, mais le jeu l'intéresse et il est même prêt à l'encourager. En fait, dans les jours qui suivent, il tirera lui-même toutes les ficelles, s'arrangeant pour que le gosse n'apporte pas de trop grandes quantités de vin, et, parallèlement, pour qu'il n'abuse pas de la situation, les légionnaires étant prêts à s'arracher leurs dents en or en échange d'une bouteille.

Plusieurs d'entre eux tentèrent en vain de suivre Ki pour découvrir la cachette, mais le gamin les semait toujours facilement. Il livra son secret environ un mois plus tard, la veille du départ d'Haïphong.

Les bouteilles se trouvaient dans la cave même de la villa, protégées par un double mur. Ki se faufilait entre le mur réel et le mur de protection par un trou juste assez gros pour lui permettre de s'y glisser. Le mur factice fut abattu instantanément et les légionnaires découvrirent du champagne, du whisky et du cognac de marque. Klauss fit distribuer trois bouteilles par homme et fit sauter le reste à la grenade.

Il savait que le lendemain une longue marche les attendait.

5

DEPUIS la reprise en main de la ville d'Haïphong par la garnison française, la guerre contre le Viet-minh était effective au Tonkin. Le 19 décembre 1946, elle devenait officielle. Dans la nuit, et selon un plan établi, le Viet-minh attaqua toutes les villes et tous les postes français. Hanoï souffrit le plus de cette sauvage agression dans laquelle les femmes et les enfants ne furent pas épargnés. Ho Chi Minh comptait sur l'effet de surprise pour obtenir une victoire rapide et totale. Il échoua. Les massacres du 19 décembre ne parvinrent pas à chasser les Français du Tonkin ; partout des postes étaient parvenus à résister, et très vite la défense s'organisa.

Aussitôt après l'attaque viet, quelques hommes furent prélevés dans chaque compagnie de Légion. On attribua à cinq ou six légionnaires la responsabilité d'une vingtaine de partisans, et on les répartit dans des petits postes, le long de la rivière Kinh-Mon qui serpente entre Hanoï et Haïphong. L'état-major appelait ces fragiles fortins les P. K. (Postes kilométriques). La plupart d'entre eux avaient été construits grossièrement par le Génie, et le premier travail qui incomba aux nouveaux locataires fut d'en assurer la fortification. En moins d'une semaine, les légionnaires transformèrent les P. K. en de véritables petits bastions, destinés à affirmer la présence fran-çaise sur un territoire entièrement contrôlé par le Viet-minh.

Autour des postes la densité de la jungle rendait

toute sortie impossible. Dans la forêt, les viets étaient maîtres. En revanche, l'ennemi ne s'aventurait pas à découvert, en particulier le long de la voie ferrée Haïphong-Hanoï, ou le long de la rivière sur laquelle des unités légères de la marine pourvues d'artillerie se livraient à un incessant va-et-vient.

Les L. C. T., sortes de longues péniches de débarquement blindées étaient le seul lien concret des postes avec le reste du monde. Ils en assuraient le ravitaillement, tout en rendant leur attaque téméraire : en quelques heures ils pouvaient apporter du renfort à un P. K. qui signalait son attaque par radio.

La distance qui séparait les postes variait entre cinq et dix kilomètres, mais il était interdit aux hommes de sortir, même pour se rejoindre. Leur seul contact restait la radio, et très vite leur inaction inquiéta le haut commandement : il fallait employer ces légionnaires qui risquaient de sombrer dans la nonchalance.

Les attentats répétés sur la voie ferrée allaient apporter la solution à ce problème. Le 3 février 1947 l'ordre arriva. Le 1er bataillon du 3e Étranger se vit chargé du travail le plus dangereux, le plus ingrat et le plus démoralisant de la guerre d'Indochine : « l'ouverture des voies ».

Le P. K. 36 se trouvait à quelques centaines de mètres du bac de Laïkhé. Klauss et Bianchini en assuraient le commandement ; cinq légionnaires les aidaient à faire régner la discipline dans les rangs de la vingtaine de partisans qui complétaient l'effectif du poste. A cinq kilomètres à l'est, le P. K. 30, semblable en tous points, était proche du village de Pham-Xa. Il était commandé par Lantz et Favrier.

L'ordre du 3 février fut transmis par le lieutenant de vaisseau d'Alnois qui, parti d'Haïphong à l'aube, remontait la rivière en L. C. T., expliquant en cinq minutes à chaque chef de poste la mission dont il allait se trouver chargé.

L'officier de marine avait refusé la bière offerte par Klauss.

« Vous comprenez, il me reste plus de vingt postes à visiter... »

Klauss trouvait un goût fade à sa canette. Il venait de prendre connaissance des instructions transmises par d'Alnois.

« Elle saute souvent, la voie ? interrogea-t-il.

— Presque tous les jours.

— C'est curieux, par ici tout semble calme. Depuis notre arrivée, les trains passent.

— On répare au fur et à mesure des sabotages : les trains sont tous suivis d'une motrice de secours. »

Klauss sourit, et ajouta :

« Beaucoup de pertes en vies humaines ? »

L'officier de marine fit un effort pour ne pas détourner son regard de celui du sergent.

« Pratiquement pas », finit-il par répondre.

Klauss sourit et ajouta :

« Vous semblez le regretter, commandant.

— La mission que je viens de vous transmettre serait plus facile à expliquer.

— Vous n'avez pas à m'expliquer les ordres, commandant. Je n'ai pas à les commenter. Je n'ai qu'à les exécuter. »

Dans la soirée, Klauss rassemble ses hommes dans la pièce qui leur sert de foyer. Il y a là le sergent Bianchini et trois caporaux : Benoit, Français, Ruhmkorft, ancien adjudant de la Wehrmacht, et Kalish qui fut légionnaire avant la guerre, puis qui combattit dans les rangs de l'*Afrika Korps* avant de rejoindre la Légion en 1945. Il y a en outre deux simples légionnaires : Vinkel, un Hollandais, et Lefèvre, un titi parisien.

Klauss débouche une bouteille de cognac et la partage en sept dans les gobelets qu'il a disposés sur la table. Puis, calmement, il commence son exposé :

« Nous sommes sept. A partir de demain **nous**

sortons tous les matins à six heures trente. Une patrouille à l'est en direction de Haïphong, deux hommes et le sergent Bianchini ; une patrouille à l'ouest vers Hanoï, deux hommes avec moi. L'un d'entre nous restera au poste par roulement. Les patrouilles remonteront la voie ferrée, l'une vers le P. K. 30, l'autre vers le P. K. 41. Distance à parcourir : la moitié de celle qui nous sépare des postes voisins. Ils ont reçu les mêmes consignes et trois hommes partiront dans notre direction à la même heure. Dès que la jonction sera établie, on rentre. »

Les hommes reposent leur gobelet vide, et sans attendre que Klauss poursuive, Lefèvre déclare :

« Annoncez la couleur, chef. Vous n'auriez pas sacrifié une bouteille de cognac pour nous dire qu'on va faire une heure de culture physique tous les matins. »

Klauss sort de sa poche un paquet de troupe fripé, allume une cigarette et poursuit :

« Distance entre les trois hommes, cent cinquante mètres. L'homme de tête change après avoir parcouru un kilomètre. Tous les dix pas, il balance un coup de masse sur la voie. »

Les six légionnaires comprennent brusquement.

« C'est dégueulasse, lance Bianchini. Ce n'est plus la guerre, c'est la roulette russe.

— Ce sont les ordres, tranche Klauss. Nous sommes tous logés à la même enseigne. En plus, depuis notre arrivée notre secteur est calme. Pensez que ce soir dans d'autres postes nous avons des copains qui ont vu sauter le train plusieurs fois et qui demain matin vont entreprendre le même boulot que nous. »

Lefèvre à son tour prend la parole.

« D'après ce qu'on dit, le train saute tous les jours à un endroit ou à un autre. Ce qui signifie qu'à partir de demain, l'un d'entre nous au moins sera rayé des effectifs. »

Ruhmkorft interrompt :

« Entre Hanoï et Haïphong, nous allons être environ

cent vingt à cogner sur les rails, c'est-à-dire que dans cinq mois il ne restera plus personne.

— Ce ne sont pas les hommes qui manquent. On comblera les vides », répond Klauss.

Ruhmkorft reprend :

« C'est pas possible, c'est vraiment trop dégueulasse. On pourrait au moins obliger les partisans à prendre les mêmes risques que nous. Ça augmenterait nos chances. »

Klauss hausse les épaules.

« Ils déserteraient séance tenante. Ils iraient en face poser les pièges avec les autres. Non, ce n'est pas nous qui trouverons la solution. Il n'y a qu'à exécuter et subir.

— C'est à voir : on ne peut pas pousser des wagonnets ?

— Pas assez lourd d'après les techniciens, et dans les montées... Et puis merde. Vous êtes des hommes, non ?

— Justement ! lance Benoit. C'est pas un travail d'homme. »

Klauss est à bout d'arguments. Il est du même avis que ses compagnons. Il conclut :

« Maintenant, vos gueules ! Vous pensez trop. Rassemblement demain à six heures. Un F. M. par groupe.. Bonne nuit. »

L'aube du 4 février est terne. Ruhmkorft a été désigné pour rester au poste. Les six autres dévalent en silence le sentier sablonneux qui descend jusqu'à la voie. Deux d'entre eux portent sur l'épaule un lourd marteau à long manche. Arrivés sur la voie ils font une pause. Klauss croit bon d'expliquer.

« Les coups de masse risquent de faire péter une mine ioin en avant : même en cas d'explosion, l'homme de tête n'est pas sacrifié à coup sûr. »

Il ne convainc personne. Benoit s'empare de la masse et dit :

« Ne vous fatiguez pas, chef ! On a compris... »

Il sort de sa poche son portefeuille et se débarrasse

de sa montre et de sa chevalière. Il remet le tout au sergent (il sera le seul à adopter cette attitude). Puis il part en direction de l'est, d'un pas lent. Au bout d'une centaine de mètres il s'arrête et, dans un geste large, il frappe la voie d'un coup puissant. Il reprend sa marche et compte dix pas, puis il frappe de nouveau. Klauss et Kalish se mettent à leur tour en route à cent cinquante mètres l'un de l'autre. En sens inverse, sa lourde masse à la main, Vinkel est parti en tête, bientôt suivi par Lefèvre et Bianchini.

Il est aussi pénible pour Klauss et Kalish de marcher à l'arrière que d'être en tête. Ils ne peuvent chasser de leur esprit l'idée qu'à tout instant le camarade qui les précède risque d'être déchiqueté sous leurs yeux. Ils ont conscience également de la cible qu'ils offrent à un tireur caché dans la forêt qui les domine sur la gauche. (Pourtant durant les deux mois pendant lesquels ces opérations furent répétées chaque jour, les légionnaires ne subirent aucune attaque directe. L'explication la plus probable est que l'ennemi cherchait à entamer le moral de cette troupe dont l'attitude le déroutait. Les viets ne voulaient pas donner aux légionnaires l'occasion de combattre même désespérément.)

Au bout d'une demi-heure, Klauss hurle :

« Arrête, on te rejoint ! »

Benoit lâche la masse et s'assoit sur le rail. Il est baigné de sueur. Il s'éponge le visage à l'aide de ses manches retroussées. Lorsque le sergent arrive à sa hauteur, il dit simplement :

« Quelle vacherie ! »

Klauss prend la masse. Il est obligé d'en essuyer le manche rendu glissant par la transpiration de Benoit. Puis à son tour il entreprend la sale besogne. Il parcourt un kilomètre de cette marche à tête. Tandis que c'est le tour de Kalish, les coups portés par la patrouille du P. K. 30 deviennent de plus en plus perceptibles ; puis son légionnaire de tête apparaît dans une courbe, les hommes forcent la cadence et bientôt la jonction s'établit. Les légionnaires cassent la croûte et se détendent un peu. C'est un caporal-chef qui a conduit les quatre hommes du P. K. 30 (ce poste est un peu plus important, douze légionnaires l'occupent). Au bout d'une demi-heure, chaque groupe reprend la direction de son poste. Le 4 février 1947, le train peut passer entre Laïké et Pham-Xa, la voie n'est pas piégée.

Au cours de cette première journée aucun incident ne fut à déplorer. La voie n'était pas minée entre Haïphong et Hanoï, mais il avait fallu qu'une centaine d'hommes passent par un supplice angoissant pour s'en assurer.

Trois jours plus tard un légionnaire espagnol, Antonio Ortez, inaugurera la liste des sacrifiés de la mission de la peur. Au kilomètre 50, à partir d'Hanoï, à proximité du village de Cao-Xa, il sera déchiqueté en provoquant l'explosion d'une mine sous les yeux de ses compagnons qui ne furent miraculeusement pas atteints. Naïvement les hommes avaient commencé à prendre espoir. Hélas ! jusqu'au 2 avril, date à laquelle le haut commandement mit fin à ces « ouvertures de voies », 42 légionnaires trouveront la mort et six seront estropiés à vie.

Profitant de la régularité des sorties et du parcours des légionnaires, les viets avaient fait de ce secteur un véritable champ d'expérimentation, pour éprouver l'efficacité de leurs engins explosifs et de leurs pièges.

Ruhmkorft, du groupe Klauss, perdit la jambe gauche dans des conditions atroces : le piège dont il fut la victime et qui faisait son apparition devait continuer à faire des ravages des années durant.

Il était composé d'une balle de fusil et d'un petit clou destiné à faire percussion. L'enfin était soigneusement enterré à ras du sol. La pression du pied marchant sur la pointe de la balle suffisait à déclencher l'explosion. Ruhmkorft reçut la balle qui pénétra par la plante du pied, traversa la jambe dans le sens

de la hauteur et ressortit par le genou qu'elle fit
éclater. Il ne dut la vie qu'à la présence d'esprit de
Klauss qui décida de l'amputer sur-le-champ avec des
moyens de fortune.

Les légionnaires eux aussi firent preuve d'ingé-
niosité pour tenter de déjouer les ruses de l'ennemi.
Ils décidèrent notamment de répandre de la chaux
le long de la voie, afin que le moindre pas laisse une
empreinte. Ce système se montra efficace plusieurs
jours, mais de nombreux soldats eurent les yeux
brûlés par la réverbération et durent être hospitalisés.
La chaux fut alors teinte en bleu et en rouge. Trois
semaines passèrent, mais les viets s'étant miraculeusement procuré le même produit parvinrent à couvrir
leurs traces après leurs sabotages.

Enfin le contrordre arriva. Il était aussi inattendu
que l'ordre. Les légionnaires retournèrent à leurs
compagnies d'origine, laissant à d'importants effectifs
de la Coloniale arrivés du sud le soin d'assurer la
sécurité de la voie.

La reconquête du Tonkin battait alors son plein.

DEUXIEME PARTIE

DEUXIÈME PARTIE

6

Le 2 janvier 1947 à dix-huit heures trente, la 4ᵉ compagnie du 3ᵉ Étranger est mise en état d'alerte à Haïphong. Elle doit se tenir prête à participer à une opération lointaine, périlleuse.

Le 3 janvier à huit heures trente, les commandants d'unités sont réunis au P. C. du lieutenant-colonel Stroeber. Ils apprennent que le lendemain se déclenchera l'opération « Dédale », destinée à délivrer et à évacuer la garnison française encerclée à Nam-Dinh. L'opération sera montée en liaison avec les parachutistes, la marine, l'aviation, les coloniaux, les chars et les sapeurs. La première mission qui incombera à cet énorme rassemblement de forces, sera l'embarquement des nombreux civils et blessés qui, depuis près de deux semaines, sont coupés du reste du monde.

Nam-Dinh est un important centre industriel qui compte 40 000 habitants. Située sur la rive est du fleuve Rouge, la ville tonkinoise se trouve à une bonne centaine de kilomètres au sud d'Hanoï et à 150 kilomètres au sud-est d'Haïphong. Jusqu'à l'attaque-surprise du 19 décembre 1946, la presque totalité d'un régiment de la Coloniale (2 000 hommes environ) y cohabitait, tant bien que mal, avec une armée régulière Viet-minh dont l'effectif était beaucoup plus important.

Malgré la violence de l'agression viet, les soldats de la Coloniale avaient réussi à implanter des points de résistance qui, depuis une quinzaine de jours, refusaient de se rendre. Ils protégeaient ainsi les civils échappés du massacre.

Le lieutenant-colonel Stroeber expose les grandes lignes du plan de secours : une véritable armada formée d'unités légères de débarquement de la marine (L. C. M. et L. C. T.) embarquera la troupe à Hanoï et à Haï-Duong. Les uns descendront le fleuve Rouge, les autres rejoindront à Vu-Dien, empruntant un affluent, et c'est une armée qui débarquera au bac de Thu-Tri au nord-ouest de la ville à investir.

Militairement la mission s'explique et s'annonce bien. Néanmoins pour les officiers réunis, un point reste obscur. Le lieutenant de vaisseau François chargé de commander le débarquement pose le premier la question qui les intrigue tous.

« Mon colonel, je m'étonne de constater que nous allons abandonner une ville de l'importance stratégique de Nam-Dinh.

— Un plan est à l'étude à ce sujet, répond sèchement Stroeber. Ayez l'obligeance de vous contenter de mener à bien la mission dont on vous charge. »

En l'absence de Mattei, toujours hospitalisé à Saigon, c'est le lieutenant Mulsant qui commande la 4e compagnie de légionnaires. Il interroge à son tour l'officier supérieur :

« Mon colonel, je comprends mal pourquoi une seule compagnie de la Légion a été désignée pour participer à l'opération alors que plusieurs bataillons sont disponibles à Haïphong. »

Stroeber hésite un instant, puis répond :

« C'est simple. Votre compagnie restera à Nam-Dinh. »

Mulsant reçoit l'ordre sans broncher. Derrière lui, le lieutenant de Franclieu qui commande la section de pionniers de la 4e lui murmure à l'oreille :

« Ça fait cinq bonnes minutes que je prévoyais le coup. »

Mulsant reprend :

« Mon colonel, si je comprends bien, les 95 hommes

qui forment ma compagnie vont être chargés d'une mission qui s'est révélée impossible à un effectif vingt fois supérieur ?

— Pas exactement, rétorque Stroeber. Une compagnie de la Coloniale est installée dans la banque d'Indochine qu'elle a transformée en bastion. Elle doit y demeurer, tandis que vous aurez pour mission de tenir la Cotonnière, à proximité du point de débarquement. Votre effectif ne sera donc que de dix fois inférieur à celui qui résiste en ce moment... »

Le 4 janvier, les légionnaires quittent Haïphong pour Haï-Duong. Plus de 2 000 hommes parcourent en camions la distance qui sépare les deux villes.

La 4ᵉ compagnie passe la nuit à la belle étoile sur la rive du fleuve, à une centaine de mètres du point d'embarquement.

Vers quatre heures du matin, les sentinelles aperçoivent les premiers L. C. T. qui s'approchent doucement, déchirant la surface lisse de l'eau grise. Les légers bruits de l'aube sont couverts par le souffle régulier des diesels dont les échos vont se perdre dans les profondeurs de la jungle.

Frissonnant dans l'humidité du matin, les hommes se rasent et se lavent, quelques-uns plongent dans la rivière. Le froid leur semble un luxe qu'ils avaient oublié.

Le lieutenant de vaisseau François a repéré le camp des légionnaires, l'accès en est facile pour les gros crabes. Il échoue l'avant de deux L. C. T. dont les panneaux de protection se rabattent sur la rive. L'officier de marine rejoint les lieutenants Mulsant et Franclieu.

« Nous allons embarquer vos hommes sur place, déclare-t-il. Ces deux L. C. T. leur sont destinés. Inutile d'aller piétiner sur l'embarcadère. D'autre part j'ai pensé que du café chaud ne leur ferait pas de mal. Envoyez-les à bord, par petits groupes, on les servira. »

Une demi-heure plus tard, les deux L. C. T. des

légionnaires prennent la tête du convoi. Les hommes sont déçus : vingt-quatre heures à bord d'un L.C.T. n'a rien d'une promenade sur un bateau-mouche. Les légionnaires sont parqués dans le fond des navires légers. Ils ne peuvent apercevoir que le ciel et ils savent que lorsque les panneaux se baisseront, ils auront autre chose à faire qu'à admirer le paysage.

Vers dix heures du matin, le convoi atteint l'embouchure du fleuve Rouge. Le long chapelet d'embarcations arrivant d'Hanoï se joint à eux et la lente progression se poursuit. A midi le convoi est survolé par une vingtaine de Dakotas qui vont larguer deux compagnies de parachutistes sur Nam-Dinh.

Le 6 janvier, à trois heures trente du matin, l'armada se présente à l'embouchure du canal qui conduit à Nam-Dinh, le voyage s'est passé sans incidents.

Le L.C.T. de commandement navigue à trois cents mètres en tête. Les autres se suivent à une distance sensiblement plus faible.

Le lieutenant Mulsant et une cinquantaine de ses hommes sont passagers de l'embarcation d'ouverture. Quatre marins servent les pièces d'artillerie. Le lieutenant de vaisseau François se tient à l'arrière, debout auprès de l'homme de barre ; il est occupé à diriger la manœuvre rendue plus délicate par une forte brume.

Le brusque déclenchement d'un feu d'enfer auquel personne ne s'attendait crée un instant de surprise totale. Les obus de mortier pleuvent autour des embarcations. Par chance la brume protège le convoi du tir ennemi.

A leur tour, les 75 de marine ripostent, tirant à l'aveuglette, ne réussissant pas à faire faiblir l'intensité du feu viet.

Soudain, le troisième L.C.T. est touché de plein fouet par un obus de mortier et donne de la bande ; son commandant le dirige vers la rive qu'il parvient à atteindre. Le lieutenant de vaisseau François continue, toujours debout, à donner ses ordres. Au premier coup de mortier, il a seulement rabattu la jugulaire de sa casquette sous son menton, puis, avec un geste théâtral, il a fixé une cigarette sur son long fume-cigarette d'ambre. Handicapé par sa haute taille, François est le seul à ne pas pouvoir se protéger.

Le lieutenant Mulsant rejoint à l'arrière le lieutenant de vaisseau qui lui déclare :

« Je pense que nous devons tenter de débarquer nous aussi, sinon les survivants du L. C. T. qui vient de s'échouer vont se faire massacrer.

— A vos ordres », répond Mulsant. Et il hurle pour se faire entendre :

« Compagnie, prêts à débarquer ! Section de mortiers en tête ! Ouverture du feu dès que possible ! »

Les hommes se redressent, passent les sangles de leurs sacs sur leurs épaules, vérifient leurs armes, crachent leurs mégots, arment leurs fusils, préparent leurs grenades.

Le L. C. T. est sur le point d'atteindre la rive quand le lieutenant de vaisseau François est atteint d'une balle en plein cœur. Il bascule en avant et s'effondre en contrebas sur les légionnaires. Mulsant se penche sur l'officier de marine, puis consulte sa montre et se tourne vers le radio.

« Transmettez : le lieutenant de vaisseau François tué par balle à 3 h 52. Le lieutenant de vaisseau Gallet prend le commandement. »

Mulsant cherche en vain de quoi recouvrir le corps de l'officier, mais le temps presse et il se contente de rabattre la casquette du marin sur son visage.

Une secousse apprend aux légionnaires que le L. C. T. vient de prendre contact avec la rive. Le panneau mobile se baisse lentement, ne laissant apparaître qu'une épaisse brume. Aussitôt, les mortiers disposés à l'avant font entendre leur sourd tapage ; les projectiles déchirent un instant la crasse opaque qui se reforme, instantanément, dense et inquiétante.

Le lieutenant Mulsant crie :

« Débarquement ! On établit une tête de pont à cinquante mètres ! Tirez devant vous ! En avant ! »

Les hommes se ruent en aveugles, trébuchant sur les moindres obstacles. Seuls les premiers sortis tirent, les autres craignent de se blesser entre eux. Heureusement le tir de l'ennemi est aussi confus que le leur, et les légionnaires parviennent à s'installer, cherchant à tâtons des abris de fortune.

Derrière un aréquier, Mulsant évalue les forces qui lui sont opposées. Il pense que les viets sont en train de les bluffer magistralement. Ils ne doivent pas avoir plus de trois armes automatiques et quelques fusils. Mais leur canon de 75, admirablement servi, risque à lui seul d'anéantir la compagnie dès qu'elle sera repérée. Pour l'instant, les coups continuent à tomber sur le fleuve autour des embarcations.

En quête d'instructions, le sergent-chef Maniquet a rejoint Mulsant.

« Mon lieutenant, le canon il faudrait faire quelque chose ?

— Vas-y avec une section.

— Si vous êtes d'accord, j'y vais avec un seul rombier. Ça passe ou ça passe pas.

— D'accord. Fais pour le mieux. »

Maniquet s'éloigne. Derrière les légionnaires tapis tous les trois ou quatre mètres, il siffle brièvement les quatre premières notes de la Ve Symphonie de Beethoven qui composent l'indicatif musical de sa section. Au bout d'un instant, le même sifflement lui répond et reprend toutes les dix secondes, le guidant par l'oreille jusqu'à ses hommes. Lorsqu'il atteint ses légionnaires, il lance brièvement :

« Schmidt est là ?

— Ici, chef, répond l'Alsacien.

— Tu me suis, on va au cinéma. » (On ignore l'origine de cette expression qui désigne, dans la Légion, les coups durs.)

Les deux hommes s'éloignent en sautillant, ils ten-

tent de s'orienter d'abord d'après le son des per-
cussions, puis ils aperçoivent à travers le brouillard
la lueur qui suit chaque détonation. Entre chaque
coup, ils bondissent en avant. Au bout d'une demi-
heure de progression, ils arrivent à circonscrire
l'emplacement de tir. Il se trouve dans une clairière. Le 75 est servi par trois soldats viets ; les
légionnaires les distinguent parfaitement car ils
emploient une lampe électrique pour armer la pièce
et rectifier leur tir.

« C'est du nougat, murmure Schmidt.

— Ça en a l'air, mais les autres ne doivent pas
être loin. Je prends le type à la lampe, tu prends les
deux autres. »

Avec la précision des fusils Enfield, il leur est
impossible de manquer leur cible à cette distance.
Les trois viets s'écoulent presque ensemble et Maniquet s'élance. Il dégoupille deux grenades qu'il dispose à deux points précis du canon. Leur explosion
va enrayer tous les câbles de commandes de la pièce
d'artillerie. Maniquet se précipite à l'abri d'un talus
qu'il a repéré. Les grenades explosent, détruisant le
75 viet, et le sergent se relève quand un obus de
mortier éclate à quelques mètres de lui (selon toute
vraisemblance il a été, hélas ! tiré par la Coloniale
qui ignorait la mission des deux légionnaires). Maniquet est atteint d'un éclat en plein ventre. Il tombe
à genoux, portant instinctivement ses mains sur la
blessure ouverte, puis il roule sur le côté les jambes
repliées en l'air. Son corps est secoué de soubre-
sauts et sa tête dodeline mollement.

Contre toute prudence, Schmidt s'est précipité à
découvert. Il tire le sergent à l'abri dans la forêt.
Il l'a saisi aux aisselles et fait glisser le corps sur la
terre. Maniquet se tient toujours le ventre et conserve
les genoux à hauteur du menton. Lorsque Schmidt
se sent en sécurité, il tente d'évaluer la gravité de
la blessure. Maniquet a conservé toute sa lucidité.
Il marmonne :

« Oh ! putain, ça brûle ! Oh ! putain, ça brûle... »

Le blessé veut voir. Il écarte ses mains et les deux hommes horrifiés s'aperçoivent que ses tripes sont à l'air, prêtes à se répandre.

En un éclair, Schmidt revoit la campagne de Narvick. Le même cas. Un capitaine atteint d'un éclat au ventre. Le même spectacle écœurant. Les tripes. Schmidt revoit l'infirmier, sa décision instantanée, ses gestes précis. Il avait bourré le ventre d'énormes paquets d'ouate. Il avait sanglé la blessure obstruée avec des ceinturons et on avait évacué l'officier. Schmidt hésite un instant ; évidemment il n'a pas d'ouate, mais il est impensable, dans son état, de faire parcourir un mètre de plus au blessé. D'autre part, rester sur place serait un véritable suicide : les viets peuvent arriver d'une minute à l'autre. Lorsque Schmidt prend sa décision, il ignore s'il va tuer son compagnon ou le sauver, mais il est arrivé à cette terrible conclusion en quelques secondes : il n'y a rien d'autre à tenter.

Schmidt enlève sa chemise, elle est imprégnée de sueur et de boue, des brins de tabac sont restés collés aux poches, c'est une véritable puanteur. Néanmoins Schmidt en fait un gros tampon qu'il bourre dans le ventre du sergent. Puis il enlève sa ceinture et celle de son compagnon, et sangle l'invraisemblable pansement. Il peut alors charger tant bien que mal le blessé sur son dos et repartir vers la compagnie dans l'aube naissante.

Stimulé dans son effort par le souffle chaud et les gémissements de Maniquet dont les lèvres frôlent le lobe de son oreille, Schmidt ne pense pas aux viets qui peuvent venir de partout. Il marche, sans précaution, poussé par une seule idée : ramener le sergent.

Il parcourt le petit kilomètre qui le sépare des rives du fleuve, plus rapidement qu'à l'aller. Il distingue les formes, il voit à peu près où il met les pieds.

Quand il sent qu'il est proche du but, il se met à siffler l'indicatif de sa section. Trois mots échangés le font reconnaître, trois hommes se précipitent à son secours. Les légionnaires ont fortifié leurs positions ; derrière leur ligne de défense ils peuvent circuler. Du reste, depuis la neutralisation de leur canon les viets ne se sont plus manifestés.

Le lieutenant Mulsant s'est porté aux côtés du blessé, il sursaute quand il s'aperçoit de la nature du pansement confectionné par Schmidt.

« Je ne sais pas si j'ai bien fait, bredouille le légionnaire, mais je ne vois pas ce que j'aurais pu faire d'autre. Il est là et il est vivant...

— J'aurais fais comme toi », répond Mulsant qui se demande s'il en aurait eu l'idée.

Un médecin de la Coloniale intervient et opère Maniquet sur place. Depuis l'instant où il a été atteint par l'éclat, le sergent n'a pas perdu connaissance. On le larde de piqûres de morphine et de pénicilline, il sera évacué parmi les premiers.

Moins de cinq mois plus tard, Maniquet rejoindra le bataillon frais comme une rose, après avoir été cité à l'ordre de l'armée en compagnie de Schmidt.

Vers huit heures trente, la brume se dissipe et les légionnaires font le point de la situation : ils se trouvent juste en face de l'endroit où ils devraient être, à une centaine de mètres tout au plus. Seulement ils sont *de l'autre côté* du canal. Ils distinguent nettement, sur la rive opposée, l'appontement de la Cotonnière qui est leur objectif et ils constatent amèrement qu'il n'y a aucune trace des parachutistes qui devraient l'occuper. Pour eux non plus, cela n'a pas dû être facile.

Le plan était pourtant net et précis : les parachutistes devaient se rendre maîtres de la Cotonnière et de son appontement. La 4ᵉ compagnie de Légion devait débarquer en premier et renforcer la tête de pont pour permettre le débarquement et le rembarquement de l'ensemble de la garnison. On n'avait **oublié que la brume**. Et à l'heure où devrait commencer l'évacuation des civils, plus de 2 000 hommes se trouvent massés sur la rive opposée du canal et les parachutistes sont perdus au milieu des troupes viets...

Mulsant, Gallet et de Franclieu ne peuvent que constater les faits. Ils se demandent comment traverser le canal jusqu'à l'appontement. La réponse leur est rapidement dictée par un feu d'armes automatiques qui se déclenche sur eux depuis la Cotonnière. Les viets y sont retranchés, bien à l'abri et solidement armés.

Mulsant et de Franclieu ont compris qu'il n'y a qu'une solution et qu'elle est tragique. La Cotonnière ne peut être investie que par le fleuve. Or un seul L. C. T. peut tenter d'apponter devant ses bâtiments. Les premiers hommes débarqués auront environ vingt-cinq mètres à parcourir à découvert. Et il n'est pas question de faire précéder le débarquement par un tir d'artillerie, les locaux de la Cotonnière étant destinés à servir de camp retranché à la 4ᵉ compagnie.

Mulsant questionne le lieutenant de vaisseau Gallet.

« Combien d'hommes peut-on entasser à bord d'un seul L. C. T. pour parcourir la largeur du canal ?

— Sans danger, le double de la capacité prévue, c'est-à-dire une centaine. Ils seront serrés comme des sardines, mais le bateau peut les supporter aisément.

— Bon, ça résout tous les problèmes. La 4ᵉ compagnie à bord ! Prête à débarquer sur l'appontement dans un quart d'heure ! »

De Franclieu fait remarquer :

« Ça va être une vraie séance de tir aux pigeons en face.

— Tu as mieux à proposer ? » interroge amèrement Mulsant.

Tous les légionnaires de la 4ᵉ sont des soldats chevronnés qui ont l'habitude des coups durs, des actions désespérées, des balles qui sifflent, des obus qui éclatent, mais le genre d'opération qu'ils vont tenter dans quelques instants crée néanmoins un malaise parmi eux. Une évidence mathématique les rebute : ils savent qu'un nombre certain d'entre eux sera mort dans un quart d'heure. Et tout en plaisantant, en échangeant des cigarettes ou du chewing-gum, tous luttent contre une obsédante pensée : Lesquels d'entre nous ? Toi ? Moi ? Celui qui est parti pisser ? Celui qui fume allongé sur le dos les yeux au ciel ?...

Les hommes s'entassent à bord du L. C. T. Ils sont quatre-vingt-seize. Le tir ennemi se déclenche, inefficace sur l'embarcation blindée, puis c'est une fois encore le panneau mobile qui s'abaisse. Devant eux, les légionnaires voient le long parcours de bois grossier que les balles viets écorchent, faisant voltiger de petits fragments.

Le tireur au F. M., Steck, sort le premier ; il est frappé aussitôt de plusieurs balles en pleine poitrine, mais il trouve la force de s'allonger derrière son fusil mitrailleur et d'ouvrir le feu, protégeant ainsi la course de quatre lanceurs de grenades qui s'élancent. Ils font six enjambées et se laissent tomber en avant, amortissant leur chute du bras gauche tandis que du droit ils projettent leurs grenades dans un vif mouvement rotatif. Derrière eux, comme un ballet bien réglé, l'attaque s'organise tandis que Steck, crispé sur son fusil mitrailleur devenu muet, agonise lentement, se vidant de son sang qui ruisselle jusqu'au fleuve à travers le bois mal joint.

A neuf heures quarante, les premiers retranchements viets tombent aux mains des légionnaires. La violence des combats est indescriptible ; les hommes se battent souvent à l'arme blanche. Derrière, la Coloniale débarque en renfort des L. C. T. suivants.

Constatant qu'ils sont impuissants à enrayer le flux grossissant des soldats français, les viets battent brusquement en retraite, laissant la 4e compagnie maîtresse de son objectif.

Aussitôt, sans qu'il soit nécessaire de leur donner des ordres, les hommes de la 4e compagnie organisent leur défense. Ils ont, jusqu'à l'automatisme, l'habitude de l'opération.

A dix heures cinq, le capitaine Ducasse commandant les parachutistes parviennent à établir une liaison. Eux aussi ont eu des ennuis. Les pertes subies à l'atterrissage et une légère erreur de largage ont contraint à un mouvement imprévu ; les paras ont été mis dans l'impossibilité d'attaquer la Cotonnière à rebours. Pourtant, à l'heure actuelle, ils contrôlent le boulevard Paul-Bert qui conduit à l'avenue Francis-Garnier où se trouve la banque d'Indochine tenue par les coloniaux.

A dix heures quinze, c'est le chef de bataillon d'Aboval qui arrive à son tour à la tête d'une section. Il commande l'ensemble de la garnison à évacuer, et fait brièvement le point de la situation :

« Si nous faisons très vite, nous avons une chance d'embarquer tout le monde sans subir de nouvelles attaques. Les viets sont sûrement impressionnés par ce déploiement de forces. Mais lorsqu'ils comprendront qu'on déménage, ils risquent d'ouvrir le feu sur les attardés. Ils sont partout, dans chaque maison, dans chaque cave, sur tous les toits, par petits groupes armés jusqu'aux dents. Il faudrait des semaines, peut-être des mois, à un régiment pour les déloger ou les anéantir.

— Avant toute chose, répond Mulsant, nous devons établir une liaison avec la compagnie de la Coloniale qui tient la banque d'Indochine.

— Dans ce cas, fait remarquer d'Aboval, il faut ouvrir le boulevard Francis-Garnier sur les cent cinquante mètres qui séparent l'angle du boulevard Paul-Bert de la banque. »

Une section de six légionnaires va se livrer alors à une éclatante démonstration de combats de rues. Ils vont ouvrir et occuper tous les rez-de-chaussée de l'avenue Francis-Garnier, exactement comme s'il s'agissait d'une manœuvre cent fois répétée et comme s'ils ne couraient aucun danger.

Deux fusils mitrailleurs sont mis en batterie, l'un sur le trottoir de droite, l'autre sur le trottoir de gauche. Ils ouvrent le feu simultanément dans les fenêtres sans volets, situées respectivement de l'autre côté de l'avenue. Vitres, montants, poignées volent en éclats. Alors, de chaque côté, à l'instant même où les armes automatiques cessent le feu, deux légionnaires bondissent et jettent chacun une grenade à l'intérieur. Plaqués contre le mur, ils attendent l'explosion, puis, avec une souplesse de félin, ils sautent à l'intérieur, tirent une rafale de mitraillette circulaire, ressortent et font un geste vers l'arrière pour signaler que le rez-de-chaussée est ouvert. Les deux tireurs de fusils mitrailleurs ont avancé de quelques mètres et de nouveau ouvrent le feu sur les deux fenêtres suivantes, les lanceurs de grenades répètent les mêmes gestes et la progression se poursuit lentement.

Dans deux des rez-de-chaussée, des soldats viets sont parvenus à fuir dans les étages ; dans un troisième, un groupe de quatre combattants a été massacré. Toutes les autres pièces investies étaient vides. Au fur et à mesure de la progression la compagnie occupe les pièces, assurant ainsi le passage sur l'avenue, et à onze heures le sergent-chef Osling établit la liaison avec le sous-lieutenant Colin commandant la compagnie de la Coloniale qui occupe la banque.

Les légionnaires sont amusés par le décor. Certains guichets sont intacts. A part les sacs de sable qui protègent toutes les ouvertures, le grand hall est net et proprement entretenu, les inscriptions classiques sont demeurées : « Caisse », « Titres », etc. Derrière la caisse, un gros coffre-fort clos attire l'attention de deux légionnaires qui s'en approchent contemplatifs. Le lieutenant Colin leur enlève leurs illusions :

« Ne vous fatiguez pas à évaluer la charge de plastic nécessaire, prenez plutôt la clef. »

Etonné, l'un des légionnaires se saisit de la clef que lui tend l'officier, l'introduit dans la serrure et fait pivoter la lourde porte. Le coffre est rempli de rations « pacific ». Le légionnaire referme, rend la clef et se retourne écœuré.

Osling et Colin s'installent dans le bureau directorial. Le sergent-chef explique au lieutenant que la Légion a pour mission de tenir la Cotonnière. Colin sait déjà que sa compagnie conserve ses positions. Outre la banque, les Coloniaux sont maîtres des deux immeubles contigus, dont l'un fait angle avec une rue perpendiculaire. Ils ont suffisamment de provisions et de munitions pour soutenir un long siège. Osling règle ensuite avec le lieutenant les détails concernant leur liaison radio, puis ils conviennent que, chaque jour, une patrouille tentera d'effectuer un va-et-vient entre les deux camps retranchés. Sur l'échiquier du siège, les pions sont en place.

L'évacuation des civils se poursuit toute la nuit sans qu'un coup de feu soit tiré. Le commandant d'Aboval ne s'était pas trompé. Les viets n'ont aucun intérêt à engager le combat tant qu'on ne cherche pas à les déloger de leurs positions. Ils ignorent évidemment que deux postes français vont demeurer et ils doivent penser que dans quelques heures ils seront maîtres absolus de la ville. Ils imaginent qu'ils sont en train de remporter une victoire sans courir le moindre risque de pertes supplémentaires.

Civils et blessés sont entassés dans les embarcations qui ont établi une navette et se succèdent à l'appontement de la Cotonnière. Sur l'appontement et dans la cour centrale de la manufacture, des familles entières attendent leur tour, conservant sur leurs visages anxieux les marques de la peur. Aucune panique, aucune nervosité chez ces gens qui obéissent avec une confiance aveugle à ceux qui viennent de se battre pour les délivrer.

A l'aube du 7 janvier, le dernier L. C. T. quitte Nam-Dinh sans encombre. Les légionnaires n'ont pas dormi depuis quarante-huit heures et ce sont des hommes harassés, sales, épuisés, qui se retrouvent coupés du reste du monde, encerclés par un ennemi plus de dix fois supérieur en nombre.

7

Le premier soin des légionnaires assiégés fut d'enterrer leurs morts. Devant la compagnie rassemblée le sergent-chef Osling lut à haute voix le bilan des pertes :

« Tués : sergents Boer et Monnier, caporal-chef Buckowski, légionnaires Napiera, Steck, Volinsky, Chassagne et Bruges.

« Blessés graves : sergents Caussade et Vaffel.

« Blessés légers : sous-lieutenant Landel, légionnaires Inbach et Cinoli.

« Evacués : sergents-chefs Ponticaccia et Maniquet, caporal Boulinguez, légionnaires Broesse, Hisler, Wolff, Swinzikowki, Heler et Rabke. »

Huit tombes sont creusées dans un cimetière improvisé, près du bord du canal. Une section présente les armes. Un clairon sonne *Aux Morts*, Osling prononce quelques mots conventionnels, émouvants.

La vie du sergent-chef Karl Osling mérite d'être contée. Fils unique d'un médecin militaire et d'une doctoresse, tous deux Allemands, il est né à Stuttgart en 1910. Cinq ans plus tard, son père est tué au front.

Dès la fin de la Grande Guerre, la doctoresse Osling épouse un chirurgien français et c'est en France que le petit Karl poursuit ses études. En 1929 il entre à la faculté de médecine de Paris, et, peu après, âgé seulement de vingt ans, il épouse une camarade de la faculté, Françoise Simond, fille d'un dentiste israélite*. De cette union naît un an plus tard un fils, Pierre Osling. Mais Karl Osling n'a jamais renoncé à sa nationalité allemande, et, tout en poursuivant ses études en France, il se passionne pour l'avènement du nazisme.

En 1932, sa mère meurt de tuberculose. Son mari beaucoup plus âgé ne lui survit que de quelques mois. Le docteur Simond subvient alors aux besoins de son gendre et de sa fille pour leur permettre de poursuivre leurs études. Les jeunes Osling et le petit Pierre cohabitent avec le dentiste israélite dans un appartement du boulevard Voltaire. En 1936, Karl obtient son diplôme de docteur en médecine, mais la situation est devenue intolérable dans son ménage ; Karl et Françoise divorcent.

Pendant que le petit Pierre, âgé de cinq ans, est laissé à la garde de sa mère, Karl Osling gagne l'Allemagne où il devient rapidement médecin militaire dans l'armée allemande. Durant toute la guerre une crise de conscience torturera le docteur Osling. Il est sans nouvelles du dentiste juif qui paya ses études, de son ex-femme juive et de son fils demi-juif qu'il cherchera discrètement, en vain, pendant l'occupation.

Au début 1944, en Toscane, le capitaine-médecin Osling n'en peut plus. Il déserte et parvient à se faire incorporer dans les rangs de la 13ᵉ Demi-Brigade de Légion étrangère qui a besoin d'infirmiers et d'interprètes. Il débarque avec la Légion dans le Midi de la France et obtient ses galons de sous-officier et plusieurs citations.

Quelques semaines avant son départ pour l'Indochine, au cours d'une permission, Karl Osling cherche encore à obtenir des nouvelles de son fils. Il se rend au cabinet dentaire du boulevard Voltaire. Avec stupéfaction il trouve son ex-femme, son ex-beau-père

---

* Osling est le nom de Légion du sergent-chef. De même le nom de Simond n'est pas authentique.

et son fils qui est alors âgé de quatorze ans. Françoise Simond s'était remariée juste avant la guerre. Son mari est parvenu à cacher les Simond et le petit Pierre Osling pendant l'occupation. Tous croyaient Karl mort et ne s'en souciaient guère. Le vieux dentiste juif insulte son ex-gendre, le chasse devant son fils. Le légionnaire reprend la route de Marseille pour rejoindre sa nouvelle affectation au 3ᵉ Etranger.

Depuis, chaque semaine, il écrit à son fils sans jamais recevoir de réponse et ne vit que dans l'espoir de pouvoir le revoir un jour.

Karl Osling est aujourd'hui âgé de trente-sept ans Il est bâti tout en longueur et il serait probablement maigre s'il n'entretenait pas sa musculature avec une conscience méticuleuse. Ses cheveux coupés ras sont blancs comme la neige depuis des années, et seule, une longue cicatrice sur la joue gauche dépare son visage régulier. La vivacité de ses yeux gris contraste avec l'éternelle mélancolie qui enveloppe ses traits.

Vers quatorze heures, Osling se dirige à grands pas vers le poste Jung installé dans la centrale électrique.

Un couple d'israélites, Michel et Salah Sannanès, était demeuré avec les légionnaires assiégés. Salah n'a plus que quelques instants à vivre. Grièvement blessée par des éclats de grenade quatre jours plus tôt, elle agonise lentement et a été jugée intransportable. Michel a refusé de quitter sa compagne. Il est instituteur, elle donnait des leçons de musique ; ils étaient installés à Nam-Dinh depuis trois ans.

Quand Osling entre dans l'infirmerie de fortune, la malheureuse est allongée sur un lit de camp ; son mari, assis sur un tabouret, lui tient la main, luttant pour ne pas laisser paraître son émotion. Un quart d'heure plus tard, le sergent-chef ne peut que constater le décès. Une neuvième tombe sera creusée près du fleuve et Salah Sannanès y sera inhumée au crépuscule.

Après la brève cérémonie, l'ancien médecin mili-

taire nazi éloignera le petit instituteur juif en le
tenant paternellement par les épaules, puis pour ne
pas le laisser seul, il lui installe un lit de camp
dans la chambre qu'il va partager avec le sergent
Leroy.

Et le siège commence.

Le camp retranché de la Cotonnière se compose de
nombreux bâtiments répartis sur une assez grande
superficie. Le mur d'enceinte de la manufacture ne
constitue qu'un rempart insuffisant, mais les légionnaires ont transformé plusieurs villas d'habitation
en véritables blockhaus qui, par leurs feux croisés, ne
permettent aucune approche ennemie.

En revanche, toute sortie du camp se révèle mortelle. La liaison quotidienne prévue avec la compagnie de la Coloniale retranchée dans la banque cause
la mort de quatre légionnaires et doit être suppri-
mée. Seul, un contact radio unit maintenant les
assiégés.

Les légionnaires s'habituent pourtant à leur nouvelle vie. Les bâtiments où ils restent nuit et jour
sur le qui-vive sont frais ; la bière et le tabac ne
manquent pas et on peut, sans trop de risques, s'aven-
turer jusqu'au bord du canal pour y pêcher. Un autre
facteur rendit le siège supportable : dans la nuit du
rembarquement de la garnison, trois prostituées
françaises avaient plaidé leur cause auprès du sergent-chef Osling :

« Tu comprends mon grand, avait expliqué Thérèse, une grosse Savoyarde, pour nous ça peut être
l'occasion de ramasser assez de pognon pour se payer
notre retour en France. Si nous restons avec vous
on va nous porter disparues et on pourra échapper
à l'organisation qui nous rançonne. »

Osling se moquait pas mal de l'avenir de ces dames,
mais il avait pensé à ses légionnaires. Evidemment,
la présence de trois putains dans le camp retranché
serait une source de tracas, mais les avantages l'em-
portaient et il avait pris sur lui d'accorder aux filles

de demeurer parmi eux. Il ne s'était pas trompé. Thérèse, Yvonne et Sonia remontaient maintenant le moral de tous, davantage par leur présence, leur constante bonne humeur et leurs plaisanteries gouailleuses que par l'exercice proprement dit de leur « métier ». Pourtant, elles étaient loin de chômer.

Osling s'en aperçoit lorsque Thérèse, ambassadrice du trio, lui demande audience.

« Que veux-tu ? Je n'ai pas de temps à perdre, déclare-t-il sèchement.

— Ben voilà, mon grand, les hommes sont raides.

— Comment ça ?

— Eh bien, c'est pourtant facile à comprendre, il y a une semaine en arrivant, ils avaient tous un peu de pognon, maintenant ils n'en ont plus. »

Osling rit franchement :

« Comme vous êtes toutes les trois la seule source de dépense du poste, je ne peux que conclure qu'en une semaine, tout l'argent d'une centaine d'hommes est passé dans vos sacs à main. Bravo, vous n'êtes pas fainéantes.

— Faut pas pousser, mon grand, il y a pas loin d'une dizaine de pédés parmi tes héros !

— Quatre et je les connais, interrompt Osling, qu'attends-tu de moi ?

— Je vais te dire : Yvonne, Sonia et moi, on serait prêtes à faire crédit si tu trouvais un moyen sérieux de nous assurer le remboursement.

— Non mais, tu te fous de ma gueule ? Tu crois que je vais établir la comptabilité des coups tirés par les hommes ? Pour qui me prends-tu ? Démerdez-vous avec eux ! Si vous voulez leur faire crédit, ça ne me regarde en rien, ils vous rembourseront à Haïphong quand ils toucheront leurs soldes.

— Tu rigoles, sergent ! Tu nous vois courir après tes légionnaires avec des reconnaissances de dettes ? Ah ! on aurait bonne mine. Rien à faire. Si tu trouves pas une solution qui nous donne toute garantie, c'est simple : on baise plus... »

Sur quoi, Thérèse, hautaine et décidée, tourne sur

ses talons et disparaît laissant Osling pensif et inquiet. Si les filles se refusaient réellement, ça pouvait mal tourner.

Quelques heures plus tard, le sergent-chef exposait un plan au lieutenant Mulsant qui, ravi de cette diversion, donnait son accord.

Osling avait trouvé une pile d'étiquettes de la manufacture cotonnière de Nam-Dinh. Une brève enquête établit qu'il n'en existait nulle part ailleurs dans le camp. Osling octroya aux étiquettes la valeur de 20 piastres et les distribua aux légionnaires désireux d'en acquérir, notant les avances consenties sur leurs soldes à venir.

Les filles pourraient se faire rembourser en s'adressant à lui après le siège, sur présentation des étiquettes. (Un système analogue fonctionne en permanence à Sidi-Bel-Abbès où les légionnaires peuvent acheter des jetons en zinc qui servent de monnaie d'échange au bordel de la Légion.)

Les étiquettes eurent un autre avantage : celui d'alimenter les jeux de cartes et de dés. Un étrange commerce s'institua, les montres changeaient de bras, parfois même les tours de garde s'échangeaient, certains se privèrent de tabac ou de bière, mais la monnaie de base restait toujours les quelques instants que l'on pouvait acheter à ces dames chez lesquelles, bien entendu, les étiquettes s'accumulaient.

Le temps passe.

Chaque jour quelques obus de mortier et quelques rafales d'armes automatiques sont dirigés contre le camp retranché, mais la prudence des légionnaires et leur technique rendent ces entreprises viets inefficaces et inutiles.

L'ennemi est ailleurs : l'inaction, l'ennui, le désœuvrement. Si les officiers et les sous-officiers parviennent à occuper leurs hommes, il est en revanche plus difficile de les intéresser à d'inutiles besognes.

Une amitié imprévue naît entre Osling et Sannanès, le petit instituteur.

Les légionnaires ont pris l'habitude de voir le grand Allemand et le petit Juif parcourir ensemble les quelques dizaines de mètres qui mènent à l'appontement, et rester face au canal de longs instants, bavardant assis sur la berge. C'est au cours d'une de ces conversations en tête-à-tête que jaillit l'étincelle :

« Je pensais à une chose cette nuit, dit Osling. Vous aviez une classe de candidats au certificat d'études ?

— C'est exact, acquiesce Sannanès. J'obtenais même à Nam-Dinh des résultats prometteurs.

— Si je demandais à Mulsant l'autorisation de créer une classe de français pour les légionnaires étrangers désireux d'accéder au peloton de caporaux, seriez-vous prêt à en assumer la responsabilité ? »

Le petit juif dévisage Osling avec curiosité.

« Vous ne parlez pas sérieusement. Regardez-moi. J'ai déjà du mal à m'imposer comme professeur auprès d'enfants de dix ans, vous me voyez affronter votre bande de colosses ?

— Non seulement je vous vois, mais je suis certain que votre autorité sera respectée. Surtout si je me tiens auprès de vous.

— Vous croyez sincèrement que ces hommes ont le cœur à étudier dans les circonstances où nous nous trouvons ?

— Quelles circonstances ? Ce ne sont pas les trois ou quatre obus de mortier que nous recevons chaque jour qui les effraient. Au contraire, ils ont tous besoin d'un dérivatif et nous pouvons leur en offrir un. »

Bien que sceptique, Sannanès accepta de tenter un essai. Il s'avéra concluant au-delà de toutes les espérances.

Vingt-six légionnaires dont une vingtaine d'Allemands devinrent les élèves du petit juif. On avait trouvé un tableau noir et de la craie, et à l'étonnement de tous, les légionnaires, dès le premier jour, se montrèrent attentifs et disciplinés.

Osling et Sannanès furent immédiatement cons-

cients du phénomène qu'ils avaient créé. Les
hommes étaient non seulement avides d'apprendre,
mais ils étaient ravis de se retrouver plongés dans
un climat qui leur rappelait leur enfance.

D'abord timide, le petit instituteur prit confiance
et se mit à user de toutes les ficelles qui soutiennent l'intérêt d'une classe de gamins. Le cours eut
vite ses ténors et ses cancres que Sannanès manœu-
vrait avec un grand sens de l'humour. Le pensum
infligé au légionnaire Schneuder qui dut écrire cinquante fois : « Je dissipe mes camarades en jouant
avec mes grenades pendant la classe » est resté célèbre, et l'image des vingt-six soldats récitant en chœur
les fables de La Fontaine, les bras croisés, reste présente dans l'esprit des survivants du siège de Nam-
Dinh.

8

Tandis que sa compagnie se trouvait assiégée à Nam-Dinh, le lieutenant Mattei obtenait sa sortie de l'hôpital de Saigon et refusait toute convalescence.

Il gagnait Hanoï par le premier avion dans l'espoir de rejoindre ses hommes. C'est avec amertume qu'il apprit que son projet était irréalisable et qu'il se trouvait condamné à rester à l'arrière, dans l'attente de l'évolution des événements.

Au début de la deuxième quinzaine de janvier, rongé par l'inaction, le lieutenant Mattei passe ses après-midi au terrain d'aviation d'Hoan-Long qui organise les largages de vivres et de munitions sur la Cotonnière.

Mattei prend l'habitude de s'entretenir par radio avec Mulsant ou de Franclieu, essayant de comprendre sur une carte la situation de ses hommes. Pour y voir encore plus clair il obtient au bout de quelques jours, du lieutenant aviateur Francis Lecocq, d'être embarqué comme passager à bord de l'appareil qui va ravitailler le camp retranché.

L'avion est un vieux *Junker* asthmatique récupéré à la Luftwaffe. Sa grande carcasse de tôle ondulée semble à la limite de l'usure. Les larges ailes sont harassées par le poids des moteurs qu'elles supportent. Çà et là des trous témoignent d'attaques plus ou moins récentes.

Lecocq explique gaiement au lieutenant de Légion.

« Les viets nous ont fait un cadeau de roi ! Il y

a deux semaines, on a ramassé une balle de fusil en plein centre du plancher à hauteur de la porte. Le trou nous sert de poste d'observation pour les largages sans parachutes ; avec cette méthode nous visons beaucoup plus juste. »

Ils sont six à embarquer : Lecocq, le pilote ; Mattei, un radio, un navigateur et deux largueurs.

La mise en route des trois moteurs prend un bon quart d'heure. Pour chacun d'eux plusieurs essais sont nécessaires, et ils réagissent tous les trois avec les mêmes difficultés. L'hélice tourne lentement quelques secondes, puis un fracas assourdissant se fait entendre tandis qu'une épaisse fumée noire s'échappe par toutes les issues du capot.

Lorsque, enfin, l'appareil fait son point fixe, il vibre à un tel point que Mattei se demande s'il ne va pas s'effondrer sur la piste. Une odeur d'huile brûlée remplit la cabine, et pourtant le lieutenant Lecocq paraît satisfait du résultat obtenu. Il lève le pouce dans un geste rituel et deux hommes tirent les ficelles qui libèrent les cales.

Le vieux *Junker* roule sur la piste, accélérant dans un tintamarre infernal, et finit par s'arracher du sol lourdement. La porte de la cabine a été enlevée en vue des largages et un violent courant d'air oblige les hommes à se tenir solidement ou à rester attachés.

Jusqu'à Nam-Dinh la route est simple, il suffit de suivre le fleuve Rouge qui serpente dans la forêt. Et vingt minutes après son décollage le *Junker* survole la Cotonnière, puis effectue un large demi-tour pour perdre de l'altitude. Lorsque l'appareil se présente à nouveau dans l'axe de la D.Z., les deux largueurs ont disposé près de la porte un colis de cinquante kilos. L'un d'eux s'est couché à plat ventre, l'œil vissé au trou d'observation providentiel ; l'autre est assis par terre auprès de lui, les jambes repliées, les pieds portant sur le colis à larguer. Son corps repose sur ses bras. Ses mains sont disposées à plat sur le sol. L'observateur tient le poignet de son compagnon.

Intrigué, Mattei suit la manœuvre. A la verticale de la D.Z., l'observateur presse le poignet du largueur. Celui-ci détend brusquement ses jambes, et pousse le colis qui bascule par la portière. Mattei suit par un hublot la course du poids mort : il tombe bien au centre de la cour de la Cotonnière avec une précision étonnante.

L'opération se reproduit trois fois de suite. A chaque passage, l'avion se présente en survolant le fleuve et, dès qu'il a largué, il vire sur l'aile. De ce fait, il se trouve toujours dans une position qui le rend difficile à atteindre aux fusils et fusils mitrailleurs des viets qui pourtant chaque fois ouvrent le feu.

Après le troisième passage, le vieux *Junker* reprend de l'altitude et met le cap sur Hanoï. Lecocq signale par radio que la mission est accomplie.

Mattei qui, à l'aller, était demeuré dans la cabine a rejoint Lecocq dans le poste de pilotage. Il tape sur le dos de l'aviateur. Lecocq se débarrasse de son casque radio qu'il laisse pendre autour de son cou et tend son oreille au lieutenant de Légion qui est obligé de hurler pour se faire entendre.

« Bravo ! Précision totale ! Vous m'avez étonné.

— L'habitude ! » répond Lecocq.

Le soir, Lecocq et Mattei se retrouvent devant un verre de bière au bar de la base aérienne.

« L'opération de la journée m'a donné une idée, déclare Mattei. Je pense que votre précision nous permettrait de lancer des bombes sur les positions de mortier qui encerclent la Cotonnière. Ça desserrerait l'étau dans lequel ma compagnie se trouve emprisonnée.

— *Achtung ! Achtung !* répond Lecocq en souriant. Je crains que vous ne simplifiiez le problème. Cet après-midi nous avons largué d'à peine cent mètres d'altitude. Ça va parce que nous étions à la verticale d'une position amie. Mais si nous voulions attaquer les viets nous serions obligés de les survoler et nous leur offririons une cible terriblement vulnérable...

— Vous raisonnez trop logiquement, remarque Mattei. Au premier passage, ils seront surpris. Au suivant, ils seront trop occupés à se foutre à l'abri pour nous direr dessus.

— De toute façon, mes supérieurs ne marcheraient jamais.

— Vous savez aussi bien que moi, Lecocq, qu'il y a manière et manière de présenter les choses. On peut toujours arracher un ordre de mission si on le désire. »

Lecocq est embarrassé. Il sait qu'il peut demander une autorisation de bombarder Nam-Dinh, sans être obligé de fournir de grandes précisions. Il voudrait bien donner à l'officier de Légion l'impression qu'il ne se dégonfle pas. Mais il lui est impossible de ne pas tenir compte des risques d'une opération aussi insolite.

« Si nous transportons des explosifs et que nous ramassons une balle bien placée, c'est le feu d'artifice, fait-il remarquer.

— Si on fait la guerre en envisageant le pire, autant aller à la pêche », réplique Mattei.

Lecocq ne peut qu'acquiescer ; il est de la même trempe que Mattei, excité par l'exploit, quel que soit le danger qu'il comporte.

Il faut quarante-huit heures au pilote pour obtenir une autorisation aux termes évasifs. Ses supérieurs se sont fait tirer l'oreille, mais ont fini par admettre qu'il était meilleur juge qu'eux pour décider d'une mission sur un terrain qu'il connaissait parfaitement pour y avoir mené à bien de nombreuses opérations.

Non sans étonnement (nul n'ignore qu'aucun bombardier n'est basé en Indochine en cette période de début 47) l'arsenal promet de fournir des bombes de cent kilos, et le 20 janvier à l'aube quatre engins sont transportés à bord du *Junker* comme de vulgaires colis, disposés sans ménagement auprès de la porte.

Mis au courant des intentions des deux officiers,

l'équipage ne s'est pas montré particulièrement
enthousiaste, mais avant le décollage les hommes sont
rentrés dans le jeu et ont oublié le danger qu'ils
allaient courir.

Il a été décidé que ce serait Mattei qui pousserait
lui-même les bombes du pied au signal de l'observateur.

Dans la Cotonnière les légionnaires ont été prévenus
et se sont massés le plus loin possible des points
de chute prévus, le long du canal. La première défla-
gration fait trembler tous les bâtiments. Des éclats
divers atterrissent dans la cour. Osling et le sergent
Leroy se sont jetés à plat ventre d'un mouvement
instinctif, tandis qu'ils contemplent le virage lointain du *Junker.*

« Il n'est pas tombé à plus de cinquante mètres
de chez nous celui-là. Ils sont dingues ! La moindre
erreur et on prend les pruneaux sur la gueule...

— Tu sais qui s'amuse là-haut ? » interroge Osling.

Leroy dévisage son compagnon, intrigué.

« Il n'y a pas un quart d'heure que je l'ai appris
du lieutenant : c'est le patron qui trouvait le temps
long à Hanoï et qui nous a organisé cette petite
fête.

— Mattei ? Oh ! la vache, il ne sait vraiment pas
quoi inventer... »

Osling interrompt Leroy en lui plaquant la tête
contre le sol d'un geste vif : de nouveau le *Junker*
rase le sol et lâche une nouvelle bombe qui tombe
en plein sur une batterie de mortier viet. Les deux
bombes suivantes sont moins efficaces mais explosent néanmoins chez l'ennemi. L'opération est un succès absolu. Pourtant elle ne sera pas répétée ; les
risques qu'elle comporte sont jugés trop élevés :
« Une balle bien placée et c'est le feu d'artifice... »

Vers la fin du mois de janvier, c'est au tour
d'Osling de faire preuve d'imagination.

Le poste de radio de la banque signale un matin

qu'un obus de mortier vient de s'abattre à proximité d'une réserve d'essence, provoquant un incendie sans autre conséquence grave que la perte totale de la réserve de cigarettes et de tabac. Les coloniaux de la banque n'ont plus rien à fumer et réclament de l'aide.

Mis au courant, Mulsant refuse catégoriquement d'exposer la vie d'un seul homme pour faire parvenir du tabac au poste de la banque. Pourtant il est fumeur et il conçoit le supplice que vont endurer les malheureux pendant un temps qui reste indéterminé. Très vite, les légionnaires sont au courant de la situation de leurs compagnons. Tous seraient volontaires pour tenter de leur faire parvenir du tabac ; aucun n'estime que ce serait un risque plus superflu qu'un autre, mais Mulsant demeure intransigeant.

Dans la nuit, deux coloniaux partent, sans ordres, de la banque pour tenter une liaison. Un seul arrive. L'autre saute sur une mine à cent mètres de la Cotonnière. Il est tué sur le coup.

Mulsant refuse au survivant l'autorisation de repartir, et la situation reste entière.

A l'aube, Osling croit avoir trouvé une solution. Pourquoi ne pas envoyer au mortier des obus de tabac ? Il suffit de régler le tir en se servant de charges mortes d'un poids égal aux cartouches de cigarettes. La journée entière sera nécessaire à la mise au point du projet. L'objectif est le toit de la banque.

Vers six heures du soir, tout semble prêt. Des obus de coton de cinq kilos tirés depuis la Cotonnière atterrissent régulièrement sur le toit de la banque. Enthousiasmée, la Coloniale transmet :

« O.K. ! vous pouvez envoyer le tabac. »

Sur trois tirs, deux obus de cigarettes parviennent à la Coloniale. Un rapport très sérieux sera établi au sujet de ce procédé, car il paraît évident aux officiers qu'il peut se révéler utile dans d'autres circonstances...

9

A l'aube du 22 janvier, la sentinelle du poste Bofelli est tirée de sa torpeur par l'éclatement d'une fusée jaune lancée de la banque. Il est cinq heures trente du matin. La signification de ce tir est connue de tous : les coloniaux réclament un contact radio immédiat. La sentinelle ne quitte pas son poste mais prévient l'un des trois légionnaires qui dorment dans la pièce.

« Raymond, va prévenir le radio, les coloniaux veulent parler. »

Raymond sort facilement d'un sommeil léger ; il va se tremper la tête dans un seau d'eau, agrafe son short et sa chemise, et quitte la pièce d'un pas traînant.

Le poste de radio est installé dans le bâtiment central. Malgré l'exiguïté de la pièce, deux techniciens y dorment par roulement. A l'arrivée de Raymond, ils sont occupés à réchauffer une gamelle de thé.

« La Coloniale vient de tirer une fusée jaune, annonce Raymond. Vous devriez vous mettre à l'écoute. »

L'un des deux radios s'approche du poste, soulève un petit levier de bakélite, et se lance dans la rituelle litanie :

« Oncle Tom » appelle « Financiers » — « Oncle Tom » appelle « Financiers » — A vous. »

Le radio délivre le levier qu'il actionnait par pression sur le manche du micro et attend la réponse, qui ne vient pas. Indifférent il allume une cigarette à l'aide d'un briquet zippo, puis il reprend sur le même ton monocorde :

« Oncle Tom » appelle « Financiers » — « Oncle Tom » appelle « Financiers » — A vous. »

Cette fois, les coloniaux répondent. La communication est imparfaite comme chaque fois qu'ils n'émettent pas du toit de la banque.

« Ici « Financiers ». Je vous reçois 3 sur 5. Comment me recevez-vous ?

— Je vous reçois également 3 sur 5. A vous. »

Une voix qui n'a pas l'habitude des échanges radio, reprend alors :

« Ici le caporal-chef infirmier Leroyer. Nous avons deux malades qui nous inquiètent. Il paraît que vous avez un médecin. Pouvez-vous me mettre en communication avec lui ? A vous. »

Les trois hommes s'interrogent du regard. Cela dépasse leur compétence. Le radio opérateur prend l'initiative.

« Il est cinq heures cinquante. Reprenez le contact à six heures. Nous avisons.

— On a un toubib ici ! interroge la sentinelle.

— Affirmatif ! mon pote, réplique le deuxième radio. L'ennui, c'est qu'il ne veut pas entendre parler de médecine. »

Trois minutes plus tard, le radio est au garde-à-vous devant le lieutenant de Franclieu auquel il expose l'incident.

« Allez prévenir Osling, répond Franclieu, mal réveillé. S'il rouspète, dites-lui que c'est un ordre. Je vous rejoins. »

Osling proteste, mais obtempère néanmoins.

Lorsqu'il arrive au poste radio il est six heures précises et le contact est déjà établi. Osling prend le micro et annonce :

« Ici sergent-chef Osling, je vous reçois bien. Je vous écoute. A vous.

— J'ai demandé à parler à un médecin. Ici l'infirmier Leroyer. A vous. »

Osling jette un regard circulaire sur les trois hommes attentifs qui le dévisagent. Le lieutenant de Franclieu vient d'entrer. Déguisant mal sa mauvaise humeur, Osling déclare enfin :

« Je suis médecin. A vous.

— Ah ! pardon, major, j'avais mal compris, commence l'infirmier. Voilà : on a deux types qui dégueulent depuis hier soir et ils affirment qu'ils n'ont rien bouffé en douce, et puis ils disent qu'ils ont mal partout.

— Ecoutez, répond Osling, il m'est impossible de me prononcer sans les voir. N'avez-vous pas remarqué d'autres symptômes ?

— Non, major. Ils dégueulent, c'est tout.

— Cessez de m'appeler major, non d'un chien ! hurle Osling hors de lui. Etudiez vos gars, prenez leur température et observez-les jusqu'à huit heures. On avisera.

— A vos ordres, mon capitaine. Terminé », conclut l'infirmier, ahuri par le coup de gueule d'Osling.

A huit heures, le dialogue de sourds reprend.

« Il y a du nouveau, annonce l'infirmier.

— Je vous écoute.

— Ils ont la chiasse.

— Ça ne prouve rien. La température ?

— On y a pas pensé. »

A dix heures, nouvelle vacation. Un troisième soldat a été atteint par les mêmes symptômes.

Toute la journée les contacts se poursuivent d'heure en heure sans qu'il soit possible à Osling de se faire une opinion. Enfin, vers vingt heures une précision l'inquiète.

« Il y a du nouveau, annonce l'infirmier. Il y en a un qui a la gueule comme un fromage...

— Quel genre de fromage ? questionne Osling. Observez bien, c'est important.

— Je l'ai pas vu moi-même, je vous passe le lieutenant.

— Ici Colin, annonce le lieutenant. Effectivement, l'un des malades a le visage piqueté et tacheté, mes hommes ont parlé de roquefort. C'est assez vrai. »

Osling réfléchit un instant, puis sans quitter le lieutenant de Franclieu des yeux, il reprend :

« Je vais tenter de venir dès que la nuit sera tombée. Si j'obtiens l'autorisation de mes supérieurs.

— C'est grave ? interroge Colin.

— Comment voulez-vous que je le sache ? C'est pour m'en rendre compte que je vais essayer de vous rejoindre. Terminé. »

Franclieu interroge à son tour Osling.

« Vous avez un diagnostic dans la tête pour encourir un tel risque ! C'est grave, je suppose ?

— Ecoutez, mon lieutenant, je suis obligé d'envisager le pire. C'est la raison pour laquelle j'ai décidé d'aller me rendre compte. Laissons le diagnostic pour plus tard.

— Vous pouvez au moins me dire à quoi vous pensez quand vous parlez du pire.

— A rien de précis, mon lieutenant. Si vous m'autorisez à sortir, j'aimerais prendre cinq légionnaires avec moi pour me servir éventuellement de brancardiers au retour. »

Quelques instants plus tard, Osling et cinq légionnaires s'enduisent le visage et les pieds de cirage et s'habillent en noir avec des défroques d'uniformes viets récupérés sur des morts. Puis, pourvus seulement d'un armement léger, ils se glissent dans la nuit, pieds nus, à cinq mètres de distance les uns des autres. Ils parviennent à la banque sans avoir été repérés, et aussitôt Osling se fait conduire auprès des malades. Un coup d'œil lui suffit pour s'apercevoir qu'il ne s'était pas trompé. Il marmonne entre ses dents :

« Nom de Dieu ! Il ne manquait plus que cela. »

Derrière lui, le lieutenant Colin anxieux attend le verdict. Osling prend le poignet de l'un des malades et compte les pulsations. Puis il tape sur l'épaule du malheureux et lui déclare en souriant :

« On va te `tirer de là, te fais pas de bile. Vous allez

partir en vacances tous les trois. On peut dire que vous êtes vernis. »

Osling se retourne vers le lieutenant et lui fait signe de le suivre.

« Faites préparer trois brancards, dit-il. On va les évacuer sur la Cotonnière. »

Dès qu'ils sont sortis de la pièce, Osling poursuit :

« C'est la vacherie, mon lieutenant. Le choléra. Il faut les évacuer sur Hanoï coûte que coûte, et se faire parachuter des rappels de vaccins pour chacun de nous. Quant à vos trois rombiers, à moins d'un miracle, ils sont foutus.

— Vous êtes sûr de votre diagnostic ?

— Aucun doute ! »

Les trois brancards sont dépliés en quelques instants, et le petit groupe s'enfonce à nouveau dans la nuit. Comme à l'aller, ils ont la chance de n'être pas repérés et ils regagnent sans encombre la Cotonnière.

Mulsant et Franclieu sont mis aussitôt au courant de la situation et le P. C. d'Hanoï est averti du danger qui menace les deux compagnies de Nam-Dinh vers vingt-deux heures. Quelques minutes avant minuit, la réponse arrive : On parachutera des rappels de vaccin sur la Cotonnière, à l'aube. En ce qui concerne les trois malades, impossible d'envisager leur évacuation. Une embarcation à moteur serait repérée dans le canal de Nam-Dinh et n'aurait aucune chance de parvenir jusqu'à l'appontement de la Cotonnière.

Mulsant, Franclieu et Osling rejoignent un groupe de sous-officiers au foyer improvisé et se font déboucher des bouteilles de bière. La nouvelle a transpiré, créant une atmosphère lourde que le mutisme des officiers n'apaise pas. Enfin Osling déclare :

« Ces trois types vont peut-être mettre une semaine à crever. On ne va tout de même pas les regarder sans rien faire.

— Médicalement, il n'y a rien à tenter sur place ? interroge Mulsant.

— Rien. La maladie est trop avancée. Même si on

pouvait les évacuer sur Hanoï, leur situation resterait critique. Le seul système est d'essayer de leur
faire gagner le fleuve Rouge. Là, les marins pourraient les prendre en charge sans risques.

— Quelle est au juste votre idée, Osling ? Précisez.

— C'est simple. En une heure ou deux on peut
bricoler un radeau sommaire. Deux légionnaires peuvent essayer, dans la nuit, de descendre le canal,
sur les deux kilomètres qui nous séparent du fleuve.
A l'aube ils seraient à l'embouchure et pourraient
prendre contact avec une embarcation rapide venue
d'Hung-Yen.

— C'est risquer la vie de deux hommes pour en
sauver trois, constate Mulsant.

— Vous semblez ignorer une chose, mon lieutenant : l'agonie de trois cholériques ne passera pas
inaperçue au sein de la compagnie. Ça va créer une
psychose, les légionnaires vont se découvrir des
symptômes imaginaires et se croire atteints. Le moral
du camp tout entier va être menacé. J'ai connu ce
genre de situation. Je ne souhaite pas la revoir.

— C'est bon, conclut Mulsant. Vous avez sans doute
raison. Organisez l'évacuation comme vous l'entendez. »

Sans prendre le temps de finir sa bière, Osling se
précipite au poste radio et alerte Hung-Yen. Il a fait
mentalement un rapide calcul. Deux heures pour
construire un radeau. Sans incidents, le courant
aidant, le radeau peut parcourir la longueur du canal
en deux autres heures. En commençant le travail à
minuit, on peut fixer le contact à quatre heures
trente, le jour ne sera pas encore levé.

Hung-Yen répond qu'un L. C. T. peut se trouver au
rendez-vous au milieu du fleuve Rouge à quatre
heures trente précises ; il attendra l'esquif jusqu'à
l'aube.

Osling va alors réveiller les six hommes auxquels
il a pensé pour entreprendre la construction du
radeau. Il y a parmi eux un charpentier et deux

marins. Le matériel ne manque pas, et il faut moins des deux heures prévues à la petite équipe pour confectionner une embarcation stabilisée par six bidons disposés aux extrémités de trois balanciers.

Reste à choisir les deux légionnaires qui convoieront les malades. Les deux marins constructeurs se sont portés volontaires, mais l'un d'eux est écarté par Osling car il est gradé. L'autre, Félix Baucher, un Belge d'Anvers, est agréé ; c'est lui qui propose son coéquipier.

« Roux Émile. Vous savez, chef, c'est le petit Breton de la section Jung. Il n'est pas lourd, mais il a fait les morutiers à Audierne... et puis, je l'aime bien », ajoute-t-il pensif.

Osling comprend. C'est comme si Baucher avait déclaré : « J'aime autant crever avec lui qu'avec un autre. »

« C'est bon. Va le réveiller », déclare-t-il simplement.

Il n'est pas tout à fait deux heures du matin lorsque l'embarcation est mise à l'eau depuis l'appontement. Les trois contagieux sont étendus au centre de l'esquif sur des matelas pneumatiques. Ils réalisent mal l'entreprise des légionnaires, mais ils n'ont pas la force de réagir. On leur a seulement recommandé de rester silencieux et de ne se plaindre en aucun cas.

Par chance, la nuit est noire. Les hommes qui ont aidé à la mise à l'eau et à l'installation des malades n'ont pas prononcé une parole. Le radeau gagne le milieu du canal sans attirer l'attention de l'ennemi.

L'embarcation glisse bien, Baucher à l'avant ne donne que de rares coups de pagaie, laissant le courant les entraîner en silence. A l'arrière, Roux fait gouvernail. Il tente de maintenir l'esquif au milieu du canal, devinant les rives plus qu'il ne les distingue.

Les fesses des deux légionnaires trempent dans l'eau mais les malades sont protégés par l'épaisseur

des matelas pneumatiques. Après une demi-heure,
Baucher aperçoit, sur la rive droite, un feu qui projette une tache de lumière sur l'eau. Il se retourne
vers Roux qui murmure simplement :

« Vu. On contourne. »

Inconscient du danger, l'un des blessés se met à
geindre et demande à boire. Roux lui plaque sa main
sur la bouche et, s'approchant de son oreille, il chuchote entre ses dents crispées :

« Ta gueule, tu m'entends, ta gueule ou je te
balance à la baille. »

Puis il trempe un mouchoir dans l'eau du canal
et le plaque sur la bouche du mourant.

A hauteur du feu, les légionnaires distinguent les
silhouettes des viets. Le radeau longe la rive opposée
pendant une centaine de mètres, puis regagne silencieusement le milieu du canal. La progression se
poursuit sans incidents, mais le temps passe et l'aube
se lève lorsque Baucher constate que le canal s'élargit. Encore dix minutes et, dans la lumière du petit
matin, les légionnaires distinguent parfaitement l'embouchure du fleuve Rouge. Bien au centre du fleuve
l'embarcation de la marine les attend. Alors ils changent de tactique et se mettent à ramer de toutes
leurs forces.

Le L. C. T. est repéré avant eux et un tir d'armes
automatiques est dirigé contre lui de la berge. A
cette distance les marins ne risquent pas grand-
chose, mais il est évident que le radeau ne pourra
pas les atteindre. L'enseigne de première classe Legouhy prend alors la décision qui va lui valoir les
arrêts de rigueur. Il enfreint les ordres formels
qu'il a reçus et se porte à la rencontre de l'esquif,
exposant dangereusement son embarcation. En quelques minutes, il rejoint le radeau, mais le transbor-
dement doit s'effectuer sous un feu d'enfer. Les malades ne sont pas atteints, mais Baucher est frappé
d'une balle en pleine tête et coule à pic dans l'eau
boueuse. L'un des marins est grièvement blessé, ce
qui aggravera le cas de l'enseigne. Enfin, le L. C. T.

s'éloigne, laissant le radeau se balancer dans son sillage.

A bord, Roux se tient debout, les mains derrière le dos. Il a remercié d'un mot l'enseigne qui a simplement hoché la tête et répondu :

« Vous vous en êtes bien sorti, vous êtes marin ?
— Je suis d'Audierne.
— Ah ! et votre copain ?
— Il était d'Anvers.
— Pas de chance. Désolé, mon vieux. »

L'un des trois malades ne parviendra pas vivant à Hung-Yen. Les deux autres survivront.

En compensation du blâme qu'il reçut de ses supérieurs, l'enseigne de vaisseau de première classe Legouhy fut élevé au rang de légionnaire d'honneur par le 3ᵉ Étranger.

Dans la matinée du 23 janvier, le vaccin est parachuté sur la Cotonnière. Une patrouille perdra un homme en transportant les ampoules destinées à la banque, puis ce sera, de nouveau, la monotonie du siège.

Les deux compagnies de Nam-Dinh repousseront tous les assauts viets jusqu'au 13 mars, date à laquelle elles seront relevées par un effectif beaucoup plus important. Le siège aura coûté à la 4ᵉ compagnie du 3ᵉ Étranger une vingtaine de morts et autant de blessés.

La Légion aura tenu le camp retranché de la Cotonnière pendant deux mois et six jours.

10

APRÈS le siège de Nam-Dinh, le lieutenant Antoine Mattei reprend le commandement de la 4ᵉ compagnie. Dans cette période de la guerre d'Indochine, il va devenir une véritable figure de légende. Le général Gaultier qui fut le dernier « père de la Légion » à Sidi-Bel-Abbès m'a déclaré à son sujet :

« Il fait partie de ces soldats que tous les officiers supérieurs redoutent et admirent. Une tête de mulet, un courage et une témérité aveugles. Et une chance insolente... Mais ne le citez pas en exemple d'officier de Légion ! C'était un chef de bande indiscipliné, un franc-tireur qui n'en faisait jamais qu'à sa tête, et qui considérait les ordres qu'il recevait comme d'aimables divagations du haut commandement. Dans une autre arme, il serait passé en conseil de guerre. »

Comme un peu plus tard dans notre conversation, je demandais au général Gaultier quel était l'officier qu'il avait le plus admiré pour sa conduite dans la guerre d'Indochine, il me répondit sans hésiter :

« Mattei, bien entendu. »

En mai 1947 le lieutenant Mattei va de plus en plus chercher à rendre sa compagnie indépendante du bataillon. Il est servi par la chance, la 4ᵉ vient d'être isolée près de trois mois à Nam-Dinh, et les légionnaires ont pris l'habitude de ne dépendre que de leurs chefs directs. Thu-Dien où ils ont été regroupés provisoirement leur semble un paradis. Le quartier chinois est bien approvisionné par un marché noir mystérieux. On peut circuler dans les rues, se rendre aux bistrots qui abritent tous quelques prostituées d'occasion ; il y a même une officine de jeux.

Dans cette bourgade paisible, une fonction militaire inconnue jusqu'alors va pourtant prendre naissance. Le lieutenant Mattei va s'adjoindre un garde du corps. Et quel garde du corps ! Adam Ickewitz est Hongrois, il mesure 1,92 m et pèse 120 kilos. Son instinct animal et son habileté de jongleur au fusil mitrailleur, dont il se sert comme d'une carabine légère, en font un soldat redoutable. Quand il est soûl il faut dix hommes pour le maîtriser, mais à jeûn, il est tendre et sentimental. L'amour qu'il porte à son lieutenant ne connaît aucune limite, et la fierté qu'il tire de la mission qui lui a été confiée fait sourire ses compagnons. Néanmoins, les risques d'un nouvel attentat contre Mattei sont réduits par la présence du géant qui surveille tout avec un acharnement têtu.

Adam Ickewitz est secondé dans sa mission par l'ordonnance du lieutenant, le caporal Juan Fernandez. Ex-républicain espagnol, Fernandez en revanche jouit d'un esprit particulièrement ouvert. C'est un malin, truqueur et combinard. Il n'est honnête qu'envers Mattei, il n'a d'autre ami qu'Ickewitz, et cette amitié fait penser à celle des deux héros de Steinbeck dans *Des souris et des hommes*. Fernandez est chétif et sec, mais il est d'une endurance inimaginable. Son seul point commun avec Ickewitz est sa passion pour l'alcool.

Ickewitz a le sens du protocole militaire poussé à l'extrême, surtout lorsqu'il se sent fautif ou lorsqu'il réclame une faveur. Mattei redoute un peu les garde-à-vous figés du géant et les déclarations lancées d'une voix de stentor :

« Le légionnaire Adam Ickewitz, 1er bataillon, 4e compagnie demande l'autorisation de se soûler la gueule. »

Et cela, sans une pointe d'humour, simplement

comme s'il s'agissait d'une chose parfaitement naturelle.

Mattei, du reste, répond sur le même ton : « refusé » ou « accordé ».

Quand le lieutenant arrivait à obtenir de Fernandez la promesse qu'il resterait sobre pendant les libations démesurées du Hongrois, les choses se passaient généralement sans incident ; mais si les deux compagnons s'entêtaient à sombrer ensemble dans l'ivresse, Mattei n'avait plus qu'à mobiliser une section entière et donner l'ordre à un sous-officier d'avoir à limiter les dégâts.

Dans les derniers jours de mars, Mattei regagne Thu-Dien après une absence de quarante-huit heures. Il rentre d'Hanoï où il avait été convoqué.

Il trouve Adam Ickewitz en grande tenue (ceinture et épaulettes) au garde-à-vous devant la porte de son bureau. Il dévisage un instant le géant et lui lance :

« Tu vas à un mariage ? Qu'est-ce que c'est que ce cirque ? »

Le Hongrois reste figé ; remuant à peine les lèvres, il laisse entendre :

« Mon lieutenant, il faut me casser la gueule et me mettre en prison. »

Mattei ne répond pas, il pénètre dans son bureau, laissant le Hongrois immobile à la porte.

Fernandez feint la surprise. Plongé dans un travail de paperasserie il donne l'impression de n'avoir pas entendu l'arrivée de la jeep de l'officier sous ses fenêtres.

Il se lève comme un ressort et déclare :

« Quelle surprise, mon lieutenant. On ne vous attendait que dans la soirée !

— Menteur, réplique Mattei. Non mais, tu me prends pour un con ? Je vais te dire ce que tu faisais, tu surveillais le col depuis des heures à la jumelle pour signaler l'arrivée de ma jeep et prévenir ton acolyte de préparer ta mise en scène. Alors, arrête ta comédie et explique-moi plutôt dans quel merdier il s'est encore fourré ! »

Fernandez adopte l'attitude de l'homme torturé par un cas de conscience. Mattei bondit, le saisit par sa chemise et furieux :

« Je te donne dix secondes...

— Ça va, mon lieutenant, il a secoué le pognon de la caisse noire... »

Ahuri, Mattei lâche le légionnaire.

« Il y avait près de 10 000 piastres !

— 9 300, rectifie Fernandez.

— Qu'est-ce qu'il en a foutu ?

— Le Backouan chez Vang, il a tout paumé.

— Tu veux dire qu'il s'est fait plumer comme un pigeon ? Nom de Dieu ! L'argent de la compagnie dans la poche de ce maquereau ! Je crois vraiment que je vais faire fusiller ce grand con. »

Timidement, Fernandez tente d'excuser son compagnon.

« Vous savez, Ickewitz, il pense pas beaucoup. Hier soir il avait gagné avec son argent, il a cru qu'en empruntant la caisse, il pouvait faire sauter la banque du Chinois.

— Ah ! c'est nouveau ! Et tu pouvais pas lui dire qu'ils trichent, ce margoulin et ses complices ?

— J'ai été au courant qu'après, mon lieutenant, vous pensez bien... »

C'était certainement vrai. Fernandez aurait empêché le vol s'il s'était douté des projets de son compagnon.

Mattei quitte la pièce comme une fusée. A son passage Ickewitz lance à nouveau :

« Mon lieutenant, il faut me casser la gueule et me mettre en prison. »

Mattei s'arrête :

« Certainement pas, Ickewitz ! Les types comme toi on les ignore, on les punit même pas. C'est moi le coupable, je n'aurais pas dû laisser de l'argent à portée d'un voleur. Allez, fous-moi le camp ! »

Le géant reste immobile, les lèvres frémissantes, il

cherche des mots qu'il ne trouve pas, alors il répète obstiné :

« Mon lieutenant, il faut me casser la gueule et me mettre en prison. »

Mattei tourne les talons et s'éloigne dans la cour du quartier. Ickewitz le suit à dix mètres. Mattei se retourne plusieurs fois ; chaque fois le géant se fige au garde-à-vous. Enfin, le lieutenant s'arrête et hurle :

« Ickewitz ! fous-moi le camp ! c'est un ordre, je ne veux plus te voir, c'est compris ? »

Désespéré, le géant obtempère et s'en va d'un pas lourd retrouver Fernandez dans le bureau.

« Il m'a traité de voleur, déclare-t-il en entrant.

— Ça me paraît assez logique ! constata Fernandez.

— Il m'a même pas cassé la gueule, il dit qu'il veut pas me punir.

— Ça, c'est plus vache », admet Fernandez.

Ickewitz baisse la tête, puis comme si cet aveu le déchirait, il marmonne :

« C'est clair, il ne m'aime plus ! »

Fernandez a du mal à ne pas sourire.

« Allons, dit-il, tu parles comme une gonzesse plaquée, tu verras bien que ça s'arrangera.

— S'il refuse de me punir, ça ne s'arrangera jamais. »

A la Légion, une faute entraîne une sanction, généralement immédiate et violente, mais on ignore la tracasserie. Une faute sanctionnée est effacée, on n'en parle plus et tout rentre dans l'ordre. L'attitude du lieutenant, ce jour-là, laissait entendre qu'il ne pardonnerait pas, et Ickewitz se sentait totalement désorienté.

Une autre règle de la Légion est que tout officier doit connaître les connaissances de chaque homme, dans quelque domaine que ce soit. Une compagnie atteint la perfection par l'éventail étendu de ses compétences ! c'était le cas de la 4e.

Ce jour-là, ce n'était ni un charpentier ni un marin ni un plombier que cherchait Mattei, mais deux complices du poker, anciens truands dans leurs pays respectifs : la Grèce et l'Italie.

Depuis longtemps les hommes de la 4e avaient renoncé à tous les jeux auxquels participaient Simon le Grec et Folco le Rital. Les deux hommes en étaient contraints à tricher entre eux ou à faire des réussites pour ne pas perdre la main en attendant des contacts avec des unités extérieures.

Mattei trouve Simon au *Petit Tonkinois*.

« Tu sais où est Folco ? interroge-t-il.

— Je l'attends, mon lieutenant, répond le Grec en se redressant.

— Bon, nous allons l'attendre ensemble. Qu'est-ce que tu bois ?

— Une bière, avec plaisir, répond Simon étonné et inquiet.

— On va faire un petit poker tous les trois », annonce Mattei calmement.

Simon dévisage le lieutenant ; ahuri, il se demande si l'officier n'est pas pris d'une crise de folie subite.

« Cesse de me regarder comme ça, ce n'est pas moi le pigeon dans l'histoire, c'est Vang ! Il a refait Ickewitz de 9 000 piastres, je tiens à les récupérer.

— Il marchera jamais.

— Mais si, compte sur moi pour le convaincre.

— Ah ! je vois, mon lieutenant, on va rigoler.

— Écoute. Ce que je désire, c'est récupérer l'argent qu'a secoué ce malfrat. Si on peut le faire proprement j'aime autant. Si votre notoriété est fondée, vous n'aurez même pas besoin de tricher, les Chinois sont de médiocres joueurs de poker.

— Vang joue comme une patate, mais il le sait. Il sera dur à persuader...

— Ça, j'en fais mon affaire. »

L'arrivée de Folco interrompt la conversation des deux hommes. L'Italien est rapidement mis au courant. Évidemment, l'idée du lieutenant l'enchante.

Vers vingt heures, les trois légionnaires se présentent au tripot du Chinois. Vang est surpris par la

présence inhabituelle de l'officier. Il se livre néanmoins à une rituelle et obséquieuse démonstration.

Se cassant en deux, les mains jointes sur le ventre,
il marmonne :

« Quel honneur, mon lieutenant, de vous recevoir
dans mon modeste établissement.

— Je vous remercie de votre accueil, réplique
Mattei. Nous désirons faire une partie de poker, nous
comptons sur vous pour nous trouver un quatrième.

— Vous savez, mon lieutenant, nous ne sommes
pas très familiarisés avec vos jeux occidentaux...

— Pas possible ! Quelle chance inespérée vous avez,
Vang ! J'ai justement deux spécialistes avec moi. Ils
vont se faire un plaisir de vous initier. C'est en
forgeant qu'on devient forgeron, mon vieux. »

Puis, se tournant vers les légionnaires, il poursuit :

« J'ai trouvé notre quatrième, les gars. Vang meurt
d'envie de se perfectionner dans les pratiques occi-
dentales du jeu.

— Non, non, vous m'avez mal compris, mon lieutenant, je craindrais par mes erreurs d'ôter tout
intérêt à votre partie. »

Derrière, au bar, Folco vient de se servir un verre
de schoum. Ostensiblement, il laisse tomber à terre
la bouteille pleine qui se brise.

« Excusez-moi, mon lieutenant, je suis d'une maladresse navrante. »

Mattei éclate de rire.

« C'est incroyable, Folco, chaque fois qu'on te
contrarie tu deviens d'une nervosité maladive, fais-
moi penser d'en parler au major.

— Je crois que je vais jouer avec vous », dit tristement Vang, qui ne se fait aucune illusion depuis
le début.

La partie dure plus de dix heures. Le jeu est
parfaitement régulier et l'extrême prudence de Vang
fait qu'il ne perd que petit à petit. Néanmoins, vers
sept heures du matin, il a laissé plus de 10 000 piastres aux trois hommes. Mattei perd alors ostensiblement 700 piastres afin que le compte soit juste et

qu'aucun doute ne puisse se glisser dans l'esprit du
Chinois sur le motif de l'entreprise.

Au reste, Vang se montre beau joueur, il félicite
ses partenaires et déclare :

« J'aimerais savoir, mon lieutenant, ce qui se serait
passé si par miracle j'avais gagné.

— C'est simple, réplique Mattei, j'aurais fait comme
toi, j'aurais triché. »

Le soleil est déjà levé lorsque les trois hommes
traversent la cour du quartier. Stupéfaits, ils s'arrêtent devant le spectacle qui s'offre à leurs yeux.

Au pied du mât du drapeau, une tête couverte
d'un képi blanc semble posée sur le sol. Ahuris,
Mattei et les deux légionnaires découvrent que l'homme est enterré verticalement jusqu'au menton.

« Nom de Dieu, s'exclame le lieutenant, courez me
chercher une pelle. »

Il n'est pas étonné, en se rapprochant, de reconnaître Ickewitz qui, parfaitement conscient, le dévisage :

« Qu'est-ce que tu as encore inventé, bougre d'abruti ? lance Mattei.

— C'est la punition, mon lieutenant. Vous avez
pas voulu la donner, alors je l'ai trouvée tout seul.

— Quel est le cinglé qui t'a enterré là ?

— Je dirai pas, mon lieutenant.

— C'est moi, mon lieutenant, j'ai cru bien faire,
il insistait tellement ! »

Accourant, Fernandez vient de répondre. Mattei ne
sait plus quelle attitude adopter bien que la situation
soit à ses yeux d'une grande clarté. Il y a un bon
demi-siècle qu'a disparu cette vieille coutume qui
consistait à enterrer les hommes au pied du drapeau
et à les laisser au soleil ou à l'humidité douze ou
vingt-quatre heures selon l'importance de la faute
à sanctionner. Cette méthode fit jadis partie des
traditions féroces de la Légion étrangère et Mattei
ne se privait pas, au cours de ses accès fréquents de
colère, d'en menacer les hommes comme on use de

l'image d'un croquemitaine pour frapper l'imagination d'un enfant. Il allait même jusqu'à prétendre déplorer l'abolition d'un système qui se révélait, disait-il, si efficace et bénéfique.

Et voilà. Dans sa tête d'oiseau, Ickewitz avait trouvé la solution à son problème. Il avait lui-même sanctionné sa faute par le châtiment le plus cruel. Il allait donc être pardonné.

« Déterre-le, ordonne Mattei, j'aviserai.

— Non, mon lieutenant, tranche Ickewitz, je veux rester sans boire jusqu'à ce soir.

— Soyez chic, mon lieutenant, laissez-le », intervient Fernandez.

Brusquement Mattei se rend compte qu'Ickewitz par son geste résout également son problème à lui. Il était fort embarrassé quant à l'attitude à adopter vis-à-vis du géant. En acceptant la sanction qu'Ickewitz s'est lui-même infligée, il pourrait le soir même passer l'éponge sur le vol, ce qui, au fond, l'arrange considérablement.

« C'est bon, acquiesce-t-il, tu restes jusqu'au coucher du soleil. J'enverrai le toubib te surveiller toutes les heures, et je t'autorise à boire autant d'eau que tu veux.

— Je ne boirai rien, mon lieutenant. »

Vers midi, le spectacle devient horrifiant. La douleur défigure le visage boursouflé du légionnaire. Les moustiques mènent une ronde incessante autour de sa tête. Autour de son cou, la sueur dessine sur la terre un cercle humide. Ickewitz a repoussé les tentatives de ses compagnons pour le faire boire. Il a refusé qu'on lui jette des seaux d'eau sur la tête. Il n'a plus la force de parler, mais, jusqu'au dernier moment, à toutes les offres d'aide, il agite la tête en signe de négation.

Vers seize heures il s'évanouit. On le déterre séance tenante et quatre hommes le portent à l'infirmerie. Adam Ickewitz est resté dans son trou près de dix-neuf heures, il lui faudra deux jours pour récupérer.

11

LA réplique célèbre : « Je ne veux pas le savoir » que l'on attribue généralement aux adjudants de quartier, n'a pas cours à la Légion étrangère. En revanche, il est une phrase que connaît bien tout légionnaire pour se l'être entendu répéter des centaines de fois par son supérieur direct, c'est le classique : « Vous êtes légionnaire, démerdez-vous. »

Que cette apostrophe soit lancée par un caporal-chef à un caporal ou par un colonel s'adressant à un lieutenant-colonel, il est prudent de savoir qu'elle ne demande aucune réplique, mais seulement de la réflexion et la plupart du temps l'élaboration d'un système ingénieux. Il est prudent de prévoir, en outre, que si ce système s'écarte des règles de la morale militaire il est recommandé de ne pas se faire prendre. Enfin et surtout, dans le cas où par malchance une indélicatesse suggérée par un supérieur viendrait à être percée à jour il faut encaisser et se taire. Les quelques ignorants qui eurent le malheur d'enfreindre cette règle en constatant : « Mais, chef, c'est vous-même qui m'avez dit : tu es légionnaire, démerde-de-toi », ces quelques ignorants mirent souvent de longs mois à se repentir de leur logique.

Le 1er avril 1947, Antoine Mattei eut avec le P. C. d'Hanoï une conversation téléphonique que son interlocuteur, le commandant Laimay, conclut par la définitive formule :

« Mon vieux, vous êtes légionnaire, démerdez-vous... »

Tout avait pourtant commencé d'une façon très banale.

A neuf heures du matin un contact quotidien est pris avec Hanoï. Généralement il se borne à un échange de rapports routiniers et à la transmission de consignes secondaires.

Ce matin-là le commandant Laimay réclame Mattei au téléphone.

«Mattei, les rebelles ont déclenché cette nuit un raid sanglant sur Thai-Binh. La ville est en flammes ; il y a des civils à évacuer ; d'après les premiers rapports, les viets ont décroché après leur razzia, mais ça ne doit pas être beau à voir, portez-vous sur les lieux séance tenante.

— A vos ordres, mon commandant. J'ignorais qu'il restait des civils à Thai-Binh.

— Le couvent de l'ordre de Saint-Vincent-de-Paul, une centaine de religieuses qui semblent avoir été épargnées, au moins en partie, mais le thabor marocain qui assurait leur protection a été anéanti. J'oubliais, il y a également une bonne centaine de gosses que les religieuses avaient recueillis.

— Compris, mon commandant, nous ne sommes qu'à une dizaine de kilomètres et il faut éviter la piste, mais je pense pouvoir ramener vos bonnes sœurs et vos enfants dans la soirée. Comment comptez-vous les prendre en charge ? Vous m'envoyez des camions ?

— Vous n'y êtes pas, mon vieux ! Vous les conservez à Thu-Dien jusqu'à nouvel ordre.

— Quoi ?

— Vous m'avez parfaitement compris.

— Mais, mon commandant, où vais-je coucher les religieuses ? Nous sommes déjà à l'étroit, et les gosses ?

— Mattei, vous êtes légionnaire, non ? Eh bien, démerdez-vous. »

Le lieutenant avale sa salive, il aurait dû s'y attendre, cela allait de soi. Le commandant ajoute :

« J'ai eu l'occasion de rencontrer la mère supérieure à Saigon. Traitez-la avec égard, c'est une huile, son éventail de relations vous ferait frémir. Son nom de religieuse est Marie-Clotilde.

— Compris, mon commandant, acquiesce Mattei, abasourdi.

— Ah ! j'oubliais, les autres religieuses sont des novices annamites, leur doyenne doit avoir tout au plus une vingtaine d'années. »

L'image que cette dernière déclaration fait naître aux yeux de Mattei, une fraction de seconde, l'épouvante.

« Mon commandant, mais vous vous rendez compte ? »

Il se reprend instantanément.

« Je sais, je sais, mon commandant, je suis légionnaire, je n'ai qu'à me démerder, d'accord. Nous nous mettons en route sur-le-champ, je vous tiens au courant de la suite de l'opération. Mes respects, mon commandant. »

Assis à son bureau, Fernandez a écouté la conversation, il fixe le lieutenant, le visage fendu par un sourire béat qui découvre de rares dents jaunâtres.

« Qu'est-ce que tu as à te fendre la gueule comme un con, toi ? hurle Mattei. Préviens plutôt les chefs de section qu'on taille la route dans une demi-heure et abstiens-toi de commenter ce que tu viens d'entendre. »

Klauss et Bianchini sont revenus de leur lointain P. K. Avec Osling, ils fêtent l'événement devant la première bière de la matinée. Mattei les rejoint.

« On va dégager Thai-Binh, annonce-t-il, des bonnes sœurs et des gosses qu'on doit prendre en charge jusqu'à nouvel ordre.

— Combien sont-ils ? interroge Osling.

— Une centaine de religieuses, une centaine d'orphelins, en principe

— Mais où va-t-on les foutre, mon lieutenant ? s'enquiert Klauss.

— Vous êtes légionnaire, démerdez-vous.

— On a aucun lit en rab, déclare Bianchini. Comme on peut pas faire coucher des vieilles bonnes femmes par terre sur des paillasses, si j'ai bien compris les hommes déménagent ?

— C'est à peu près ça, à un détail près : ce ne sont pas de vieilles bonnes femmes, mais des pucelles adolescentes. »

Les regards de Klauss et de Bianchini s'illuminent instantanément. Osling en revanche dévisage gravement le lieutenant, frappé lui aussi par cette catastrophe imprévue.

« Ce sont des Jaunes, mon lieutenant ?

— Des Annamites sous la tutelle d'une mère supérieure française.

— Ça va être un beau merdier, mais sérieusement où peut-on les loger ? Il n'y a qu'un dortoir et bien qu'il soit immense... »

Mattei interrompt le sergent.

« ...Je sais. Pourtant il n'y a pas d'autre solution, les sœurs et les gosses d'un côté, les légionnaires de l'autre, sur des paillasses.

— Les religieuses vont se déshabiller tous les soirs sous les yeux des hommes ?

— Ah ! merde ! c'est la guerre, je ne vais pas faire coucher les hommes dehors avec l'humidité. Et puis pour commencer, il faut aller les chercher. Rassemblez la compagnie, je parlerai aux hommes avant le départ.

— A vos ordres, mon lieutenant », lancent en même temps les trois sous-officiers.

Vingt minutes plus tard, la compagnie est rassemblée dans la cour du quartier, en short et chemisette.

D'un coup d'œil machinal Mattei s'assure de l'ordre des tenues, puis il lance :

« Repos. »

Les hommes se détendent. Ils savent que Mattei va brièvement les mettre au courant de la mission qui les attend. Ce n'est pas une règle, c'est l'habitude du lieutenant. Ce jour-là, Mattei est loin d'être à l'aise, il commence cependant son exposé d'une voix ferme :

« Légionnaires, à l'issue de la mission du jour, qui consiste à évacuer une centaine de bonnes sœurs du couvent Saint-Vincent-de-Paul de Thai-Binh, vous allez devoir cohabiter un certain temps avec ces religieuses. J'exige de vous une correction toute particulière à leur égard, je vous rappelle que vous ne devez pas les considérer comme des femmes. Je sanctionnerai sans la moindre indulgence le plus léger écart de votre part. C'est tout. »

En parlant, Mattei a marché de long en large devant les hommes. La plupart des visages arborent un sourire entendu. Mattei hésite et reprend :

« Pour ceux qui m'auraient mal compris, ça signifie que le premier qui cherche à en sauter une aura affaire personnellement à moi. Rompez. »

C'est la première fois que la compagnie se rend à Thai-Binh. Mattei a décidé d'ouvrir une piste à travers la jungle, empruntant ainsi un itinéraire imprévisible. La forêt est plus dense que prévue. Les hommes de tête ouvrent au coupe-coupe leur chemin. De nombreux arroyos doivent être traversés. L'eau est plus haute que ne le pensait le lieutenant, et les hommes sont plusieurs fois immergés jusqu'à la poitrine dans le flot visqueux. Au bout de deux heures ils ont à peine couvert la moitié du parcours, ils commencent à sentir l'odeur écœurante dégagée par le feu géant qui consume la ville.

Au fur et à mesure de leur progression, le soleil, voilé par l'opaque fumée, métamorphose les couleurs vives de la jungle et disperse une lumière atténuée. Lorsqu'ils aperçoivent la ville, elle brûle encore. Thai-Binh est accrochée sur le flanc d'une haute colline déboisée. Mattei repère immédiatement le couvent que ses épais murs de pierre ont préservé de l'incendie. En principe l'ennemi a quitté la ville, mais pour plus de sécurité, Mattei déploie la compagnie en éventail, espaçant les hommes de cinq mètres. Lentement les légionnaires gravissent alors la colline pierreuse. A mi-chemin, ils aperçoivent trois hommes qui, ostensiblement à découvert et faisant de grands signes, dévalent la pente à leur rencontre. Ce sont des soldats marocains du 11e thabor. L'un d'eux, un grand caporal qui baragouine quelques mots de français annonce calmement :

« Mon lit'nant, tout l' monde il i mort. »

Il ne semble pas particulièrement ému par sa déclaration et Mattei en profite pour se faire expliquer tant bien que mal la nuit d'horreur et ses conséquences. Il ressort du discours laborieux du Marocain, que l'effectif du thabor se bornait à une quarantaine d'hommes. Ils ont été attaqués vers minuit, les viets ne semblaient pas beaucoup plus nombreux mais ont bénéficié de l'effet de surprise.

Le caporal et quatre de ses compagnons se trouvaient dans le couvent au moment de l'attaque. Chaque soir, cinq hommes, par roulement, étaient chargés de cette mission — ce qui a sauvé trois d'entre eux. Leurs armes automatiques étaient protégées efficacement par les murs du couvent, et les viets abandonnèrent à la troisième tentative d'assaut.

Le reste de la ville, en revanche, a été systématiquement pillé et incendié. La compagnie inspecte prudemment ses rues avant de se rendre au couvent. Çà et là gisent les restes des Marocains déchiquetés, découpés, mutilés avec une sauvagerie qui soulève le cœur. Enfin, après avoir disposé des sentinelles aux points stratégiques, Mattei suivi de la section Osling se dirige vers le couvent.

La petite porte ogivale de bois massif est entrouverte. Un à un les hommes pénètrent dans un vaste préau désert et jettent un regard circulaire sur les deux grands bâtiments nets et intacts. L'un est entouré d'un cloître et doit servir d'habitation, l'autre de réfectoire et de salle de séjour. A l'une de ses extrémités, les fenêtres sont ornées de vitraux. Osling d'un geste les désigne au lieutenant.

« La chapelle, elles y sont sûrement. »

Mattei acquiesce d'un signe de tête. Il ordonne aux hommes de le suivre.

La section traverse le réfectoire. Frappés inconsciemment par l'austérité des lieux, les hommes marchent avec une délicatesse qui ne leur est pas familière. Le lieutenant fait jouer le loquet de la porte de la chapelle qu'il entrouve silencieusement, et il reste un instant immobile, étonné par le spectacle qu'il découvre. Les religieuses sont agenouillées, leurs silhouettes noires et blanches courbées en avant, elles semblent étrangères au monde. A leurs côtés, les enfants sont sagement assis, quelques-uns d'entre eux seulement donnent des signes d'impatience.

Mattei et Osling se sont découverts. Encombrés de leurs armes, les hommes ne peuvent les imiter.

Plus par routine que par crainte véritable, le lieutenant ordonne :

« Deux hommes aux fenêtres de chaque côté. »

Les vitraux sont hermétiques. Sans hésiter, les quatre hommes les brisent à coups de crosse et s'installent en position de guet.

Une grande religieuse se relève et se retourne d'un seul mouvement ; elle foudroie les intrus du regard, puis fait quelques pas vers l'allée centrale, s'agenouille et se signe devant l'autel. Elle se retourne alors de nouveau et se dirige vers l'officier d'une allure sévère.

Elle tient à la main gauche une solide canne d'ébène dont elle s'aide pour marcher. Elle est grande, maigre et sèche, et ses yeux gris, sévères et fiévreux, accentuent l'âpreté du visage anguleux.

Lorsqu'elle arrive à hauteur de Mattei, elle parle d'une voix puissante et rude comme si elle cherchait à démontrer qu'elle seule possède le privilège de troubler le silence du lieu.

« Je suppose, lieutenant, que je dois vous tenir

pour responsable des actes blasphématoires de ces
hommes.

— Écoutez, ma sœur..., bredouille Mattei.

— ...Ma mère.

— Ma mère, rectifie le lieutenant de plus en plus
mal à l'aise, j'ai reçu des instructions, m'ordonnant
d'assurer votre protection. Je suis dans l'obligation
d'appliquer les règles militaires de sécurité quel que
soit le lieu.

— Lieutenant, vous êtes ici dans la maison de
Dieu ! Le Seigneur suffit à assurer notre protection.
Je vous prie de sortir, vous et vos hommes. »

Brusquement la colère s'empare de Mattei. La stu-
pidité de la situation et surtout le fait que tous
perdent un temps précieux l'exaspèrent :

« Écoutez, ma mère, il y a dehors des soldats
d'un thabor marocain qui ont donné cette nuit un
sérieux coup de main au Seigneur. Comme je ne tiens
à exposer ni la vie de mes hommes ni les vôtres, je
vous prie respectueusement de bien vouloir me suivre
en assurant l'ordre dans les rangs de vos novices et
de vos pupilles. »

Le visage de la mère supérieure se crispe. Mattei
se demande un instant s'il ne va pas recevoir un
coup de canne, mais la religieuse se maîtrise. Elle
déclare plus calmement :

« Puisque Dieu a jugé bon de m'infliger cette
épreuve, je suivrai vos instructions. Réglez-en les
détails avec mère Marie-Madeleine. Si vous avez
besoin de moi vous me trouverez dans ma chambre,
mère Marie-Madeleine vous conduira. »

D'un geste précis de sa canne la mère supérieure
écarte Mattei et Osling. Sa sortie provoque aussitôt
une agitation sur les bancs. Les novices se relèvent,
dévisagent les légionnaires en bavardant et en glous-
sant ; quelques rires espiègles fusent tandis que les
enfants s'agitent, ravis du changement d'atmosphère.
Mère Marie-Madeleine qu'aucune des sœurs ne semble
redouter, s'avance vers les gradés. Mattei est sur-

pris, on ne lui avait signalé la présence à Thai-Binh
que d'une religieuse française.

Mère Marie-Madeleine est différente en tout de la
mère supérieure. Elle a un visage rose, rond et
potelé qui s'harmonise bien avec un corps massif de
paysanne. De fines lunettes sans monture n'altèrent
pas la douceur d'un regard malicieux. Elle porte les
manches de sa robe retroussées au-dessus du coude,
découvrant des bras vigoureux ; une ceinture de scout
serre sa robe à la taille. Sa voix douce gasconne
légèrement et elle semble ne jamais parler sans sourire. Avant de rejoindre Osling et Mattei, elle tente
de calmer l'agitation des novices, en frappant dans
ses mains. Enfin elle s'adresse aux deux hommes.

« Bonjour, messieurs, je vous prie d'excuser la
dissipation de ces enfants et de la mettre sur le
compte des heures pénibles que nous venons de subir.

— Je comprends parfaitement, ma mère, répond
Mattei, souriant.

— Si vous voulez me suivre au réfectoire, je vais
faire préparer du thé et du riz. Vos hommes appré-
cieront, je pense, et nous pourrons bavarder.

— Je vous remercie, ma mère. Avec plaisir. »

Mattei fait un signe aux guetteurs, et suivis des
novices et des enfants, les légionnaires gagnent le
vaste réfectoire. Mère Marie-Madeleine lance des
instructions aux sœurs afin qu'elles préparent la
légère collation, puis elle interroge Mattei :

« Auriez-vous un médecin avec vous, monsieur ?
L'une des jeunes filles a été prise d'une crise nerveuse cette nuit, depuis elle demeure prostrée et
m'inquiète.

— Le sergent est médecin, répond Mattei en désignant Osling. Vous pourrez le conduire auprès de
votre malade quand vous voudrez. »

L'étonnement de la religieuse ne passe pas inaperçu
d'Osling qui préfère expliquer :

« Dans l'armée allemande, j'étais officier.

— Ah ! je vois, constate mère Marie-Madeleine
confuse, pardonnez-moi. »

Un contact rapide s'établit entre la religieuse et les légionnaires. Mère Marie-Madeleine se révèle une intarissable bavarde, pleine d'optimisme et de gaieté. A la fin du léger repas, c'est presque sur le ton de la confidence que le dialogue se poursuit entre le lieutenant et la religieuse.

« Je ne devrais pas vous dire ça, monsieur, chuchote mère Marie-Madeleine, mais je crains qu'entre la mère supérieure et vous, les contacts ne soient délicats.

— Ça, vous pouvez le dire ! J'aurais dû éviter de faire briser ces vitraux ! »

La religieuse semble torturée par un cas de conscience, puis enfin elle se décide à expliquer :

« C'est que voyez-vous, monsieur, il ne s'agit pas que des vitraux ! Nous avons été prévenues à l'aube par le téléphone qui, Dieu merci, fonctionnait encore, que c'était la Légion étrangère qui venait à notre secours. Nous sommes par la force des événements suffisamment au courant des choses militaires pour savoir que vos unités sont composées en majorité d'anciens soldats allemands... »

La religieuse rougit en croisant le regard d'Osling et poursuit :

« Mère Clotilde, notre mère supérieure, appartient à une grande maison de nobles lorrains. Toute sa famille a été déportée et exterminée par les nazis. Depuis elle lutte avec l'aide de Dieu pour chasser de son cœur le sentiment de haine que lui inspirent les bourreaux des siens, auxquels elle assimile la race germanique tout entière. Elle sait que ce sentiment est indigne de la robe qu'elle porte et de la foi qu'elle professe. Et moi je sais que, de toutes ses forces, elle prie pour que le Seigneur lui donne le courage de pardonner. Hélas ! je crains qu'elle n'y soit pas encore parvenue.

— Ça nous promet de beaux jours », constate amèrement Mattei.

Au bout de la table, Ickewitz fanfaronne, entouré

d'un petit groupe de novices qui semblent boire ses paroles.

« Avec la Légion, partout vous êtes en sécurité ! Nous sommes toujours les plus forts ! déclare-t-il solennellement. Si vous avez peur sur la route, restez à côté de moi, je suis le plus solide de la compagnie et si les viets nous attaquent : ta ta ta ta ta... »

Le géant, dans un geste enfantin, décrit des demi-cercles avec un fusil mitrailleur imaginaire. Furieux, Mattei l'interrompt :

« C'est fini ce numéro, gros guignol ! Va plutôt dire à Klauss de rassembler les hommes. On taille la route dans un quart d'heure. »

Ickewitz se lève, rigide, et salue dans un garde-à-vous qu'il veut spectaculaire. Il lance d'une voix martiale : « A vos ordres, mon lieutenant ! » puis s'éloigne, droit comme un pieu, de sa lente démarche de parade, laissant Mattei en proie à un sentiment d'anxiété. La plupart des hommes vont adopter une attitude voisine de celle d'Ickewitz, et un coup d'œil sur les jeunes novices annamites a suffi au lieutenant pour se rendre compte qu'elles n'y seront pas insensibles ; leurs robes et leurs voiles ne vont constituer qu'un rempart bien faible pour protéger leur vocation religieuse qui semble avoir été dictée davantage par les événements que par la foi.

Le lieutenant consulte sa montre, il est trois heures passées, il faut hâter le mouvement s'ils veulent rejoindre Thu-Dien avant la nuit. A ses côtés, un bambin d'une dizaine d'années est fasciné par le pistolet qu'il porte dans un étui à la ceinture. Lorsqu'il veut gagner le préau le bambin lui tend la main, il la saisit machinalement, s'accroupit et tapote la joue du gosse.

« T'inquiète pas, bonhomme, on va faire une belle promenade tous les deux », dit-il rassurant.

Dès qu'il se trouve dans le préau, Mattei aperçoit mère Clotilde qui se dirige vers lui à grands pas, en claudiquant. Elle fume comme les véritables intoxi-

qués du tabac, laissant sa cigarette au coin de ses
lèvres et absorbant la fumée par le nez à chaque
aspiration ; elle déclare sèchement quand elle arrive
auprès de Mattei :

« Je suis à vos ordres, lieutenant. J'attends vos
instructions, veuillez mettre mon mouvement d'humeur sur le compte des atrocités dont nous venons
d'être les témoins. »

Soulagé, Mattei répond :

« Nous partons sur-le-champ, ma mère, j'ai donné
des consignes à mère Marie-Madeleine.

— Puis-je connaître notre destination, lieutenant ? »

Après un temps d'hésitation Mattei répond :

« J'ai reçu l'ordre de vous installer tant bien que
mal, parmi nous, à Thu-Dien. Je crains que ce ne soit
pas très confortable, mais vous y serez en sécurité. »

Mère Clotilde, sans cesser de dévisager le lieutenant, va puiser au fond d'une poche intérieure de sa
robe un paquet de troupes fripé, elle sort une
cigarette qu'elle allume à l'aide du mégot de la
précédente, puis elle éteint le mégot sur le bout de
sa canne. Elle le range ensuite soigneusement dans
une petite boîte d'argent. Enfin, elle reprend :

« Est-ce vous qui avez eu l'idée de créer cette
situation inconvenante et intolérable ?

— J'exécute des ordres. Je redoute cette situation
autant que vous, sinon plus, mais Hanoï ne semble
pas disposé à envisager votre transport sur une route
incertaine. Je les comprends.

— Vous devez comprendre que les novices dont
j'assume la responsabilité ne peuvent trouver leur
voie que dans un recueillement absolu. Parmi vous,
elles vont par la force des choses se retrouver en
contact avec la vie extérieure, leur conviction risque
d'en être ébranlée. Vous rendez-vous compte du
drame qui risque de se jouer ? »

Mattei résiste à l'envie d'avouer qu'il se moque
de la foi des novices annamites comme de son premier képi. Il réplique poliment :

« Ma mère, mon problème consiste à veiller sur

vos vies, pas sur vos âmes. Néanmoins je ferai mon possible pour que mes hommes ne choquent ni votre sensibilité ni vos convictions.

— Vous prétendez avoir de l'influence sur le comportement de ce ramassis de coupe-jarrets ?

— Ma mère, je vous prie instamment d'abandonner ce ton agressif. Quel que soit leur passé, ces hommes se montrent envers moi honnêtes et loyaux. Je les défendrai toujours et je ne puis admettre qu'on les insulte.

« D'ailleurs, le seul problème qui compte actuellement, c'est qu'ils vous amènent à bon port... »

Il est près de quatre heures lorsque l'étrange colonne se met en route. Les légionnaires ont reçu l'ordre de porter les plus jeunes enfants. Mattei marche derrière les éclaireurs de tête à côté de mère Clotilde. Soutenant la jeune malade, aidé de mère Marie-Madeleine, Osling se tient en queue de colonne. Par prudence les hommes sont espacés de cinq mètres, une novice marche au côté de chacun d'eux.

L'odeur âcre de la fumée s'est considérablement dissipée depuis le matin et le déclin du soleil rend la température moins lourde.

Après une demi-heure de progression tranquille, Mattei se trouve devant le premier arroyo à franchir. Il ordonne une halte et interroge mère Clotilde.

« Il y a un mètre cinquante de profondeur. Ou bien vous mouillez vos robes ou bien les hommes vous font passer sur leurs épaules ou dans leurs bras, à vous de choisir. »

Ickewitz qui se tient près d'eux a entendu la question. Il porte deux bambins sur ses bras repliés. Sur ses épaules une petite fille dort, la tête reposée sur son képi blanc. Il croit bon de lancer à haute voix :

« Pourquoi elles traversent pas à poil, mon lieutenant ? On portera leurs fringues ? »

Mère Clotilde le foudroie du regard, mais c'est à Mattei qu'elle s'adresse, montrant qu'elle le tient responsable de tout.

« J'espère que vous saurez sanctionner la gouja-
terie de cet homme ?

— Ma mère, je vous ai posé une question, réplique
Mattei agacé. Ne perdons pas de temps.

— Nous traverserons sans votre aide », déclare
solennellement la religieuse.

Mattei fait un signe aux quatre éclaireurs de tête
qui s'engagent dans l'eau, tenant leurs armes à bout
de bras et, aussitôt parvenus sur la rive opposée,
s'y installent en position de défense.

Le lieutenant fait alors signe à Ickewitz et à la
première novice. Le géant pénètre à son tour dans
le flot boueux, faisant de son mieux pour maintenir
les enfants au sec. Après une brève hésitation, la
novice suit le légionnaire et se trouve bientôt plongée
dans l'eau jusqu'au cou. Elle semble ravie de ce
rafraîchissement et c'est en riant qu'elle prend pied
de l'autre côté.

Bien qu'il fût prévisible, le spectacle qu'elle offre
coupe le souffle du lieutenant et fait blêmir mère
Clotilde.

La robe de voile fin de la religieuse est trempée ;
adhérant à son corps d'adolescente, elle en dessine
les formes rondes et souples. Ickewitz s'est assis sur
une pierre, il contemple béat la jeune Annamite en
hochant la tête. La petite fille qui dort toujours,
dérangée par le mouvement, frappe le képi de son
petit poing, puis se replonge dans son sommeil en
suçant son pouce.

Malgré sa gêne, mère Clotilde s'abstient de tout
commentaire, elle évite ainsi le : « C'est vous qui
l'avez voulu » que s'apprêtait à lui répliquer Mattei.

« C'est bon, lieutenant, dit-elle, que vos hommes
les portent. »

Mattei déclare, s'adressant à ses hommes :

« Chacun de vous va transporter une sœur, puis
il reviendra chercher les enfants. »

Le premier légionnaire soulève une novice dans
ses bras sans aucun effort. Au milieu de l'arroyo,

sous prétexte de la surélever, il plaque sa main sous les fesses de la jeune fille.

Mère Clotilde semble à bout de force et d'argument.

« Dois-je vraiment contempler ces gestes grossiers sans intervenir, lieutenant ? »

Mattei est excédé. Pourtant il ordonne :

« Transportez-les sur vos épaules. »

Un légionnaire se met à quatre pattes, fait signe à une religieuse et déclare, ravi :

« Il faut relever votre robe, ma sœur ! »

Hors de lui, Mattei hurle :

« Sur une seule épaule, nom de Dieu, et arrêtez ces conneries séance tenante. Vous devriez avoir honte de traiter ces femmes comme des putes ! »

Curieusement, mère Clotilde paraît plus tolérante, elle constate seulement :

« Je pense que nous devrions nous faire à votre langage, lieutenant. »

Mattei marmonne :

« Je vous prie de m'excuser, ma mère, tout ceci est tellement inattendu... Vous admettrez, je l'espère, qu'il devrait être plus aisé pour vous de nous comprendre et de nous tolérer que pour moi de transformer ma compagnie en un groupe d'enfants de chœur... »

Le lieutenant et mère Clotilde sont restés les derniers sur la berge, surveillant et dirigeant le passage. Après la traversée du dernier légionnaire et de la dernière novice, Mattei fait signe à Ickewitz de revenir vers eux.

« Cet orang-outang va vous porter, ma mère, annonce-t-il ; avec sa taille vous ne risquez pas de vous mouiller. »

Mère Clotilde hausse les épaules, indifférente.

Le géant saisit la religieuse dans ses bras, satisfait comme chaque fois qu'il peut faire la démonstration de sa force, et s'engage dans l'arroyo, suivi du lieutenant.

Au milieu du cours d'eau, à l'endroit où il sait

qu'il va s'enfoncer, il s'arrête et embarrassé, interroge Mattei.

« Mon lieutenant ! Ou je la soulève ou elle se mouille les miches... »

Mattei est étonné de la réaction de la religieuse qui, pour la première fois, lui sourit. De sa canne qui pend le long du dos du géant, elle frappe deux petits coups et déclare :

« Faites pour le mieux, jeune homme, mais finissons-en. »

La colonne a traversé exactement au même point qu'à l'aller. Devant eux, à travers la forêt, s'ouvre le chemin qu'ils ont tracé dans la matinée. Le lieutenant parcourt seul une centaine de mètres, puis revient sur ses pas et interroge Klauss du regard.

L'instinct de Klauss est légendaire et le regard du lieutenant n'est passé inaperçu d'aucun des hommes. Mattei n'a du reste pas cherché à le dissimuler. La Légion est avant tout un corps d'équipe. Dans la plupart des armées, un officier se croirait déshonoré en faisant appel à un subalterne avant de prendre une décision. A la Légion, c'est le contraire ; un bon officier connaît ses hommes et leurs compétences. Il considère que son devoir est d'exploiter ces dernières au maximum. Sa dignité n'en souffre jamais et son autorité ne s'en trouve pas affaiblie. Mattei va même jusqu'à laisser Klauss dicter les ordres à sa place.

« On trace une nouvelle voie à l'ouest », déclare le sergent-chef dans un geste qui désigne un fouillis de lianes entrelacées.

Deux légionnaires ont dégainé leur coupe-coupe et commencent à déchirer la forêt, formant un étroit couloir à travers la jungle dense. Comme tous leurs compagnons ils font confiance à l'instinct de Klauss.

Au bout d'une heure, les religieuses montrent des signes de fatigue et de lassitude, elles sont gênées dans leur marche par leurs robes qui tombent à leurs chevilles et qui se déchiquettent au contact des aspérités du sol. Mais elles progressent sans frayeur, rassurées par la puissance placide qui émane de la troupe.

Klauss marche derrière les hommes de tête. Tout d'un coup, avec une rapidité prodigieuse, il tire sans épauler son fusil. On pourrait croire que le coup est parti accidentellement tant son action a été vive. Mais deux hommes ont bondi et ramènent un soldat viet en le soutenant par les aisselles. Il a reçu la balle de Klauss dans le gras de la cuisse et perd son sang.

Mattei fait signe d'allonger le blessé à l'écart tandis qu'Osling confectionne un garrot. Le malheureux tremble comme une feuille, mais il a toute sa connaissance. Fernandez s'est porté au côté du lieutenant.

« On l'interroge ? questionne-t-il.

— A quoi bon ? Sa présence est un aveu, son groupe devait se trouver en embuscade sur l'autre chemin. Ils ont dû envoyer ce gus en éclaireur. Il n'y a qu'à appuyer davantage à l'ouest, et ouvrir l'œil vers l'arrière, mais je pense qu'ils ne sont pas en nombre pour nous attaquer. »

Fernandez, Klauss et Osling approuvent en silence, ils savent que le lieutenant a raison.

Fernandez sort son pistolet de son étui et l'arme tranquillement.

« Qu'est-ce que tu fous ? interroge Mattei.

— Ben, je lui mets une balle dans la tête, non ? On va pas le laisser se faire becqueter par les bestioles, ou se faire récupérer par ses potes.

— C'est ça, tu lui mets une balle dans la tête devant les frangines ! Tu trouves que je n'ai pas assez d'emmerdements comme ça ? Non, sortez une civière : on l'emmène avec nous.

— Ça alors, on aura tout vu », constate amèrement Fernandez.

Deux brancardiers installent le blessé sur une civière. Lui non plus n'en revient pas. Le garrot a enrayé l'hémorragie et Osling lui a fait une piqûre calmante. Tandis que la colonne se remet de nouveau en marche, Fernandez qui a ostensiblement, sous les yeux du viet, éjecté du canon de son arme la balle qu'il y avait engagée, lui déclare :

« Toi, mon Loulou, tu peux remercier le Bon Dieu des chrétiens ! »

La nuit tombe lorsque la colonne parvient à Thu-Dien.

Mattei conduit les religieuses au réfectoire et entraîne les deux Françaises au foyer. Pour lui la véritable épreuve commence.

Il fait déboucher une bouteille de whisky et en offre aux mères Clotilde et Marie-Madeleine qui acceptent à son grand étonnement. Après avoir avalé une large rasade d'alcool Mattei se lance dans un maladroit monologue :

« Ma mère, vous devez comprendre : nous n'avons qu'un seul dortoir. Tous les lits dont nous disposons vont être mis à la disposition de vos pupilles et des enfants, mais les légionnaires devront coucher sous le même toit. Je vais donner des instructions afin que mère Marie-Madeleine et vous partagiez ma chambre. »

Curieusement, mère Clotilde ne réagit pas, elle prend sans y être invitée une cigarette dans le paquet de gauloises que Mattei a laissé sur la table et l'allume calmement. Impuissante et résignée, elle déclare :

« C'est bon, lieutenant, merci pour votre chambre, nous coucherons dans le dortoir. »

La suite fut inattendue. Les légionnaires se montrèrent plus timides et pudiques que les novices qui étaient enchantées de cet intermède dans leur vie ascétique. Les plaisanteries et les boutades grossières que redoutait Mattei furent rares et mal goûtées de l'ensemble des hommes. La plupart des légionnaires s'allongèrent sur leurs grabats tout habillés. Ceux qui se dévêtirent partiellement le firent après l'extinction des feux.

Mattei avait fait distribuer aux religieuses des

maillots de corps kaki dont elles allèrent se vêtir dans les salles de douches. Les tee-shirts leur tombaient au-dessus des genoux, le spectacle qu'elles offraient dans la pénombre était évocateur, mais les légionnaires s'étudiant mutuellement semblaient mettre un point d'honneur à ne pas se laisser troubler et surtout à ne pas extérioriser leurs sensations. On ne peut pourtant pas affirmer qu'ils aient bien dormi cette nuit-là.

L'insolite cohabitation devait durer deux mois pendant lesquels mère Clotilde entretint avec Mattei des rapports de plus en plus cordiaux.

Une dizaine de novices abandonnèrent leur vocation à la suite d'idylles nouées avec les légionnaires. Mais ce revirement dans leurs vies se passa avec franchise. Et les deux religieuses françaises, si elles n'approuvaient pas cette métamorphose, furent obligées d'admettre l'honnêteté dont les légionnaires firent preuve face à cette délicate situation.

L'un d'eux épousa légalement l'une des novices. Son nom est Jérôme Nielsen, il est Suédois. Il vit actuellement avec sa femme aux environs de Stockholm. Ils ont quatre enfants.

Le grand amour que connurent un caporal allemand, Hermann Bosh, et une toute jeune religieuse, Tung, qui avait à l'époque à peine seize ans, eut une issue moins heureuse.

Hermann avait seulement une vingtaine d'années. La Légion étrangère était sa première expérience militaire. Une complicité d'adolescents s'était vite créée entre le jeune Allemand et la petite Annamite. Ces jeux se transformèrent au fil des jours en amitié amoureuse, puis en véritable passion.

En raison du jeune âge de sa pupille, mère Clotilde refusa le mariage, mais après leur séparation les jeunes gens s'écrivirent. A chaque permission, Hermann se précipitait à Hanoï où Tung était restée la protégée de l'ordre religieux, jouissant d'un statut spécial. Pendant plus de cinq ans, l'amour que se portaient les jeunes gens ne s'altéra jamais. Ils s'étaient promis le mariage après la guerre. Hélas ! Hermann fut tué à Dien-Bien-Phu, et Tung, inconsolable, entra définitivement dans les ordres.

C'est le 10 juin 1947 que, profitant d'un important convoi, les religieuses furent évacuées sur Hanoï. La tristesse des légionnaires était immense et mère Clotilde elle-même ne quittait pas la 4e compagnie sans un certain vague à l'âme.

C'est surtout Ickewitz qui déplorait le départ de la mère supérieure.

Bizarrement le géant avait été attiré par mère Clotilde qui, de son côté, s'était trouvée séduite par la naïveté du colosse. Les religieuses étaient installées à Thu-Dien depuis une huitaine de jours, lorsque Ickewitz vint trouver timidement la mère supérieure et lui déclara :

« Ma mère, je voudrais me confesser. »

En souriant, mère Clotilde expliqua au grand légionnaire que seul un prêtre pouvait confesser, mais consciente de la déception du géant, elle accepta de recueillir ses confidences. Le légionnaire qui jamais ne s'était livré à personne prit donc l'habitude de passer de longs moments avec la religieuse. De cette situation naquit une insolite familiarité qui faisaient l'étonnement et le divertissement de Mattei.

Le 10 juin lorsque les camions s'ébranlèrent sur la piste terreuse, le géant les suivit, courant une centaine de mètres en agitant son bras, puis il regagna le camp lentement, la tête baissée, traînant les pieds.

Une émouvante tristesse enfantine assombrissait son visage de brute.

12

DEPUIS son offensive au Tonkin, le Corps expéditionnaire français a marqué de nombreux points, il a
reconquis les principaux centres : Hanoï, Haïphong,
Nam-Dinh, Thai-Binh. Mais dans le sud tonkinois un
abcès hante les autorités. C'est la ville de Ninh-Binh ;
protégée par sa situation géographique elle a été
transformée en une véritable forteresse géante. Les
viets déclarent la ville imprenable. Le haut commandement français est exactement du même avis.

Impossible d'envisager une approche par la jungle :
des centaines de digues ont sauté, le terrain est un
véritable marécage dans lequel une armée entière
serait massacrée à force d'embuscades. L'attaque par
le fleuve ne présente guère plus de chances de succès.
L'affluent qui ouvre l'accès de Ninh-Binh est étroit ;
sur deux kilomètres, il ne présente pas la moindre
courbe et aboutit à une paroi rocheuse haute d'une
cinquantaine de mètres qui constitue un rempart
naturel inexpugnable. La falaise calcaire est criblée
de trous que les viets ont aménagés en blockhaus.
Deux cents mètres de terrain à découvert la séparent
du fleuve et, bien entendu, cette plage est minée,
piégée mètre par mètre. Deux bataillons viets (1 500 à
2 000 hommes) tiennent la citadelle et, le long du
canal d'accès, de nombreuses pièces d'artillerie légère
sont dissimulées dans la forêt.

L'opération combinée qui avait réussi à Nam-Dinh
est impossible à Ninh-Binh. Le débarquement frontal

avec l'aide de la marine paraît aléatoire. Les abords
ne présentent aucun terrain où l'on pourrait envisager le largage de parachutistes. Le bombardement
intensif de la ville est irréalisable à cause de la densité de la population civile. Aussi en haut lieu on
renonce, amèrement, à l'objectif Ninh-Binh, redou-
tant un échec sanglant et le retentissement moral
qu'il aurait sur l'ennemi.

Le 18 juin 1947, une nouvelle transmise à Hanoï
par le 2ᵉ Bureau va tout remettre en question. Elle
est tellement logique que nul ne met en doute son
authenticité : Ho Chi Minh et son état-major ont
établi leurs quartiers à Ninh-Binh. La conquête de la
ville pourrait donc changer le cours de la guerre
d'Indochine.

Dans le début de l'après-midi, le commandant
Laimay réunit les chefs des compagnies du 1ᵉʳ bataillon qui sont, maintenant, toutes regroupées à Hanoï.
Il expose qu'une opération va être tentée le 21 sur
la citadelle viet-minh. Seul le 1ᵉʳ bataillon du 3ᵉ Étranger participera au débarquement. Les officiers ne se
leurrent pas, mais sont obligés de reconnaître la
sagesse de cette décision. Tant qu'à tenter une opération suicide, autant vaut limiter la casse ! Lancer
à l'assaut de Ninh-Binh des vagues successives ne
servirait à rien. La marine ne peut engager qu'un
nombre restreint de ses unités légères sur l'affluent
d'accès. Si les premiers hommes ne parvenaient pas
à s'implanter et se faisaient massacrer, les vagues
suivantes subiraient le même sort. En revanche, si
le millier de légionnaires surentraînés qui forment
le 1ᵉʳ bataillon parvenaient à enlever les premières
positions de l'ennemi, ils n'auraient besoin d'aucun
renfort pour poursuivre leur avance.

Dans la nuit du 20 au 21 juin, les légionnaires sont
de nouveau passagers de la Marine. Ils descendent
le cours du Day. Il y a en tout une vingtaine d'embarcations. Dans les premières lueurs de l'aube, les
L. C. T. de tête s'engagent dans l'étroit affluent lon-

geant la rive gauche où les concentrations viets sont moins à redouter. Loin devant eux, les hommes aperçoivent l'hallucinant rocher dont la masse blanchâtre semble déchirer la forêt. Le plan mis au point par le commandant Laimay se déclenche brusquement. Les mortiers et les fusils mitrailleurs massés sur le côté droit des embarcations ouvrent un feu continu et rapide. Les hommes ont reçu l'ordre de ne pas viser, de ne rien chercher à voir ou à comprendre, ils doivent simplement tirer. Tirer le plus possible, le plus vite possible dans la direction de la forêt. Des munitions ont été embarquées en conséquence.

Une grêle de plomb s'abat sur la rive, désemparant l'ennemi dont la riposte manque de précision. A bord des petites embarcations blindées les légionnaires se piquent au jeu. Les chargeurs de mortier jonglent avec les obus, rechargeant les pièces brûlantes à une cadence étourdissante. De leur côté, les tireurs et les chargeurs de fusils mitrailleurs font preuve de la même virtuosité. Les armes automatiques crachent au hasard sans la moindre interruption.

Le calcul se révèle juste. Les quelques coups maladroits lancés de la rive par les viets affolés manquent leurs buts et la progression de la petite flottille n'est ralentie à aucun instant.

Les embarcations de tête parviennent à une trentaine de mètres de la plage. Dans un mouvement synchronisé leurs tireurs se portent vers l'avant et dirigent le feu sur la large étendue sablonneuse qui s'étend au pied du rocher. A l'arrière le gros des légionnaires tire au fusil dans la direction de la falaise et des abris qui y sont aménagés. Mais cette fois l'ennemi est admirablement protégé et sa riposte est efficace.

Les L. C. T. sont maintenant groupés sur une seule ligne face à la plage et dans chacun d'eux des hommes tombent. Impossible de porter secours aux blessés qui s'écroulent ; leurs compagnons seront contraints, dans quelques instants, d'enjamber ou de piétiner les corps pour se ruer sur la berge.

Les milliers de projectiles qui atterrissent sur la rive font exploser mines et pièges ennemis. Une centaine de soldats viets qui étaient absolument invisibles dans leurs trous individuels, sont pris de panique et, abandonnant leurs positions, tentent de gagner la base de la falaise rocheuse.

L'embarcation de la section Klauss se trouve en plein centre de la plage. Dès que son panneau avant se rabat, un tir précis de mitrailleuse lourde atteint les deux légionnaires de tête qui s'écroulent. Klauss, sans hésiter, donne l'ordre de refermer le panneau protecteur, puis calmement, il se dirige vers l'arrière de l'embarcation au poste radio. Mattei se trouve dans le L. C. T. placé à dix mètres sur sa droite. La communication est établie.

« Mon lieutenant, si on tente un débarquement, c'est le massacre. On a une mitrailleuse qui tire d'un blockhaus en plein dans notre axe.

— J'ai bien vu, j'ai fait refermer moi aussi. Il faut faire sauter cet abri central ! C'est vous qui êtes le plus près ; désignez un candidat à une citation.

— Essayez de le couvrir, mon lieutenant, c'est la seule chance.

— Je fais sortir douze F. M., tous en batterie sur le même point. Ils commenceront leur tir dans quatre minutes. Que votre gus se tienne prêt à gicler ! »

Les panneaux blindés de six L. C. T. (trois de chaque côté de celui de Klauss) s'entrouvrent juste assez pour laisser passer un homme. De chaque embarcation six légionnaires jaillissent et, se couchant sur le sable humide, déclenchent presque aussitôt le tir sur le blockhaus central.

Un instant surpris, les viets ripostent, mais les légionnaires atteints sont remplacés instantanément et le tir ne cesse pas.

Dans l'embarcation de Klauss, un Français, Marcel Bellemare, se tient prêt. Il n'a conservé de ses armes que son poignard de commando et une musette remplie de grenades. Lors de l'ouverture du panneau il a repéré un trou situé à une trentaine de mètres. C'est son premier objectif. Les yeux rivés sur sa montre, Klauss lui donne le signal ; Bellemare enjambe la paroi et court en zigzag sur le sol sablonneux. Autour de lui les balles ricochent sans l'atteindre et il parvient à se précipiter dans le trou. Il atterrit sur le corps d'un soldat viet qui agonise ; les balles continuent à miauler et il est obligé de demeurer à genoux sur le mourant, privant le malheureux de ses derniers mouvements respiratoires.

Toujours sous la protection aléatoire des douze fusils mitrailleurs, Bellemare s'élance à nouveau vers un autre trou. Miraculeusement il y parvient ; cette fois, l'abri individuel est vide et le légionnaire reprend son souffle. Le sable colle à sa chemise trempée de sueur, il en est couvert par plaques, sur ses joues, sur son front, sur sa poitrine.

En courant, Bellemare a évalué la distance qui le séparait de la falaise. Il faut qu'il tente d'y parvenir à sa troisième sortie. S'il atteint la paroi, il sera relativement à l'abri pendant quelques secondes, mais toute la question est de savoir qui des servants viets de la mitrailleuse ou de lui sera plus prompt à lancer une grenade. Eux auront l'avantage de la hauteur ; leur abri dans le rocher doit se trouver environ à deux mètres du sol. Lui ne peut compter que sur le tir des douze fusils mitrailleurs, espérant qu'aucun d'eux ne visera trop bas.

Bellemare prépare deux grenades qu'il dégoupille avec ses dents. Ce sont des grenades italiennes fabriquées à cet effet ; la tirette est en caoutchouc, et tant qu'il les tient dans ses poings il n'actionne pas le mécanisme d'explosion. Une troisième fois il s'élance. Presque immédiatement il est atteint d'une balle dans l'épaule, mais il ne ralentit pas sa course.

A un mètre à peine du rocher, une nouvelle balle frappe Bellemare à la hanche. Avant de s'effondrer, il a la force de lancer les deux grenades dans l'abri.

Il aperçoit la section Klauss qui se rue à l'assaut dans sa direction, il voit ses compagnons basculer comme des quilles, mais une dizaine d'entre eux parviennent jusqu'à lui et réussissent à le hisser à l'intérieur du blockhaus dans lequel quatre combattants viets ont été déchiquetés par ses deux grenades.

Couchés sur le sol, les légionnaires reprennent leur souffle. La partie est loin d'être gagnée et la position qu'ils viennent d'enlever ne leur permet pas d'aider les autres vagues d'assaut.

Klauss établi un contact radio avec le L. C. T. de Mattei à l'aide d'un talky-walky. La réponse du lieutenant ne le surprend pas :

« Bravo, mon vieux, mais il faut continuer, faites grimper un type sur la paroi. »

Déjà Santini, un petit Italien, a enlevé chemise, chaussures et pantalon, et se retrouve en slip sous les regards intrigués de Klauss et de ses compagnons.

« Si tu crois que tu seras plus à l'aise à poil, remarque Klauss, moi je m'en fous. »

Santini est petit et agile. Klauss pense qu'il l'aurait probablement désigné si l'Italien ne l'avait pas devancé. Le sergent est frappé par l'attitude cabotine du légionnaire, tout heureux de se donner en spectacle et d'afficher devant ses compagnons son mépris du danger. Mais le clou de son numéro réside dans les gestes qu'il fait pour introduire deux grenades dans son slip... et dans la position qu'il leur donne. Les dix hommes éclatent de rire comme des potaches, puis, très vite, les visages se figent : Santini, sans hésiter, vient de sortir de l'abri et commence à grimper comme un singe le long de la paroi. Par chance, la falaise offre de nombreuses prises naturelles, et très vite, Santini parvient sous un nouvel abri viet. Sans aucune difficulté, il projette une grenade. Sitôt après l'explosion, il fait un dernier rétablissement et après un bref coup d'œil, pénètre dans l'abri. Un seul homme l'occupait, la grenade a explosé derrière lui, lui déchiquetant la nuque. Dans un coin une échelle de corde est solidement fixée à une aspérité rocheuse. Sans s'exposer, Santini hurle de l'intérieur de l'abri :

« Chef, vous m'entendez ? »

Malgré les fracas incessants des détonations, il perçoit la voix de Klauss.

« Ça va, Santini ?

— Au poil, je vous balance un escalier. »

Santini jette l'échelle de corde qui tombe juste sous l'abri inférieur. Klauss est le premier à le rejoindre.

« Un seul type par abri, constate-t-il. Si c'est la même chose dans les autres, on peut y arriver. »

La nouvelle est transmise au bataillon qui donne l'assaut presque instantanément.

Les pertes sont lourdes, mais le plus gros de la troupe parvient au pied du rocher. De chaque section, un homme ou deux entreprend l'escalade tandis que, des abris viets, des grenades sont lancées, causant encore des pertes dans les rangs des légionnaires. Plusieurs d'entre eux parviennent, pourtant, à les saisir au vol et à les relancer plus loin sur la plage. En moins d'une demi-heure, le rocher « imprenable » est entièrement entre les mains du 1er bataillon qui a perdu plus de cent cinquante hommes. La ville reste à investir.

De l'autre côté du rocher, les premières maisons de Ninh-Binh apparaissent à une centaine de mètres en contrebas. Mais cette fois, les légionnaires ont à leur disposition de multiples abris qui leur permettent de progresser à moindre risques.

Les viets se battent avec acharnement, et chaque maison ne peut être occupée qu'à la suite de combats au corps à corps. Il paraît évident que l'ennemi a compris que la ville était perdue, mais qu'il cherche à couvrir la fuite de son état-major en gagnant coûte que coûte le maximum de temps.

Au fur et à mesure de la progression, la ville

s'écroule, les viets incendient tout ce qui peut brûler, les légionnaires de leur côté ne ménagent rien. Les civils ont trouvé des refuges car ils n'apparaissent pas, mais plus tard on retrouvera parmi eux de nombreuses victimes.

Dans la soirée, Ninh-Binh est tombée, une centaine de survivants viets se sont rendus. Une brève enquête apprend aux légionnaires que les renseignements étaient bons : Ho Chi Minh et son état-major se trouvaient bien dans la citadelle. Ils ont passé la matinée à entasser des archives dans un vieux car Citroën. Le véhicule et une trentaine d'hommes sont partis en direction du sud (la seule possible) au moment où les premiers abris du rocher tombaient aux mains de la Légion.

La poursuite des chefs de la rébellion se révèle des plus aléatoires, et pourtant le commandant Laimay n'hésite pas. Le bataillon prendra quatre heures de repos, pas une minute de plus, et s'élancera sur les traces des fugitifs à travers la jungle et les rizières.

Les légionnaires sont exténués ; couchés çà et là, la plupart d'entre eux n'ont même pas la force de manger. Les civils sortis par enchantement se pressent pour leur apporter quelques bouteilles de bière ou de schoum, et les officiers leur donnent l'ordre d'enterrer les morts qui jonchent les rues.

Dans l'arrière-salle d'une épicerie le commandant Laimay entouré des chefs de compagnie étudie les cartes et tente d'imaginer le chemin qu'ont emprunté Ho Chi Minh et son état-major. Mattei est absent, il se trouve à quelques centaines de mètres, dans une école où l'antenne chirurgicale a été dressée en toute hâte.

Aidé du médecin-capitaine, Osling vient d'extraire les balles de l'épaule et de la hanche de Bellemare, il se retourne satisfait vers le lieutenant qui a suivi l'opération.

« Il vivra, annonce-t-il, mais il faut l'évacuer. Les plaies sont pleines de sable, il faut le suivre de près.

— Je vais y veiller personnellement, réplique Mattei. Nous lui devons tous une sacrée chandelle.

— Un beau soldat », conclut simplement Osling.

Le lieutenant parcourt les rues à la recherche du groupe Klauss. Il finit par découvrir ses légionnaires sur les marches d'une maison en ruine ; le petit Santini est toujours en slip, il se fige dans un garde-à-vous grotesque devant l'officier.

« Tu crois que tu vas continuer à faire la guerre en caleçon ? Qu'est-ce que tu as foutu de tes fringues ? questionne Mattei.

— Mon lieutenant, le chef et deux hommes ils sont partis chercher mon pantalon et mon fusil. J'ai tout laissé dans la caverne.

— Bon, le commandant veut te voir. Dès que tu seras présentable rejoins-nous. Ça n'a pas été trop dur ?

— Mon lieutenant, la cuiller de la grenade elle s'était prise dans les poils... Ça m'a fait mal quand j'ai tiré... »

Une heure avant le départ prévu, Mattei demande audience au commandant Laimay. Les deux hommes sont seuls.

« Mon commandant, déclare Mattei, vous savez aussi bien que moi que lancer le bataillon à la poursuite des fugitifs est une entreprise vouée à l'échec. Un millier d'hommes se déplaçant sur ce terrain sera repéré sans mal un jour à l'avance et tombera dans toutes sortes de traquenards.

— Je sais, mais nous devons tout risquer, ce sont les ordres, je dois poursuivre.

— Je pense avoir mieux à vous proposer : laissez-moi précéder le bataillon de quarante-huit heures avec une vingtaine d'hommes de ma compagnie. Donnez-moi carte blanche. Je serai plus mobile et plus rapide ; seule une patrouille légère peut passer inaperçue. »

Le commandant reste un instant songeur.

« Ça paraît terriblement risqué. Et le ravitaillement ? il faudra vous parachuter des vivres par Morane, ça vous fera repérer. Cette poursuite risque de durer des semaines, peut-être un mois ou deux.

— On n'emportera rien, à part du café et des cigarettes. Vous ne nous parachuterez rien. Il y a des villages ; on vivra sur eux. Ce que les viets font, nous pouvons le faire.

— Ça, je vous fais confiance, mais nous sommes des soldats, pas des pirates.

— Parfait. Si ça peut vous rassurer, nous ne mangerons que des racines pendant le temps qu'il faudra.

— Je crois que je vais vous laisser tenter le coup, Mattei ; nous pourrons établir un contact radio par un avion qui pous survolera tous les deux jours.

— Je ne veux aucun contact ! Je ne sais pas où je vais ; vous ne pourriez que nous gêner en cherchant à nous survoler.

— C'est bon ! Choisissez vos hommes et tenez un journal de marche très complet. Je veux avoir un rapport sur tous les événements dont vous aurez été acteurs ou témoins.

— Comptez sur moi, mon commandant. Je pars dans une heure environ.

— Dans la nuit ?

— Dans la nuit évidemment. »

Mattei se dirige vivement vers le groupe Klauss et expose son plan au sergent-chef :

« En dehors de vous et de moi, je veux Osling, Fernandez et Ickewitz. Trouvez-moi en plus quinze volontaires pour nous accompagner. Ça ne va pas être une partie de plaisir : choisissez les hommes les plus endurants.

« Au fait, tâchez de décider le petit Italien aux grenades, on va manquer de distractions, ça sera toujours utile d'avoir un clown sous la main dans les moments de découragement.

— A vos ordres, mon lieutenant », lance Klauss que la perspective d'une opération de commando plonge dans l'allégresse.

13

L<small>E</small> commando Mattei est composé vers trois· heures du matin. Le lieutenant et les deux sergents compris, ils sont dix-neuf hommes qui vont partir pour une folle aventure.

Interroger les prisonniers pour connaître la destination des fugitifs est inutile ; il est évident qu'ils ne savent rien du plan de fuite de « l'oncle Ho » et de son état-major. Il n'y a qu'une certitude, c'est la direction générale du groupe : sud-sud-ouest. Mais la multitude des pistes et surtout l'habitude du terrain qu'ont les viets ne permettent pas de prévoir leur marche avec une précision suffisante.

Mattei ne dispose que de deux éléments qui jouent en sa faveur : primo, le car qui peut laisser des traces ; secundo, l'intuition et le talent de pisteur de Klauss qui, une fois de plus, va être mis à l'épreuve. Néanmoins, Mattei ne se leurre pas. Ho Chi Minh avait certainement envisagé la prise de Ninh-Binh ; sa fuite n'a sûrement pas été improvisée et il doit être entouré de spécialistes, véritables experts dans l'art de brouiller les pistes et de faire disparaître les traces. La décision du lieutenant est vite prise ; pendant les premières quarante-huit heures, le commando se dirigera à la boussole, se contentant de progresser en marche accélérée. C'est une méthode où la chance va jouer un rôle trop important et Mattei le sait, mais en revanche, l'ennemi ne peut prévoir la façon d'agir de ses poursuivants, ce qui constitue un atout majeur.

Mattei avance en tête, il ne porte pas d'arme et joue de la canne faisant en sorte qu'aucun obstacle ne ralentisse sa course. Derrière lui les hommes suivent, muets, économisant leur souffle et leurs forces. Dans la nuit le commando franchit des arroyos, piétine dans des bourbiers, s'empêtre dans les lianes de la forêt sans qu'aucun commentaire échappe aux légionnaires harassés ; ils marchent comme des automates, les traits tirés, les yeux hagards, la respiration haletante. Chacun d'eux n'a qu'une idée : suivre celui qui le précède. L'aube et la chaleur naissante ne ralentissent pas la cadence du lieutenant. Vers deux heures de l'après-midi enfin, Mattei ordonne une halte.

Il s'assoit sur une pierre tandis qu'autour de lui ses dix-huit compagnons se laissent tomber sur place. Klauss sort de la poche de sa chemise un paquet de troupes qu'il contemple un instant, amusé. Les cigarettes sont tellement imprégnées de sueur qu'elles forment une boule compacte de tabac humide Klauss jette le paquet et en cherche un nouveau dans son sac, puis il rejoint Mattei qui est occupé à faire un point approximatif sur la carte qu'il vient d'extraire de son képi.

« Si je ne me trompe pas, déclare le lieutenant, nous devons nous trouver à environ deux kilomètres d'un groupe de paillotes où nous pourrions peut-être nous reposer quelques heures et trouver du ravitaillement. »

Klauss hoche la tête, sceptique.

« Franchement, mon lieutenant, vous y croyez à cette mission ?

— Je crois qu'il n'y a rien d'autre à tenter. L'enjeu est tellement énorme qu'il vaut la peine que nous crevions tous si on a une chance sur mille de réussir.

— Oui, mais justement, a-t-on une chance sur mille ?

— Ça, mon vieux, nous le saurons plus tard.

— En attendant, marche ou crève !

— Eh oui, Klauss, marche ou crève ! Ce n'est pas moi qui ai inventé cette devise. Ne me dites pas que vous perdez le moral simplement après cette promenade.

— Non, mon lieutenant. Moi je pense tenir, mais les hommes ? Vous croyez que tous pourront suivre cette cadence ?

— Vous les avez choisis en conséquence, non ? Où voulez-vous en venir ?

— Vous le savez très bien. Mais puisque ça vous amuse de me l'entendre déclarer, alors, mon lieutenant, je vous pose la question : que ferons-nous si l'un d'entre nous craque ? »

Mattei d'un geste familier plisse le front et hausse les sourcils.

« Allons Klauss ! Vous ne l'ignorez pas : on abandonnera les défaillants éventuels. Si possible à proximité d'un village.

— Vous savez ce que ça signifie ?

— Nom de Dieu, Klauss, ne compliquez pas ma tâche ! Vous croyez que ça m'amuse ? On leur laissera une arme. Du reste, prévenez-les.

— Inutile, mon lieutenant, ils le savent tous.

— Alors, à quoi riment vos questions ?

— Je voulais savoir si, en aucun cas, vous n'envisageriez de renoncer, mon lieutenant.

— En aucun cas ! Même si je reste seul. Foutez-vous tous ça dans le crâne, et maintenant en route. »

La halte a duré seulement une vingtaine de minutes. Le commando, en silence, reprend la poursuite.

Peu avant dix-sept heures, le village n'est toujours pas en vue. Klauss et Osling se portent au pas gymnastique à hauteur du lieutenant.

« Santini dégueule, mon lieutenant, annonce Osling. Il s'est déjà arrêté deux fois, il est à la traîne. »

Mattei tique. Un homme qui ne peut pas suivre le premier jour, c'est la vacherie ! Et Santini en plus !

L'abandonner après sa conduite de la veille serait monstrueux. Pourtant, Mattei ne s'arrête pas et c'est en gardant son allure qu'il questionne Osling :

« Qu'est-ce qu'il a ? c'est grave ?

— Il a dû abuser de schoum ou d'autres saloperies, mon lieutenant, il peut être d'aplomb après quelques heures de repos.

— Dites-lui qu'on laissera des traces, il nous rejoindra s'il peut.

— Mon lieutenant...

— ...C'est un ordre, Osling. Ne nous épuisons pas en paroles inutiles. »

Les deux sergents s'arrêtent le temps de laisser passer la colonne et s'aperçoivent, surpris, que Santini est bizarrement juché en travers sur le sac d'un légionnaire à peine plus grand que lui. L'homme paraît pourtant supporter sans effort ce fardeau supplémentaire. Il fait un signe de tête et dit simplement :

« Ça ira. »

Klauss reprend son pas de course et à nouveau rejoint le lieutenant :

« Il y a un gus qui porte Santini, mon lieutenant. Je crois que ça va gazer. »

Cette fois, Mattei s'arrête.

« Qu'il le lâche sur-le-champ ! Je ne tiens pas à en avoir deux à abandonner. »

Le commando défile sous les yeux du lieutenant qui inspecte les hommes un à un d'un coup d'œil rapide. Enfin arrive le légionnaire de queue chargé du petit Santini. Il ne semble pas fournir plus d'efforts que les autres et suit le train avec aisance.

« On t'a donné l'ordre de charger Santini sur ton dos ? interroge Mattei.

— C'est rien, mon lieutenant, il pèse pas plus qu'un chat. »

L'accent du légionnaire frappe Mattei en plein cœur.

« Comment t'appelles-tu ?

— Clary, Antoine, mon lieutenant. »

Mattei sourit. S'ils étaient seuls, il l'embrasserait.
« D'où es-tu ?

— De Bastia, mon lieutenant. »

Mattei dévisage son compatriote.

Clary n'est pas grand, mais il est presque aussi large que haut. Ses bras courtauds et noueux donnent une idée de sa puissance. Un énorme tatouage apparaît sur sa poitrine par la large échancrure de sa chemise. De l'extrémité de sa canne, Mattei élargit l'ouverture. Le tatouage représente un immense Christ en croix, la barre horizontale de la croix s'étend d'une extrémité de l'épaule à l'autre, la barre verticale du cou au nombril. Le Christ est habilement dessiné. L'énorme tatouage se complète de l'inscription : « Si tu as souffert, moi aussi ! »

Mattei sourit puis se tourne vers Klauss.

« Vous ne pouviez pas me dire qu'il était Corse ? Je lui aurais donné l'autorisation de porter Santini sans m'arrêter ! Vous me faites perdre du temps, Klauss ! »

Ravi de son injustice, Mattei laisse le sergent allemand médusé et reprend la tête de la colonne sans ralentir son rythme d'enfer.

A dix-neuf heures, la patrouille débouche sur le village, brusquement. Quelques misérables paillotes disposées en demi-cercle dans une clairière. Une vingtaine d'indigènes, femmes âgées et enfants décharnés qui se terrent, surpris et anxieux à l'approche des légionnaires. Le sourire et les gestes d'amitié du lieutenant ne paraissent pas les rassurer. Une brève inspection des sergents établit que les fugitifs ne sont pas passés par là. Et les quelques animaux domestiques qui traînent dans le hameau sont la preuve qu'aucune unité viet ne l'a occupé depuis un certain temps.

Klauss s'approche du lieutenant, dans l'attente d'instructions.

« De quoi disposent-ils ? interroge Mattei.

— Trois porcs, une chèvre, quelques poules, et une trentaine de kilos de paddy, mon lieutenant. »

A contrecœur, Mattei ordonne :

« Faites égorger un porc et faites cuire trois kilos de paddy. Prévenez les hommes que le premier qui pille, ne serait-ce qu'un œuf, prend une balle dans la tête. On se repose quatre heures et on taille la route. »

Ickewitz, le seul qui ne semble pas éprouvé par la course harassante, se rapproche du lieutenant et questionne le plus naturellement du monde :

« On peut baiser, mon lieutenant ?

— Pas question, nom de Dieu ! Tu ne vas pas commencer, Ickewitz ! » hurle Mattei.

Après un temps, il reprend.

« Tu baiserais ces grand-mères, salopard ?

— Bah ! mon lieutenant, j'aime pas le cochon non plus, et pourtant je vais en bouffer ! C'est la guerre. »

Mattei ne répond pas, il se rapproche d'Antoine Clary et du petit Santini qui à genoux près d'un arbre provoque ses vomissements en s'enfonçant la moitié de sa main dans la bouche.

« Ça te prend souvent ces crises ?

— Chaque fois que je me soûle la gueule, mon lieutenant. Maintenant ça va être fini.

— On repart dans quatre heures, on va marcher toute la nuit. Si tu ne te sens pas bien, il vaut mieux rester là, tu as une chance de t'en sortir.

— Ça ira mon lieutenant, je partirai avec vous. »

Le porc est habilement débité par un des légionnaires ; les morceaux sont soigneusement enveloppés dans des linges propres trouvés dans les paillottes. Mattei donne l'ordre de partager avec les villageois quelques tranches que l'on fait cuire.

Les hommes se précipitent sur la viande à peine cuite et bâfrent comme des goinfres pour en finir le plus vite possible. La dernière bouchée engloutie, les lèvres et les mains grasses de riz et de porc, les légionnaires se laissent choir sur place comme des fantoches désarticulés, et sombrent dans un sommeil épais.

A minuit la patrouille abandonne le village et poursuit sa marche vers le sud-ouest. Malgré le clair de lune et la densité moins compacte de la forêt, la progression est lente, ponctuée d'arrêts pendant lesquels le lieutenant consulte sa carte. Osling marche en serre-file, tandis que depuis le départ Klauss se tient en tête, à hauteur du lieutenant. Pendant les brèves haltes Klauss ne questionne pas, il sait que Mattei fera appel à lui lorsqu'il le jugera utile. A l'aube, le commando s'arrête une heure. Perplexe, courbé sur sa carte, Mattei fait signe au sergent.

« Regardez, voilà l'endroit où nous avons dormi hier soir. Si nous progressons sud-ouest nous ne rencontrerons aucun autre village avant trois ou quatre jours. En revanche, si nous appuyons davantage à l'ouest, nous devons trouver dans la soirée d'aujourd'hui une agglomération plus importante que celle d'hier. Qu'en pensez-vous ?

— Ça nous retarde de combien d'heures ce détour, mon lieutenant ?

— Six ou sept, peut-être huit, si mes calculs sont exacts.

— Alors j'irais : il vaut mieux ne pas plonger les hommes dans le néant total trop brusquement.

— C'est bon, vous avez sans doute raison, Klauss. Prévenez les légionnaires : on va marcher très fort toute la journée, mais nous resterons la presque totalité de la nuit au village. »

Le village est atteint plus tôt que ne prévoyait Mattei. Vers quatre heures de l'après-midi, la patrouille tombe sur une piste grossièrement entretenue qui, sans aucun doute, y conduit. La marche sur un terrain relativement plat et dur est un véritable délassement pour les hommes qui, après un petit kilomètre, aperçoivent une maison de pierre entourée d'une dizaine de paillotes.

Klauss, qui progresse en tête, s'arrête brusquement,

figé comme un chien de chasse ; d'un signe du bras il fait comprendre au lieutenant que quelque chose l'inquiète.

Mattei s'approche et chuchote :

« Qu'est-ce que tu as vu ?

— Rien, mon lieutenant, mais ça me paraît trop calme. »

Mattei se retourne et fait un geste bref de chaque main.

Aussitôt, les hommes bondissent de chaque côté de la piste et se terrent, attentifs, dans l'épaisse végétation. Klauss et Mattei les rejoignent. Le lieutenant situe Ickewitz d'un coup d'œil et murmure :

« Ickewitz ? »

Le Hongrois relève la tête. D'un signe du pouce, le lieutenant lui fait comprendre ce qu'il attend de lui, et le géant sans un mot s'avance prudemment en direction du village, pistolet au poing. Tous les dix mètres il cherche un abri d'où il observe et organise sa progression. Au bout d'une minute il disparaît.

Tendus, les hommes guettent dans un silence qui, bizarrement, n'est même pas troublé par les bruits naturels de la jungle.

De plus en plus angoissante, l'attente se poursuit plusieurs minutes, puis Ickewitz réapparaît. Il marche lentement, à découvert ; il a rengainé son pistolet, ce qui prouve que rien n'est à craindre. Lorsqu'il arrive à portée de voix, le géant crie :

« Vous pouvez sortir, mon lieutenant. »

Mattei et Klauss s'approchent de l'éclaireur qui est d'une pâleur inaccoutumée.

« Qu'est-ce qui se passe, Ickewitz, tu as eu peur ? »

Le géant hausse les épaules.

« Allez voir vous-même, mon lieutenant ! C'est la boucherie ! Tout y a passé : les femmes, les gosses, les animaux, ils ont tout égorgé, les salopards ! Et ça pue, nom de Dieu, ça pue, mon lieutenant !... »

Suivi de Klauss et d'Osling, Mattei se dirige à pas lents en direction du charnier.

Dès que l'odeur écœurante de la mort les saisit,

les trois hommes se protègent le visage en nouant sous leurs yeux un mouchoir. Le sinistre spectacle qu'ils ont sous les yeux leur fait imaginer les événements qui se sont déroulés tout au plus vingt-quatre heures auparavant.

Il paraît évident que les suppliciés, qui tous ont les mains nouées derrière le dos, ont été égorgés les uns devant les autres, assistant respectivement à leur exécution et à leur agonie. La plupart ont encore les yeux ouverts, et les visages sont restés figés dans l'angoisse. Des enfants, presque des bébés, n'ont pas échappé au massacre.

Mattei se tourne vers ses hommes et lance l'ordre, d'une voix qui cherche à ne pas trahir son émotion :

« Il faut les enterrer tous. Faites vite. Un seul trou. Que tout le monde s'y mette. »

Santini, blanc comme un suaire, s'approche de l'officier.

« Je peux m'éloigner, mon lieutenant ? Je ne me sens toujours pas bien et cette odeur...

— D'accord, exempt de corvée, mais ne va pas trop loin et sois prudent. »

Santini est un peu honteux. Il sait qu'il est tout à fait remis de son malaise de la veille, qu'il a exploité pour couper à la répugnante corvée. Comme pour justifier son acte, il tombe à genoux et s'enfonce trois doigts dans la bouche pour se forcer à vomir. Il a la sensation de se décrocher l'estomac ; il finit par déclencher des spasmes tandis que de ses yeux les larmes coulent, creusant des rigoles sur la crasse de ses joues. Epuisé, il parcourt encore quelques mètres et s'affale sur le dos le souffle court, l'haleine aigre, l'esprit confus. Il se trouve à une bonne centaine de mètres du charnier. L'odeur est moins âcre et peu à peu il reprend conscience.

Un quart d'heure passe quand, soudain, Santini est tiré de sa torpeur par un froissement de feuillage insolite. Les sens instantanément en éveil, il s'aperçoit qu'il est parti sans arme à feu. Il sort de sa poche le couteau de vendetta à cran d'arrêt qui ne le quitte jamais et il rampe avec prudence dans la direction d'où il a perçu les crissements.

Un instant plus tard, le légionnaire est debout et contemple, stupéfait, sa découverte, en repliant sa lame d'un geste expert et familier. Un bébé blotti dans un buisson le dévisage, craintif et muet. Ses yeux couleur de noisette sont grands ouverts et il paraît en parfaite santé. L'enfant porte une grossière chemise de coton serrée à partir de la taille par un long foulard soyeux qui lui interdit tout mouvement des jambes.

Santini reste un moment interdit, puis parle au bambin comme si celui-ci pouvait le comprendre :

« Attends-moi, n'aie pas peur, je reviens te chercher. »

En courant l'Italien regagne ses compagnons qu'il trouve occupés à reboucher la fosse commune à grandes pelletées.

Instinctivement, c'est à Clary, l'homme auquel il doit probablement la vie qu'il s'adresse. D'un signe, il demande au petit colosse corse de le rejoindre à l'écart.

« Qu'est-ce qui va pas encore ? interroge Clary, agacé.

— Te fâche pas, Antoine ! J'ai trouvé un *bambino*.

— Et alors ? amène-le, on va l'enterrer avec les autres.

— Tu comprends pas, il est pas mort.

— Alors, il faut prévenir le chef Osling, il verra s'il peut le soigner.

— Tu comprends toujours pas, il est même pas blessé. »

A son tour, Clary se retourne stupéfait.

« Tu es sûr ? Tu as dû rêver.

— Sur la Vierge, Clary, il est aussi bien portant que toi et moi, je l'ai trouvé dans un buisson à peine à cent mètres.

— Je vais voir, accompagne-moi. »

Clary crie dans la direction de Klauss.

« Je vais chier, chef ?

— Fais-toi accompagner, soyez prudents », répond le sergent indifférent.

D'une tape sur le bras, Clary donne à Santini le signal du départ.

Le bébé est toujours aussi calme, Clary ne peut pas détacher son regard de lui. Enfin, comme si ça pouvait avoir de l'importance, il demande :

« C'est un garçon ou une fille ?

— Je sais pas, j'y ai pas pensé.

— Il faut voir, déclare solennellement Clary, qui déroule le foulard avec des gestes précautionneux.

— C'est une fille », annonce Santini, comme s'il était fier de ses connaissances.

Clary remmaillotte la petite fille, s'apercevant seulement que son sexe ne change rien au problème.

« Qu'est-ce qu'on va foutre, par la Madone, qu'est-ce qu'on va foutre !

— On va en parler au lieutenant, c'est lui que ça regarde.

— Le lieutenant, le lieutenant, est-ce qu'on sait ce qui peut lui passer par la tête au lieutenant ? Il pense qu'à sa mission... Il t'aurait laissé crever comme un rat hier si je n'avais pas été là...

— Tout de même, tu penses pas...

— Je prends pas de risques, tranche Clary.

— Qu'est-ce que tu veux faire ?

— On va planquer la môme dans mon sac, il est maintenant presque vide.

— On s'en apercevra, elle va gueuler, sans compter que ça bouffe tout le temps, les lardons !

— Tu marcheras derrière moi. Si elle gueule, tu chantes, et puis on lui donnera du riz.

— Qu'est-ce qu'on va se faire engueuler ! » se lamente Santini qui pourtant n'ose pas contredire son compagnon.

Du village, quelques brefs coups de sifflet apprennent aux légionnaires que la patrouille est prête à poursuivre sa route. Mattei a décidé d'établir le camp à deux heures de marche au sud-est.

Chargés de la gamine, les deux légionnaires regagnent les paillotes déjà abandonnées par leurs compagnons. Ils retrouvent leurs sacs et leurs armes dont ils s'emparent vivement. Santini installe la petite fille dans le sac du Corse. La gamine toujours muette gigote un instant à la recherche d'une position confortable, puis rassurée et bercée par la démarche souple du légionnaire, elle ferme les yeux et s'endort tandis que les deux hommes rejoignent la queue de la colonne.

Si le sommeil de l'enfant permit à Clary et Santini de la dissimuler pendant la marche, sa présence fut découverte quelques instants seulement après l'organisation du camp de nuit. C'est Osling qui le premier fut attiré par les babillements du bébé. Il se rapprocha, intrigué, des deux complices qui s'étaient installés à l'écart.

« Qu'est-ce que vous manigancez tous les deux ? Qu'est-ce que c'est que ces cris d'oiseau ?

— C'est moi, chef, répond sans hésiter Santini. Je m'amuse.

— Tu te fous de moi, rétorque Osling soulevant la couverture de Clary. (Et apercevant la gamine :) Nom de Dieu ! d'où sortez-vous ça ? Vous êtes fous ?

— On est fous ! Elle est bonne ! Qu'est-ce qu'il fallait faire ? La buter ? jette Clary, outré.

— Un rapport, abruti. Voilà ce qu'il fallait faire. Un rapport : vous n'êtes pas là pour prendre des initiatives. »

Attirés par les coups de gueule, Mattei et Klauss rejoignent le groupe, suivis de quelques hommes pour lesquels la curiosité l'emporte sur la fatigue.

« Qu'est-ce qui se trame ici ? » hurle Klauss interrogeant Osling du regard.

Pour toute réponse, Osling désigne la fillette d'un geste évasif.

Le sergent et le lieutenant demeurent un instant muets de stupéfaction. Enfin Mattei réagit, foudroyant Clary du regard :

« Pourquoi n'as-tu pas prévenu au village, imbécile ?

— Je sais pas, mon lieutenant », bredouille Clary embarrassé.

Mattei reste un instant songeur avant de reprendre :

« Osling, vous pensez qu'on peut trimbaler cette gosse deux ou trois jours jusqu'au prochain village ?

— Evidemment. Elle a au moins quinze mois et elle paraît en excellente santé. Nous pouvons la nourrir de riz. »

Mattei se tourne vers Clary :

« Tu continues à la porter, le sergent-chef te dira comment la nourrir. »

Le lieutenant s'éloigne ensuite rapidement et se dirige vers le feu discret sur lequel le cuistot fait cuire une bouillie opaque formée de paddy et de bouts de porc. D'un geste automatique, Mattei remplit une gamelle et va s'asseoir à l'écart au pied d'un arbre. Il est rejoint rapidement par Osling et Klauss qui engloutissent voracement leur pitance sans prononcer un mot. La dernière bouchée avalée, Klauss se lève et prend les gamelles de ses compagnons qu'il va rincer. Osling rompt le silence pesant.

« Vous voulez un coup de cognac, mon lieutenant ? J'ai trouvé une bouteille à Ninh-Binh.

— Pas de refus, mon vieux. Je n'en ai jamais eu tant besoin de ma vie.

— Je crois que je vous comprends, mon lieutenant.

— Evidemment, vous me comprenez, Osling. Ça n'est pas bien difficile. »

Klauss revient porteur de la bouteille et de trois quarts métalliques. Les trois hommes avalent une large rasade d'alcool, et moins subtil qu'Osling, Klauss met carrément les pieds dans le plat.

« Il a craint que vous butiez la gosse et ça vous emmerde, n'est-ce pas, mon lieutenant ? »

Mattei sourit devant la perspicacité brutale du sergent.

« Eh oui, Klauss, le mécanisme qui s'est déclenché

dans le cerveau de ce brave con m'effraie un peu.

— Je crains que vous soyez dans l'erreur, intervient Osling. Tous vos hommes, même les plus simples, connaissent les règles du jeu que vous avez pour mission de faire respecter. Je suis persuadé qu'ils vous admirent d'avoir le courage de prendre certaines décisions.

— Comme par exemple de faire égorger une fillette dont la présence va sans aucun doute retarder notre marche », déplore Mattei qui après un temps de réflexion poursuit : « Oui, je pense que c'était mon devoir de le faire. Je pense que c'est à ce prix qu'on gagne les guerres. Le groupe Ho Chi Minh qui nous a précédés vient de nous en faire une éclatante démonstration en supprimant tous les témoins de leur passage. Et moi, si dans quelques jours nous tombons sur un village qui abrite nos clients, je n'hésiterai pas à faire tirer dessus au mortier, sachant pertinemment que je massacrerai peut-être une dizaine de fillettes comme celle-là. Ma décision spontanée de trimbaler cette gosse, contre toute logique stratégique, n'est en somme qu'un geste de lâcheté. »

Osling éclate de rire.

« Vous pensez trop pour un soldat. Nous sommes les derniers soldats de métier ; notre devoir est de gagner la guerre, pas de la faire. Et nous autres légionnaires, et surtout vous qui êtes responsable plus que moi, ne devons redouter qu'une chose : c'est faire la guerre pour qu'on nous admire, quitte à la perdre. L'histoire de la Légion étrangère est émaillée de défaites glorieuses ; nous constituons le plus beau régiment du monde ; nous sommes admirés et vénérés parce que nous sommes capables de mourir avec panache, en criant « Vive la Légion », nous...

— ...Où voulez-vous en venir, Osling ? Votre philosophie nazie m'emmerde. Vous cherchez à m'expliquer que j'ai eu tort d'épargner cette fillette ? Que feriez-vous si je vous donnais l'ordre de la faire disparaître ?

— Je ne me reconnaîtrais pas le droit de discuter

vos ordres ou de vous désobéir : en me réfugiant dans vos rangs je me suis engagé à respecter vos règles et vos lois. Je pense donc que je me suiciderais par lâcheté ; il me serait beaucoup moins pénible de me tirer une balle dans la tête, que de le faire dans celle de cette gamine.

— Donc, nous en sommes au même point.

— Evidemment, mon lieutenant, je ne suis pas Hitler, moi ! »

A quelques mètres d'eux, Clary, Santini et Ickewitz jouent les nourrices, s'empressant autour de la gamine, se disputant le plaisir de lui faire avaler quelques cuillers de riz et cherchant par d'innombrables pitreries à lui arracher un sourire.

Des trois hommes, Santini est le plus volubile. Il tient à la fillette de véritables discours, lui promettant monts et merveilles. Il se lance devant le bébé attentif dans des descriptions dithyrambiques de Naples, sa ville natale, lui promettant de l'y emmener dès que son contrat viendra à expiration.

Le ton chantant et la voix douce de l'Italien semblent plaire à la fillette qui montre des signes de satisfaction qui ne sont pas appréciés de Clary dont la jalousie se déclenche brusquement.

« T'as pas fini ton cirque, pauvre con, lance-t-il. Tu vois pas que tu l'emmerdes, cette gosse. Tu vas la faire dégueuler si tu continues à lui parler de ta ville de clochards. Et puis, autant que tu le saches tout de suite, si on doit la ramener, ce sera moi qui m'en chargerai. Et c'est en Corse chez ma mère qu'elle grandira. »

Santini saute sur ses pieds et, reculant d'un mètre, fait jaillir la lame de sa poche avec une dextérité de jongleur.

« Les Corses, c'est tous des maquereaux, annonce-t-il. Si tu crois que je vais te laisser emmener la gosse que j'ai trouvée pour que tu la foutes dans un claque, quand elle aura treize ans, tu rêves. Je vais d'abord te saigner. »

Clary lui aussi s'est relevé. Bien qu'il ne soit pas

inquiet, il se tient sur ses gardes et déclare en souriant :

« Ça, je voudrais bien voir ça. Antoine Clary de Bastia se faire saigner par une petite tante. Ça, je voudrais bien voir ça ! »

Ickewitz n'a qu'à étendre sa longue jambe pour déséquilibrer Santini et le faire trébucher sur lui. Calmement, il serre le poignet armé de l'Italien et lui fait lâcher le couteau. Puis, il repousse le petit légionnaire qui va s'affaler deux mètres plus loin, et il replie le couteau d'une seule main, libérant le cran d'arrêt de l'index, et repoussant le dos de la lame du pouce.

« C'est drôle, les mecs ! constate-t-il. Plus ils sont petits, plus ils sont teigneux. Allez plutôt dormir tous les deux. Vous aurez besoin de force si demain vous voulez trimbaler votre pisseuse chinoise en plus de vos armes... »

Le commando reprend sa marche forcée à l'aube du 24 juin. Les légionnaires sont reposés et suivent aisément la cadence imposée par Mattei. Le décor ne change pas, forêts, rizières, bourbiers, marécages. La présence de la fillette oblige la patrouille à s'arrêter toutes les deux heures. Ces haltes sont les bienvenues pour les hommes et seul Mattei semble les déplorer. Une nouvelle altercation avait le matin opposé Clary et Santini au sujet du prénom de la fillette. Santini voulait l'appeler Giovanna, et Clary, Marthe comme sa mère. Klauss a tranché et tout le monde est tombé d'accord sur Anne-Marie. La plupart des légionnaires se sont proposés pour relayer Clary et le décharger quelques instants du poids supplémentaire qu'il transporte, mais le petit Corse a rejeté toute proposition, tenant à conserver la fillette dans son sac et écartant ses compagnons lorsqu'ils se montraient trop pressants autour de lui.

Vers deux heures de l'après-midi, c'est Klauss qui

marche en tête. Il est persuadé que la patrouille se trouve sur la trace des fugitifs et qu'elle emprunte le même chemin. Sans ralentir sa marche, il observe, reconnaît des traces imperceptibles. Il devine les gestes des hommes qui les précèdent, à des dizaines de petits détails insignifiants, que nul autre que lui ne parviendrait à déceler.

A 15 heures, la colonne est contrainte de s'engager dans une gorge broussailleuse. Sur la droite des légionnaires, un mamelon touffu s'étend sur une longueur de plus de cinq cents mètres. Par instinct, Klauss a ralenti : s'il avait eu lui-même à tendre une embuscade, c'est cet endroit qu'il aurait choisi. Il arme sa mitraillette et libère le cran de sûreté tandis que derrière lui tous les hommes l'imitent. Après quelques pas supplémentaires, le sergent s'adresse à Mattei sans se retourner et à mi-voix :

« Mon lieutenant, vous m'entendez ?

— Oui.

— Il y a un F.M. sur la droite dans les herbes. Vous venez de le passer. Ils attendent le milieu de la colonne pour tirer. Il faut se planquer d'un seul coup, sinon c'est le carnage. »

Mattei réagit instantanément et hurle :

« Tous à couvert sur la gauche. »

D'avoir répété cet exercice mille fois à l'entraînement sauve la vie de la plupart des hommes. Une fraction de seconde suffit pour que dix-huit d'entre eux se retrouvent à plat ventre sur le bas-côté. Seul Adrien Lemoine, un vieux Français, est resté, désemparé, sur la piste. Il est littéralement coupé en deux à hauteur de l'estomac par le tir du fusil mitrailleur qui s'est déclenché instantanément.

Klauss qui avait situé l'arme ennemie s'est jeté sur la droite et il a fait feu sur les serveurs du F.M. viet, criblant les deux hommes presque à bout portant, puis, en deux bonds, il a rejoint ses compagnons à l'abri. Il est tombé à quelques centimètres du lieutenant auquel il chuchote :

« Je crois qu'ils n'étaient que deux et je les ai

tués. On peut assurer nos positions, mon lieutenant. »

Mattei élève légèrement la voix.

« Cherchez des abris ! Consolidez ! »

Les hommes commencent à ramper et à se tapir derrière tout ce qui peut constituer un rempart. Aucune manifestation ne vient d'en face.

« Je crois que vous aviez raison, déclare Mattei. Dans cinq minutes j'enverrai un éclaireur. »

Klauss l'interrompt :

« Ça bouge là-bas, mon lieutenant.

— Vos deux types ne sont peut-être pas morts.

— Impossible, je leur ai vidé un chargeur entier dans le crâne. »

Pourtant les feuilles bougent à l'endroit précis où le F. M. ennemi est entré en action.

« Il y en a au moins un troisième.

— Impossible, mon lieutenant. Il ne m'aurait pas regardé buter ses copains sans réagir.

— Nom de Dieu, j'ai pigé ! » lance brusquement le lieutenant.

Un coup d'œil suffit à Klauss pour comprendre à son tour.

« Ah ! les fumiers ! Qu'est-ce qu'ils n'inventeront pas.

— Trente secondes pour vous planquer ! hurle Mattei. Attention, ça va venir d'en haut. »

Le mouvement décelé par Klauss dans les feuillages était provoqué par le glissement du fusil mitrailleur : tiré vers l'arrière par une longue cordelette le F. M. gravissait seul la pente herbeuse.

Quelques instants plus tard, l'arme était de nouveau en batterie, servie par deux autres combattants viets embusqués à une cinquantaine de mètres en surplomb.

« Mortier », ordonne Mattei.

Le nouvel emplacement de tir viet est heureusement situé ; le quatrième obus de mortier fait mouche et le feu du F. M. cesse après son explosion.

Les légionnaires restent néanmoins sur leurs gardes. Un silence lourd tombe quelques instants. Il est rompu par Clary qui s'exclame :

« Planquez-vous ! Ils remettent ça, les enculés ! »

En effet le fusil mitrailleur a repris sa course solitaire dans les hautes herbes.

Mattei est détendu. L'arme ennemie, en admettant qu'elle n'ait pas été endommagée par l'obus de mortier, sera moins efficace à cette distance. Il est clair que cette attaque est une mission suicide ; si elle avait une chance de réussir par la surprise, elle n'en a plus aucune dans les conditions actuelles.

« Vous croyez que ça va durer longtemps ce cirque ? interroge Klauss.

— Non, c'est fini. Le F. M. grimpe jusqu'au sommet. Transmettez au mortier d'ouvrir le feu. Je les repère très bien en suivant la direction de la corde. »

Le fusil mitrailleur n'atteindra jamais la troisième position prévue. Selon toute vraisemblance, les hommes qui le halaient ont été déchiquetés à leur tour par le tir de mortier.

Mattei patiente néanmoins un bon quart d'heure avant d'envoyer un éclaireur qui prudemment remonte la pente avant de signaler par gestes que l'ennemi a été anéanti.

Par curiosité Mattei et Klauss prennent alors le même chemin et constatent eux-mêmes le mécanisme de l'ingénieux système.

« J'avoue que je n'y aurais pas pensé, marmonne Klauss. Qu'est-ce qu'ils ont dans le citron, ces diablotins, quand il s'agit de nous faire des vacheries ?

— Ça, il faut le reconnaître. Si vous ne les aviez pas repérés, on y avait tous droit. Au fait, comment les avez-vous remarqués ?

— Ils avaient coupé des feuilles pour laisser passer le canon de leur arme.

— Chapeau ! approuve Mattei. C'est l'astuce la plus vacharde que personne ait jamais imaginée. »

14

TARD dans l'après-midi une découverte de Klauss devait remplir les hommes d'espoir. La piste qu'ils suivaient en rejoignait une autre et les traces du car qui venaient d'apparaître rendaient évident le plan de fuite ennemi.

Les hommes d'Ho Chi Minh s'étaient séparés après leur évacuation de Ninh-Binh. Un groupe (celui que les légionnaires avaient suivi jusqu'à présent) coupait à travers rizières et forêts ; un second, comprenant le car, avait emprunté un chemin mystérieux mais praticable pour un engin motorisé. Les deux groupes avaient établi leur jonction à l'endroit où se trouvait actuellement le commando et paraissaient avoir poursuivi ensemble leur marche vers le sud.

« Tant qu'ils auront le car nous pourrons les suivre sans difficulté, constate Mattei. Ça va nous simplifier considérablement la tâche.

— A moins qu'ils ne se servent du car pour nous diriger vers une fausse direction, objecte Klauss.

— Une fausse direction, hors de question. En dehors du sud, ils tomberaient partout sur nos troupes. Mais évidemment ils peuvent nous aiguiller sur un chemin parallèle. C'est un risque à courir. On continue. »

Pendant trois jours, le commando suit inlassablement les traces laissées par les fugitifs. Les légionnaires ne s'arrêtent que quelques heures chaque nuit. Le terrain a changé. Il est sec, fait d'herbes hautes et de pierrailles. Aucun point d'eau n'est rencontré. C'est un fait tellement extraordinaire dans ces régions que le lieutenant et les hommes ne commencent à s'inquiéter que lorsque les bidons de chacun sont pratiquement vides.

Le 27 juin, dans la soirée, la patrouille gravit un vallonnement et fait halte au sommet. Le lieutenant scrute l'horizon à la jumelle, ne parvenant à découprir que des nouveaux mamelons, un paysage identique en tous points à celui qu'ils traversent depuis trois jours. Partout les herbes sèches et la terre. Aucune chance de pluie en cette saison. La situation risque de devenir critique.

Antoine Clary se porte à hauteur de Mattei.

« Mon lieutenant, il faudrait pas que ma fille manque de flotte. Vous pourriez pas dire aux hommes de me donner une partie de ce qui leur reste ?

— Tout ce que je peux faire pour toi, c'est de ne pas leur interdire de t'en donner. Ça les regarde. Démerde-toi avec eux. »

Clary se retourne un peu déçu et passe parmi ses compagnons pour faire la quête. Aucun d'eux ne cherche à se dérober et bientôt les bidons de Clary et de Santini sont pratiquement pleins. Lorsque c'est au tour d'Osling de verser sa contribution, Clary croit bon de préciser :

« Vous savez, chef, je ne toucherai pas une goutte de cette flotte pour moi.

— Tout le monde le sait, Clary. Aucun des hommes n'a jugé utile de te le faire préciser. »

Assis à la façon des Arabes, les jambes repliées sous les fesses, Mattei est absorbé par la lecture de sa carte qu'il dévore comme si elle détenait un secret. Klauss le rejoint et, un genou en terre, lit par-dessus l'épaule du lieutenant. Du bout d'une allumette, il désigne un point sans prononcer un mot.

« Je sais, répond Mattei à l'interrogation muette du sergent. Ce n'est pas loin et il y a sûrement un puits.

— Il me semble qu'on devrait apercevoir ce village, mon lieutenant.

— Il est sans doute juste derrière la colline suivante. On pourrait le distinguer dans une heure, mais la nuit sera tombée.

— Quelle importance ?

— Mettez-vous dans la peau de l'ennemi, Klauss. Ils se savent poursuivis, et ils ont probablement compris que nous n'étions qu'un petit groupe, c'est ce qui explique l'embuscade de lundi. Ils savent donc qu'arrivés ici, nous manquons d'eau. Que feriez-vous à leur place.

— Evidemment, je saboterais le puits.

— Pas forcément réalisable, c'est notre seule chance. N'oublions pas qu'ils ont été contraints de fuir rapidement. Il est vraisemblable qu'ils ne disposent ni d'explosifs, ni de mort aux rats.

— Alors j'aurais planqué une dizaine de types en arrière, bien disposés pour interdire l'accès du puits.

— Exactement. A cela près, que je ne pense pas qu'ils aient laissé un groupe si important. Ils ont sacrifié six hommes lundi, et ils ne doivent pas être tellement nombreux. Non, je pense qu'ils ont dû laisser un F.M. et un homme, deux ou trois au plus. Mais ça peut suffire pour nous interdire l'approche un bon bout de temps. »

Klauss comprend tout à coup.

« Il n'y a que moi qui sois capable de trouver le chemin la nuit, mon lieutenant.

— Je sais, Klauss. Et c'est bien ce qui m'emmerde. Pourtant, nous devons avoir enlevé la position avant la chaleur demain, sinon nous allons tous crever de soif. Alors nous allons marcher jusqu'à la colline suivante, nous établirons le camp sur le versant nord. La nuit tombée, vous prendrez deux hommes et vous ferez ce que vous pourrez. En route. »

Klauss a désigné deux Allemands pour le suivre. Munch, un tout jeune Munichois, et Wolfram, un ex-capitaine S.S. Les trois hommes quittent leurs compagnons vers vingt' et une heures. Ils ont chaussé des espadrilles de corde qui font partie de l'équipement de toute opération commando, ils sont bardés de grenades, mais n'emportent qu'un pistolet mitrailleur pour trois. La lune éclaire assez pour permettre à Klauss de deviner la piste du car. Les trois hommes observent scrupuleusement les règles de sécurité qui régissent ce genre d'opération. Ils savent que leur vie tient peut-être à un chuchotement. Si l'un d'eux se brisait une cheville, il se laisserait tomber à terre sans la moindre plainte et laisserait ses compagnons poursuivre leur chemin, le cas échéant, sans les prévenir. On les a entraînés, sans ménagement, à cette discipline implacable.

La découverte du village se révèle plus aisée que ne l'avait supposé Klauss. Il aura fallu moins d'une heure aux trois hommes pour se retrouver à une vingtaine de mètres des premières paillotes.

Couchés à plat ventre, les légionnaires écarquillent les yeux pour tenter de trouver un indice qui leur permettrait d'élaborer un système d'attaque. Après cinq bonnes minutes, Klauss presse l'épaule de Munch. Aussitôt le jeune homme part en rampant, tous les sens en alerte, contrôlant jusqu'à sa respiration. Il avance comme un serpent, progressant à peine. Klauss n'a pas choisi le jeune Munichois au hasard. Depuis leur première rencontre, il a lu dans les yeux vides et froids de son compatriote tous les signes qui font de cette sorte de jeunes voyous des tueurs sans remords et sans problèmes. Munch est de cette race d'hommes qui ne parviennent jamais à faire réellement de bons soldats, mais qui rendent fréquemment des services inestimables à une compagnie.

Munch est alerté par un ronflement d'homme qui émane d'une paillote. Il sait que si un homme dort, un autre guette quelque part autour de lui. S'attaquer au ronfleur serait une erreur. Il reste attentif et immobile, puis il est servi par une chance insolente.

A moins de cinq mètres de lui, un homme se lève, s'étire et tranquillement, bien dessiné dans le clair de lune, se met à pisser. D'un bond silencieux, Munch est sur lui. Il lui plaque sa main gauche sur la bouche, tandis que de la droite il frappe, enfonçant son poignard jusqu'à la garde dans les reins du petit soldat viet.

L'homme est mort lorsque Munch retire le couteau et, soutenant le corps du soldat par les cheveux, lui tranche la gorge d'un geste inutile.

En souplesse Munch repose le corps désarticulé du viet et reste attentif un instant, guettant le moindre signe alentour. Le silence n'est troublé que par les ronflements réguliers du dormeur.

Après quelques minutes, Munch se persuade que les viets n'ont laissé que deux hommes au village, mais pour plus de sécurité, il inspecte rapidement deux ou trois des paillotes qui entourent celle du ronfleur. Le vide qu'il y trouve renforce sa conviction. Il se dirige alors comme un loup dans la direction du ronflement. Un long moment il observe l'intérieur de la paillote afin de situer sa proie et s'assurer que l'homme est bien seul. Le soldat viet dort étendu sur le dos, à même la terre, bras et jambes largement écartés. Munch avance à petits pas entre les jambes de l'homme, puis brusquement se laisse tomber à genoux sur son bas-ventre. Simultanément il plante son poignard bien droit dans la gorge du soldat et, lâchant l'arme, il bascule en avant, saisissant le malheureux aux bras, à hauteur des coudes, lui interdisant le moindre sursaut d'agonie. La résistance nerveuse qu'il perçoit sous ses doigts ne dure qu'une seconde ou deux. Alors, calmement, Munch se relève, sort une cigarette de la poche de sa chemise et, avant de l'allumer, contemple son œuvre sans émotion à la lueur de son briquet. Enfin Munch se penche et récupère son poignard, libérant un flot de sang. Cigarette entre les lèvres, il retourne le corps sur le ventre, d'une seule main, et soigneusement essuie sa lame à l'aide du pan de chemise du soldat égorgé. Il sort prudemment de la paillote, dégoupille une grenade, la jette quelques mètres devant lui et se couche à plat ventre.

L'explosion ne suscite aucune réaction, faisant la preuve que le village est maintenant bien vide. Munch lance d'une voix forte :

« Ça va, chef, vous pouvez passer. »

Instantanément Klauss et Wolfram apparaissent. S'aidant d'une lampe torche, Klauss observe le spectacle avant de constater :

« Seulement deux types. L'intuition du patron m'étonnera toujours. »

Dévisageant Munch, il poursuit en parlant allemand :

« Tu t'es régalé, hein ? »

Wolfram interrompt :

« Il y a qu'à voir sa gueule, il s'est envoyé en l'air, l'ordure. Il me dégoûte. »

D'un bond Munch se précipite sur l'ex-capitaine et l'expédie à terre d'une violente poussée.

« C'est toi le fumier, à rester planqué dans un trou pour reprocher après aux autres de faire le boulot. »

Klauss s'interpose entre les deux légionnaires :

« Il a raison, Wolfram, il a fait le travail qu'on lui demandait de faire. Votre sortie est déplacée. Même si elle est exacte. De toute façon arrêtez ces enfantillages, et remontez prévenir le lieutenant que la voie est libre. Vous pouvez lui transmettre de ma part que j'espère qu'il proposera Munch pour une citation. »

Restés seuls, Klauss et Munch passent une inspection minutieuse des paillotes sans découvrir la moindre trace utile, puis ils s'arrêtent près du puits. Klauss jette un caillou. Il ne perçoit en retour qu'un bruit mat.

« Nom de Dieu, il y a pas de flotte ! lance Munch.

— C'est étrange, ce village devait être habité, je pense que les quelques paysans qui vivaient ici ont dû voir arriver les soldats et sont partis se planquer dans la nature. Les viets n'ont pas pu boucher un puits en quelques heures. »

A son tour, Munch jette une pierre qui renvoie le même son mat.

« Si on avait une corde, on pourrait descendre, dit-il.

— Pas question avant l'arrivée du lieutenant, le puits peut être piégé, et de toute façon le commando sera là d'ici une petite heure. »

Vers minuit, effectivement, Mattei rejoint les éclaireurs. Le lieutenant juge rapidement la situation, après avoir à plusieurs reprises lancé, comme Klauss, des pierres dans le puits. Enfin, il ordonne :

« Balancez une grenade. »

L'explosion ne déclenche aucun dispositif, mais pour plus de sécurité, Klauss vide deux chargeurs de pistolet mitrailleur arrosant les parois intérieures du puits. Mattei déclare alors :

« Faites descendre un homme, il faut aller voir. »

Santini se désigne lui-même et fixe une corde de rappel autour de sa taille. L'absence d'arbre ou de pieu oblige trois légionnaires à se saisir de l'autre extrémité pour contrôler la descente du petit Italien. Santini se maintient à la corde de la main droite, de la gauche il tient une lampe torche. A la surface, Mattei calcule approximativement la longueur de corde déroulée ; après trois ou quatre mètres, il fait signe aux porteurs d'arrêter et il se penche sur le bord.

« Tu vois quelque chose ? »

Santini balaie le fond du faisceau de la lampe.

« Je distingue mal, mon lieutenant. Descendez-moi encore. »

Les porteurs laissent filer lentement la corde avant d'être brusquement arrêtés par un cri déchirant.

« Remontez-moi vite, remontez-moi... »

Mattei, Klauss et deux légionnaires se précipitent pour prêter main forte aux porteurs et arrachent littéralement le petit Italien qui s'écorche et déchiquette ses vêtements contre la paroi rocailleuse du puits. Arrivé à la surface il s'éjecte lui-même, se laisse tomber à quatre pattes et vomit. Entre deux hoquets, il parvient à articuler :

« C'est plein de macchabées dans le fond ! C'est dégueulasse !

— Tu as pu voir s'il y avait de la flotte ? demande Mattei nullement impressionné.

— J'ai rien vu d'autre que des macchabées, mon lieutenant. Tous entassés.

— S'il y avait de la flotte, ils seraient au fond, constate Osling.

— En principe, approuve Mattei. Mais il faut se rendre compte. Et pour ça il n'y a qu'une solution, c'est de les remonter.

— Pas moi, mon lieutenant, je descends plus, supplie Santini.

— D'accord, Santini, on va y aller chacun notre tour, ce qui m'étonne c'est qu'on n'ait rien senti. Ça puait pas dans le fond ?

— Je crois pas mon lieutenant, j'ai pas remarqué.

— C'est qu'ils ne sont pas là depuis longtemps. Allez préparer une seconde corde. Qu'un homme descende tout de suite. Il passera les pieds des morts dans un nœud coulant, on tirera d'en haut. »

Toujours aussi blasé, Munch descend le premier. Les deux filins se déroulent de cinq mètres environ avant que l'Allemand crie :

« Stop. »

Une minute plus tard, il lance d'une voix neutre :

« Tirez la deuxième corde et renvoyez-la, je reste en bas. »

Un premier corps est hissé et la corde est renvoyée au fond.

Munch patauge dans le charnier, dégageant les membres, afin de pouvoir rapidement les passer dans le nœud coulant. Avec une totale insensibilité il promène le faisceau de sa lampe sur le macabre spectacle.

Quand le quatrième corps parvient à la surface, Mattei se penche et interroge :

« Tu veux qu'on te relaie ?

— Ça va, mon lieutenant, ne perdons pas de temps, renvoyez la corde. »

Il y avait neuf cadavres dans le fonds du puits, six femmes et trois hommes. Tous des vieillards. Comme l'avait prévu Klauss, les hommes, femmes et enfants qui le pouvaient avaient dû fuir devant l'arrivée des viets et devaient se terrer alentour dans les herbes épaisses.

Deux madriers avaient été disposés en croix à la surface de l'eau pour empêcher les corps de s'enfoncer et donner l'impression que le puits était tari.

Klauss et Osling se tiennent maintenant en bordure du puits.

« Il y a de l'eau ? crie Osling.

— Il y a de l'eau, mais elle n'est pas appétissante. »

Depuis un moment les légionnaires contemplent les cadavres qui ont été exécutés selon le même procédé qu'au précédent village, la gorge tranchée. Ils comprennent tous que le sang des suppliciés s'est entièrement répandu dans l'eau du puits. Toujours livide, Santini marmonne :

« Moi, je préfère crever de soif, je ne touche pas à cette flotte. »

Il est approuvé par la plupart des hommes, et cette réaction inquiète Mattei. Si les hommes refusent de boire, il n'y a plus qu'à rebrousser chemin et à essayer de rejoindre le bataillon ; la mission se soldera par un échec.

Le lieutenant décide de jouer une dernière carte. Il éclate de rire :

« Ah ! il est beau mon commando de volontaires ! Une fameuse bande de fillettes ! Si encore vous n'étiez que des petits délicats, mais vous êtes aussi ignorants que les imbéciles qui ont cherché à vous dégoûter. »

Les hommes dévisagent, ahuris, le lieutenant qui poursuit avec une parfaite mauvaise foi :

« Vous ne savez pas que le sang est beaucoup plus léger que l'eau et qu'il est donc demeuré à la surface.

En lestant les bidons avec quelques petits cailloux et en les envoyant par le fond au bout d'une ficelle, on recueillera de l'eau aussi limpide que celle d'une source. D'autre part, ce procédé stupide employé par les viets pour chercher à nous écœurer démontre qu'ils n'avaient rien d'autre sous la main pour saboter le puits. »

Tout en parlant, Mattei a dévissé son propre bidon et a commencé à y introduire de petites pierres. Il a ensuite fixé à l'anneau un long fil de nylon, et avec des gestes de pêcheur, il laisse glisser le tout dans le puits. Après une minute, il retire le bidon aussi rapidement qu'il le peut.

Osling sort d'un flacon une pastille antiseptique et la tend au lieutenant. Mais Mattei veut sa démonstration éclatante. Il repousse ostensiblement l'offre du sergent-chef :

« C'est inutile. Je suis persuadé que cette eau est parfaitement potable. »

Surmontant sa répulsion, le lieutenant porte le bidon à ses lèvres et boit à larges gorgées ; puis éclatant d'un rire satisfait, il tend la gourde à Osling.

« Vous êtes chic avec moi, mon lieutenant ! » lance le sergent avant d'imiter l'officier.

Klauss entre dans le jeu.

« Eh ! vieux, part à trois, laisse-m'en. »

Il arrache le bidon des mains de son compagnon.

Il n'en faut pas plus pour convaincre les hommes que l'eau est parfaitement pure. Chacun se presse, leste son bidon et attend son tour pour l'envoyer au fond du puits.

Le lieutenant et les deux sergents sont partis s'asseoir à l'écart.

« Au fait, Osling, questionne Mattei après un instant de réflexion, quelle est au juste la densité du sang humain ?

— Pensez à autre chose, mon lieutenant.

— Oui, vous avez raison. Vous avez trouvé un goût à cette flotte ?

— Je n'en sais sincèrement rien, j'ai bu en contractant mon estomac.

— Le goût c'est rien, interrompt Klauss, mais la couleur ! Je crois que dans un verre, je me serais dégonflé.

— Oh ! ta gueule ! tranche Osling. De toute façon, la seule vérité qu'ait dite le lieutenant, c'est que l'eau n'est sans doute pas nocive.

— Tu parles, elle doit même être fortifiante. »

Cette nuit-là, les hommes n'ont dormi que deux heures. Le camp de nuit a été levé aux premières lueurs de l'aube et comme des automates les légionnaires ont repris leur harassante poursuite.

Vers dix heures du matin, c'est le drame. Le sixième homme de la colonne saute sur une mine. Klauss, Mattei et trois légionnaires étaient passés avant lui — soit que tous les cinq aient posé le pied à côté, soit que l'engin capricieux n'ait explosé qu'à force de pressions. L'homme, un Belge, a été tué sur le coup et, derrière lui, un Français est tombé. Il s'appelle François Descola, il fait partie de ces quelques légionnaires romantiques qui s'engagent à la Légion par désespoir d'amour.

Tout le monde, au bataillon, connaît par cœur son histoire, car il la ressasse inlassablement au troisième verre de bière : Descola habitait Poitiers, il était fiancé avec une voisine qui, séduite par un truand, disparut brusquement. Bouleversé, Descola se mit à la recherche de son amour envolé. Il lui fallut un an pour découvrir la trace de la fille qui se prostituait à Marseille dans le quartier de l'Opéra. Descola fit l'acquisition d'un couteau à cran d'arrêt, décidé à tuer son curieux rival. Il eut à peine le temps de sortir de sa poche son couteau tout neuf, que déjà il gisait par terre, la mâchoire fracassée. Le proxénète s'acharna sur le jeune garçon, lui brisant plusieurs dents et lui déchirant les deux arcades. C'est dans cet état piteux qu'il fit son apparition au centre de recrutement de la Légion étrangère d'Aubagne.

Aujourd'hui, Descola se tord de douleur sur la piste, tâtant de ses mains ses multiples plaies, les yeux rivés sur le corps déchiqueté de son compagnon.

Osling s'est empressé. Il injecte la morphine avant même d'examiner le blessé. Un coup d'œil lui suffit ensuite pour comprendre que l'homme est perdu. Sa cuisse gauche est ouverte du genou à l'aine ; en plus il a plusieurs éclats dans le ventre. Sans conviction, Osling saupoudre les plaies d'antibiotique et les panse avant de se tourner vers Mattei :

« On le porte avec un bambou, mon lieutenant ?

— D'accord. »

Un légionnaire s'éloigne aussitôt et va couper un long et solide bambou que l'on introduit dans la jambe du pantalon, sous le ceinturon et dans la chemise du malheureux dont la tête sera soutenue par un cheich noué autour du bâton. Deux hommes se saisissent des extrémités qu'ils disposent sur leurs épaules, soulevant le blessé qui pend sous le bois flexible.

Descola a gardé toute sa conscience, et tandis que la colonne reprend sa marche après avoir enseveli son mort, il supplie Osling d'aller chercher le lieutenant qui progresse en tête.

Osling transmet. Le lieutenant s'arrête et laisse remonter la colonne. Lorsque les porteurs parviennent à sa hauteur, il reprend la marche au côté du blessé.

« Tu as demandé à me parler, Descola ? »

Le mourant, le souffle court, articule péniblement :

« M'enterrez pas sur place comme le Belge, mon lieutenant ! Jurez-moi, portez-moi jusqu'à un village.

— Qu'est-ce que c'est que ces salades ? Bien sûr on te porte jusqu'à un village, il n'est pas question que tu passes.

— Mais si, mon lieutenant ! Vous savez très bien que je vais crever. J'ai déjà porté un gus comme ça. C'est pénible tant qu'il est vivant. Mais une fois mort il se raidit et les porteurs ont moins de mal. »

Mattei tique. Descola a parfaitement raison et il le sait.

« Si ça peut te rassurer, je te donne ma parole

d'officier que s'il t'arrive quelque chose, on ne te laisse pas.

— C'est tout, mon lieutenant, je vous crois, merci. »

Descola ne survit qu'une demi-heure. C'est le porteur arrière qui s'aperçoit le premier de sa mort. Il appelle Osling :

« Chef, je crois qu'il est canné. »

Osling s'approche et constate le décès, il remonte la colonne jusqu'au lieutenant, après avoir arraché la plaque d'identité du cou de Descola. Il la tend à Mattei. Celui-ci dit simplement :

« On continue à le porter, on l'enterrera au village que nous devons trouver dans la soirée. »

Dans la soirée, au village, changement de décor. Les habitants sont tous là, bien en vie, prêts à toutes les confidences sur le passage des viets. Mattei reçoit des renseignements précis. Le nombre des fugitifs (une dizaine), la marque du car, le temps exact d'avance de la troupe viet (vingt-deux heures). Un vieillard qui paraît être le chef du village affirme avoir reconnu Ho Chi Minh.

Mattei tonne brusquement :

« Vous vous foutez de ma gueule ! Parfait, je fous le feu au village et je détruis toutes vos réserves de vivres. »

Sur un geste du lieutenant, Klauss improvise une torche et tranquillement incendie la première paillote. Le vieillard tombe à genoux aux pieds de l'officier.

« Arrêtez, lieutenant, je vous en prie, arrêtez, je vais vous dire la vérité.

— Inutile ! Je la connais. Tout ce que vous m'avez dit est vrai, sauf la présence d'Ho Chi Minh ; et votre village n'a été épargné que pour vous permettre de me mentir. »

Le vieil homme ne répond même pas, il hoche la tête tristement.

Mattei laisse brûler la paillote incendiée et donne l'ordre d'arrêter la destruction. Les hommes se contentent de se ravitailler largement.

A l'aube du jour suivant commence la marche à tâtons. Le commando poursuit sa progression en zigzag vers le sud, dans l'espoir de tomber au hasard sur une piste ou des traces. Mattei impose avec fureur un rythme d'enfer. Chaque soir, au hasard des villages rencontrés, on abandonne un ou deux légionnaires qui sont dans l'incapacité de poursuivre. La plupart ont les pieds en sang, ils ont tous perdu une dizaine de kilos, la dysenterie les ronge, ils ne se lavent plus, ne se rasent plus, ils n'ont plus la force de parler, plus la force de penser, ils suivent comme des robots usés, se traînant lamentablement derrière un petit officier corse soutenu par une volonté rageuse.

Au bout d'une semaine, ils ne sont plus que quatorze. Après deux semaines, six hommes seulement sont parvenus à suivre l'officier et les deux sergents. Parmi eux se trouvent Santini et Clary qui s'est révélé de tous le plus insensible à la fatigue. Il porte toujours dans son sac la petite Anne-Marie qu'il a obstinément refusé d'abandonner dans un village. La fillette s'est habituée à son mode de transport et n'a pas souffert le moins du monde de la folle poursuite.

Le 20 juillet, près d'un mois après le début de leur expédition, les neuf rescapés parviennent en vue de Baï-Naï, une agglomération de plusieurs centaines d'habitants. A vol d'oiseau, ils ne sont qu'à une cinquantaine de kilomètres de leur point de départ, mais ils ont parcouru cinq fois cette distance pour y parvenir. Au centre du village, ils trouvent le car viet dont le moteur est encore tiède. Ils apprennent rapidement que les hommes qu'ils poursuivent ont à peine quatre heures d'avance. L'abandon du car dans une agglomération est leur ultime subtilité pour brouiller leur piste.

Assis à la place du chauffeur, Mattei contemple amèrement les huit loques qui l'entourent avant de jeter un œil sur le rétroviseur brisé qui lui renvoie son image. Vaincu, le lieutenant renonce. Qu'attendre maintenant de son commando et qu'attendre de lui-même ? Et puis, Ho Chi Minh est peut-être déjà bien loin.

Mattei se demande tout d'un coup s'il n'a pas poursuivi un rêve.

Un étrange miracle de la Légion se produit alors à Baï-Naï.

Pendant un mois ces hommes ont souffert au-delà des limites humaines. Pendant un mois ils ont marché, combattu, marché ; ils ont supporté la soif, les privations, la fatigue et les douleurs d'une infernale poursuite. Pourtant ils ont tous conservé au fond de leur paquetage une tenue de rechange propre, et moins d'une heure plus tard, ce n'est que sur leurs visages creusés que l'on peut déceler les signes de leur épuisement.

Un logement a été aménagé au premier étage d'une buvette épicerie. Clary est parti à la recherche de linge pour la petite Anne-Marie. Mattei s'occupe à classer les documents que les rebelles n'ont pas eu le temps de détruire. Les autres déambulent dans les ruelles à la recherche de filles et de bière.

Le bataillon ne les rejoindra que six jours plus tard. Les traînards ont été récupérés. L'opération sera considérée comme un échec. La volonté tenace, rageuse d'un petit lieutenant corse n'aura pas changé le cours de l'histoire. La guerre d'Indochine se poursuivra. Implacable.

15

Lorsque le 3ᵉ Étranger fit mouvement sur le Tonkin, il laissa son 3ᵉ bataillon implanté dans le sous-secteur de Sadec, à 180 kilomètres au sud-ouest de Saigon. Ce delta au sol spongieux formé tout entier par le lent apport des alluvions du Mékong est sillonné par de grands cours d'eau, quadrillé par un réseau très serré de canaux, de rachs, d'arroyos. De tout temps le sampan et la jonque y ont été le moyen de transport des autochtones, et à la veille de la guerre d'innombrables chaloupes à vapeur assuraient des services réguliers entre les différents centres.

A leur arrivée, les légionnaires trouvèrent les ports fluviaux encombrés de vieilles carcasses abandonnées. Au grand étonnement des autorités, le 3ᵉ Étranger réclama aussitôt l'attribution de ces coques détériorées que nul n'imaginait voir reprendre le cours des fleuves. Après de longues démarches le 3ᵉ bataillon obtint pourtant l'autorisation de remettre en état la *My Huong*, une chaloupe d'une vingtaine de mètres équipée de deux moteurs à vapeur.

C'est le capitaine Vergnes, commandant la 2ᵉ compagnie, qui avait dans un bel élan d'optimisme entrepris de rendre navigables les ruines de la chaloupe. Il fallut six mois à une équipe de dix légionnaires représentant plusieurs spécialités pour venir à bout d'un travail à première vue irréalisable.

Les deux moteurs furent démontés pièce par pièce, les éléments défectueux réparés, la rouille grattée centimètre par centimètre. On rabota la coque que l'on consolida ensuite à l'aide de pièces des bois les plus divers. Des plaques de blindage récupérées sur des engins japonais vinrent renforcer les bords du pont. Lorsque, vers la fin 1946, eurent lieu les premiers essais de la *My Huong*, le bateau avait des allures de yacht de plaisance. On l'affecta à un routinier travail de ravitaillement des postes qui dépendent du sous-secteur de Sadec.

Le 15 mars 1947, le sous-lieutenant Destors est convoqué chez le capitaine Vergnes. Il sait déjà que le lendemain à l'aube, il doit faire office de commandant à bord de la *My Huong* ; la mission étant le ravitaillement des postes de Long-Hung, Vinh-Than, Lap-Vo et Lai-Vung, tous situés sur le rach Lap-Vo.

Le capitaine Vergnes reçoit cordialement le jeune officier (Destors n'est âgé que de 23 ans).

« Je vous ai convoqué, déclare Vergnes, pour vous apprendre la présence de deux passagers supplémentaires à votre bord demain. Il s'agit de l'administrateur et de sa jeune protégée, Mlle Seydoux. »

Destors manifeste peu d'enthousiasme. L'administrateur annamite du sous-secteur * ne jouit pas d'une grande estime auprès des légionnaires. Il court sur lui les bruits les plus divers, et bien qu'aucune preuve ne soit venue fonder ces rumeurs, son attachement à la France est souvent mis en doute. Une chose est certaine, il voue un mépris total à la Légion étrangère. Geneviève Seydoux est arrivée chez lui à peine un mois auparavant. Les légionnaires savent qu'elle prépare une thèse d'histoire sur l'Extrême-Orient, que ses parents sont des intimes de l'administrateur, ce qui explique son installation à Sadec.

---

* Le journal de marche du 3ᵉ Etranger qui relate en détail l'épopée de la « My Huong » passe sous silence l'identité de l'administrateur de Sadec qu'il désigne sous le nom de Monsieur T... Le nom de Geneviève Seydoux m'a été transmis par l'un des légionnaires du 3ᵉ bataillon.

« Il y a une raison particulière à cette escorte ?
questionne Destors.

— Tourisme ! D'après ce que je sais, l'administrateur a cédé devant l'insistance de la jeune fille
qui se plaint de ne pas voir grand-chose du pays.

— Mon capitaine, le secteur est calme, je l'admets.
Mais vous savez mieux que moi que nous ne sommes
pas à l'abri d'une surprise. Ne peut-on, sous prétexte
de sécurité, refuser à cet imbécile sa croisière d'agrément ?

— J'ai essayé, il m'a ri au nez. Le poste important
qu'il occupe ne me permet qu'une simple mise en
garde. J'ai fait mon devoir ; pour le reste, ça le
regarde. J'ajoute qu'il n'ignore pas que nous transportons de nombreux civils chaque semaine à bord
de la *My Huong* ; il considérerait mon refus comme
un affront et je ne tiens pas à empoisonner mes
supérieurs avec ce genre de rapport.

— A vos ordres, mon capitaine, je tâcherai de me
montrer aimable.

— Je n'en attends pas moins de vous, Destors.
Amusez-vous bien. »

Le 16 mars, à six heures trente du matin, les légionnaires embarquent sur le port de Sadec. Ils sont
quatorze, plus une dizaine de partisans. Parmi eux
se trouve Karl Hoffmann.

Hoffmann, légionnaire de 2ᵉ classe (il a toujours
refusé de participer à un peloton d'avancement), est
pourtant une des personnalités du 3ᵉ Étranger. Nul
n'ignore au bataillon son identité réelle : Karl von
der Heyden. Ex-plus jeune capitaine de la Luftwaffe.
Croix de fer à vingt-quatre ans. Multiples citations.
Une vingtaine de victoires aériennes. L'hebdomadaire
Der Adler lui consacra en 1943 sa couverture et plusieurs pages. C'est un véritable héros national que
tous les Allemands du régiment connaissent et
vénèrent.

Pilote de chasse célèbre, le capitaine von der

Heyden n'avait aucune raison d'être poursuivi comme criminel de guerre. S'il s'engagea à la Légion étrangère, ce fut à la suite d'un de ces drames familiaux qui ponctuaient l'effondrement du IIIe Reich : en 1945 à Hambourg, son père, le général von der Heyden, s'était donné la mort après avoir tué sa femme et les deux frères de Karl.

Karl Hoffmann est un aryen type, au visage carré et aux traits purs. Très grand, la silhouette athlétique, il parle un français impeccable, plus riche que l'argot qui tient de langue commune aux légionnaires (et qu'ils manient d'ailleurs avec une rare virtuosité, mis à part leurs pittoresques accents d'origine). Au 3e bataillon, Hoffmann se tient à sa place de simple soldat et ne cherche pas à tirer gloire de son passé.

L'administrateur et Mlle Seydoux font une apparition remarquée avec dix minutes de retard. Ils arrivent en voiture, conduits par un chauffeur à l'uniforme immaculé. L'administrateur est élégamment vêtu d'un costume blanc et d'une cravate à pois, il est coiffé d'un casque de liège blanc. La jeune fille qui l'accompagne doit avoir entre vingt et vingt-cinq ans. Son visage est souriant et agréable, ses longs cheveux châtains sont serrés par un mouchoir de soie sur sa nuque ; la perfection d'un corps svelte se devine sous une légère robe d'été crème d'une grande sobriété de ligne. Destors, qui ne l'avait aperçue que de loin, est instantanément séduit par une beauté qu'il ne soupçonnait pas. L'administrateur le présente, feignant à dessein d'ignorer l'adjudant Naessans qui pourtant se trouve au côté du sous-lieutenant.

Destors présente lui-même le sous-officier avec lequel Geneviève Seydoux échange poignée de main et sourire, ignorant l'incident.

L'administrateur monte à bord et se lance dans un numéro éblouissant de maître de maison. Lorsqu'il parle des réparations et des perfectionnements de la *My Huong*, il dit : « nous avons entrepris... nous avons décidé... », achevant par cette attitude d'exaspérer le jeune sous-lieutenant qui préfère s'éloigner.

L'adjudant Naessans, à qui rien n'a échappé, déclare, souriant :

« Il va bientôt croire qu'il est pour quelque chose dans ce boulot, ce vieux singe.

— Suffit, Naessans, tranche Destors. C'est son droit de faire le paon pour épater la petite. J'ai reçu pour consigne d'être aimable ; j'entends que vous le soyez tous, et s'il veut prétendre qu'il a reconstruit la chaloupe tout seul, je m'en fous. »

A l'aller le trajet commence sans incident notable. La chaloupe fait trois brèves haltes avant d'entamer la dernière partie de son court voyage vers Lai-Vung.

Geneviève Seydoux est surprise de constater la vigilance dont font preuve les guetteurs disposés sur le toit. Sur le ton de la plaisanterie, elle remarque en s'adressant à Destors :

« On a l'impression que vos hommes redoutent quelque chose ; tout paraît pourtant bien calme. »

Destors n'a aucune raison d'inquiéter la jeune fille.

« Ce sont les consignes, mademoiselle ; un point c'est tout. »

Froissée par la sécheresse de la réplique, Geneviève Seydoux reprend sa place auprès de l'administrateur avec lequel elle poursuit la conversation :

« D'après ce que j'ai cru comprendre, l'escale finale de Lai-Vung doit durer trois heures. J'espère pouvoir les mettre à profit pour visiter le village et ses environs.

— Je n'y vois aucun inconvénient, je serai moi-même astreint à quelques tâches ; mais je vous ferai escorter par un homme pour plus de sécurité. »

Accoudé au bastingage, fumant tranquillement, Karl Hoffmann (von der Heyden) contemple, pensif, la berge qui défile lentement. Il se trouve être le légionnaire le plus proche du couple. L'administrateur l'interpelle d'un signe de bras autoritaire.

« Eh ! vous ! »

Hoffmann s'approche sans hâte.

« Vous parlez français ?

— Oui.

— Parfait. A Lai-Vung, pendant l'escale, vous escorterez Mlle Seydoux qui a exprimé le désir de visiter le village et ses environs. »

Hoffmann n'a même pas un regard vers la jeune fille, il répond, détaché :

« Je reçois mes ordres du lieutenant Destors. »

Puis, il se retourne, indifférent, et se replonge dans sa contemplation rêveuse. L'administrateur reste quelques secondes désorienté avant de hurler d'une voix suraiguë :

« Lieutenant ! »

Destors se précipite.

« Cet homme vient de me manquer de respect. Je vous prierai de sévir séance tenante. »

Du doigt, il a désigné Hoffmann qui est toujours impassible.

« Que s'est-il passé, Hoffmann ? interroge Destors, ennuyé.

— Ce monsieur m'a donné un ordre. Je lui ai dit que je les recevais de vous, c'est tout.

— Sur un ton que je ne saurais accepter, rétorque l'administrateur.

— Vous savez, fait remarquer le lieutenant, les légionnaires et les usages...

— Je demandais poliment à cet énergumène de bien vouloir accompagner Mlle Seydoux dans une promenade à travers Lai-Vung et ceci par mesure de sécurité. Puisque sa cervelle ne semble enregistrer que ce qui vient de vous, veuillez avoir l'obligeance de lui signifier votre accord pour cette mission dont il ne mérite pas l'honneur.

— C'est bon, Hoffmann, cède Destors, las de cette discussion. Vous accompagnerez Mlle Seydoux pendant l'escale.

— A vos ordres, mon lieutenant », répond Hoffmann, absolument indifférent.

A l'escale, pendant la promenade, Hoffmann se contente de marcher à côté de la jeune fille, sans faire aucun commentaire, répondant seulement par oui et par non aux nombreuses questions qu'elle lui pose.

Lorsque les jeunes gens regagnent le débarcadère, Geneviève lance sèchement :

« Merci de votre obligeance ! »

Hoffmann s'éloigne sans rien ajouter.

Au retour, la *My Huong* se transforme en arche de Noé. A Lai-Vung, trois familles accompagnées de leurs enfants et d'animaux vivants embarquent, puis au bac de Vam-Cong l'administrateur adjoint de Long-Xuyen fait monter à bord treize gardes communaux destinés au poste de Lap-Vo. Enfin, à Vinh-Than, les légionnaires récupèrent leur mascotte : un jeune orphelin annamite de treize ans, le petit Pham Van So, qui vient de passer quelques jours chez des amis. Il ramène deux chèvres et six poules.

A seize heures trente, la *My Huong* s'engage dans le rach Lap-Vo. Sur le toit le légionnaire Phily à la mitrailleuse de 50 et le légionnaire Beguain à celle de 30, surveillent les berges aidés chacun d'un partisan.

A seize heures quarante, la chaloupe surchargée progresse lentement et parvient à hauteur du rach Vai-Son. Alors, brusque et inattendue, c'est l'attaque. Trois armes automatiques provenant de la rive nord ouvrent un feu nourri.

La première rafale atteint trois hommes qui s'écroulent mortellement blessés ; ce sont les légionnaires Fusco et Streck, et le caporal Klein.

A bord, la panique s'empare des passagers. Les civils se sont jetés à plat ventre, écrasant souvent les enfants dans leur chute. Les mitrailleuses du toit ont riposté immédiatement, mais elles tirent au hasard tandis que l'ennemi bien caché s'acharne contre elles avec une précision étonnante. Un des partisans qui servait de chargeur est tué. Une balle coupe la bande de l'une des mitrailleuses ; la seconde est mise hors de combat par un projectile qu'elle reçoit dans son berceau.

La chaloupe continue d'avancer lentement, mais d'autres armes automatiques sont dissimulées le long de la berge et ouvrent le feu à leur tour, visant, cette fois, le gouvernail qui très rapidement ne répond plus. Devenue folle, la *My Huong* oblique sur la gauche — en direction de la rive où se trouvent ses agresseurs. Destors hurle l'ordre d'arrêter les machines. Malheureusement l'élan emporte la chaloupe ; son avant s'échoue juste en face des viets.

Protégés par les rambardes blindées les légionnaires tirent sans répit dans la direction des feuillages au milieu desquels l'ennemi reste invisible.

Obligé d'organiser la défense dans la confusion, Destors n'a pas le temps de s'occuper des civils qui, par réflexe, se ruent vers l'intérieur, cherchant à se tasser entre les machines immobilisées. Geneviève Seydoux cherche à les imiter ; comme eux, elle avance à quatre pattes sur le pont, attendant son tour pour gagner l'échelle d'accès qui descend à la salle des machines.

Sans aucune explication, lorsqu'elle passe à sa hauteur, Hoffmann la saisit par le bras et la tire à ses côtés, puis il se remet à tirer.

« Vous êtes fou, lance la jeune fille, laissez-moi aller me mettre à l'abri.

— Couchez-vous derrière la rambarde, elle est blindée, vous ne risquez rien.

— Je serais mieux en bas », réplique la jeune fille, faisant un mouvement pour aller reprendre son tour.

De nouveau Hoffmann la saisit et la ramène.

« Restez ici ! C'est la dernière fois que je vous le dis, j'ai autre chose à faire. »

Geneviève Seydoux a une seconde d'hésitation, mais frappée par l'assurance du légionnaire, elle cède et se tapit à l'abri de la plaque de blindage sur laquelle elle entend une pluie de balles ricocher.

Au bout d'un instant elle s'aperçoit qu'elle et le petit Pham Van So sont les seuls civils sur le pont ;

un légionnaire qui se tient à quelques mètres semble avoir eu avec la petite mascotte la même attitude que celle d'Hoffmann à son égard.

Sans se relever elle crie à Hoffmann :

« Vous pensez que c'est dangereux en bas ?

— Les discours plus tard ! » répond Hoffmann qui continue à tirer.

C'est par intuition qu'Hoffmann avait retenu Geneviève Seydoux ; au bout de quelques minutes il s'aperçoit qu'il ne s'était pas trompé.

Dans la salle des machines l'une des chaudières explose. Une dizaine de civils sont tués sur le coup, la plupart des autres sont atrocement brûlés, les plus heureux s'en tirent avec des brûlures superficielles. L'administrateur n'est atteint que légèrement aux bras et aux mains, mais n'en émerge pas moins à l'air libre en hurlant de détresse.

La situation devient critique. Lahoz, le radio, arrive sur le pont : le poste émetteur, atteint dès les premières rafales est irréparable et il n'a pas pu transmettre le moindre message. Pour crier son rapport, Lahoz s'est tenu debout. Il reçoit plusieurs balles en plein front et s'écroule foudroyé. Aucune arme automatique ne reste disponible à bord, et il est évident que l'ennemi est fort d'au moins une centaine de combattants.

Par chance, la rive est nue sur une cinquantaine de mètres en profondeur, ce qui fait hésiter les viets à lancer un assaut dont l'issue finale ne fait pourtant aucun doute. Les rebelles ont compris la détresse des occupants de la chaloupe et n'ont aucun intérêt à s'exposer au feu des légionnaires installés coude à coude derrière la rambarde blindée. Il leur suffit de faire le siège de l'embarcation ; ils savent que, même si la *My Huong* est parvenue à lancer un S. O. S., les renforts ne peuvent arriver que de l'autre berge, leur laissant le temps de décrocher quelle que soit la puissance des secours.

Hoffmann a jugé la situation en technicien. Il cesse de tirer, pose son fusil, se retourne, le dos appuyé à la rambarde,.et avec des gestes lents et précis, allume une cigarette sous le regard ahuri de Geneviève Seydoux. Puis, d'une voix suffisamment forte, pour n'être pas couverte par le fracas des détonations, il appelle le lieutenant.

« Je vous écoute, Hoffmann, répond Destors, accroupi à plusieurs mètres vers l'avant.

— Il faut aller chercher les mitrailleuses sur le toit et tenter de les remettre en état, mon lieutenant ! Sans ça ils viendront nous massacrer quand ils le voudront.

— Je sais, Hoffmann, mais personne ne peut parvenir vivant sur le toit : c'est en plein dans leur axe de tir.

— Si tous les hommes se lèvent d'un seul coup et se mettent à tirer debout, les viets peuvent se trouver distraits un instant et ne s'occuper qu'à faire des cartons.

— Vous vous rendez compte de ce que vous me demandez ?

— Vous vous rendez compte de ce qui va arriver dans moins d'une heure si nous nous contentons de rester sur la défensive ? »

Destors marque un temps de réflexion, puis répond :
« Vous y allez ?

— Si vous voulez, moi ou un autre !

— Ecoutez ! Vous m'entendez tous ? hurle Destors de toute la puissance de sa voix. Je vais me lever dans trente secondes. En même temps, tout le monde m'imite. Feu à volonté. Tir à tuer sur tout ce qui bouge. Position du tireur debout. Préparez-vous. »

Un des partisans jette son fusil et se précipite vers le bord opposé, il enjambe la rambarde et saute à l'eau le plus loin qu'il peut. Avec une vivacité incroyable, l'adjudant Naessans l'a suivi et lui place, en plein vol, une balle entre les omoplates ; il rejoint vivement sa place et hurle à son tour :

« Vous m'entendez,· partisans de mes fesses ! Si

l'un de vous reste accroupi je le flingue séance tenante. »

La menace se révèle superflue, aucun homme ne cherche plus à fuir et, dès que le lieutenant se redresse, il est suivi de tous.

Hoffmann s'élance. D'un seul bond il parvient à saisir la barre d'appui du toit sur lequel il se hisse avec l'agilité d'un singe. Il saisit la mitrailleuse de 50 par le trépied, la laisse pendre à bout de bras vers le pont et la lâche. En rampant, il gagne la mitrailleuse Hotchkiss et lui fait suivre le même trajet, puis il se laisse tomber à l'abri du côté de la rive sud.

Les prévisions d'Hoffmann se sont révélées exactes : surpris par l'attitude des légionnaires et des partisans, les viets ont dirigé leur feu sur les cibles inespérées qui s'offraient à eux, ne remarquant que trop tard l'homme qui s'était hissé sur le toit. L'opération a réussi mais le bilan en est tragique ; la moitié de l'effectif est tombé : six tués dont quatre légionnaires, quatre blessés hors de combat, deux blessés légers. Il ne reste qu'une dizaine de combattants valides pour défendre la chaloupe.

Aidé de l'adjudant Naessans, Hoffmann examine les mitrailleuses. La petite est sérieusement endommagée mais la grosse Hotchkiss est simplement enrayée ; il faut une minute pour la remettre en état. Tout ce qui peut servir à bord pour confectionner un blockhaus de fortune est alors récupéré. La mitrailleuse, pour laquelle les munitions ne manquent pas, est disposée de façon à ce que son tir puisse couvrir toute la surface nue qui s'étend devant les repaires de l'ennemi.

Hoffmann lâche au hasard une longue rafale pour faire savoir aux agresseurs qu'ils sont maintenant pourvus d'une arme automatique en état. Un homme est désigné pour servir de guetteur à la mitrailleuse, les autres arrêtent leur tir inutile et se contentent de rester à l'abri.

Un calme total est revenu, les viets ont également cessé le feu, et le silence est peut-être plus inquiétant que le vacarme des détonations. Un partisan s'approche du lieutenant.

« Il y a un soldat qui va mourir, mon lieutenant. »

Destors jette un regard dans la direction de Geneviève Seydoux qui comprend la requête muette de l'officier. Elle rejoint le blessé et lui pose la main sur le front.

L'homme a la force de sourire. Il fixe la jeune fille de ses yeux voilés et fait des efforts pour parler, mais il ne parvient qu'à accélérer sa respiration haletanté ; alors, comme pour s'excuser, il hoche la tête deux fois. Geneviève a pris la main du mourant. Un flot de sang s'échappe de sa bouche et l'homme expire dans un ultime hoquet. Ses yeux grands ouverts restent fixés sur le visage de la jeune fille qui lentement se détourne du mort. Elle ruisselle de sueur, sa robe est tachée de sang. Un instant elle fait un effort pour se contenir, puis elle éclate en sanglots et se réfugie sur l'épaule d'Hoffmann. L'Allemand est désemparé. Il jette un regard embarrassé sur ses camarades et sur le lieutenant ; il est honteux de sa chemise puante, inondée de sueur, dans laquelle Geneviève enfonce son visage. Il finit par sortir de sa poche un mouchoir crasseux et le tend à la jeune fille qui, soudainement, reprend ses esprits, se mouche et rend machinalement le chiffon sale au légionnaire.

« Excusez-moi », dit-elle simplement.

Vers dix-huit heures trente, à la tombée de la nuit, les viets tentent un assaut. Une vingtaine d'hommes se ruent sur la place en criant. Le tir de la mitrailleuse lourde les décime, mais quatre d'entre eux parviennent assez près de la chaloupe pour lancer des grenades.

Un combattant viet est abattu, mais les trois autres ont le temps de jeter leurs engins avant de s'écrouler.

Deux grenades tombent à l'eau, la troisième atter-

rit sur le pont. Le légionnaire Levagueresse se précipite et la relance au loin avant qu'elle n'explose.

Les légionnaires viennent de prouver à leurs agresseurs que la chaloupe est toujours imprenable.

Destors a rejoint Naessans et Hoffmann, il dit sans
y croire vraiment :

« Dès que la nuit sera tombée il faut que l'un de
nous essaie de traverser à la nage pour aller prévenir
le poste de Lap-Vo. Nos munitions ne sont pas éter-
nelles.

— La lune est pleine et il n'y a pas un nuage dans
le ciel, fait remarquer l'adjudant. On y verra cette
nuit comme en plein jour, un nageur se fera remarquer.

— On en enverra un autre, constate Destors, nous
n'avons pas le choix. »

L'adjudant Naessans ne s'avoue pas vaincu :

« A vol d'oiseau, nous ne sommes pas à plus de
dix kilomètres du poste de Lap-Vo. Ils ont dû entendre la fusillade, ils peuvent venir à notre secours.

— Lap-Vo se trouve sous le commandement du
sergent-chef Oesterreicher. Il a reçu l'ordre formel de
ne quitter son poste sous aucun prétexte, et je le
connais, c'est un bon soldat.

— Il a pu prévenir Sadec par radio.

— Sadec commence de toute façon à s'inquiéter de
notre absence, mais ils ne feront pas partir des
renforts de nuit. Ce serait un suicide : il est possible
que les viets n'attendent que ça. Et puis ils ne peuvent
pas prévoir que notre situation est à ce point critique.

— Si les renforts partent de Sadec demain matin,
ils seront ici vers dix heures.

— Et il sera trop tard. Les viets nous extermineront
à l'aube, nos munitions seront épuisées. Non ; il faut
s'en sortir cette nuit ou on y passe tous. »

D'une voix faible, Geneviève Seydoux supplie Destors.

« Lieutenant, jurez-moi de ne pas me laisser tomber
vivante entre leurs mains. »

Le caporal Le Bohec, bon vivant optimiste, croit spirituel de lancer :

« Oh ! vous savez, ils sont montés comme des gamins, ils vous feront pas bien mal. »

Furieux, Destors tonne.

« Tu me feras quinze jours de placard, crétin.

— Avec plaisir », rétorque Le Bohec d'un ton sceptique. (Il ajoute, se tournant vers la jeune fille :) « Excusez-moi, mademoiselle, c'était manière à rigoler. »

Vers neuf heures du soir Destors constate amèrement que la lune permet une excellente visibilité. Le lieutenant fait signe aux survivants qui se groupent autour de lui. Parlant à voix basse il demande :

« Vous nagez tous ? »

Les hommes acquiescent.

« Qui pourrait nager sous l'eau le plus longtemps ?

— Il n'y a qu'à voir, suggère Naessans. Vous allez tous retenir votre respiration, on verra lequel tient le plus. »

Destors approuve ; les hommes qui ne se sentiraient pas le courage de tenter la dangereuse traversée pourront ainsi s'éliminer honorablement.

C'est Begin qui retient son souffle le plus longtemps et il paraît ravi de sa victoire.

« J'y vais en slip, annonce-t-il, ça sera plus facile. »

En silence, il enlève chaussures, chemise et pantalon. Sa peau est mate et le slip blanc tranche violemment dans la pénombre ; tous le remarquent.

« Je vais tout de même pas y aller à poil !

— Si, justement, précise Naessans.

— Ah bon ! moi je m'en fous après tout. »

Tranquillement et sans se soucier de la présence de la jeune fille, Begin enlève son slip, provoquant quelques rires. Mais lorsqu'il se glisse dans l'eau à l'aide d'un cordage, tous les hommes l'observent attentifs, retenant leur souffle.

Begin plonge après avoir rempli ses poumons. Prenant appui sur la coque de la chaloupe, il se propulse le plus loin possible, puis il se met à nager sous l'eau dans de larges et efficaces mouvements ; il nage jusqu'à ce que ses tempes battent. Alors il remonte à la surface, expire et aspire en silence et replonge. Une pluie de balles ricoche. Begin n'entend pas les détonations mais perçoit le crépitement des projectiles sur l'eau. D'un coup de rein il change de direction. Ça le sauve : les tireurs attendaient sa réapparition sur la ligne droite qui mène à la berge sud. Avant qu'ils réagissent Begin a de nouveau replongé. Et la nage en zigzag se poursuit. Plus il s'éloigne, plus il augmente ses chances. Le tir ennemi est pourtant d'une incroyable intensité ; une bonne vingtaine de fusils sont dirigés contre le nageur, et une mitrailleuse balaie sans interruption la surface de l'eau.

Il faut un bon quart d'heure à Begin pour gagner la rive opposée. Il arrive à se glisser dans un bosquet de roseaux où il est invisible ; alors il reste dix bonnes minutes immobile, cherchant à retrouver le rythme de sa respiration et les battements réguliers de son cœur. En face le tir n'a pas cessé mais les viets situent le nageur bien au-dessus de sa position réelle. Ils ont, par chance, mal évalué la force du courant qui a fait dériver Begin d'au moins vingt mètres.

Lorsque Begin est sûr de ne pas être repéré il commence à progresser en écartant délicatement les roseaux ; enfin il prend pied sur le sol ferme et s'enfonce en silence dans la jungle.

Il est toujours nu comme un ver mais cette idée l'amuse plus qu'elle ne l'effraie, et il marche en cherchant seulement à protéger ses pieds.

A bord de la chaloupe personne n'a pu, au-delà de la moitié du fleuve, suivre la progression du légionnaire et tous ignorent si Begin est parvenu sur la rive sud ou si son corps dérive en ce moment entre deux eaux.

« Il n'y a plus qu'à attendre, constate Destors. Veillez pour prévenir un assaut éventuel et priez Dieu pour qu'il ait réussi. »

Begin a trouvé une piste sur laquelle il marche maintenant à grands pas. Il est évident que ce chemin à peine tracé conduit à Lap-Vo ; si tout va bien, dans une heure ou deux il atteindra le poste.

Le légionnaire ne fait aucun bruit. La piste est terreuse et ses pieds nus l'effleurent à peine. Soudain, il perçoit le bruit de nombreux pas qui paraissent venir à sa rencontre. Sans hésiter, il se jette à plat ventre dans un bosquet touffu. Les pas se rapprochent, mais les hommes sont encore à une centaine de mètres. Amis ou ennemis ? Toute la question est là. De sa cachette Begin constate, rassuré, qu'il peut observer la piste sans risquer d'être repéré. Si ce sont des viets il n'aura qu'à les laisser passer tranquillement.

Après un bref instant, il n'a plus de doute, il a reconnu le pas des légionnaires, si différent et tellement plus lourd que celui des petits soldats viets. Pour plus de précaution, il attend néanmoins que la colonne soit en vue. Il ne s'était pas trompé, le sergent-chef Oesterreicher marche à la tête d'une quinzaine d'hommes. Sans se découvrir pour autant, Begin crie :

« A moi, la Légion ! »

Il n'en faut davantage pour dissiper la méfiance de la patrouille qui se couche instantanément dans un cliquetis d'armes. Le sergent-chef tonne en réponse :

« Qui va là ? »

— Begin, chef, 2ᵉ bataillon, section du sous-lieutenant Destors. Je sors les mains en l'air et je suis à poil. »

En prenant garde de ne faire aucun mouvement brusque, Begin se lève et s'avance les bras tendus au-dessus de sa tête.

Oesterreicher le reconnaît et donne l'ordre aux hommes de se relever.

« Qu'est-ce que c'est que cette tenue ? Tu as joué au poker ?

— J'ai dû traverser à la nage ! Quand il m'a vu

en slip, le lieutenant a dit que j'avais pas un cul, mais une cible. Alors voilà ! »

Begin relate en détail l'agression de la *My Huong* et la situation tragique des survivants. La patrouille s'est remise en marche. Begin est toujours nu, mais on lui a donné un fusil et une cartouchière qu'il a passée en bandoulière, ce qui rend sa silhouette encore plus inattendue et fait la joie des hommes. Poursuivant ses explications, il marche au côté du sergent-chef. Le groupe atteint les abords de la rive sud en une petite heure. Tous les légionnaires se sont déchaussés et se tapissent dans les hautes herbes.

Le sergent-chef Oesterreicher aperçoit nettement en face la chaloupe échouée et constate que le tir ennemi a cessé :

« Les fumiers ! Ils attendent l'aube pour sonner l'hallali, chuchote-t-il. Tu dis qu'ils sont au moins une centaine ? »

Begin acquiesce.

Le sergent fait venir Ehrnberg et Gonzalès :

« Montez la scie à bois : il faut abattre un gros aréquier. Trouvez-moi un tronc de cinq mètres de long et clouez des branches perpendiculairement, démerdez-vous pour ajouter des poignées, vous me suivez ?

— Bien sûr, chef ! Des branches pour servir de civière aux blessés, des poignées pour que les nageurs puissent manœuvrer l'arbre facilement.

— Exactement, grouillez-vous. »

L'exécution rapide de ce plan se serait révélée impossible dans une autre arme, mais à la Légion, une patrouille même légère ne sort jamais sans transporter avec elle (la plupart du temps inutilement) un matériel qui lui permet de faire face aux situations les plus inattendues.

Vers minuit, l'étrange radeau est terminé. Une dizaine d'hommes le transportent, remontant le cours du fleuve sur la distance nécessaire pour permettre la traversée en s'aidant du courant qu'a évalué Begin. La mise à l'eau s'effectue sans que l'ennemi la remarque, bien que les légionnaires aient dû se porter presque en face des emplacements viets.

Deux hommes se déshabillent et, en nageant, poussent le lourd tronc d'arbre vers la rive opposée. Ils entendent des cris avant les premiers coups de feu ; puis ils perçoivent nettement le bruit sec que font les balles qui s'enfoncent dans le bois. Mais l'épaisseur de l'aréquier les met hors d'atteinte.

A bord de la *My Huong*, Destors a compris. Il prépare une longue corde qu'il love d'un geste marin entre son coude replié et l'angle formé par son pouce et son index.

Lorsque le radeau paraît à sa portée il lance. Il doit s'y reprendre à trois fois avant que l'un des nageurs parvienne à se saisir du cordage. C'est ensuite un jeu d'enfant que de tirer le tronc jusqu'au flanc du navire.

« Combien de blessés ? interroge l'un des nageurs sans chercher à monter à bord.

— Huit. »

A côté de Destors, sur le pont, Naessans observe l'esquif.

« C'est pas bête, dit-il, mais leurs branches ne supporteront jamais le poids des huit blessés, il faudrait foutre des flotteurs au bout.

— Il y a des jerricans d'huile en bas, lance Destors. Videz-les, ça fera l'affaire. »

Six jerricans sont arrimés deux par deux aux extrémités des branches porteuses. L'esquif y gagne en stabilité. Les blessés sont descendus tant bien que mal à l'aide d'une corde, et disposés à l'abri les uns sur les autres.

Le légionnaire à la mitrailleuse n'a pas quitté son poste, prévenant toute attaque. Le radeau étant protégé par la chaloupe, les viets ont cessé le tir.

A bord de la *My Huong*, il reste une dizaine de civils et trois enfants. L'ordre est donné de sauter à l'eau. La plupart protestent, prétendant ne pas savoir nager. Destors menace d'abattre les retardataires. Tous alors se jettent par-dessus bord et barbotent vers le tronc d'arbre.

Destors rassemble les légionnaires valides, Geneviève Seydoux et l'administrateur :

« Il faut que l'un de nous reste à la mitrailleuse, dit-il, sinon on n'arrivera jamais de l'autre côté.

« Je reste », tranche Hoffmann.

Un silence suit sa déclaration avant que Destors poursuive :

« Vous savez que vous n'avez aucune chance, Hoffmann ! »

Impassible, Hoffmann déclare :

« Défonçons le pont à la hache, on peut en tirer un radeau assez lourd pour y attacher nos morts ; ils me serviront de protection pour tenter de traverser. De toute façon, ce serait atroce de les laisser ; les viets les mettraient en charpie. »

Sans un mot, les hommes assemblent tout le bois et les objets flottants qu'ils peuvent trouver. Ils y attachent les seize cadavres, et ce second radeau est jeté au fleuve, retenu à la chaloupe par un cordage.

A leur tour, Geneviève Seydoux, l'administrateur et les légionnaires sautent à l'eau. Sous la protection de l'arbre, la traversée commence.

Hoffmann s'est installé à la mitrailleuse.

Il attend que les viets déclenchent le feu dans la direction du tronc flottant et se jettent à l'assaut de la chaloupe qu'ils imaginent abandonnée.

En jubilant, l'ancien pilote de chasse les laisse approcher à découvert. Puis, posément, il ouvre un feu ininterrompu, provoquant un carnage et le repli précipité des quelques survivants.

De son poste, il ne peut suivre la progression de

l'arbre et de ses compagnons. Mais le tir ennemi lui fait comprendre qu'ils sont toujours sur le fleuve. Au bout d'une dizaine de minutes l'intensité du feu faiblit. Hoffmann quitte son abri et se porte sur l'autre bord de la chaloupe ; il aperçoit nettement l'arbre sur la rive opposée. Prestement, il arrache ses vêtements, saisit le cordage qui maintient le radeau des morts, en prend l'extrémité entre ses dents et plonge le plus loin possible. Lorsqu'il fait surface il se trouve encore à l'abri de la chaloupe, il tire sur le cordage pour haler l'esquif. Le radeau flotte avec peine ; les cadavres ont été superposés en deux tas et solidement attachés ; ceux du dessous sont immergés et, pour être protégé par leur masse, Hoffmann tient sa tête collée contre eux à fleur de l'eau.

Dès que l'étrange radeau parvient dans leur ligne de tir, les viets ouvrent le feu. Les corps sont criblés de balles. Hoffmann ne s'en aperçoit même pas ; il rassemble toutes ses forces pour diriger le pesant chargement jusqu'au centre du fleuve. Alors, le courant l'entraîne naturellement vers l'autre rive ; épuisé, il va s'échouer très loin en aval.

Le groupe Oesterreicher a suivi sa course et les quinze hommes se précipitent à sa rencontre. Ils ne sont pas trop pour porter le radeau et ses seize morts. Hoffmann, en slip, suit le cortège insolite et rejoint rapidement les autres rescapés de la *My Huong* qui ont tous réussi à traverser sains et saufs.

Destors se trouve devant un cas de conscience : le transport des morts jusqu'au poste de Lap-Vo retardera considérablement la marche — ce qui risque d'être fatal aux blessés. Il décide d'ensevelir les corps sur place et donne l'ordre de creuser une fosse commune.

La dernière pelletée de terre jetée sur la tombe géante, les hommes rassemblent le matériel et reprennent sans un mot le chemin du poste, encadrant les civils exténués.

En arrivant à Lap-Vo, les premières paroles du sous-lieutenant sont pour reprocher à Oesterreicher d'avoir enfreint les ordres en se portant à leur secours. Le sergent-chef ne s'en émeut pas, il s'y attendait et il sait également quelle va être la suite des événements. Une sanction qui sera contrebalancée par une citation. Il se fout de l'une comme de l'autre.

Dans les mois qui suivirent, la compagnie Destors resta basée à Sadec. Des relations amicales s'établirent entre Hoffmann et Geneviève Seydoux. En juillet 1947, Hoffmann est amputé au-dessus du genou à la suite d'une blessure gangreneuse. Réformé, il sera rapatrié sur le *Pasteur* après un long séjour à l'hôpital de Saigon. Geneviève Seydoux le suivra à Saigon et réussira à s'embarquer avec lui sur le navire hôpital. Leur trace s'arrête là : nul ne connaît à la Légion l'issue de leur aventure.

TROISIEME PARTIE

16

TANDIS que le 3ᵉ Étranger est au seuil de sa grande aventure tonkinoise, que ses éléments s'apprêtent à occuper vers le nord les villes maudites de la frontière de Chine — That-Khé, Dong-Khé, Cao-Bang — qui seront son tombeau, deux autres formations de Légion étrangère sont chargées d'assurer la protection du Cambodge, du Centre-Annam et du Sud-Annam. La 13ᵉ demi-brigade est implantée au Cambodge et dans le Centre-Annam ; le 2ᵉ Étranger au Sud-Annam.

Comme pour l'ensemble de l'Indochine, le souci principal de l'état-major français est de maintenir la sécurité des voies de communication. Dans le Sud-Annam les viets, dans leur rage de détruire, ont rayé de la carte, mètre après mètre, le réseau routier. La route coloniale qui s'étend sur 300 kilomètres de Ninh-Hoa à Song-Phan, longeant la mer à hauteur de Phang-Rang et de Phan-Thiet, est devenue impraticable.

Le seul moyen de communication qui offre encore quelques garanties de sécurité est la voie ferrée qui serpente parallèlement à la route. Des embranchements relient son axe principal Ninh-Hoa-Suoi-Kiet (environ 290 km) aux principales villes du bord de mer : Phan-Thiet, Ninh-Hoa, Nha-Trang ; des navettes assurent le ravitaillement de ces villes côtières.

La bataille du rail commence. Embuscades, sabotages et destructions se succèdent à une cadence qui ne cesse de croître, et, à la fin de l'année 1947, l'ensemble du réseau ferroviaire du Sud-Annam est devenu, à son tour, d'une totale insécurité.

Le 13 février 1948, à huit heures du matin, une navette part de Phan-Thiet pour rejoindre la voie principale aux abords de Dakao. Le train ne comprend que quatre wagons. Trois d'entre eux sont occupés par des civils, le quatrième est réservé à l'escorte : une section de légionnaires (moins d'une vingtaine d'hommes) pour lesquels cet aller et retour hebdomadaire est devenu une routine presque divertissante. La navette n'a jamais été attaquée, non pas que le terrain qui entoure la voie ferrée ne se prête pas à toutes sortes d'embuscades, mais simplement parce que la voie secondaire n'offre qu'un piètre intérêt aux yeux des viets. Des deux côtés, on est conscient de cette situation, ce qui explique un certain relâchement dans la vigilance des légionnaires.

La vingtaine de kilomètres qui sépare Phan-Thiet de l'axe principal est généralement parcourue en deux heures. Les pointes de vitesse maximum du convoi ne dépassent jamais 20 km-heure, et le franchissement de plusieurs rampes oblige même la vieille locomotive à réduire sa vitesse au-dessous du pas d'un homme.

Dans le wagon de l'escorte, quatre guetteurs seulement sont en position de tir aux fenêtres et encore ils se retournent fréquemment pour prendre part à la conversation ou aux jeux de leurs compagnons. Un sergent et deux caporaux sont les seuls gradés du groupe qui comprend, entre autres, un légionnaire d'origine hongroise : Oscar Quint.

La plupart des hommes connaissent par cœur le trajet. Ils savent qu'environ à mi-chemin, ils vont se trouver à moins de deux kilomètres de Tan-Xuan, camp retranché viet-minh ; juste après, la locomotive gravira sa montée la plus raide dont l'approche se devine par une recherche d'élan maximum. La pente qui débute faiblement se prolonge sur deux kilomètres durant lesquels elle ne cesse de croître. Lorsque la locomotive arrive enfin au sommet, elle semble sur le point d'exploser, et le convoi progresse avec une telle lenteur que, par moments, les hommes se demandent s'il n'est pas arrêté.

C'est à cet endroit précis que le 13 février 1948, à 9 h 02, se déclenche le tir de l'ennemi, embusqué dans la forêt à moins de cinq mètres des wagons.

Un véritable carnage. Les viets ne se sont groupés que du côté droit. L'efficacité de leur feu ne permet aucune riposte. Les wagons sont criblés, troués, transpercés. Des grenades lancées par chaque fenêtre concluent le travail des armes automatiques. Puis les combattants viets surgissent de la forêt, se précipitent dans le train et achèvent à la mitraillette les rares survivants.

Oscar Quint est atteint par six balles, mais il vit et il est conscient. Il gît sur le dos, protégé par les corps de deux de ses compagnons. Il fait le mort.

Quatre autres légionnaires sont encore en vie, deux d'entre eux ne sont que superficiellement atteints. Les viets les tirent du train, leur lient pieds et mains et les couchent sur le bas-côté de la voie. Le wagon est tellement criblé de balles que Quint peut suivre, impuissant, le déroulement de la scène. Il aperçoit un soldat qui s'approche de ses camarades. Le viet a des galons sur sa tunique noire, un pistolet au poing ; il dévisage un instant les prisonniers. Quint pense qu'il va les achever d'une balle dans la nuque, mais un conciliabule s'engage. Quint ne comprend que les mots « Légion étrangère » qui reviennent à plusieurs reprises.

Les quatre blessés ne sont pas achevés sur place : enlevés par les pieds et les épaules, ils disparaissent de la vue de Quint. Quelques secondes plus tard, Quint est frappé d'horreur par un hurlement inhumain et désespéré. Saisi par l'odeur, il comprend le sort infligé à ses quatre camarades.

L'un après l'autre, ils sont jetés vivants dans la chaudière de la locomotive.

Oscar Quint et deux civils eurent miraculeusement

la vie sauve. Malgré le nombre de ses blessures, le légionnaire ne gardera que des séquelles secondaires des six balles dont il fut atteint ; jamais pourtant Oscar Quint ne redeviendra parfaitement normal. Dès qu'il reprit conscience à Phan-Thiet, il fit un rapport cohérent sur l'attaque, mais dès qu'il arriva à la fin de ses quatre compagnons, Quint fut pris de tremblements, puis de véritables convulsions, qui ne devaient jamais s'atténuer. Il sera réformé après un an d'hôpital psychiatrique.

Après le massacre de la navette de Phan-Thiet, le colonel Le Pulloch, chef du secteur Sud-Annam, sort d'un tiroir les plans d'un train blindé que lui avait, jadis, soumis un officier du Génie. Jusqu'alors le projet était resté vague et confus ; la construction d'un gigantesque tank sur rail avait fait sourire, et la plupart des spécialistes consultés l'avaient considéré comme une extravagante divagation d'un officier ambitieux. Depuis l'attaque sauvage du 13 février 1948, l'optique a changé ; il faut faire quelque chose et le colonel Le Pulloch arrive rapidement à une triple conclusion : seul le trajet de train blindé peut lui permettre de gagner la bataille du rail ; seule la Légion peut réaliser une entreprise où doivent s'allier courage et imagination, bricolage et discipline ; seul un officier exceptionnel peut en assurer le commandement.

Quelques jours de recherche suffisent au colonel Le Pulloch pour mettre la main sur l'homme qu'il lui faut.

Le capitaine Raphanaud vient de rejoindre la Légion étrangère en Indochine. Ses états de service et ses citations sont impressionnants. De plus, il sort d'une école de commando et il est considéré comme un grand spécialiste de la guérilla. A l'heure présente, il se trouve à Phan-Rang où il attend une affectation.

Le colonel Le Pulloch convoque aussitôt Raphanaud au P. C. de Nha-Trang et lui communique tous les plans concernant la création éventuelle d'un train blindé.

Raphanaud est étonné, mais aussitôt l'idée le passionne. S'il formule des réserves et se montre sceptique, c'est dans l'espoir d'obtenir le maximum de pouvoirs et une aide financière supérieure aux prévisions du colonel.

Les détails administratifs sont réglés en moins d'une semaine. Raphanaud a obtenu satisfaction sur trois points qu'il considère essentiels. Primo, l'aide sans conditions des chemins de fer indochinois ; secundo, la collaboration totale d'un ingénieur civil de la compagnie, Philippe Labrice ; tertio, le droit de choisir, au sein du 2ᵉ Étranger, les officiers, sous-officiers et hommes de troupe qui formeront l'équipage du train blindé.

Vers la fin du mois de février, le capitaine Raphanaud se dirige de sa démarche nerveuse vers le dépôt central des chemins de fer de Nha-Trang. Il a un premier rendez-vous avec l'ingénieur Labrice.

Raphanaud est un petit Champenois au visage sanguin et, hors sa voix au timbre fracassant, il n'a rien de l'officier de Légion typique. Pourtant, une véritable légende court sur son compte : il totalise huit évasions pendant l'occupation, dont une de la prison de Moulins, dans la nuit qui précédait son exécution.

L'ingénieur Labrice, en revanche, a un physique qui correspond parfaitement à ses fonctions. A peine plus grand que le capitaine, il est prématurément chauve et porte de fines lunettes sans monture qui accentuent son allure d'élève consciencieux et appliqué.

Deux heures suffisent à l'officier pour faire connaître le projet à l'ingénieur. Une question, toutefois. n'est pas résolue : la main-d'œuvre.

Raphanaud, qui, depuis le début, a son idée, explique :

« On a mis à ma disposition une compagnie du

Génie qui travaillera sous vos ordres, mais, demain, je commence une inspection des postes Légion du Sud-Annam. C'est bien le diable si je n'y trouve pas une dizaine de spécialistes qui pourront vous aider. »

Raphanaud ne sous-estimait pas les possibilités de la Légion. Au 1er bataillon, on lui signala un caporal-chef, Emil Kaunitz, ancien officier mécanicien à bord des *U-Boot* de la *Kriegsmarine* allemande. Technicien habile, bricoleur-né, Kaunitz fut rapidement désigné pour seconder l'ingénieur Labrice, et c'est lui qui résolut le problème, apparemment insoluble, du blindage du futur train. Sur la grève, à quelques kilomètres de Nha-Trang, le sous-marinier allemand repéra l'épave d'un L. S. T. japonais ; découpées au chalumeau, ses plaques servirent de protection aux quatorze wagons qui allaient composer l'arme secrète des légionnaires.

Sur le toit de chaque wagon, une tourelle mobile, armée d'une mitrailleuse lourde, est aménagée. Sur les parois les plaques de blindage sont renforcées de briques et de ciment. Deux rangées de meurtrières superposées et intercalées permettent à dix-huit tireurs de repousser toute attaque. Quatre armes lourdes (mortiers de 81) sont en batterie aux deux extrémités du convoi. Deux wagons ne sont pas armés ; destinés à la compagnie du Génie, ils transportent le matériel pour réparer immédiatement tous les sabotages, ainsi qu'un grand nombre de rails pour le cas où la voie aurait été détruite sur un long parcours.

Après six mois de travail acharné le train sort des chantiers de Nha-Trang. Son aspect est ahurissant. Bardé de toutes sortes de plaques de protection, rapiécé par différents blindages, le mastodonte peut affronter, sans dommage, les armes les plus lourdes dont dispose l'ennemi.

L'étrange convoi comprend :

2 locomotives blindées,

14 wagons, dont 8 de combat,

1 wagon P. C. destiné aux officiers,

1 wagon infirmerie blindé,
2 wagons pilotes chargés de rails et de traverses,
1 wagon cuisine-restaurant.

De plus, les tenders et les citernes des locomotives, également blindés, contiennent 6 000 litres d'eau, ce qui assure au convoi une autonomie de 72 heures.

L'armement automatique comprend en outre :
8 jumelages de mitrailleuses Reibel sur chariot,
1 canon 40 mm « Beaufors » sur tourelle,
1 canon 20 mm « Flack » sur tourelle avec lunette et alimentation infrarouge,
1 bombarde lançant simultanément 10 grenades,
2 mortiers 81 mm et 60 mm ;

Le tout disposé de façon à être servi par un personnel à l'abri des coups de l'ennemi.

En plus des transmissions radio, un téléphone relie tous les wagons et la locomotive.

Des règles de circulation spéciales ont été établies, donnant la priorité absolue au train blindé sur tous les autres convois.

Sa vitesse maximum sera : en ligne droite, avec visibilité totale, 20 km-heure ; en courbe, 10 km-heure ; en marche de nuit, 4 km-heure.

L'arrêt du convoi est en outre imposé avant tout pont d'une longueur de plus de six mètres et avant chaque tunnel. Une patrouille armée devra faire la reconnaissance des tunnels, s'éclairant à la torche.

Pendant que l'ingénieur Labrice et le caporal-chef Kaunitz bricolaient leur train, Raphanaud rassemblait les soldats d'élite qui devaient combattre à son bord.

Deux officiers vont le seconder. Le lieutenant Lehiat est un ami personnel du capitaine. Quant au sous-lieutenant Ernst Noack il est aussi spectaculaire que Raphanaud est discret.

Amoureux de son personnage, Noack, lui aussi ancien officier allemand, mesure 1,95 m et pèse 120 kilos. Il se rase le crâne chaque matin et porte monocle.

Il est constamment torse nu, mais soutient son

pantalon à l'aide de bretelles de cuir dans lesquelles, à hauteur de la poitrine, sont passés les étuis de deux poignards commando. Autour de sa taille, trois bidons d'alcool pendent en permanence. Il sanctionne les incartades de ses hommes par des gifles qui les envoient généralement à plusieurs mètres, mais il fait preuve, même dans ses moments de fureur, d'une inaltérable bonne humeur qui se manifeste par des éclats de rire sourds et caverneux. La quantité d'alcool qu'il ingurgite chaque jour semble ne produire aucun effet sur sa santé et son comportement.

Quant au recrutement des sous-officiers et des légionnaires, Raphanaud l'a confié à un homme qu'il connaît bien et qui a instantanément accepté de le suivre : l'adjudant Parsianni. Comme Mattei, Parsianni est Corse. Il est breveté de l'école de commando du capitaine Raphanaud, spécialité dans laquelle il s'est révélé plus que brillant. C'est Parsianni qui visite les compagnies du 2e Étranger, étudie les dossiers de chaque homme, examine leurs faits d'armes et leurs réactions au combat. Achevant son étude par des interrogatoires prolongés, il finit par recruter une centaine d'hommes exceptionnels.

Le 10 novembre 1948 la fabrication du train blindé est achevée. Le convoi est toujours garé au secret dans les ateliers de Nha-Trang. Les trois officiers, Raphanaud, Noack et Lehiat sont confortablement installés dans le wagon-restaurant. L'humour ne perdant jamais ses droits à la Légion, des pancartes touristiques récupérées par Noack ornent ses parois, vantant les avantages des voyages par rail, et de coquets rideaux plissés dissimulent les meurtrières. Depuis deux jours déjà une cinquantaine de partisans, composant l'effectif combattant supplémentaire, sont arrivés et ont pris possession des wagons auxquels ils sont affectés. Eux non plus, n'ont pas été choisis au hasard. Ce sont des Rhadès, race descendante des Moï qui sont considérés comme les meilleurs combat-

tants asiatiques. Ils sont encadrés par un sous-officier
et deux caporaux de la Légion. Mais le grand événement est attendu dans la soirée : l'arrivée de l'adjudant Parsianni et de ses 96 légionnaires. Raphanaud,
un verre de whisky en main, jubile, expliquant à ses
adjoints :

« La Légion étrangère est formée des plus prestigieux régiments du monde. Parmi ces régiments, le
2ᵉ Étranger est composé de vétérans sélectionnés ;
au sein du 2ᵉ Étranger, le 1ᵉʳ bataillon fait depuis deux
ans figure de vedette ; et c'est parmi ces hommes
que Parsianni a fait un tri méticuleux pour en choisir
les meilleurs. Vous vous rendez compte de la compagnie qui va se trouver sous nos ordres : des superlions choisis parmi des lions.

— Sans compter les Rhadès, ajoute Lehiat. J'ai
passé une inspection hier soir, ils m'ont l'air de
tueurs nés.

— Je connais la race, approuve Raphanaud, ils ne
nous décevront pas. »

A dix-huit heures, les trois officiers quittent le
wagon et se dirigent vers une voie secondaire. Le
train transportant la compagnie arrive à l'heure
prévue. Parsianni saute du premier wagon, avant
l'arrêt, et se présente réglementairement. Noack et
Lehiat sont étonnés de s'apercevoir que l'adjudant,
malgré l'application scrupuleuse du protocole militaire, tutoie le capitaine.

« Mon capitaine, je fais rassembler les hommes
sur le quai ?

— Non, tu me les présenteras au dépôt, c'est à
cinq minutes de marche. Je tiens à leur faire un
exposé sur leur nouvelle arme et sur son utilisation.

— A tes ordres, mon capitaine. »

Tandis qu'ils descendent des wagons, Raphanaud
observe ses légionnaires. Ils sont tous tirés à quatre
épingles, les chemises sont immaculées, les trois plis
réglementaires du dos soigneusement dessinés, pas
une trace de fatigue ne se lit sur leurs visages fraîchement rasés ; les mains sont propres, les ongles

impeccables ; pas un fil ne dépasse des sacs et les armes sont étincelantes. Raphanaud sourit.

« Tu as préparé ton arrivée, Parsianni !

— Mon capitaine, ces 96 types, ce n'est qu'une seule machine. Regardez-les bien, je crois qu'ils sont les cent meilleurs soldats du monde. »

Même Noack qui pourtant, des trois officiers, s'était montré le plus sceptique sur le mode de recrutement décidé par Raphanaud, est impressionné par le résultat et par l'allure générale du groupe. Le sergent Célier commande la manœuvre et le commando prend la direction du dépôt.

« Pourcentage d'Allemands ? questionne Raphanaud.

— Vingt-six Allemands, mon capitaine. Douze Italiens, trois Russes — des vétérans —, vingt et un Français. Les autres d'un peu partout. Le cuisinier est Hongrois, il s'appelle Flinck, il a été pendant trois ans chef dans un bistrot de luxe de New York. Il faudrait lui attribuer un aide ou deux.

— Parsianni, tu me plais, interrompt Noack. La bouffe, c'est sacré. »

Arrivés devant le train blindé, les hommes restent figés, contemplatifs. Raphanaud se fait présenter un à un les légionnaires. Puis il ordonne le repos et les laisse s'installer.

Il faut moins d'un quart d'heure aux légionnaires pour prendre possession des lieux. Sans heurts, sans discussions, ils trouvent leurs places, étudient les positions de défense. Ils comprennent en un instant comment va fonctionner la machine et ce qu'on attend d'eux.

Chaque wagon de combat est prévu pour quinze hommes qui dorment sur des couchettes superposées par trois dans le sens de la hauteur. Ils possèdent une armoire pour deux, une table et six tabourets par wagon. L'exiguïté du logement oblige les occupants à observer une propreté méticuleuse. La vie à bord du train blindé doit ressembler en tous points à celle des marins ; même discipline, mêmes consignes.

Le 13 novembre, c'est au tour de la compagnie du Génie de rejoindre le train et de s'installer. Et le 15 à l'aube, le monstre blindé part pour sa première mission.

17

PENDANT les trois premières semaines, le train blindé précède d'importants convois que l'ennemi n'attaque plus. Les seuls incidents notables seront quelques sabotages de la voie qui sera remise en état instantanément par la compagnie du Génie. Mais Raphanaud ne se leurre pas, il sait que les viets surpris et désorientés les observent et cherchent la riposte.

Spécialiste des actions de commando, le capitaine expérimente alors une autre tactique. Chaque jour une section va patrouiller dans la jungle à la recherche de traces laissées par l'ennemi ; reliée au train par radio, elle s'éloigne souvent d'une dizaine de kilomètres. Encore un coup pour rien. Les patrouilles, elles non plus, n'accrochent pas l'ennemi : les viets sont indiscutablement sur leurs gardes et les légionnaires regagnent le train sans encombre.

Le 5 décembre, six hommes et le sergent Célier quittent le train vers six heures du matin entre Mông-Duc et Vân-Lâm. Depuis une dizaine de minutes, ils se tenaient sur le marchepied, cherchant un endroit propice pour sauter. L'endroit exact où ils sont lâchés est sans grande importance, à condition que le train ne s'arrête pas. En revanche, les hommes connaissent le point précis où ils devront rejoindre le convoi dans la soirée.

Juste à la sortie d'une courbe, Célier saute en souplesse, imité aussitôt par les six légionnaires. Les sept hommes s'enfoncent aussitôt dans la forêt et commencent leur progression avec la tranquillité de chasseurs de lapins. Ils doivent franchir un petit col broussailleux et rejoindre de l'autre côté la voiè qui fait un large détour pour atteindre Vân-Lâm.

Vers midi la patrouille arrive au sommet du col et décide de descendre l'autre versant sur une centaine de mètres avant de casser la croûte. Reszke, un Polonais, qui marche en queue, interpelle soudain le sergent :

« Sergent ! Il y a eu des gus par là ce matin ! »

Célier jette un regard circulaire.

« Qu'est-ce qui te prend ? une intuition ?

— Non. Ça sent la merde. »

Tous éclatent de rire. Le sergent lance, furieux :

« Tu crois que j'ai du temps à perdre ? Tu ne sais pas que c'est bourré d'animaux dans le coin ? Non seulement moi je ne sens rien, mais ça ne prouverait strictement rien. »

Sans ordre, calmement, Reszke s'assoit sur une pierre et dévisage le sergent et ses compagnons.

« Le défaut de cette compagnie, c'est qu'on ne se connaît pas assez, dit-il, solennel. Mais je vous demande de me croire. A la 2ᵉ compagnie que je viens de quitter, j'étais célèbre. Jusqu'au colonel qui savait que je suis capable de sentir la merde d'homme à plusieurs kilomètres. »

L'hilarité des légionnaires redouble. Seul Célier demeure sérieux et attentif.

« Écoute, si tu te fous de moi, tu vas la sentir passer, je te le garantis.

— Sergent, c'est de cette direction que ça vient, proteste Reszke, en désignant le sud-ouest. Je n'ai pas envie de faire de la marche supplémentaire, mais je vous affirme que des hommes ont cagué à moins de cinq cents mètres par là, et pas plus tard que ce matin. »

L'assurance du Polonais fléchit le sergent qui décide de faire un détour, laissant guider la section par l'odorat du légionnaire. Les hommes sont mécontents. Seul leur sens de la discipline les empêche de protester avec plus de véhémence ou de discuter les ordres du sergent. L'un d'eux sort une cigarette et s'apprête à l'allumer, déclenchant chez Reszke une réplique cinglante et méprisante. Comme un initié s'adressant à un profane, le Polonais s'exclame :

« T'es pas un peu con ! Tu veux saboter mon boulot ou quoi ?

— Ça va, fumez pas », tranche Célier pourtant peu convaincu.

Le légionnaire jette sa cigarette d'un geste rageur et hausse les épaules.

Satisfait de l'intervention du sergent en sa faveur, Reszke progresse avec des allures cabotines, ponctuant sa marche d'arrêts et de froncements de narines. Vingt minutes plus tard, il ne lui reste qu'à savourer son triomphe et à se délecter de l'admiration ébahie avec laquelle le dévisagent ses compagnons. Il a conduit la section en plein sur un camp fraîchement abandonné qu'une piste traverse.

Le légionnaire à la cigarette fait amende honorable.

« C'est un don du Ciel que t'as reçu, mon pote ! C'est pas possible. Moi je ne sens toujours rien. »

Reszke désigne un buisson à quelques mètres.

« C'est là-bas derrière qu'ils ont chié. La prochaine fois, vous me croirez. »

Le sergent va jusqu'à l'endroit désigné et vérifie.

« Il a raison. C'est pas un homme, c'est un chien ce mec-là. »

Le sergent Célier réalise brusquement qu'il a enfreint les ordres en s'écartant de son chemin. Tout en sortant sa carte pour situer leur position présente, il ordonne au radio d'établir le contact avec le train qui se trouve en écoute permanente. Dès qu'il a transmis sa position, il est obligé de donner les raisons de son écart :

« On a trouvé une piste. Nous sommes sur les restes d'un camp où un petit groupe a passé la nuit dernière.

— Comment les avez-vous trouvés ?

— Vous ne me croiriez pas. Je vous expliquerai ce soir. La piste semble aller dans la direction de Vân-Lâm. Est-ce que nous la suivons ?

— D'accord. Pas d'imprudence. Rendez compte du moindre incident.

— Compris. Terminé. »

Célier se tourne vers ses hommes.

« En route ! *Schnell !* On va tâcher de marcher vite et de leur tomber dessus avant la soirée. »

La section repart. Aucun des hommes n'a formulé la moindre objection et pourtant ils ignorent l'importance du groupe viet qui les précède. La piste n'est pas large, mais elle est parfaitement tracée et damée ; il suffirait pourtant de s'en écarter d'une dizaine de mètres pour qu'elle soit absolument indécelable.

Dans toute la zone du Sud-Annam, les viets ont ainsi déchiré la forêt dans tous les sens, créant de véritables réseaux sous la jungle qui leur permettent de se déplacer rapidement au milieu de la végétation qui les dissimule.

Après une bonne heure de marche sur la piste qui serpente continuellement, la section parvient au départ d'une longue ligne droite. Le chemin s'enfonce en pente douce puis, à environ cinq cents mètres, remonte brutalement. Au loin, les légionnaires distinguent, au sommet de la côte, une forme noire qui se couche dès qu'ils apparaissent, puis aussitôt ils essuient un coup de feu qui avait peu de chance d'atteindre son but à une distance aussi considérable. Enfin le soldat viet disparaît.

« *Maulen !* Au pas de course ! grouillez-vous ! *Schnell !* tonne Célier. Nous sommes sur eux. Dans moins d'une heure nous les aurons rattrapés. »

Les six hommes s'élancent à la suite du sergent, ils alternent le pas de gymnastique et les larges enjambées de marche forcée.

A quelques mètres du bas de la pente, les légionnaires se mettent à courir pour prendre de l'élan avant d'attaquer la côte. Brusquement c'est le drame. Emportés par leur course les sept hommes tombent dans un piège géant parfaitement dissimulé. La fosse a moins d'un mètre de profondeur, mais son fond est hérissé de harpons d'acier à la pointe finement aiguisée ; chacun d'eux est fixé solidement à une plaquette de bois.

Quatre légionnaires dont le sergent Célier s'empalent par la plante des pieds. Les épaisses semelles de leurs pataugas sont traversées comme des feuilles de papier. Les trois autres légionnaires ont la chance d'être tombés entre les harpons. Presque aussitôt un obus de mortier s'abat à une dizaine de mètres du groupe.

Malgré la douleur atroce qui le torture Célier parvient à réagir.

« Ils ont réglé un mortier sur le piège ! Si nous restons là, nous sommes foutus. Il faut bouger. Les trois valides, tirez les blessés ! moi je me démerde. »

Sans attendre, le sergent se hisse hors du trou en se servant de ses bras et commence à ramper comme un crabe s'appuyant sur les coudes et se propulsant à l'aide du genou de sa jambe valide.

Les trois autres blessés se laissent tirer par leurs compagnons sur une dizaine de mètres puis trouvent la force d'imiter Célier. Rageusement, les quatre estropiés continuent à s'éloigner en rampant tandis que le mortier ennemi poursuit son tir que les viets dirigent toujours sur le piège, montrant qu'ils n'ont pas prévu la réaction de leur étrange gibier.

Prenant appui sur son fusil, Célier se relève et se tient debout un instant sur sa jambe indemne, puis fermant les yeux et serrant les dents, il pose par terre son pied traversé et laisse peser son poids sur la plaquette de bois. Le harpon ressort à mi-mollet. Surmontant la violence de la douleur, le sergent parvient à faire plusieurs pas sans provoquer d'hémorragie. Quand il se sent au bord de l'évanouissement, il se laisse retomber, vaincu.

Les trois hommes valides aident leurs compagnons

à le rejoindre et les sept légionnaires s'allongent en silence.

Célier puise au fond de lui la force de dicter ses instructions. Il s'adresse à Reszke qui est l'un des trois à ne pas être blessé :

« La radio ! Il faut prévenir le train. »

Le radio a le pied transpercé. Reszke l'aide à se défaire des sangles qui soutiennent le poste sur son dos. Un simple regard suffit pour comprendre qu'il est inutilisable : il a été atteint par un éclat de mortier et des fils pendent, s'échappant par une ouverture de la grosseur d'un poing.

Célier jure entre ses dents, regarde les visages de ses trois compagnons défigurés par la douleur. Il est visible qu'ils sont à peine conscients. Alors à nouveau, il s'adresse à Reszke :

« Tous les trois, prenez toutes nos armes, y compris les grenades, et laissez-nous ! Rejoignez le train le plus vite possible. Faites un rapport. Ils aviseront. Nous ne pouvons pas bouger.

— Sergent, objecte Reszke, on peut essayer de se défendre en carré.

— Faites ce que je vous dis, nom de Dieu ! Vous croyez que j'ai la force de discuter ?

— Gardez vos armes, au moins une.

— Foutez le camp tous les trois ! Si on garde une arme elle tombe dans leurs mains. »

Reszke obéit. Sans un mot, les trois hommes valides disparaissent en courant, laissant les quatre blessés désarmés.

Célier constate que la plaie d'un des légionnaires saigne lentement. L'homme serre sa cuisse de toute la force qui lui reste dans les mains. Il pleure comme un enfant avec de gros sanglots hoquetants.

Le sergent s'approche, défait le ceinturon de cuir souple du légionnaire et lui confectionne un garrot autour de la cuisse.

« Il y a longtemps que tu saignes ?

— J'ai pas arrêté, je vais crever.

— On va tous crever. On a laissé des traces avec

ton sang, ils vont arriver. Tâche d'arrêter de chialer comme une gonzesse.

— Je chiale pas parce que j'ai peur, je chiale parce que j'ai mal.

— Bon, ça va. Écoutez-moi tous les trois. On va tomber dans leurs pattes. Nous ne pouvons plus rien. Alors inutile de perdre les dernières minutes qui nous restent à vivre à nous apitoyer sur notre sort. Pour ma part, j'ai à penser à pas mal de choses. Faites comme moi. Qui veut une cigarette ? »

Les trois hommes refusent d'un signe de tête.

« De la flotte ? »

Ils acquiescent. Le bidon du sergent passe de main en main avant de revenir jusqu'à lui. Il le vide et le jette, puis il sort un paquet de Mic de sa poche et allume une cigarette fripée. Il garde les yeux rivés sur sa montre.

Il y a maintenant dix minutes que Reszke et les deux légionnaires les ont quittés. Dans une petite heure, ils doivent avoir rejoint le train. Si, par miracle, les viets avaient décroché, une patrouille de secours pourrait être là dans deux heures et demie.

Cinq minutes passent encore et Célier par instinct comprend que les viets sont tout proches. Il est sûr que ses compagnons et lui sont observés. Il chuchote.

« Ça y est. Ils sont autour de nous. Au revoir, les gars. »

Mais quelques minutes s'écoulent encore, avant que brusquement les quatre blessés se trouvent encerclés par une vingtaine de petits soldats en noir qui braquent sur eux leurs fusils. En silence, deux soldats viets s'approchent et palpent habilement les blessés pour s'assurer de l'absence d'armes. Ils se retournent prestement vers l'homme qui semble être leur chef et, d'un seul mot bref, annoncent qu'aucun danger n'est à redouter.

Rengainant un pistolet, le chef s'approche de Célier

et s'adresse à lui dans le français chantant et nasillard familier aux légionnaires :

« Vous êtes un bon soldat, sergent, courageux et intelligent. Vous avez compris que si vous conserviez vos armes votre sort ne changerait pas, mais qu'elles tomberaient entre nos mains. »

Célier ne répond pas et se contente de hausser les épaules.

« J'ai une proposition à vous faire, poursuit le petit chef viet. Bien qu'elles soient très douloureuses, vos blessures sont superficielles. Nous pouvons vous soigner, et vous guérir très rapidement. De mon côté, il me faut des renseignements sur votre train blindé, et notre armée a besoin d'instructeurs tels que vous. Vous êtes des soldats sans patrie, que vous importe de vous battre dans un camp ou dans un autre ? Je vous donne une minute de réflexion.

— Je t'emmerde ! » lance Célier.

Speck, un caporal allemand *, se décide aussitôt. Sans oser regarder Célier, il s'adresse au viet :

« Je marche. Enlevez-moi cette saloperie du pied. »

Les deux autres blessés adoptent la même attitude sous l'œil furieux du sergent. Très satisfait, le petit chef viet s'adresse avec ostentation en français à ses subordonnés.

« Faites des piqûres de morphine et de pénicilline à nos nouveaux amis et opérez-les tout de suite. »

Puis, content de lui, il se retourne plein de morgue vers Célier :

« Ces médicaments nous viennent de chez vous. Des dons de l'Union des Femmes françaises. Vous voyez que vos compagnons ne seront pas les seuls Français à combattre dans nos rangs. »

Le sergent, de toutes les forces dont il dispose, crache dans la direction du viet, sans atteindre son

---

* Les deux autres blessés étaient des Français. Le colonel Raphanaud m'a demandé de respecter leur anonymat.

but. Puis il s'adresse à Speck et, sans réfléchir, il jette :

« Je te buterai, Speck ! Je te retrouverai et je te buterai.

— Je suis désolé de vous enlever vos illusions, sergent, tranche le viet, mais je crains de ne pas avoir le droit de vous laisser en vie. A moins, bien entendu, que ma proposition vous intéresse...

— Je t'emmerde ! répète Célier.

— Dans ce cas vous me voyez désolé, déplore le petit viet en dégainant son pistolet.

— Attendez ! interrompt Speck. Si vous le tuez je ne marche plus, vous pouvez m'achever moi aussi, et pourtant je peux vous rendre des services inestimables. Je suis un ancien sous-officier instructeur de l'armée allemande. Mais maintenant c'est moi qui pose les conditions : la vie du sergent contre ma collaboration. »

Le chef viet fait entendre un petit rire nerveux, mais rengaine son pistolet.

« Vous êtes bien compliqué, je dois réfléchir. On va toujours vous opérer en attendant. »

Deux infirmiers aux gestes habiles et précis commencent à charcuter les pieds des trois légionnaires après les avoir anesthésiés localement. Il leur faut plus d'une demi-heure pour extraire les harpons et confectionner de savants bandages. Le chef s'est tenu pensif un peu à l'écart. Lorsque les opérations sont terminées il rejoint le groupe ; on lit clairement, sur son visage épanoui, malice et satisfaction. Ignorant le sergent il s'adresse à Speck :

« A mon tour de vous faire une proposition. Je veux bien laisser la vie de votre sergent, mais je n'ai pas le droit de relâcher un combattant qui dans quelques semaines reprendrait les armes contre nous. Alors, si vous êtes d'accord, je vais l'estropier afin qu'il ne soit jamais plus un soldat. »

Malgré sa faiblesse croissante Célier est toujours parfaitement conscient et a entendu la suggestion

du viet. Speck a tourné vers lui un regard suppliant,
puis il marmonne en baissant la tête :

« J'ai pas envie de crever comme un con et avec
une balle dans la nuque, sergent ! »

Célier ne répond pas. Il détourne son regard de
son compagnon étendu près de lui. Pour le petit chef
viet la question est tranchée ; il s'approche du sergent et s'accroupit à son côté, puis il détache une
gourde de sa ceinture et la lui tend.

« Buvez tant que vous voulez, c'est de l'alcool très
fort. Je vais vous tirer deux balles dans le genou.
Vos amis seront bientôt là, on vous coupera la
jambe mais vous continuerez à vivre. »

Célier prend la gourde et se force à ingurgiter de
larges gorgées d'alcool de riz. Les deux coups de
pistolet partent pendant qu'il boit, son genou éclate,
la gourde lui échappe et l'alcool se répand sur sa
poitrine. Il ne parvient pas à perdre complètement
conscience. Dans un nuage brumeux, il voit autour
de lui les soldats viets qui s'agitent, transportant ses
trois compagnons. Il ferme les yeux et se force à
penser qu'il est vivant, qu'il lui reste une jambe
intacte, que dès qu'il sera amputé il ne souffrira
plus, que jamais plus il ne fera la guerre, puis lentement il s'évanouit.

Quand le sergent Célier revient à lui, il souffre
moins ; il se rend compte que son genou éclaté l'empêche de sentir le harpon qui lui traverse toujours
la jambe. La nuit tombe, il consulte sa montre, il
est dix-neuf heures trente. Le bidon d'alcool est toujours sur sa poitrine, il ne s'est pas entièrement
répandu et Célier avale le fond. Il a des cigarettes et
des allumettes, il fume. Il est désespérément seul,
il essaie de crier, mais ne parvient qu'à émettre un
son sourd et plaintif ; pourtant la patrouille de secours
ne doit pas être loin. A moins que le capitaine
Raphanaud ait décidé de les abandonner.

Non, c'est impossible, il rejette cette idée. Il allume

une cigarette avec le mégot de la précédente, puis très vite il entend la patrouille arriver. Il aperçoit Reszke dans la pénombre qui marche à la tête d'une dizaine de légionnaires ; derrière lui, se tient le lieutenant Noack toujours torse nu, toujours le monocle à l'œil.

Quatre partisans Rhadès sont porteurs de brancards.

« Les autres ? questionne Noack de sa voix caverneuse.

— Passés aux viets, mon lieutenant.

— Putain de charogne ! gueule Noack. Les superlions parmi les lions ! Ça commence bien !

— Speck a marchandé ma vie avant de déserter. »

Noack ne répond pas. Il fait installer Célier sur un brancard et la patrouille repart en marche accélérée dans la direction du train.

Le convoi se trouve à une dizaine de kilomètres de Cana — petit port sur la mer de Chine où il doit passer le reste de la nuit — mais, hélas ! la compagnie restreinte qui en assure la protection ne possède pas d'installation chirurgicale plus complète que celle du train. En conséquence. le médecin-capitaine Lambert décide d'amputer Célier immédiatement.

Le petit chef viet avait parfaitement évalué les suites de son action : il est impossible dans des conditions aussi artisanales de songer à sauver la jambe du sergent.

Par bonheur, l'infirmerie, ce jour-là, possède une quantité suffisante d'antibiotiques. Ce n'est pas toujours le cas, et le récit que fera plus tard Célier, racontant en détail comment les déserteurs furent soulagés et soignés grâce à des médicaments provenant d'un organisme français, devait provoquer chez ses auditeurs consternation et écœurement. Le capitaine Lambert fit un rapport soulignant que l'indignation des troupes combattantes françaises ne résultait pas de ce que l'ennemi recevait de la Métropole des colis de pénicilline, mais du fait que chaque jour des soldats français mouraient faute d'en posséder...

Moins d'un mois après la désertion des trois légionnaires, le hasard voulut que les deux Français retombent dans les mains de la Légion étrangère.

Une section de la 3ᵉ compagnie en patrouille dans
le secteur de Hâu-Sanh (à cinq kilomètres environ
du point d'accrochage du groupe Célier) tombe sur
une grotte. Les trois déserteurs y achèvent leur
convalescence sous la protection d'une dizaine de
combattants viets.

Se voyant découvert, le groupe ennemi se scinde
en deux. Quatre hommes prennent la fuite, transportant le caporal Speck sur une civière. Leurs
compagnons couvrent leur retraite, retardant au maximum la section des légionnaires qui se lance à l'assaut. Sous les ordres d'un adjudant-chef les légionnaires mettent un bon quart d'heure à investir la
position ennemie. Deux hommes seulement sont encore vivants, en plus des deux déserteurs français
étendus sur des grabats dans le fond de la grotte.

L'adjudant tire lui-même une balle dans la nuque
des deux viets puis il s'approche, toujours pistolet
au poing, des deux déserteurs dont il connaît l'aventure. Il est suivi des sept légionnaires qui forment
sa section.

L'un des déserteurs a compris ; il dit d'une voix
sans émotion :

« Nous n'avons pas pris les armes contre vous, ils
nous ont tout de suite transportés ici, ils nous ont
soignés. Ils étaient une dizaine, ils viennent de foutre le camp en transportant Speck. Si je pouvais
vous communiquer des renseignements, je le ferais. »

Le second, dans sa panique, cherche un ultime faux-
fuyant. D'un timbre bouleversé par la terreur, il
ânonne :

« J'aurais rejoint ma compagnie dès que j'aurais
pu, mon lieutenant. Jamais je n'aurais combattu mes
amis, mes frères... Croyez-moi... Je vous le jure... »

L'adjudant l'ignore. Il ne s'adresse qu'à l'homme qui

a choisi de conserver sa dignité devant la mort qu'il sait imminente :

« Si tu m'évitais la corvée dégueulasse qui m'incombe, je me démerderais pour faire passer un rapport bidon qui vous blanchirait tous les deux. »

Le déserteur a compris ; il hoche la tête en signe d'approbation.

L'adjudant soulève le cran de sûreté de son pistolet, le jette sur le grabat du légionnaire, puis il se retourne et sort de la grotte, faisant signe à ses hommes de le suivre.

Trois détonations claquent aussitôt ; le déserteur a tiré deux balles dans la tempe de son compagnon et, retournant le colt contre lui, il a introduit le canon dans sa bouche, le serrant entre ses dents de toute la force de sa mâchoire.

Quelques secondes plus tard, l'adjudant devra exercer une forte pression de ses deux pouces sur le maxillaire du mort, pour récupérer son arme...

Les corps des deux déserteurs furent descendus à la station d'Hoa-Trinh où le train blindé les récupéra quarante heures plus tard. Bien que personne ne fût dupe, le rapport de l'adjudant fut accepté et validé par le capitaine Raphanaud qui fit inhumer, avec les honneurs militaires, les deux légionnaires au cimetière de Phan-Thiet.

Ils y reposent parmi un millier de leurs compagnons du 2ᵉ Étranger.

18

EN janvier et février 1949 le train blindé et son équipage connurent une période paisible.

La chasse depuis les wagons devint l'occupation principale des légionnaires qui rapidement passèrent maîtres dans l'art de déceler les points giboyeux et les heures où il convient de se mettre à l'affût. De cinq à six cents kilos de gibier étaient ainsi abattus chaque jour : les bêtes (buffles sauvages, faisans, paons, cerfs d'Extrême-Orient — moins grands que leurs frères européens mais tout aussi succulents) étaient séchées au soleil sur le toit des wagons, et les postes de Légion qui ne se trouvaient pas trop éloignés de la voie prirent l'habitude d'envoyer des petits groupes au ravitaillement chaque fois que le train blindé signalait sa présence à proximité.

Par une matinée de la fin janvier le train se trouve à quelques kilomètres de Vin-Hao. A cet endroit la route et la voie ferrée longent la plage qui s'étend du cap Padaram à Tui-Phong. A l'aube de ce jour, la chasse a été particulièrement fructueuse, près d'une tonne de gibier est exposée au soleil sur le toit des wagons.

Le central radio fait prévenir le capitaine Raphanaud. Par hasard, il vient de capter un message destiné à l'Amirauté de Saigon, émanant d'un sous-marin qui d'après la clarté de l'écoute doit se trouver très proche du train. En clair, le submersible déclare qu'il regagne Saigon en vue de se ravitailler.

Raphanaud interrompt le message, décline son identité et sa position, et propose aux marins de leur donner la quantité de viande fraîche qu'ils désirent.

Le capitaine de corvette Daigremont croit d'abord à une plaisanterie, mais finit par se rendre à l'évidence devant les précisions de l'officier de Légion. Il accepte un rendez-vous à un point que le train et le sous-marin peuvent atteindre en moins d'une heure.

Ravis de cette diversion, les légionnaires observent à moins d'une centaine de mètres de la plage le sous-marin qui fait surface et qui envoie à terre deux youyous.

Le commandant Daigremont a pris place à bord de l'un d'eux. Il visite, ébahi, le train blindé avant de recevoir la viande promise. En échange il offre aux légionnaires une caisse de cognac et vingt litres de vins de France.

Raphanaud et ses hommes profitent de l'occasion pour prendre un long bain de mer et se sécher au soleil avant de quitter les rives de la mer de Chine pour s'enfoncer à nouveau au cœur de l'inquiétante forêt annamite.

Le calme et la régularité des va-et-vient du train qui brossait tranquillement les rails entre Ninh-Hoa et Suoi-Kiet portaient les légionnaires à l'euphorie. Peu à peu ils se persuadaient que devant la puissance de leur arme mobile, l'ennemi avait capitulé. Seuls Raphanaud et ses adjoints Noack et Lehiat ne partageaient pas cet optimisme.

A Phan-Thiet le 13 mars, un renseignement transmis par une unité de l'infanterie coloniale allait renforcer leur conviction que la période de détente qu'ils vivaient n'était que le prélude d'une offensive.

D'après les déclarations de plusieurs prisonniers, le caporal Speck, le déserteur survivant de la patrouille Célier, se trouvait maintenant à la tête d'un Bo-Doî viet (un bataillon d'environ mille hommes). Il ins-

truisait l'ennemi, préparait des opérations d'envergure ; opérations qui risquaient de se montrer efficaces et meurtrières car le traître possédait non
seulement une grande expérience militaire mais encore une connaissance approfondie des positions, des
habitudes, des mouvements et des réactions des divers
éléments du 2ᵉ Étranger dans le secteur où il se
trouvait implanté. Pour accroître son prestige auprès
des combattants viets placés sous ses ordres, Speck
avait en outre été « marié » à la fille d'un chef Moï.

La première opération d'envergure lancée par l'ennemi sous l'instigation et le commandement du caporal Speck devait créer au sein du 2ᵉ Étranger une
réaction de rage et de désespoir : ce fut l'attaque
du poste de Phu-Hoi — poste dans lequel Speck
avait été cantonné plusieurs mois et dont l'investissement ne pouvait être mené à bien que grâce à sa
connaissance parfaite des lieux.

Le 21 mars 1949, le capitaine Raphanaud est avisé
vers six heures du matin que le poste de Phu-Hoi
vient d'être attaqué par un effectif vingt fois supérieur à la poignée de légionnaires qui l'occupe. Le
train blindé se trouve alors sur l'axe secondaire qui
relie Muong-Man à Phan-Thiet. Aussitôt, Raphanaud
donne l'ordre de renverser la vapeur et de regagner
Phan-Thiet en marche arrière à la vitesse maxima
que peut atteindre le convoi.

Sur le quai de la station trois compagnies de
légionnaires au complet se tiennent prêtes à embarquer car l'effectif du train est très insuffisant pour
tenter de délivrer les assiégés. Les deux cent cinquante hommes se précipitent ; ils envahissent les
wagons, s'infiltrent partout, dans la cuisine, dans l'infirmerie, dans le carré des officiers ; les derniers
poussent comme les usagers du métro aux heures
de pointe. Dans chaque wagon, les légionnaires se
tiennent debout, coincés les uns contre les autres, ne
disposant souvent pas de la place nécessaire pour
poser leurs pieds à plat sur le sol. Leurs visages se
touchent. Il règne une température d'enfer car si

on avait laissé les portes ouvertes des paquets entiers d'hommes se seraient trouvés éjectés. Le soleil tape sur la tôle blindée du toit et les seules ouvertures sont les meurtrières. L'air surchauffé est presque irrespirable ; imprégné par l'odeur de la sueur, il brûle les narines à chaque aspiration. Il n'y a qu'une dizaine de kilomètres à parcourir pour rejoindre le point le plus proche du poste assiégé, mais le train surchargé mettra deux heures pour y parvenir. Plusieurs hommes se trouvent dans l'obligation d'uriner sans bouger, le long de leurs jambes, à l'intérieur de leurs pantalons, mais ils sont tellement dégoulinants de sueur que ça ne les dérange aucunement.

Le convoi s'arrête enfin en rase campagne. Les portes s'ouvrent et les légionnaires se jettent sur le bas-côté. La température extérieure dépasse 30° et pourtant ils ont l'impression de plonger dans un bain de fraîcheur.

Raphanaud et Noack ne leur laissent même pas une minute de répit. Hurlant les ordres aux sergents responsables, ils se lancent sur la piste qui mène au poste et village de Phu-Hoi — six kilomètres d'ascension à travers la jungle. Tous savent que le poste de Phu-Hoi se trouve au sommet d'une colline, surplombant une région qui s'appelle le triangle des rizières, et qui entrera, plus tard, dans l'histoire de la Légion, sous le nom de « tombeau du 2ᵉ Étranger ».

Au fur et à mesure de la progression des quatre compagnies, Raphanaud qui provisoirement a pris le commandement voit croître son inquiétude.

Le poste de Phu-Hoi est tenu par des gardes indigènes qui tous appartiennent au 2ᵉ Étranger. Environ deux cent cinquante soldats en armes, encadrés par une trentaine de légionnaires européens, et commandés par un prestigieux soldat : le sergent Guidon de Lavallée, un métis de haute taille, titulaire de la Légion d'honneur et de la Médaille militaire.

Et pourtant aucun coup de feu n'est perceptible. Il semble que tout combat a cessé. Depuis le S.O.S.

matinal, les défenseurs du poste ont-ils pu repousser l'assaut de mille viets ?

Lorsque les compagnies de Raphanaud parviennent à la lisière de la forêt et découvrent la colline surplombée par le poste, le capitaine ordonne une halte.

En silence, les hommes contemplent l'hallucinant spectacle qui s'étend sous leurs yeux.

La colline est jonchée de cadavres. Au premier coup d'œil on ne distingue qu'une multitude de taches noires qui tranchent sur l'uniformité terne de la rocaille.

L'arrivée des légionnaires provoque l'envol d'une vingtaine de busards qui se lancent dans une ronde sinistre, grimpant haut dans le ciel d'où ils se laissent retomber en planant, frôlant le charnier avant de reprendre leur ascension, et leurs croassements lancinants sont encore plus intolérables pour les nerfs des hommes que l'horreur du spectacle.

Raphanaud observe le poste à la jumelle. Malgré de nombreuses brèches le bâtiment central est toujours debout. Au sommet du mât, un grand pavillon noir flotte mollement, bercé par un faible vent brûlant. Remplaçant le drapeau français, il prouve qu'au moins un survivant a eu la possibilité de hisser le symbole de la tragédie.

Toujours silencieux, les chefs de sections transmettent leurs instructions par gestes. Lourdement, les compagnies commencent l'ascension de la colline. La disposition des cadavres permet aux légionnaires d'imaginer les furieux corps à corps dans lesquels les hommes se sont déchiquetés à l'arme blanche. Aucun Européen ne figure parmi les corps qui jonchent la colline, et on a peine à admettre la rage qui a opposé ces hommes qui, maintenant, se ressemblent tellement dans la mort que, seuls, quelques insignes permettent de les distinguer.

Le capitaine Raphanaud est le premier à pénétrer dans le poste. Les cadavres sont innombrables, le sang a giclé sur toutes les parois. Trois légionnaires sont pendus à une poutrelle, leurs cous passés dans le même nœud. Six autres sont pendus par les pieds ; leurs têtes, tranchées au sabre, seront retrouvées dans les latrines.

Il y a quatre survivants : le sergent-chef Guidon de Lavallée, un caporal hollandais et deux gardes indigènes.

Guidon de Lavallée, le grand métis, est assis sur une pierre, il a une balle dans l'épaule, une autre dans le gras de la cuisse. Il est hagard ; il ne manifeste pas la moindre joie devant l'arrivée de ses compagnons. Quand il reconnaît Raphanaud il dit simplement.

« Speck ! Il m'a épargné...

— Combien ont-ils d'avance ?

— Trois bonnes heures. Ils ont filé vers le triangle des rizières. Ils n'étaient pas loin d'un millier. »

Sans se soucier du spectacle qui l'entoure, Raphanaud étale par terre sa carte d'état-major, il se fait rejoindre par Lehiat et Noack et déclare :

« Ils ont cinq ou six possibilités dans leur fuite. Nous ne pouvons qu'en envisager une — en espérant que le hasard nous sourira. Je pars avec une compagnie à travers les rizières en direction de Tân-Xuân. Noack, vous m'accompagnez. Lehiat, vous regagnez le train avec le reste des hommes, vous embarquez tout le monde à bord et vous remontez vers Maalam. A ce point — kilomètre 6 à partir de Muong-Man — vous débarquez tout le monde et vous venez à notre rencontre. Si c'est le chemin qu'ils ont emprunté, on les coince.

— On les coince à deux cents contre mille ? objecte Lehiat.

— Vous désapprouvez mon plan ?

— Je n'ai pas dit ça, mon capitaine.

— Alors, en route.

— Les morts, mon capitaine ?

— On verra plus tard ; dès que vous serez à bord du train transmettez un rapport à Phan-Thiet. Qu'ils s'en chargent. »

La compagnie Raphanaud s'élance sur-le-champ. Au départ, la direction prise par le Bo-Doï ennemi ne fait aucun doute. Les viets ont dévalé la colline sur l'autre versant en direction des rizières. Ils ont laissé morts et blessés. Parmi ceux-ci deux vivent encore, mais ils ne sont pas en état de parler ; la compagnie les abandonne sans perdre de temps.

En arrivant au premier arroyo, Raphanaud découvre un nouveau charnier. Une dizaine de combattants viets gisent à plat ventre. Tous ont reçu une balle dans la nuque.

Noack observe les cadavres un à un, les soulevant et les retournant sans le moindre ménagement, avant de rejoindre Raphanaud.

« C'est clair, ils ont achevé leurs blessés. Ils ne voulaient pas risquer d'être contraints de les abandonner plus loin, ce qui aurait pu nous aider à les suivre.

— Évidemment, ils ne font pas la guerre à moitié. »

Sur un geste la compagnie reprend sa route à l'aveuglette à travers les rizières. Les légionnaires marchent en terrain découvert ; ils sont exténués, ils n'ont pas pris une seule minute de repos depuis l'aube.

A six heures du soir la compagnie arrive devant un important arroyo. Il a une vingtaine de mètres de largeur, sa profondeur est testée par Noack qui traverse le premier. Le lieutenant a de l'eau jusqu'à la taille, ce qui signifie qu'elle atteindra la poitrine de la plupart des hommes. La compagnie s'engage, les hommes traversent, tenant leurs armes les bras tendus au-dessus de leur tête.

Le capitaine Raphanaud et une trentaine de légionnaires se trouvent en plein milieu du cours d'eau lorsqu'un tir de mortier se déclenche, venant des rizières de la rive opposée. Heureusement il est mal dirigé et les obus vont éclater sensiblement en aval. Mais l'explosion des obus dans l'eau provoque des remous qui cisaillent les reins des hommes et les paralysent littéralement. Sur le moment, tous s'imaginent qu'ils sont atteints, tant les lames de fond sont violentes.

Raphanaud s'en aperçoit le premier, il crie :

« En avant ! Nous ne risquons rien : ils tirent comme des savates. Sortons de là ! *Schnell !* »

Les légionnaires parviennent tous à prendre pied sur la rive où ils demeurent un instant, couchés, attentifs. Noack s'approche de Raphanaud.

« Ce doit être un groupe de diversion, mon capitaine. J'ai situé trois mortiers. S'ils étaient plus nombreux, il y a longtemps qu'ils nous seraient tombés dessus ; ils ont eu le temps de nous compter un à un pendant que nous traversions.

— C'est exactement mon avis. De toute façon on va aller voir. »

Les deux officiers entraînent les légionnaires vers l'avant. Les mortiers ouvrent le tir à nouveau, mais leurs coups sont encore plus imprécis. Les légionnaires progressent sans qu'aucune arme automatique n'ouvre le feu. Très rapidement ils sont sur la première position de mortier. Les trois viets qui servent l'arme ne disposent que de coupe-coupe. Ils tentent de s'en servir, mais sont instantanément maîtrisés et égorgés par les légionnaires. Les deux autres positions de mortier sont investies avec la même facilité ; leurs occupants subissent le même sort.

Le plan de l'ennemi se précise aux yeux des deux officiers, la dizaine d'hommes inexpérimentés et les trois mortiers japonais d'un modèle périmé depuis longtemps ont été sacrifiés. La compagnie de légionnaires a perdu une bonne demi-heure, la nuit tombe et le bataillon viet continue de courir dans une direction qu'il est impossible de situer avec assurance.

Raphanaud se laisse tomber par terre, déçu et écœuré.

« C'est râpé ! marmonne-t-il. Nous n'avons plus qu'à rejoindre les compagnies qui viennent du train. Inutile de nous presser. »

Les légionnaires imitent leur chef et à leur tour

s'affalent, épuisés et à bout de nerfs. Seuls les partisans Rhadès s'agitent. Sans émotion apparente et comme s'il s'agissait de la chose la plus normale du monde, ils ouvrent le flanc des morts et en extraient les foies qu'ils rangent dans leur musette. Noack, intrigué, suit un instant leur manège avant de les questionner :

« Qu'est-ce que vous foutez ? Qu'est-ce que vous avez encore inventé ? »

L'un des Rhadès, un caporal au regard malicieux, sourit, découvrant sa rangée de petites dents éclatantes :

« C'est pour bouffer, mon lieutenant, c'est très bon. Ce soir on va faire des brochettes sur un feu de braise ; quand ils sont très jeunes comme ceux-là et qu'ils sont juste morts, c'est la meilleure nourriture du monde, ça donne de grandes forces. »

Raphanaud se lève, indigné ; il est sur le point d'ordonner que cesse la mutilation des morts mais il est interrompu par le bruyant éclat de rire de Noack. Le géant, toujours torse nu, toujours son monocle vissé sur l'œil, semble tellement enchanté de l'attitude des Rhadès que le capitaine se décide à ne pas intervenir. Il a pourtant un regard vers les morts encore chauds et constate tristement :

« C'est vrai que ce sont des gosses, je ne l'avais pas remarqué.

— Attention, mon capitaine, tranche Noack, pas de sensiblerie ! Pensez au spectacle que nous avons découvert tout à l'heure. Ces gosses ont participé au carnage, ne l'oubliez pas. »

Raphanaud ne répond pas. Il crache par terre et se détourne. Noack le rejoint.

« Vous savez ce que nous devrions faire ? C'est goûter avec eux le mets succulent que vont nous confectionner nos braves partisans Rhadès.

— Noack, ce n'est pas vos deux mètres de haut qui m'empêcheront de vous foutre ma main sur la gueule si vous continuez ! »

— Excusez-moi, mon capitaine, je plaisantais. »

Un sergent s'approche pour signaler que les compagnies montantes sont en vue. Raphanaud remet son groupe en marche, et la troupe au complet rejoint la voie ferrée vers neuf heures du soir.

Avant de s'entasser à nouveau dans les wagons pour regagner Phan-Thiet, les hommes se voient octroyer une heure de repos qu'ils mettent à profit pour casser la croûte. Les Rhadès confectionnent leurs brochettes de foie humain. Plusieurs légionnaires acceptent l'offre des partisans de partager leur repas et deviennent anthropophages, sans le savoir. Dès qu'ils ont avalé la dernière bouchée, le lieutenant Noack, jubilant, les met au courant. Deux d'entre eux s'éloignent pour vomir ; les autres, indifférents, se montrent ravis de leur expérience et garantissent qu'ils ne laisseront pas passer une occasion de la renouveler.

19

DEUX jours avant la fête traditionnelle de Camerone, le train blindé a quitté la station de Long-Song, vers dix heures du matin, après avoir ravitaillé en eau les deux locomotives. Une nouvelle que leur a transmise Raphanaud pendant la halte a rempli de joie les légionnaires : le train fera une escale de quarante-huit heures à Phan-Thiet à partir du 30, et les hommes pourront ainsi fêter comme il se doit leur grand anniversaire. Depuis le massacre de Phu-Toï, le secteur s'est révélé calme, et les légionnaires s'emploient à mettre à profit leur habileté pour améliorer les conditions de vie à bord.

Du départ de Long-Song jusqu'au point d'eau de Nha-Mé, le terrain est plat, la visibilité totale à perte de vue des deux côtés de la voie.

Le lieutenant Noack a installé une couverture sur le toit d'un wagon. Allongé, le dos reposant sur la tourelle du fusil mitrailleur, il lit dans une édition intégrale *La psychopathologie de la vie quotidienne* de Freud. Par moments, il se saisit de son monocle qui pend sur sa poitrine nue, fixé au bout d'une cordelette et, l'ajustant sur son œil d'un geste étudié, il semble redoubler d'attention dans sa lecture. Qu'il se trouve au sein des plus violents combats au cours desquels il fait alors preuve d'une inconsciente témérité, ou, comme à l'heure présente, dans une période de détente et de sécurité, Noack adopte une attitude identique où éclate un trait essentiel de son caractère : la passion pour le spectacle qu'il offre à ceux qui l'entourent.

Le géant prussien ne borne pas ce sens du décorum à son propre personnage. Il y fait participer son ordonnance, un colosse sénégalais qui depuis deux ans le suit comme son ombre et qu'il a surnommé « Prince ». Prince, par ses fonctions, possède certains privilèges qui dépassent de beaucoup ceux accordés aux légionnaires de son grade (caporal). En revanche, il est astreint par Noack à une multitude de petites obligations secondaires : il doit porter en permanence des gants blancs immaculés, et être muni, même en opération, du matériel nécessaire à confectionner les cocktails ainsi que des divers alcools indispensables à leur fabrication.

A midi précis, Prince gravit l'échelle métallique qui donne accès au toit sur lequel le lieutenant est installé. Il sort d'un petit sac, un shaker d'argent, une gamelle et un quart réglementaire. La lenteur du train lui permet de se tenir debout sans effort tandis qu'il secoue le shaker avec des gestes de professionnel. Puis, il s'agenouille pour verser dans le quart le mélange de vermouth et de gin. Noack saisit le récipient délicatement, avale son contenu, d'une seule lampée, avant de déclarer avec dégoût :

« Dégueulasse ! C'est tiède. »

D'un air contrit le grand Sénégalais se lamente :

« Le capitaine, il a encore refusé de me donner de la glace, mon lieutenant. Il dit qu'elle est plus utile pour conserver le plasma que pour rafraîchir vos *dry martini*.

— Révoltant, réplique Noack, Raphanaud n'est qu'un soldat et je suis un seigneur, je t'autorise à le lui répéter.

— Ah non ! mon lieutenant. La dernière fois que je lui ai fait une commission comme ça, j'ai ramassé un coup de pied au cul... »

Noack se désintéresse brusquement de son ordonnance et se replonge dans sa lecture. Lorsque le convoi s'engage sur le pont de Song-Mao, le lieutenant marque la page de son livre et le ferme soigneusement. Le train va traverser maintenant les gorges de Ninh-Ha ; pendant plus de cinquante kilomètres la voie devient une épine entre les montagnes et les forêts, il ne s'agit pas d'offrir la moindre cible à l'ennemi qui grouille dans la région.

Noack rejoint au « wagon-restaurant » Raphanaud et Lehiat qui l'accueillent en souriant. Raphanaud prend les devants :

« Je sais, Noack, votre cocktail quotidien n'était pas frais !

— Exact, mon capitaine. Cette guerre devient inhumaine.

— Consolez-vous, mon vieux. Après-demain nous fêtons tous Camerone à Phan-Thiet.

— Douce perspective, en effet. En attendant, si vous le permettez, je me rends aux cuisines. »

C'est l'habitude de Noack ; avant chaque repas il gagne le wagon-cuisine qui précède le wagon-restaurant et passe une brève inspection des mets en préparation. Il a une grande estime pour le talent du chef hongrois Laslo Vad, qui sait accommoder avec finesse les matières premières médiocres dont il dispose. Ce jour-là, Vad est occupé à la confection de tubercules d'ignames au lait de chèvre. Noack visse son monocle et porte un regard attentif à l'énorme marmite, puis, d'un geste rituel, il se saisit de la cuiller de bois et goûte l'étrange préparation avant de déclarer solennellement :

« C'est mangeable ! »

S'apprêtant à quitter le wagon, il jette un coup d'œil distrait sur l'énorme tas de tubercules d'ignames disposé dans le fond de la cuisine roulante, rendant un hommage muet à la science du cuisinier qui a su rendre agréablement comestible ce légume tropical, si peu appétissant à la vue.

Aussitôt, Noack est frappé par un glissement du tas de légumes qui ne semble pas causé par les trépidations du train.

Noack poursuit son observation, intrigué. Le mouvement se reproduit.

« Vad ! Nom de Dieu ! Il y a des rats sous le tas d'ignames, tu pourrais surveiller ça, bougre de porc...

— Mais non, mon lieutenant, c'est le train qui fait chahuter les légumes.

— Non, mais tu me prends pour un con ! Je te dis qu'il y a des rats ! Allez vide-moi tout ça.

— C'est bien, mon lieutenant, je vais le faire, vous pouvez aller au restaurant, je viendrai vous dire...

— Je vais nulle part, je te regarde faire. Dis à tes aides de te donner un coup de main et déblayez-moi ça, que je me rende compte moi-même. Si tu crois que je vais bouffer ta tambouille sans vérifier, tu me connais mal ! »

Vad est devenu livide, il bredouille :

« Mon lieutenant, je peux pas faire ça. »

Noack flaire l'histoire louche, il s'approche du tas d'ignames en déclarant :

« C'est bon, je vais t'aider. »

Vad l'arrête en lui prenant le bras.

« Mon lieutenant, j'aime mieux vous dire, c'est pas des rats, c'est des gonzesses.

— Quoi ?...

— C'est deux putes, mon lieutenant. On les a ramassées à Nha-Trang, les affaires ne marchaient pas très fort pour elles depuis que la Légion est consignée, alors on leur a proposé de voyager avec nous... »

Noack fait valser les légumes qui recouvrent les deux filles. Il les soulève sans ménagements, les tirant par les bras. Elles tremblent comme des feuilles, leur crasse est indescriptible. Elles ne sont vêtues chacune que d'une chemise de légionnaire, maculée de taches de toutes sortes, et imprégnée de poussière de charbon. Leurs cous, leurs visages, leurs cuisses nues sont également recouverts de taches noirâtres. A ces détails près, elles sont jeunes et jolies, probablement des Moï. Sans le laisser paraître, Noack est enchanté, il n'en assène pas moins une claque retentissante sur la joue du Hongrois qui va s'écrouler à trois mètres.

« Explique, fumier !

— Il n'y a rien de plus à expliquer, mon lieutenant, bredouille Vad encore étourdi par la violence de la gifle. Les hommes viennent de temps en temps et ils tirent un coup, c'est tout.

— C'est tout, bien sûr ! Et le pognon ? Ça se paie, des putes ! Où est le pognon qu'elles ont ramassé ? Et où se passe le manège ?

— Dans le tender, mon lieutenant, sur le charbon, les hommes viennent la nuit par les toits des wagons.

— Ça explique leur état de fraîcheur à tes putes, ça n'explique pas où elles planquent le pognon », réplique Noack en explorant les poches vides des chemises que portent les filles.

En essayant de radoucir son ton, Noack s'adresse aux prostituées :

« Vous parlez français ?

— Un ti peu, mon litinant, lancent-elles en chœur.

— C'est bon, suivez-moi », ordonne Noack en les saisissant par le bras.

Au moment où il s'apprête à quitter le wagon-cuisine en compagnie des filles, Vad, bêtement, tente d'expliquer :

« Mon lieutenant, le pognon, je crois qu'elles n'en veulent pas. »

Noack se retourne d'un mouvement fulgurant, et cette fois, c'est de son poing qu'il fait éclater le nez du cuisinier, qui repart s'écrouler en sens inverse. Noack adopte alors un ton narquois et déclare calmement :

« Mais voyons, c'est l'évidence même, elles sont là pour le plaisir, une vraie croisière d'agrément. La journée planquée sous un tas de légumes pourris, et la nuit à se faire tringler à la chaîne sur un tas de charbon ! Je comprends parfaitement qu'elles adorent ça ! Bravo ! Vous avez mis la main sur deux belles salopes, des vicieuses de grande classe. »

Laissant Vad et son nez brisé sanguinolent, Noack fait une entrée remarquée au wagon-restaurant. A la petite table du bout, réservée aux trois officiers, Raphanaud et Lehiat le contemplent ahuris. A la grande table qui occupe toute la longueur du wagon et où les hommes prennent leur repas par roulement, les légionnaires échangent des regards inquiets en courbant la tête vers leurs assiettes vides.

Noack demande l'autorisation de faire asseoir les filles et expose la situation au capitaine. Raphanaud tente d'interroger les Annamites, mais leur connaissance sommaire du français et l'état de terreur dans lequel elles se trouvent ne permettent pas d'en tirer quoi que ce soit. Pour Noack, il n'y a pas de doute :

« C'est Vad qui a organisé le système, il ramasse le pognon après avoir vraisemblablement promis monts et merveilles à ces deux connes. »

Raphanaud hoche la tête en signe de négation.

« Ce n'est pas Vad, je le connais, il est incapable d'une saloperie pareille. »

Le capitaine fait signe à un légionnaire.

« Va me chercher l'adjudant Parsianni, il doit être à la radio. »

Parsianni rejoint rapidement les officiers. En quelques mots, il est mis au courant. Puis Raphanaud interroge :

« C'est toi qui as recruté les hommes. Tu vois un maquereau dans le tas ? »

Parsianni se retourne, marche le long de la grande table et s'arrêtant près d'un légionnaire qu'il saisit par le col de sa chemise, en criant :

« Debout ! »

L'homme se lève et déclare simplement :

« C'est moi. »

Parsianni le conduit devant la table des officiers où il demeure au garde-à-vous. L'adjudant explique :

« Marcel Bugat, Belge, douze ans de Légion, ancien souteneur à Lille. Excellent soldat, onze citations.

— Douze, rectifie Bugat.

— Douze, admet Parsianni. Seulement, mon capitaine, c'est plus fort que lui ; dès qu'il voit une fille, il faut qu'il la maque.

— C'est toi qui as ramassé le pognon qu'ont gagné ces filles ? demande Raphanaud.

— Oui, mon capitaine.

— Comment les as-tu convaincues de monter à bord ?

— Je les ai baratinées, mon capitaine. »

Les filles comprennent le sens de la conversation et protestent. Par gestes et à l'aide de quelques mots de français, elles font comprendre qu'elles ont été amenées de force sur le train.

Bugat admet.

« Oui, je les ai « un peu » attachées, mon capitaine, mais dans l'ensemble, elles étaient d'accord. »

Noack se détend ; il saisit le Belge par les cheveux et par son ceinturon et le projette contre la paroi blindée du wagon. Sans lâcher le ceinturon, il cogne à plusieurs reprises la tête du légionnaire contre l'acier de la paroi. L'homme perd connaissance ; il s'écroulerait si Noack d'une seule main ne le maintenait toujours par les cheveux. Enfin, le lieutenant lâche prise et Bugat s'effondre comme un pantin désarticulé. Le lieutenant crache sur l'homme à terre, l'atteignant à la nuque.

Raphanaud n'est pas intervenu. La trentaine de légionnaires, spectateurs involontaires de la sévère correction, n'ont pas réagi davantage. Le capitaine dit à Parsianni :

« Occupe-toi de lui. »

Il faudra une heure pour que Bugat reprenne connaissance. L'argent qu'il avait recueilli est réparti entre les deux filles qui sont discrètement débarquées à la station de Chau-Hanh, dans la soirée.

Et le train reprend sa route vers Phan-Thiet. Encore une nuit et un jour avant l'explosion tumultueuse de joie qui doit marquer la fête de Camerone...

20

JUSTE avant l'aube du 29 avril, Raphanaud est tiré de son sommeil par l'arrêt du train. Presque aussitôt la sonnerie du téléphone intérieur situé à proximité de sa couchette retentit.

L'appel provient du wagon de la compagnie du Génie. Raphanaud apprend que le convoi se trouve prêt à franchir le premier pont de la rivière Sông-Cât. Le capitaine connaît parfaitement l'endroit. A une dizaine de kilomètres en contrebas sur la gauche de la voie, deux affluents du Sông-Cât se rejoignent pour ne former qu'un seul cours d'eau. S'il avait été possible de faire passer la voie dix kilomètres plus bas, elle n'aurait eu qu'un pont à traverser, mais techniquement c'était irréalisable. Le train doit donc franchir successivement deux ponts distants de cinq ou six kilomètres l'un de l'autre. La largeur des deux affluents du Sông-Cât est très faible (tout au plus une dizaine de mètres) et les ponts sont en bois, soutenus par d'énormes madriers.

Raphanaud quitte son wagon et se rend au bord du cours d'eau où quelques spécialistes du Génie inspectent scrupuleusement tous les endroits où un engin explosif aurait pu être dissimulé. Au bout d'un quart d'heure, les hommes regagnent le train, assurant que le pont n'est pas piégé.

Le convoi s'ébranle de nouveau et traverse le pont sans difficultés. Il a parcouru environ un kilomètre lorsque se déclenche derrière lui un tir de mortier intense. Raphanaud a compris aussitôt : les viets font sauter le pont que le train vient de franchir, et il n'a pas besoin d'attendre la petite heure nécessaire pour parvenir au second pont pour savoir que celui-ci aura· sauté également.

C'était le seul piège dans lequel pouvait tomber le train blindé. La seule faille. Et l'ennemi a fini par la déceler. Le convoi va se trouver bloqué sur six kilomètres de voie, ne pouvant ni avancer ni reculer au-delà de cette distance. Le jour est levé lorsque le train arrive au second pont. Sans surprise, les légionnaires constatent qu'il est inutilisable. Les madriers de base flottent sur l'eau, enchevêtrés. Heureusement, le courant est presque nul et les lourdes pièces de bois sont retenues par des éboulements de pierrailles qui les ont empêchées de partir à la dérive. Contre toute logique, le tablier, les rails, et toute la partie supérieure du pont de bois demeurent en place, mais il est probable que le simple poids d'un homme suffirait pour que tout s'effondre.

Raphanaud réagit immédiatement, il situe les avant-postes possibles et ordonne aux légionnaires de s'y installer par petits groupes pour prévoir toute attaque. Mais le capitaine ne croit pas à une attaque. La puissance défensive du train est connue de l'ennemi ; plusieurs bataillons pourraient être anéantis dans une offensive et Phan-Thiet ne se trouve qu'à quelques kilomètres, avec une grosse concentration du 2e Étranger. Les viets ne peuvent pas l'ignorer.

Noack et Lehiat rejoignent Raphanaud sur le bord de la voie. Leurs premiers mots prouvent à Raphanaud qu'ils partagent entièrement son point de vue.

« Ils cherchent à nous emmerder par tous les moyens la veille de Camerone. Je ne vois que cette explication, mon capitaine, déclare Lehiat.

— Évidemment. Consultez Grandval pour savoir le temps nécessaire pour reconsolider le pont. »

Grandval est l'adjudant-chef commandant la compagnie du Génie. Il pense que quarante-huit heures doivent suffire pour réparer les dégâts, à condition de travailler de nuit.

Raphanaud rassemble les sous-officiers :

« Nous sommes bloqués pendant deux jours, je ne pense pas que nous subissions d'attaque mais j'exige que vous foutiez en l'air tout l'alcool qui se trouve à bord du train, y compris la bière. Je veux que vous oubliiez l'anniversaire de Camerone, il est possible que les Viets comptent là-dessus. Le Génie va se mettre au travail séance tenante. Tout l'effectif qui n'est pas de garde se trouve à la disposition de l'adjudant-chef Grandval pour le cas où il aurait besoin de main-d'œuvre supplémentaire. »

Phan-Thiet est alerté par radio, Raphanaud parle en personne au colonel Lerond, commandant de zone. Le colonel n'est pas inquiet, il déplore simplement l'absence des légionnaires un soir de Camerone.

Aux alentours de midi, les travaux de déblaiement commencent à prendre forme. Le premier madrier est déjà dégagé, les hommes sont affairés à installer un système de palans pour tenter de le remonter à sa place initiale. Égal à lui-même, Noack est installé, étendu au bord du cours d'eau dans lequel il s'est déjà plusieurs fois baigné. Prince, l'ordonnance sénégalais du lieutenant, a installé un phonographe qu'il remonte à chaque 78-tours et sur lequel il dispose les disques, après les avoir essuyés à l'aide d'un petit plumeau.

En attendant l'heure sacrée de son cocktail, le lieutenant Noack, allongé sur la plage, se laisse bercer par le vent tiède et les *Concertos brandebourgeois*.

Le plan de l'ennemi devient évident avant la pause du déjeuner. Le coup de feu est à peine perceptible. Il vient de très haut dans la montagne. Du tablier du pont, un homme s'écroule, mortellement atteint et son corps bascule dans l'eau. Noack se précipite ; en quelques secondes, il est à hauteur de l'homme et le ramène sur la rive. Il ne peut que constater la mort du malheureux.

Le calme total est revenu. Raphanaud fait le tour des postes, interrogeant les guetteurs. Personne n'a rien vu, aucun d'eux ne peut dire de quel versant le coup est parti. Raphanaud a compris ; mentalement il rend hommage à la stratégie de l'ennemi. Ils savent que la position est inattaquable en force. Ils savent qu'un petit groupe serait vite anéanti par les mortiers et les canons du train. Il ne leur restait qu'une solution : quelques tireurs isolés et mobiles qui vont au hasard essayer d'abattre un travailleur, puis se déplacer pour tirer de nouveau d'un tout autre endroit. Les montagnes qui surplombent la voie de chaque côté sont couvertes d'une dense végétation d'arbres, d'arbustes, et d'un maquis touffu. Sur ce terrain un ratissage est pratiquement impossible, et lancer des patrouilles au hasard serait prendre un grand risque et exposer inutilement la vie des hommes avec des chances de succès restreintes.

Raphanaud rassemble au carré Lehiat, Noack et Parsianni. Les quatre hommes n'ont pas commencé leur conférence qu'un second coup de feu est tiré et que Grandval se précipite pour leur apprendre la mort d'un deuxième pontonnier.

Raphanaud déclare amèrement :

« C'est bon, Grandval, faites cesser le travail, nous allons aviser. Que tout le monde se tienne à l'abri jusqu'à nouvel ordre. »

Le premier, Parsianni prend la parole.

« Il faut grimper, établir des postes de protection dans la montagne, c'est la seule solution. »

Raphanaud hausse les épaules.

« Tu as vu le terrain. Il faut parcourir plus de cinq cents mètres avec comme seule protection des herbes de trente centimètres de haut. Un seul tireur d'en haut peut me foutre sans risque trente types au tapis.

— Je pensais de nuit, en rampant, rectifie Parsianni.

— Ils seront repérés à l'aube en installant leurs

postes et ça n'empêchera pas les tireurs isolés viets de remettre ça demain matin.

— On va tout de même pas réclamer un bataillon à Phan-Thiet pour trois pouilleux embusqués dans la montagne ! » tonne Noack.

Raphanaud demeure songeur.

« Trois pouilleux indécelables et une compagnie contrainte à travailler à découvert, ça peut faire du dégât.

— Alors quoi ? on reste sur place en attendant l'armistice ?

— Noack, je vous ai déjà prié d'adopter un autre ton quand vous vous adressez à moi ! lance Raphanaud, sèchement.

— Excusez-moi, mon capitaine », réplique Noack, se figeant dans un garde-à-vous ostensiblement spectaculaire et rajustant son monocle.

D'un ton las, Raphanaud poursuit :

« Je vous ai également recommandé maintes fois de garder vos facéties pour les moments de détente. En ce moment j'ai besoin de l'officier efficace et expérimenté que vous êtes, pas du pitre. »

Vexé, Noack reprend son sérieux.

« Voilà ce que je ferais, mon capitaine : je tenterais de les battre à leur propre jeu. J'enverrais cette nuit des hommes deux par deux — une bonne trentaine de chaque côté — avec pour mission de se planquer dans la montagne, dans des trous, dans des arbres, n'importe où, pourvu qu'ils ne se fassent pas repérer, qu'ils ne bougent pas à l'aube et que leur mouvement dans la nuit soit absolument imperceptible. S'ils y parviennent, et je crois que les légionnaires en sont capables, demain lorsqu'un viet tirera son premier coup de feu, il sera repéré aussitôt par un de nos couples embusqués. De gibier, il faut devenir chasseur, c'est la seule solution.

— Exact, mais pourquoi les envoyer par paires ? Si on les expédie un par un, on double les chances et on couvre une plus grande surface.

— Je pensais à leur moral, mais vous avez raison.

— Je n'ai rien à foutre de leur moral, on les a sélectionnés, non ? Est-ce que les viets pensent au moral des solitaires qui s'apprêtent à nous tirer comme des grives ? Ils iront un par un, trente de chaque côté, en diagonale, de la base au sommet. Nous allons étudier les positions exactes sur la carte et les briefer sérieusement avant leur départ.

— Mon capitaine, interrompt Noack, je suis dans le coup, bien entendu.

— Vous savez que je ne peux pas exposer un officier.

— Mon capitaine, si on reste bloqué trois jours, je n'aurai plus une goutte d'alcool, je ne vous servirai à rien. »

Raphanaud sourit.

« D'accord. Du reste je compte sur vous pour disposer les hommes. Vous pouvez partir dès la nuit tombée, et lâcher vos légionnaires un à un ; vous occuperez donc la position la plus élevée. Parsianni adoptera exactement la même tactique de l'autre côté. Il vous reste à choisir vos hommes et à les mettre au courant. »

Dix heures du soir, la veille de Camerone.

Noack progresse à plat ventre, suivi de vingt-neuf légionnaires. Ils se déplacent, par reptation, provoquant dans la bruyère sèche moins de mouvement que le vent léger qui la frôle. Ils ont tous leurs consignes en tête : pas un mot, même chuchoté, pas une plainte, quoi qu'il arrive. Ils rampent en file indienne, les pieds de l'un toujours à portée de bras de son suiveur de façon à ce que la file tout entière puisse être stoppée silencieusement en cas d'incident. Un caporal danois, Jan Hallberg, rampe en troisième position séparé par un seul homme du lieutenant qui ouvre le chemin. La nuit n'est pas d'une grande luminosité, mais la visibilité est suffisante.

Le drame se produit alors que la chenille humaine

est sur le point d'atteindre, en lisière de la forêt, les premiers contreforts montagneux. Hallberg saisit la cheville de l'homme qui le précède et la serre violemment. L'homme, à son tour, répète le même geste sur la cheville du lieutenant. Hallberg s'est arrêté, stoppant derrière lui toute la file. Le lieutenant et le légionnaire de tête se sont retournés ; ils s'aperçoivent qu'Hallberg tremble de tout son corps, sa tête repose sur son avant-bras replié qu'il mord violemment pour ne pas hurler. En se portant silencieusement aux côtés d'Hallberg, le lieutenant perçoit sur sa droite dans l'herbage un froissement qui lui fait comprendre immédiatement la situation : le Danois, sans aucun doute, vient d'être mordu par un serpent. Hallberg mord toujours son bras sur lequel se répand maintenant une bave blanchâtre. Noack le saisit par les épaules et le retourne sur le dos. Le légionnaire ne desserre pas les dents. Dans un effort surhumain, il parvient à ne pas laisser échapper le moindre gémissement.

Il a la force de désigner de sa main gauche le point de la morsure : en plein ventre, juste au-dessus du nombril. Si, comme le pense Noack. le serpent était un naja nain, l'homme est perdu ; néanmoins, le lieutenant déchire la peau d'Hallberg en croix à l'aide de son poignard et se met à sucer le sang avec énergie. De ses mains puissantes, il serre le ventre musclé qui offre peu de prise et ne retire sa bouche de la plaie que pour cracher le sang qu'il a aspiré.

Noack sent sur son épaule une main qui se pose et qui exerce une pression croissante. Il relève la tête et distingue dans la demi-obscurité le visage de l'homme qui lui tient toujours l'épaule. Celui-ci fait un simple signe de négation ; le lieutenant porte alors son regard sur Hallberg. Le légionnaire est mort sans bruit, respectant les consignes reçues jusqu'à l'ultime seconde de sa vie, et pourtant l'empreinte de ses dents sur son avant-bras témoigne de son atroce souffrance.

Noack reprend sa route ; il arrive à suivre à travers la forêt montagneuse le chemin qu'il avait prévu. Environ tous les cent mètres, il laisse un homme sur place, lui désignant, par geste, la position d'affût qu'il suggère. L'aube est toute proche, lorsqu'il quitte le dernier légionnaire et entame seul la dernière fraction du parcours.

La position qu'il choisit pour lui-même se situe à quelques mètres du sommet, il grimpe dans un aréquier massif dont les branches supérieures peuvent constituer un abri sans pour autant masquer la visibilité. En haut de l'arbre, le lieutenant parvient à trouver une position stable et relativement confortable. Il sait que la réussite de leur entreprise dépend de la patience et de l'immobilité que ses hommes et lui doivent observer. Il est prêt à rester le temps qu'il faudra. Il a, à sa disposition, trois gourdes de cognac — ses dernières réserves —, et les seuls mouvements qu'il s'autorise sont de porter un bidon à ses lèvres, toutes les demi-heures.

Dès les premières lueurs de l'aube, de son poste, Noack distingue le train dans la vallée, puis il remarque nettement à la jumelle la compagnie du Génie qui commence les travaux. Avec méthode, il explore alors les alentours de son perchoir. Aucun être humain ne se trouve à portée de voix. Délicatement, il déploie l'antenne du poste émetteur et entre en contact immédiat avec Raphanaud qui attendait son appel.

Il chuchote dans le diffuseur :

« Dispositif en place. Avons perdu un homme mort par accident. 3 300 mètres du train dans l'herbage. Abandonné sur le terrain. Il faut que vous preniez le risque d'aller chercher le corps, les charognards le feraient repérer avant la fin de la matinée. Je cesse les appels jusqu'à nouvel ordre. Terminé. »

Jusqu'à quatre heures de l'après-midi, rien ne se passe. L'attente est devenue un enfer pour Noack. Ses fesses sont meurtries et il peut à peine bouger pour

changer de position. Ses seules consolations résident
dans le cognac, qu'il boit maintenant à intervalles
plus rapprochés, et dans le fait qu'en bas le Génie
travaille sans encombre.

Le lieutenant somnole presque lorsqu'il sursaute,
tiré de sa torpeur par un coup de feu tout proche
qui le laisse stupéfait. L'écho créé par la détonation
s'estompe et le silence revient. S'il ne conservait
pas dans l'oreille le sifflement caractéristique qui suit
les déflagrations, Noack se demanderait s'il n'a pas
rêvé. Où peut se trouver le tireur ? Par où a-t-il pu
passer pour n'être remarqué ni par lui, ni par ses
hommes ? Noack redouble d'attention. Il est en effet
probable qu'après son tir le viet va bouger. Après
une demi-heure, le lieutenant doit se rendre à l'évidence : le tireur adopte la même attitude qu'eux ; il
faut attendre, c'est le plus patient qui finira par
coincer l'autre.

Deux heures plus tard, un autre coup de feu. Malgré
sa proximité, Noack est persuadé qu'il n'a pas été tiré
du même endroit. Donc deux solutions : ou les
tireurs sont au moins deux, ou ils ont affaire à un
homme qui se déplace avec une agilité inimaginable.
Le lieutenant établit un contact radio.

« Je ne l'ai pas décelé, même pas situé. Je ne
pense pas que l'un de mes hommes soit plus avancé.
Vous avez des dégâts en bas ?

— Un mort, un blessé grave. Noack, il faut que
vous coinciez ce type ! c'est un tireur d'élite ! Les pontonniers veulent demander des renforts à Phan-Thiet.
On aurait l'air de vrais cons !

— Je ne bouge pas, mon capitaine. Organiser une
battue serait voué à l'échec ; ils sont tout au plus
trois ou quatre, peut-être un seul. Si nous nous
découvrons, ils nous glissent entre les pattes comme
ils veulent.

— Vous comptez passer la nuit là-haut ?

— Affirmatif.

— C'est bon. Terminé. »

Noack est obligé de se rendre à l'évidence ; son calvaire ne fait que commencer. Un instant, il songe à descendre de l'arbre pour passer la nuit allongé sur le sol, mais il rejette cette idée ; elle comporterait trop de risques.

A l'aube, il est tellement courbatu qu'il ne sent plus ses membres ; cela fait vingt-quatre heures qu'il a les fesses entre deux branches et il ne lui reste plus qu'un bidon de cognac et quelques biscuits. Il se souvient que c'est le 30 avril ; il pense avec amertume aux milliers de légionnaires qui s'apprêtent à passer leur plus beau jour de l'année. Il décide qu'à midi, il lèvera le dispositif. A tout hasard, il ordonnera aux hommes de tenter un ratissage.

Noack n'aura pas à attendre midi. Vers dix heures, le tireur se manifeste une fois de plus et cette fois le lieutenant l'aperçoit une fraction de seconde. Il n'est pas à plus de trente mètres de lui, en contrebas, Noack déclenche le tir de son pistolet mitrailleur en direction de l'ombre furtive qu'il a entrevue. Aussitôt, d'autres crépitements de mitraillettes se déclenchent. Comme Noack, un légionnaire a dû lui aussi apercevoir le viet. Le lieutenant se laisse tomber de son arbre et hurle :

« Remontez sur moi en demi-cercle ! Faites passer ! On les tient ! Je leur coupe toute retraite ! »

La forêt s'anime. Les voix sorties des cachettes crient à leur tour :

« En demi-cercle sur le lieutenant ! Il a repéré les viets ! »

De nouveau, Noack aperçoit la tache noire d'un homme qui se déplace avec une agilité stupéfiante. Il tire et le manque, mais il situe le viet avec plus de précision. Un, puis deux légionnaires rejoignent le lieutenant qui leur désigne la position approximative de l'ennemi. Noack leur ordonne d'aller se poster au sommet et tente de deviner les positions des autres légionnaires qui, à leur tour, gravissent la pente. Il distingue maintenant un de ses hommes qui monte à découvert. Hélas ! le viet lui aussi l'a vu, il tire et le légionnaire s'écroule ; mais cette fois la position viet est située avec certitude et précision. Ils sont derrière un rocher et tirent à travers une faille. S'ils sont plusieurs et bien armés, il ne sera pas possible de les déloger sans subir de pertes.

Une demi-heure plus tard, tous les légionnaires occupent des positions abritées, encerclant le rocher qui protège l'ennemi. Les légionnaires déclenchent un feu intense mais inefficace. Dès que l'un d'eux cherche un angle de tir meilleur et se découvre, il essuie un coup de feu précis. Un homme reçoit une balle dans l'épaule, un autre dans la cuisse. Cela peut durer longtemps et pourtant Noack a maintenant acquis la certitude que le tireur viet est seul ou que tout au plus ils sont deux.

Noack est sur le point d'ordonner l'assaut lorsqu'un élément nouveau intervient. D'un bond un légionnaire a changé de position ; il est imprudemment passé en plein dans l'axe de tir du viet et pourtant aucun coup de feu n'est parti. Noack sort à son tour de son abri ; il tire à la mitraillette sur le rocher, se découvrant ostensiblement. Aucune riposte ne se manifeste. Ou c'est un piège, ou les viets ne possèdent plus de munitions. Noack ordonne l'assaut et les hommes se ruent vers le rocher, prêts à y faire tomber une pluie de grenades. Ils sont stoppés dans leur élan par l'ennemi qui sort à découvert les mains en l'air, figeant les légionnaires dans la stupeur.

C'est un gamin, presque un enfant ; il peut avoir tout au plus treize ou quatorze ans. Une inspection rapide de l'abri qu'il occupait démontre qu'il était bien seul, pourvu d'une seule arme : un fusil à lunette, dont il a tiré jusqu'à la dernière cartouche.

Deux légionnaires fouillent le gosse, il ne possède rien sur lui, pas le moindre papier, aucune arme.

L'enfant dévisage le lieutenant sans émotion, et dans un français parfait, il demande simplement :

« Vous allez me tuer ?

— Et tu parles français par-dessus le marché ! C'est toi qui canardes en bas depuis hier ?

— Oui, avoue le gosse.

— Toi, tout seul ?

— Oui. Les chefs m'ont laissé parce que je cours le plus vite.

— Tu sais combien d'hommes tu as tué et blessé ?

— Beaucoup j'espère.

— Tu trouverais normal que je te tue ?

— Oui. »

Un des légionnaires blessés, celui dont une balle a traversé l'épaule, intervient :

« Mon lieutenant, vous allez le buter ?

— Qu'est-ce que tu en penses ?

— Je n'y tiens pas.

— Rassure-toi, moi non plus. »

Les légionnaires se détendent : c'est plutôt de l'admiration que leur inspire le gamin.

Noack déplie son antenne et appelle le poste de radio du train. Il obtient aussitôt Raphanaud.

« Avons neutralisé l'action de l'ennemi, annonce Noack. Les pontonniers peuvent reprendre le travail sans risque. Trois blessés dans nos rangs. Ennemi prisonnier. Vous rejoignons. A vous.

— Félicitations Noack, ça n'a pas été trop dur ? »

Cédant à son sens de l'humour, le lieutenant ne peut s'empêcher de déclarer :

« Avons eu à faire à forte partie. Ennemi surentraîné. Technicien et combattant de grande classe. »

Deux légionnaires encadrent le gamin ; la colonne commence la descente. Instinctivement, le gosse a porté ses mains derrière sa nuque et marche dans cette position inconfortable, compte tenu de la pente et des sinuosités du terrain. Noack le rejoint et lui dit :

« Je ne t'ai pas dit de lever les bras, morpion ! Tu peux marcher normalement comme nous tous. »

Le lieutenant constate sans trop de surprise que

le gamin semble déçu de ce privilège. Il ajoute :
« Ne t'inquiète pas, nous te considérons tous
comme un soldat, je ne vois pas l'utilité de te faire
marcher dans une position inconfortable, un point
c'est tout. J'agirais de la même façon avec ton père
ou ton grand-père ! »

Le gosse baisse les bras.

« Comment t'appelles-tu ? » poursuit le lieutenant.

Le gamin marque un temps de réflexion, il se
demande sûrement s'il a le droit de répondre.

« Nom de Dieu ! tonne Noack. Ton nom n'est tout
de même pas un secret d'État !

— Je m'appelle Kuo, je vous dirai rien d'autre.

— Tu peux tout de même me dire où tu as appris
à parler si bien le français.

— Je suis né à Cholon, je vous dirai rien d'autre.

— Tu sais lire ?

— Je sais lire et écrire, je vous dirai rien d'autre.

— Tu m'emmerdes à la fin avec tes « je vous dirai
rien d'autre ». Je ne te demande pas des secrets
militaires.

— Pas encore, mais ça va venir... »

Noack sourit ; il est de plus en plus séduit par
l'attitude du gosse.

La colonne de légionnaires s'engage sur une étroite
corniche qui surplombe un creux de cinq à six
mètres. C'est la dernière difficulté avant l'arrivée
dans la plaine herbeuse : il faut mettre un pied devant
l'autre avec précaution, et souvent pour conserver
son équilibre s'accrocher aux racines qui pendent
de la paroi.

Seul, le jeune Kuo évolue avec l'aisance d'un chamois. Soudain, imprévisible, le chamois devient pan-
thère, et le gamin s'élance dans le vide au risque
de se tuer.

Noack, ébahi, contemple le saut prodigieux, la
souplesse avec laquelle Kuo s'est posé sur la terre
sèche à un point qu'il avait dû repérer. Le lieutenant
est presque heureux de constater que, d'un nouveau

bond, le gosse va se jeter à l'abri d'un fourré. Aucun des légionnaires n'effectue un mouvement d'arme.

Noack hurle :

« Kuo, tu m'entends, tu ne peux pas nous échapper ! Dans trente secondes, je vais balancer des grenades. Rends-toi, c'est ta dernière chance. »

C'est exact : malgré l'agilité et la rapidité du petit viet, les légionnaires ne peuvent pas le rater à partir des positions surélevées qu'ils occupent. Pourtant, du bosquet qui le dissimule, le gamin crie :

« Je t'emmerde !

— Décidément il a appris le français, constate Noack. En outre, il le sait, ce petit fumier, que je n'aurai pas le courage de lui balancer une grenade sur la gueule. Allez, ajoute-t-il avec lassitude, les dix derniers, vous remontez et vous contournez par le haut. Les dix hommes de même, même exécution par le bas. Arrimez une corde de rappel, le groupe central descend avec moi. »

Noack se laisse glisser le premier le long de la corde et, sans se soucier des hommes qui le suivent, il se précipite vers le fourré dans lequel le gamin a disparu..

Le lieutenant l'entend avant de l'apercevoir. Le gamin pleure à gros sanglots, entrecoupant ses hoquets de gémissements. Noack découvre le petit Kuo étendu sur le dos, il a la jambe droite brisée. Une sale fracture ouverte qui laisse apercevoir son tibia. D'un seul coup, le gamin agressif est redevenu un enfant, la douleur l'a transformé. Noack passe son grand bras sous les épaules de l'enfant blessé, cherchant à le soutenir dans une position moins douloureuse. Sans attendre les ordres, deux légionnaires montent une civière ; un troisième, le porteur de la trousse de secours médical, prépare une piqûre de morphine.

Le commando Noack met moins d'une heure pour regagner le train. Aidé de ses deux infirmiers, le médecin-capitaine Lambert opère les légionnaires. Le

gamin dont la fracture est réduite est plâtré avant
le soir. Il occupe une couchette attenante à celle du
légionnaire auquel il a tiré dans l'épaule, et surplombe les deux autres hommes qu'il a blessés, mais
personne ne s'en émeut particulièrement.

Au carré, le capitaine Raphanaud et le lieutenant
Lehiat écoutent abasourdis le récit de Noack. Après
quelques instants de réflexions, Raphanaud, sévère,
déclare :

« Non, mais vous vous rendez compte d'où nous
revenons ? J'ai été à deux doigts de réclamer des
renforts à Phan-Thiet, nom de Dieu ! On aurait eu
bonne mine ! »

Pour Noack, la seule préoccupation est le sort du
gamin ; il dépend de la réaction de Raphanaud.

« Que comptez-vous faire du gosse, mon capitaine ?

— Le gosse, le gosse ! C'est un soldat votre gosse,
son bilan en fait foi. Nous ne pouvons que le considérer comme tel. Si je fais un rapport, il file dans un
camp de prisonniers. Si on cherche à l'incorporer
parmi nos partisans, il va foutre le camp à la première occasion.

— Ça, je l'admets. Il ne prendra pas les armes
contre ses frères, c'est d'ailleurs pour ça qu'il m'intéresse.

— Vous avez une suggestion ?

— Pour l'instant, aucune. Il faudrait étudier ses
réactions dans les jours qui vont venir. Ça implique-
rait évidemment de ne pas le livrer jusqu'à nouvel
ordre.

— C'est bon, je ne transmets rien à son sujet par
radio, nous ne serons pas à Phan-Thiet avant demain
soir, et de toute façon, tant qu'il sera plâtré, il ne
risque pas de s'évader.

— Ça, c'est une autre histoire, mais effectivement
sa blessure minimise les risques. »

Le médecin-capitaine rejoint les trois officiers et
donne des nouvelles rassurantes des quatre blessés,
il ajoute :

« Au fait, j'ai cru bon de demander aux légionnaires si la présence du gosse ne les indisposait pas. Ils semblent s'en foutre éperdument. »

Noack hausse les épaules.

« Évidemment qu'ils s'en foutent ! Ce sont des légionnaires, ça fait partie de leur boulot de recevoir des coups et d'en distribuer. Ils n'ont pas le temps de haïr leurs ennemis. Vous pouvez les laisser ensemble... »

Dans la matinée du 1ᵉʳ mars, l'adjudant-chef Grandval rend compte de l'état des travaux. Sauf surprise imprévisible le pont sera utilisable en fin de soirée et le train pourra passer et reprendre sa route vers Phan-Thiet.

Noack avait demandé à rendre visite aux blessés dès l'aube, mais le médecin-capitaine s'y était opposé, leur ayant administré de fortes doses de calmants pour la nuit. Ce n'est que vers midi que le lieutenant reçoit l'autorisation de pénétrer dans le wagon-infirmerie.

Les couchettes du petit Kuo et de Stoerer, l'Alsacien qui a reçu une balle dans l'épaule sont tellement rapprochées qu'on les croirait étendus dans un lit à deux places.

A l'arrivée de Noack, l'Alsacien est en pleine fureur ; il insulte le petit viet de tous les noms qu'il peut trouver.

« Tu es un petit salopard ! une ordure ! un fumier ! j'aurais dû te flinguer sur place hier, je regretterai toute ma vie de ne pas t'avoir flingué hier ! Ça c'est sûr ! »

Sur le moment, Noack est surpris, mais le visage souriant du gamin le rassure, et sur la couchette inférieure les deux autres blessés qui se tordent de rire enlèvent toute inquiétude au lieutenant. L'un d'eux tient sa jambe bandée, et secoué d'hilarité, il répète :

« Oh ! putain ! Stoerer, arrête de me faire rigoler, ça me fait mal. »

L'apparition du lieutenant calme les trois hommes.

« Qu'est-ce qui se passe ici ? crie Noack. Stoerer, si tu veux qu'on change le gosse de wagon, tu n'as qu'à le dire ! On t'a déjà posé la question hier, non ?

— C'est pas ça, mon lieutenant, mais le gosse il est pas régulier. Comme on s'ennuyait on a joué aux cartes, à la bataille. Comme il avait pas d'argent je lui ai dit : « Ça fait rien, si tu perds tu me paieras « plus tard. » Bon, le voilà qui se met à gagner, moi je paie en pensant : « Maintenant qu'il a de l'argent, « la partie va être plus intéressante. » Mais je continue à perdre jusqu'à ce qu'il me prenne tout mon pognon, alors je lui dis : « Bon ! à ton tour de me « faire crédit. » Et vous savez ce qu'il me répond ?

— Non ?

— Il me répond : « Je t'emmerde, j'ai pas confiance « en toi, si tu as plus d'argent, on joue plus. » Il y a de quoi râler, non ! Sans compter les deux fumiers en dessous qui se marrent comme des cons et qui refusent de me prêter un rond. »

Noack a du mal à conserver son sérieux ; néanmoins il parvient à sermonner Kuo.

« Il a raison, tu n'es pas très régulier. A mon avis, tu lui dois une revanche.

— Bon, concède le gosse, je veux bien rejouer la moitié, mais le reste, je le garde. J'en aurai besoin quand je m'évaderai. »

Noack change de ton.

« Écoute, le capitaine accepte de ne pas t'envoyer dans un camp à cause de ta blessure, mais tu vas me promettre de ne pas chercher à t'évader.

— Je peux pas promettre ça.

— Parfait, je vais te faire attacher. »

Stoerer intervient.

« Si vous l'attachez, on pourra plus jouer à la bataille.

— D'accord, cède le gosse, je vous promets de ne pas m'évader.

— Attention, Kuo, la parole d'un soldat est encore plus importante que son adresse au tir du fusil, ne l'oublie pas.

— Je sais, mon lieutenant. »

Intérieurement, Noack enregistre le « mon lieutenant » avec satisfaction. Dans le fond, le gamin est un soldat-né, davantage séduit par la mécanique militaire que par les idéologies.

La convalescence du petit Kuo s'effectua à bord du train blindé. Après trois mois, il marchait à l'aide d'une canne que lui avait confectionnée Noack.

A son grand regret, Noack avait vite compris que Kuo ne se laisserait jamais incorporer dans leurs rangs, et le lieutenant négocia avec un ordre religieux de Saigon la prise en charge du gamin à sa guérison. Après d'épiques discussions, Kuo avait admis que la guerre n'était pas une affaire de son âge et qu'il pourrait plus tard servir les causes auxquelles il croyait avec beaucoup plus d'efficacité, grâce aux connaissances que pourraient lui inculquer les religieux.

Les adieux de Noack à son jeune protégé eurent lieu à la station de Muong-Man. Kuo, toujours claudiquant, quitta le train blindé et fut confié à un convoi de l'infanterie coloniale qui partait rejoindre sa base arrière à Saigon. Un capitaine devait se charger de l'accompagner personnellement jusqu'au couvent.

Noack n'eut plus jamais de nouvelles de Kuo, mais un hasard devait lui faire rencontrer quelque temps plus tard le capitaine auquel il avait confié le gamin. Aux questions de Noack, l'officier répondit en souriant :

« Ah ! le petit mythomane ! Oui, je m'en souviens. Tout s'est bien passé, je l'ai remis entre les mains du père supérieur.

— Mythomane ? s'étonna Noack.

— Vous parlez ! Quel drôle de gosse... Je lui avais demandé l'origine de sa blessure. Il est parti dans un torrent d'explications démentielles, déclarant notamment qu'il s'était battu seul contre trente légionnaires, le jour anniversaire de Camerone. Je crains que son séjour parmi vous et les histoires qu'ont dû lui rabâcher vos hommes ne lui aient tourné la tête. Dommage. A part ça, il avait l'air intelligent pour son âge.

— Comment s'est terminée votre conversation ?

— Elle en est restée là, évidemment. Je lui ai ordonné de se taire après lui avoir demandé s'il me prenait pour un imbécile. Il m'a un instant dévisagé bizarrement avant de sombrer dans un mutisme total.

— Oui, en effet, conclut Noack, songeur. C'était un drôle de gosse. »

21

Le 26 juillet 1949, le train blindé, une fois de plus, a fait escale à Phan-Thiet. Les légionnaires ont pu bénéficier d'une permission de nuit. Le rassemblement sur le quai est prévu à six heures du matin, le départ vers le sud pour sept heures.

Marcel Bugat, le légionnaire qui avait reçu de Noack une si sévère correction quelques mois plus tôt, rejoint le train avec une bonne demi-heure d'avance. Il est flanqué de son inséparable complice Julien Hastarran. Hastarran, comme Bugat, est un brillant soldat, mais son passé est confus. Venu de la région niçoise, nul ne sait s'il a cherché refuge, six ans plus tôt, dans les rangs de la Légion par crainte de la police ou par celle du milieu.

Bien entendu, les deux hommes ont passé la nuit au bordel dans lequel Bugat a rencontré une prostituée française, fait rarissime dans la région. Entre la maison close et la station ferroviaire, les deux hommes doivent marcher une dizaine de minutes. Bugat porte un couffin chinois qu'il manie avec des précautions affectées. Ce n'est qu'à l'arrivée au train, après s'être assuré que personne ne les entoure, que Bugat dévoile à son compagnon le contenu du mystérieux colis : un magnum de champagne Moët et Chandon, une superbe bouteille géante avec son éclatante parure dorée qui recouvre le bouchon et le goulot.

Hastarran siffle d'admiration ; il y a quatre ans

que ni l'un ni l'autre n'ont bu, ni même vu du champagne.

« J'avais oublié que ça existait. J'ai l'impression de rêver, s'extasie Bugat.

— D'où la sors-tu ?

— Dédée, la pute que j'ai montée hier soir, elle tient ça d'un micheton qui est négociant en pinard à Bien-Hoa.

— Elle te l'a vendue ?

— Tu m'as pas regardé, non ? Elle m'en a fait cadeau, et il y en a d'autres à ma disposition quand on revient. Vendu ? T'es timbré ma parole. Le jour où tu me verras raquer une pute est pas arrivé, crois-moi !

— T'es tout de même quelqu'un ! Tu t'amènes au claque, tu montes la seule Blanche, tu la baises, tu lui files pas un radis et tu rentres avec du champ. T'es quelqu'un, y a pas à dire ! »

Sensible à la flatterie, Bugat n'en poursuit pas moins son idée :

« Bon, c'est pas tout. De la camelote de cette classe, on va pas se la farcir tiédasse. On va la filer à la glacière et se la faire bien frappée sur le coup de midi dans les gogues.

— T'es fada, Marcel, y a pas de place dans la glacière, elle est bourrée de flacons de plasma jusqu'à la gueule.

— C'est toi qui as rien dans le chou, pauvre con. Il n'y a personne à l'infirmerie en ce moment. On enlève quatre ou cinq flacons de plasma, on les planque dans le coffre aux ustensiles, on glisse le champ sous les autres flacons, et ni vu ni connu. A midi quand le toubib et les infirmiers vont à la bouffe, on replace le plasma, et à nous le champ glacé, comme dans un bar de palace.

— Ça, pour une idée, c'est une idée. Il n'y a qu'un os, c'est que si on se fait coincer, Noack nous fout à chacun une balle de onze millimètres dans la tronche. Et ça fait mal !

— Très bien, tu te dégonfles. Je peux me passer de toi. Seulement, tu feras ballon.

— Ça va, Marcel, je marche. »

Ce n'est pas tellement par goût du champagne qu'Hastarran se résout à devenir une fois de plus le complice de Bugat. C'est surtout pour ne pas l'entendre ricaner et se faire traiter de gonzesse durant des mois, peut-être des années.

A sept heures, comme prévu, le convoi s'ébranle. Il roule pendant deux heures sur la voie secondaire. Ensuite il doit rejoindre l'axe principal et prendre la direction du sud. Ce programme est bouleversé vers neuf heures trente. La radio annonce l'attaque par les rebelles du poste de Tan-Yuan, à une dizaine de kilomètres au nord de la jonction ferroviaire de Cô O. Seuls des éléments disparates de milices amies, qui patrouillaient dans le secteur, ont pu se porter au secours du poste qui continue à lancer des appels désespérés. Le capitaine Raphanaud reçoit l'ordre de changer d'itinéraire et de se porter en renfort.

Le train trouve son point de débarquement vers onze heures trente, et les légionnaires entreprennent leur marche vers les assiégés avec la rapidité qu'ils ont depuis longtemps acquise dans ce genre d'opération.

Bugat et Hastarran font partie de la section de l'adjudant Parsianni. Ils sont en tête, mais ils ont eu le temps d'apercevoir derrière eux la scène qu'ils redoutaient. Du wagon-infirmerie, le médecin-capitaine est descendu, suivi de trois infirmiers et d'un légionnaire qui portent la glacière soutenue par des brancards. Hastarran prend peur :

« Il faut parler, Marcel, ça devient trop grave, chuchote-t-il à son ami.

— Ta gueule. C'est une promenade, laissons tomber, on s'en sortira. »

Une fois encore, Hastarran cède.

Vers deux heures le poste est atteint. Il a pu résister et lorsque les légionnaires arrivent, les viets ont décroché. La compagnie qui tenait Tan-Yuan a subi des pertes relativement faibles, une dizaine de morts, autant de blessés. Bugat et Hasterran respirent. Le poste possédait un réfrigérateur à pétrole et sa propre réserve de plasma. Les deux blessés pour lesquels une transfusion s'est montrée nécessaire ont été soignés sur place.

Le capitaine Raphanaud, lui, est inquiet, car il ne comprend pas le décrochage de l'ennemi. Il sait que dans ce secteur on a signalé la présence du fameux bataillon C de marche du Bo-Doï 81-82. C'est sans aucun doute l'un de ses éléments qui a attaqué Tan-Yuan. Le capitaine redoute une embuscade au retour. Il ne se trompe pas.

Peu avant cinq heures de l'après-midi, la colonne est violemment attaquée sur le chemin du retour par un tir de mortier et d'armes automatiques. Les premiers coups sont d'une dramatique efficacité. Tous les légionnaires se sont, d'instinct, jetés à plat ventre. Une dizaine d'entre eux ne se relèvent pas. La défense et la riposte s'organisent avec le calme et la précision dont seuls des hommes surentraînés peuvent faire preuve en pareille circonstance. En moins d'une minute, les positions des rebelles sont situées et les légionnaires s'installent à l'abri des tirs de mortiers.

À l'aise et détendu comme s'il s'agissait d'un exercice, Noack rejoint Raphanaud :

« Ça ne paraît pas bien grave, mon capitaine. Une vingtaine de types à mon avis.

— Oui, mais ils ont trois F. M. bien placés. Ça va nous faire perdre du temps. »

Hastarran est livide : ce n'est pas la peur du combat mais derrière les positions, à quelques mètres, il vient d'apercevoir les blessés couchés au pied d'un arbre. Le capitaine-médecin Lambert accroche déjà des flacons de plasma à une branche. Puis l'adjudant Parsianni s'approche par bonds successifs de Raphanaud et de Noack. Terrorisé, le légionnaire imagine la conversation.

« Mon capitaine, il n'y a plus de plasma. »

Raphanaud, un genou à terre, protégé par un arbre,

scrute les positions ennemies à la jumelle. Il ne modifie pas sa position pour répondre :

« Lambert en manque ?

— Non, mais il n'y en a plus.

— Et alors, qu'est-ce que tu veux que j'y fasse ? Je vais pas en pisser, non ?

— Mon capitaine, ce que je voulais te dire, c'est que dans la glacière, il y a du champagne. »

Cette fois, Raphanaud se retourne.

« Tu te fous de moi ?

— Non. Il y a un salopard qui a balancé la moitié des flacons pour foutre un magnum au frais. »

Instinctivement, Raphanaud dévisage Noack. Il regrette aussitôt son geste. Le lieutenant tonne :

« Ah, non ! Tout de même, mon capitaine, vous ne pensez pas ça de moi !

— Excusez-moi, Noack, c'était un réflexe. Non, évidemment. »

La violence et la rapidité du tir viet ne s'atténuent pas. Les légionnaires pour l'instant se trouvent à l'abri, mais sur des positions prises à la hâte, leur riposte est aussi inefficace que le feu ennemi. La seule différence, c'est que les viets, qui sont en surplomb, peuvent décrocher quand ils le veulent. En rampant, Bugat rejoint les deux officiers et l'adjudant.

« Mon capitaine, Hastarran et moi on pourrait grimper chacun d'un côté et essayer de balancer des grenades sur leurs positions de F. M. »

Raphanaud, qui juge l'action prématurée, refuse net :

« Quand j'aurai envie d'envoyer quelqu'un, je suis assez grand pour le décider. Fous-moi la paix. »

Parsianni a compris immédiatement. Noack aussi. Il déclare :

« Mon capitaine, ils pensent peut-être trouver du champagne là-haut tous les deux. »

A son tour, Raphanaud comprend.

« Le champagne, c'est vous ?

— C'est moi, mon capitaine, avoue Bugat. Hastarran était pas d'accord.

— Mais il était au courant.

— Un peu... »

Raphanaud s'accorde quelques secondes de réflexion avant de deprendre :

« D'accord ! Montez là-haut ! Balancez des grenades ! Il faudra, de toute façon, que quelqu'un y aille tôt ou tard. Même si vous vous en sortez, ça ne changera rien à votre action criminelle. Alors, je vous préviens, soit ça sera le Tribunal militaire, soit je demanderai au lieutenant Noack de régler la question comme il l'entendra.

— Compris, mon capitaine, répond Bugat. Si vous me laissez le choix, je pense que je préférerai le Tribunal militaire. Tout ce qu'on risquera, c'est d'être fusillé. »

Les positions des trois fusils mitrailleurs ennemis forment un triangle isocèle : l'abri du F. M. central viet surplombe très légèrement ceux de gauche et de droite.

Bugat et Hastarran échangent quelques mots, puis se séparent et rampent dans des directions diamétralement opposées. Ils parcourent ainsi une centaine de mètres, chacun restant en vue des positions de la Légion. A peu près au même moment, les deux légionnaires atteignent l'endroit d'où ils vont lancer leur assaut simultané. Ils ne peuvent pas se voir, mais l'un comme l'autre aperçoivent Noack et Raphanaud qui se tiennent auprès d'une des mitrailleuses qui doivent les couvrir.

Le capitaine Raphanaud lève le bras et s'assure qu'il est bien en vue de tout le monde. Il baisse son bras, déclenchant un tir en rafale sur les positions ennemies.

Bugat et Hastarran s'élancent. Dans chaque main ils tiennent une grenade dégoupillée (l'explosion ne peut se produire qu'en lâchant la pression sur la

cuiller). Ils courent avec la puissance et la rage
d'hommes qui savent qu'une fraction de seconde peut
sauver leur vie. Hastarran est atteint à mi-pente d'une
balle en pleine tête. Dans sa chute ses mains s'ouvrent et libèrent les cuillers des grenades qui éclatent, déchiquetant son corps.

Bugat est parvenu à lancer sa première grenade
qui a explosé en plein centre de l'abri ennemi. Sans
freiner sa course, il parcourt encore deux mètres
avant de jeter sa seconde grenade. Elle aussi fait
mouche. Lorsqu'il se précipite dans le vaste trou
qu'avaient creusé les viets, il trouve quatre corps en
charpie. Malheureusement leur F. M. est inutilisable
et il ne peut le retourner contre les autres positions
rebelles. Il n'a pas vu tomber Hastarran, mais il
comprend que son compagnon a échoué. Alors, sans
se donner le temps de reprendre son souffle, Bugat
dégoupille deux nouvelles grenades et se rue à l'assaut
de l'abri central. Les viets sont surpris ; ils pensaient
en toute logique que le légionnaire prendrait une
minute ou deux de répit ; leur flottement permet à
Bugat de parvenir à portée de leur trou et d'y lancer
ses deux grenades. Le jet est hélas ! moins précis ;
les viets se ressaisissent et Bugat reçoit une balle
dans la hanche. Il poursuit pourtant son avance, dégoupille une troisième grenade. Il la lance, il reçoit
une balle dans la cuisse. Il jette une quatrième grenade, reçoit une troisième balle dans l'épaule mais
parvient à atteindre l'abri ennemi dans lequel il s'effondre. Ses grenades ont fait trois morts ; affalé
dans un coin, un quatrième homme vit encore.
Comme Bugat, il est couvert de sang, atteint de
plusieurs blessures, son bras gauche est déchiqueté
et pend mort, son pantalon de fin drap noir adhère
à la peau de son ventre, collé par le sang qui continue
à se répandre.

Les deux moribonds s'observent, haletants. Désespérément le viet cherche une arme autour de lui.
Bugat se demande s'il lui reste la force d'en faire
autant. Probablement. Mais il n'en a pas envie. Il lui

semble que le viet met un siècle pour se rapprocher d'un poignard accroché à la ceinture d'un mort. Il le voit s'en emparer et ramper l'arme dans sa main, s'approchant de lui, centimètre par centimètre, en s'aidant de son coude valide comme point d'appui. Lorsque le viet parvient à sa hauteur et dans un dernier effort lève son arme, c'est seulement par réflexe que Bugat se protège de la main. Le couteau traverse sa paume de part en part.

Après son ultime sursaut, les ressources nerveuses du viet l'abandonnent. Sa tête bascule sur la poitrine de Bugat ; de sa bouche s'échappe un flot de sang. Le légionnaire a la force d'écarter sa main trans-permée, faisant basculer le petit viet qui n'a pas lâché le manche du poignard dans sa mort.

Entre-temps, la dernière position ennemie a été investie sans peine par quatre hommes entraînés par le lieutenant Noack. Les viets avaient retourné leur dernier F. M. contre leur position centrale et ils sont pris à rebours sans que les légionnaires subissent de nouvelles pertes. Au loin, Noack aperçoit le gros du groupe ennemi qui décroche ; il les évalue à une centaine qui devaient se tenir prêts à intervenir.

Raphanaud, à la tête d'une section, gagne le poste central viet. Il aperçoit Bugat qui vit encore. A son tour, Noack rejoint le capitaine et contemple l'hallucinant spectacle. Bugat et son viet. La mare de sang dans laquelle baignent le mort et le survivant. La main du légionnaire déchirée par le couteau que tient toujours le mort dans son poing crispé.

En attendant l'arrivée du médecin-capitaine, Noack confectionne un garrot au-dessus du poignet de Bugat, puis, d'un geste sec, il retire la lame, soulève le mort sans ménagement et le rejette en arrière.

Bugat est transporté auprès des autres blessés. Lambert juge la gravité des blessures, tente d'évaluer la quantité de sang perdu.

Dès qu'il est pansé, Raphanaud interroge le médecin.

« Il a une chance d'en sortir ?

— Sauf complications, oui. Les trois balles qu'il a reçues ne sont pas mortelles.

— Vous manquez de plasma pour lui faire une transfusion ?

— Non, il en reste un flacon. »

Noack est sur le point de dire : « Dommage », mais il se ravise. Le dernier flacon de plasma est accroché à la branche d'arbre et la transfusion commence.

Bugat n'a pas perdu conscience un seul instant. Il trouve la force d'articuler, s'adressant au lieutenant qui s'est penché sur lui :

« Hastarran ? »

Noack ne répond pas, il se contente de hocher la tête. Bugat reste un moment silencieux, puis, de nouveau, il murmure :

« Le champagne... »

Noack l'interrompt d'un geste. Inutile que le blessé s'épuise pour tenter d'expliquer ce qu'il a fait comprendre d'un seul mot.

« Tu as raison, approuve le lieutenant. Maintenant que la connerie est faite et puisque le champagne se trouve glacé, autant le boire. »

Le géant prussien s'approche à grands pas de la glacière et constate avec satisfaction qu'il s'agit d'un magnum. Il ajuste son monocle pour lire l'étiquette et prendre connaissance du millésime. Un claquement de palais admiratif, et il déclare à haute voix :

« Connaisseur, le maquereau. »

Raphanaud intervient.

« Toubib, Lehiat, Parsianni, les infirmiers et les quatre types qui sont montés avec le lieutenant, amenez vos quarts. »

Noack, avec des gestes d'expert, fait sauter le bouchon et commence à répartir la boisson entre les dix hommes.

« J'en veux, supplie Bugat.

— Ça te ferait mal, tranche Lambert.

— Même si j'en crève, j'en veux. »

Noack approche son propre quart des lèvres du

blessé qui parvient à avaler deux gorgées et à sourire faiblement.

« C'est bon, hein ? dit-il.

— Oui, approuve Noack, mais maintenant pense à autre chose et repose-toi si tu veux t'en sortir. »

La colonne ramasse ses morts et ses blessés et reprend la direction de la voie ferrée. Au pied de l'arbre, les légionnaires abandonnent le magnum vide. Avant de se laisser transporter vers le train blindé, Bugat lui jette un long regard de regret.

En tête de colonne les trois officiers règlent le sort de Bugat. Doivent-ils ou non déférer le légionnaire devant le Tribunal militaire ? Raphanaud pour sa part est d'avis que l'exploit de Bugat et la vie d'Hastarran constituent une sanction suffisamment sévère. Pour Noack, la qualité du champagne est un élément qui prêche en faveur du blessé.

Lorsque les légionnaires arrivent au train, le sort de Bugat est réglé. L'affaire est étouffée. Elle ne restera pour tous qu'une anecdote. Une de plus parmi celles qui forment la petite histoire de la grande Histoire de la Légion étrangère.

22

9 AOÛT 1950. Vingt et unième mois de la lancinante mission d'ouverture de la voie. Le train se trouve dans le secteur de Phan-Ri. Le chemin de fer passe à une dizaine de kilomètres du port, mais la légère altitude permet par moments d'apercevoir la mer. Il est tôt dans la matinée, la chaleur est étouffante, le ciel sans nuages.

Le capitaine Raphanaud se tient sur le toit d'un wagon, carabine en main, à l'affût d'un quelconque gibier. Au loin, venant de la côte, il distingue un point noir qui grossit à l'approche. Raphanaud prend ses jumelles : un Morane d'observation semble piquer droit sur eux. Rien d'étonnant, les aviateurs connaissent le train blindé et ne manquent jamais de le saluer lorsqu'ils se trouvent dans son secteur. En quelques minutes, l'avion survole le convoi et passe à quelques dizaines de mètres seulement des wagons. Raphanaud distingue parfaitement les deux hommes du poste de pilotage. Instinctivement, il fait un signe banal du bras. L'avion reprend de l'altitude, vire sur l'aile bien en avant et reprend la direction de la voie, se présentant dans le même axe, en sens inverse du train. Lorsqu'il se trouve à cinq ou six cents mètres, il commence à gîter de droite à gauche, signifiant ainsi qu'il réclame un contact radio.

Raphanaud quitte son poste instantanément et gagne le wagon-radio. Lorsqu'il arrive, le contact est établi avec le Morane. L'avion d'observation signale qu'il vient de survoler une jonque suspecte qui repre-

naît le large à hauteur de Tang-Phu. Il a en outre
distingué des traces de débarquement sur la plage,
jusqu'à la lisière de la forêt, en direction de Tuân-
Giao. Un groupe viet vient probablement d'être ravitaillé par mer et transporte, à l'heure actuelle, le
chargement reçu dans un secteur qui se situe entre
le littoral et la position présente du train blindé.
Raphanaud sait qu'il serait vain d'attendre une aide
complémentaire de l'avion d'observation. Les viets
se trouvent dans la forêt et il est impossible de les
repérer par survol. La seule ressource du capitaine
est d'imaginer leur position approximative en tenant
compte des indications transmises par les aviateurs.
Le plus précieux de ces renseignements est l'évalua-
tion par le Morane de la distance qui sépare la jonque
de la côte et du temps qu'elle a mis pour parvenir
à son point actuel : il est à peu près certain, en
effet, que les viets et les marins ont repris ensemble
leur chemin en sens inverse.

Raphanaud a fait stopper le train. Sur la carte, il
étudie, il cherche à se mettre dans la peau de l'ennemi, à imaginer la destination du chargement. Il
trouve six itinéraires logiques et possibles, à partir
de la disparition des traces. Le capitaine forme six
sections d'une dizaine d'hommes. Il commandera l'une
d'elles, Noack une seconde, Parsianni une troisième,
les autres seront emmenées par trois sergents-chefs.
Le lieutenant Lehiat restera sur place pour assurer la
protection éventuelle du train.

Les sections partiront du train en faisceaux ; elles
verront croître la distance qui les sépare au fur et
à mesure de leur progression. Mais d'après les calculs
de Raphanaud, si l'un des groupes parvient à débusquer l'ennemi, il doit le faire avant deux heures de
marche. L'éloignement entre les sections n'excédera
pas alors deux kilomètres. Elles pourront donc se
porter immédiatement au secours de celle qui aura
accroché la colonne viet. En outre, l'ennemi, même
s'il se trouve en nombre, doit être chargé et sera
gêné dans sa riposte par l'effet de surprise.

L'adjudant Parsianni conduit l'un des faisceaux. Il avance avec des précautions de chasseur. Il est sûr de la présence du gibier qu'il s'attend à voir déboucher. Son pistolet mitrailleur est armé, il a le doigt sur la détente. Derrière chaque arbre qu'il dépasse, chaque monticule qu'il gravit, il est prêt à se trouver face à face avec la colonne viet.

Ce qui se produit, il ne l'avait pas imaginé, il n'aurait jamais osé l'espérer.

Au sommet d'un mamelon feuillu, alors qu'avec prudence il risque un regard plongeant sur le versant opposé, il aperçoit sa proie, loin en avant. Une centaine d'hommes, pour la plupart des coolies chargés de volumineux fardeaux qu'ils portent au bout de balanciers ou sur leurs têtes.

Parsianni a fait signe à sa section de s'immobiliser et de demeurer plaquée à terre. De la position qu'il occupe, dissimulé dans les feuillages, il ne peut être vu. Il a tout loisir pour observer le groupe ennemi à la jumelle, évaluer sa puissance réelle de combat. Les viets sont occupés à passer un cours d'eau pratiquement à sec. Parsianni repère en tête deux combattants qui portent un fusil mitrailleur ; échelonnés habilement tout le long de la colonne, une quinzaine d'hommes en armes assurent la protection des coolies.

Sans surprise l'adjudant constate maintenant que les viets se dirigent droit sur sa section. Le temps que va mettre la lourde colonne à parcourir les trois ou quatre cents mètres qui les séparent va être suffisant pour lui permettre de monter une embuscade qui ne laissera pas la moindre chance à l'ennemi. En silence, se faisant comprendre par gestes, Parsianni dispose ses hommes, mettant en place un implacable traquenard.

Quant à lui, il prend position, protégé par le tronc massif d'un arbre. Dans quelques minutes, les viets vont se trouver au centre d'un feu croisé.

Parsianni a mésestimé la vitesse d'exécution des

viets. Les premiers coups de feu abattent les porteurs
du fusil mitrailleur, mais les convoyeurs réagissent,
récupèrent l'arme automatique, tandis que les coolies,
avec une surprenante rapidité, superposent leurs
caisses afin de créer un abri.

En un éclair, le F. M. ennemi est mis en batterie
et déclenche un tir qui sans risquer d'atteindre les
légionnaires, les gêne considérablement.

Derrière son arbre, Parsianni ne se trouve qu'à
quelques mètres du blockhaus improvisé. Les viets ne
l'ont pas repéré et leur tir n'est pas dirigé dans sa
direction. Le problème lui paraît simple. D'où il se
trouve, en lançant une grenade, il ne peut pas rater
son but. De toute façon, simultanément à sa projec-
tion, il se précipitera vers l'abri des viets et aura le
temps de lancer une seconde grenade avant qu'ils
aient celui de retourner leurs armes dans sa direction.

Impassible, Parsianni dégoupille sa première grenade et la lance avec sûreté et précision. L'engin
atteint l'abri viet. Et l'adjudant s'élance. Après deux
larges et rapides enjambées, il décoche la seconde
grenade : elle tombe au pied du F. M. ennemi, à
quelques centimètres seulement de la précédente.

Six, parmi les dix hommes de sa section ont suivi
la scène sans que leur échappe le moindre détail.
Première grenade au but. Bond de Parsianni. Deuxième grenade au but. Manœuvre simple, parfaitement
exécutée. Et pourtant, les viets ont retourné leur
fusil mitrailleur dans la direction de l'adjudant et
l'ont abattu à bout portant d'un tir continu.

L'arme automatique ennemie n'étant plus dirigée
de leur côté, les légionnaires s'élancent et, à leur
tour, criblent de balles les tireurs viets, anéantissant
leur principal nid de résistance. La plus grande partie des porteurs se rend, levant les mains et tombant à genoux. Seuls quelques téméraires cherchent
leur salut dans la fuite en compagnie des combattants qui courent désespérément sur le terrain nu
qui mène au cours d'eau. Pas un seul n'y parviendra ;

un à un, ils sont abattus par les légionnaires qui prennent le temps de viser soigneusement entre chaque coup.

Attiré par le bruit de la fusillade, la section du capitaine Raphanaud arrive au pas de course sur le lieu de l'embuscade.

Haletant, ruisselant de sueur, le capitaine juge la situation ; les prisonniers, leur chargement éparpillé çà et là, les fuyards dont les corps jalonnent la déclivité du terrain jusqu'à la rivière tarie. Enfin, d'un regard circulaire, il examine les hommes de la section Parsianni, s'attendant à lire sur leur visage l'excitation qui succède à la tension des combats.

Il découvre des hommes figés dans un mélange de stupeur et de tristesse. D'instinct, Raphanaud cherche Parsianni. C'est alors qu'il l'aperçoit.

Un légionnaire a retrouvé son corps. L'adjudant gît sur le dos, ses yeux gris grands ouverts paraissent encore refléter l'étonnement dans lequel il est mort. Un caporal s'approche de Raphanaud et dit simplement :

« Mon capitaine, ses yeux. J'ai pensé que vous préféreriez les fermer vous-même. »

Raphanaud acquiesce d'un vague mouvement de tête. D'une pression de la main sur l'épaule du caporal, il exprime sa gratitude, puis il s'agenouille près du corps de son compagnon. Il rabat les paupières du mort, lui arrache du cou sa plaque d'identité, et un long instant contemple le visage de son ami.

Lorsqu'il se relève, la violence a fait place à la douleur. Il hurle :

« Qu'est-ce qui s'est passé, nom de Dieu ? Vous êtes tous là à me regarder comme des abrutis ! Aucun de vous n'a la moindre égratignure, et votre chef a reçu trois chargeurs de F.M. à bout portant ! »

Bijker, un Hollandais, répond d'un ton neutre.

« Il a balancé deux grenades, mon capitaine, elles ont pas pété.

— Qu'est-ce que c'est que cette salade ? »

Plusieurs hommes confirment l'exposé de Bijker. Le fait est incontestable.

Raphanaud ne comprend pas. Il arrive fréquemment qu'une cartouche de fusil avorte à cause de l'humidité, mais une grenade, on n'avait encore jamais vu ça.

« Où sont-elles tombées ces grenades ? demande Raphanaud.

— Juste sous les macchabées, au pied du F. M. viet, mon capitaine, précise Bijker. L'adjudant se trouvait derrière cet arbre et le F. M. tirait sur nous. Il pouvait pas louper son coup. »

Raphanaud ne l'écoute plus. Rageusement, il dégage les cadavres des viets à la recherche d'une explication. Il la trouve.

Les grenades ont bien explosé, mais la charge d'explosif qu'elles contenaient était insignifiante ; juste suffisante pour en permettre l'ouverture et que se répande une multitude de tracts miniatures de la superficie d'une boîte d'allumettes.

D'un côté des papillons on lit, en lettres tricolores : *Paix en Indochine* ; de l'autre, grossièrement dessiné, un soldat français, du style bidasse épanoui, serre la main d'un Asiatique souriant. Sur un bord, en caractères minuscules, est imprimé : *Don de l'Union des Femmes Françaises.*

Bizarrement, toute colère semble avoir abandonné le capitaine. Il a ramassé une poignée de petits tracts. Il les scrute d'un regard aveugle. Puis, ouvrant la main, il laisse les tracts s'éparpiller autour de lui, en déclarant d'un ton neutre et monocorde :

« Voilà pourquoi tu es mort, mon pauvre Parsianni ! Parce qu'une bande de conasses inconscientes occupent leurs loisirs à vouloir réformer l'humanité. Des Françaises t'ont assassiné en vertu des grands principes et des bons sentiments. Paix à ton âme, mon vieux Parsianni, et Dieu fasse qu'au moins l'une de ces passionarias connaisse un jour les circonstances de ta fin. »

QUATRIEME PARTIE

23

Peu après l'infernale poursuite d'Ho Chi Minh par le commando Mattei, les services de renseignement affirment avoir retrouvé la trace du chef rebelle : l'état-major viet-minh se serait réfugié à Bac-Kan, près de la frontière chinoise, dans la jungle montagneuse du Haut-Tonkin que les troupes françaises n'ont pas encore reconquises.

La réaction du haut-commandement est d'une extrême rapidité. En quelques heures l'opération « Léa » rassemble, pour un raid éclair, toutes les unités parachutistes disponibles au Tonkin. Plusieurs compagnies seront larguées sur Bac-Kan ; des commandos s'empareront de points stratégiques dans un rayon de cinquante kilomètres autour de la bourgade tonkinoise, avec pour mission d'intercepter éventuellement les fuyards.

La spectaculaire opération « Léa » ne réussira pas plus que le commando Mattei, mais si « l'oncle Ho » reste insaisissable, les nouvelles des parachutistes sont délirantes d'optimisme. Ils évoluent sans encombre sur la R. C. 3, la route coloniale n° 3 qui relie la bourgade de Bac-Kan au nœud routier de Cao-Bang. Ils ne trouvent pas de résistance sur la R. C. 4, la route coloniale n° 4 qui, de Lang-Son à Cao-Bang constitue l'axe de pénétration principal dans le Haut-Tonkin. Ils se font fort de pouvoir reconquérir les principales villes du Haut-Tonkin : Cao-Bang, Dong-Khé, That-Khé, Lang-Son. Les villes, c'est beaucoup dire, car la plupart d'entre elles — et surtout Cao-Bang — sont en ruine. Mais peu importe, le fait que les garnisons françaises les occupent va, estime le commandement, permettre de contrôler toute la Haute-Région et de rétablir la circulation sur les routes coloniales 3 et 4.

Le 6 août 1947, l'ordre est donné de regrouper à Lang-Son le 3e Étranger dont les éléments sont dispersés dans la région d'Hanoï à Haïphong. La 4e compagnie est l'une des premières à parvenir au rendez-vous de la ville-clé de la R. C. 4. Deux journées de repos lui y sont octroyées.

Mattei vient d'obtenir son troisième galon. Par superstition il a refusé de changer de képi : une étincelante ficelle dorée brille au-dessus de ses deux galons de lieutenant, fanés et usés. A peine arrivé à Lang-Son, le nouveau capitaine se précipite aux renseignements, mais il n'apprend rien sur la nature de sa mission, sinon qu'elle sera longue.

Les hommes sont préoccupés par de tout autres problèmes, et finissent, évidemment, par se retrouver au bordel local. Certains d'entre eux n'en sortiront pas avant quarante-huit heures, ne rejoignant leur unité que quelques minutes avant le départ. D'autres, plus prudents, prennent à tout hasard des précautions. C'est le cas d'Ickewitz et de Fernandez. Une pensée les obsède : de quoi demain sera-t-il fait ? Ce qui en gros signifie : que trouvera-t-on à picoler là où on va nous expédier ? Les deux légionnaires pressentent l'exil dans un poste perdu avec quelques rares bouteilles de bière tiède pour étancher leur soif. Or, ici, à Lang-Son, l'alcool ne manque pas...

Aux alentours de dix heures du soir, Ickewitz et Fernandez sont attablés dans l'un des cinq ou six bistrots entre lesquels ils tournent en rond depuis des heures. Pour la centième fois peut-être, Ickewitz rabâche son idée fixe :

« Faut faire quelque chose, Fernandez. Faut trouver de la gnôle, des pleins tonneaux, sinon on va crever.

— Tu m'emmerdes ! Où veux-tu qu'on trouve des tonneaux ? Et même si on en trouvait, où pourrait-on les planquer ?

— Je crois que j'ai une idée. »

Ses seules idées, Ickewitz les réserve à l'alcool ou à la façon de s'en procurer. Fernandez, en conséquence, prête l'oreille :

« Il faut se procurer des jerricans ! Des jerricans ça passe inaperçu ; on peut facilement en planquer cinq ou six sous les banquettes du G. M. C.

— Primo, les jerricans, ça pue l'essence ; secundo il faut trouver de quoi les remplir ; tertio, les jerricans, où les trouver ?

— Des jerricans, il y en a un attaché derrière chaque jeep.

— Bien sûr, et les jeeps, elles appartiennent aux colonels.

— Et alors ? Les colons, ça court pas vite.

— Ça court peut-être pas vite, mais ça repère les uniformes. Et quand on leur pique une jeep, ça fait faire des inspections et Fernandez et Ickewitz se retrouvent au trou !

— Si le colonel repère les uniformes, vaut mieux qu'il reluque ceux de la Coloniale. Et s'il inspecte les coloniaux, Fernandez et Ickewitz se retrouvent les couilles nettes, avec leur gnôle au frais. »

Cette fois Fernandez faiblit. Enhardi par l'alcool qu'il a ingurgité, il commence à estimer que le plan du Hongrois est peut-être réalisable.

« Il faut trouver Clary », déclare-t-il.

Tous les hommes du bataillon savent que Clary a mis au point un système ingénieux pour arrondir sa solde. Il s'est procuré — Dieu sait où, Dieu sait comment — quelques tenues de l'Infanterie coloniale qu'il transporte en permanence dans son paquetage. Moyennant quelques piastres, il loue ces uniformes aux légionnaires en permission qui préfèrent garder l'incognito dans certaines de leurs expériences nocturnes.

« Où peut être Clary, d'après toi ? » interroge Ickewitz.

Fernandez hausse les épaules, dédaigneux.

« Sûrement pas à l'église !

— Au claque !

— Evidemment, au claque. »

Les deux compères jettent une pièce sur la table et gagnent la sortie d'un pas incertain. Comme prévu, ils retrouvent Clary au bordel. Sans être dans un état d'ébriété aussi avancé que celui de ses compagnons, le Corse n'est pas à jeun.

Ickewitz et Fernandez exposent leur requête avec des allures de conspirateurs. Clary flaire l'histoire louche, c'est-à-dire la bonne affaire.

« Vous comprenez, dit-il, ici c'est pas Hanoï, ça peut aller chercher loin une grosse connerie.

— Et alors ? Qu'est-ce que tu risques ? Tu sais bien que de toute façon, on ne te balancera pas.

— Vous me faites rigoler, tout le monde à la compagnie sait que ces uniformes m'appartiennent ! Même le Vieux (le capitaine Mattei, qui est plus jeune que lui) est au courant !

— Où veux-tu en venir, Clary ? Ça te ressemble pas ce marchandage de raton. »

Clary abat ses cartes.

« Je dis que si ce soir vous voulez des fringues de la Coloniale, c'est que vous êtes sur un bon coup. Et si vous êtes sur un bon coup, je ne vois pas pourquoi j'y serais pas moi aussi, vu que des fringues j'en ai pour trois. »

Fernandez se radoucit.

« Fallait le dire tout de suite, Antoine. Bien sûr qu'on va te mettre dans le coup. Voilà. D'après ce qu'on croit savoir, là où on va nous envoyer demain, ça va pas être la fête, alors moi et le Hongrois, on cherche à faire une petite provision de gnôle, c'est tout. »

Le visage de Clary s'illumine.

« Vous êtes des gars prévoyants ! Salut à vos méninges ! Vous avez un plan ?

— Et comment ! D'abord on pique une jeep, on fait le tour de la ville, et on ramasse autant de jerricans qu'on peut en trouver ; ensuite, on a repéré un bistrot dans lequel nous ne sommes pas encore entrés.

— Étonnant ! interrompt Clary.

— Ta gueule ! On entre au bistrot et on demande gentiment au patron où il s'approvisionne en alcool de riz. Tous les troquets de la ville vendent le même. Ils vont donc sûrement se ravitailler au même endroit, il suffit d'apprendre où il se trouve.

— Et si le patron du bistrot refuse de parler ?

— Si on est très, très poli, et très, très aimable, il refusera pas. »

Ils sont maintenant trois à se diriger d'un pas hésitant vers leur cantonnement provisoire. En quelques instants le Corse extrait d'un sac les tenues de l'Infanterie coloniale. Ickewitz est à l'étroit dans la veste qui lui est attribuée, mais, dans l'ensemble, il est présentable.

Coiffés des calots bleus de la Coloniale, les trois légionnaires déambulent un instant avant de tomber en extase devant une jeep étincelante qui stationne à proximité du Quartier Général. Clary est le seul à montrer une légère réticence. Il est vrai que des trois, il est le moins soûl, mais il n'a que le temps de se précipiter à l'arrière ; Fernandez embraie déjà, démarrant sur les chapeaux de roues.

« Briquée comme elle est, tu peux être sûr que c'est pas la jeep de n'importe qui, fait remarquer Clary.

— Ta gueule ! on s'en fout ! jette Ickewitz. Maintenant, ce qu'il faut dégotter, ce sont les bidons. »

En moins d'un quart d'heure, six jerricans sont facilement dérobés, au hasard des véhicules rencontrés.

Il est presque minuit quand les trois légionnaires dirigent la jeep vers le bistrot.

Le Chinois était sur le point de fermer son établissement, mais les uniformes de l'Infanterie coloniale, les galons de sergent-chef sur la manche de Clary, et la propreté de la jeep le rassurent. Il accueille les trois hommes avec courtoisie.

« Trois alcools », lance Ickewitz.

L'homme s'empresse et sert les soldats.

« Dis-moi, mon vieux, le colonel Dupuis, notre grand chef, désirerait acheter une centaine de litres de cet excellent alcool. Pourrais-tu nous désigner l'endroit où tu te le procures ?

— Certainement, messieurs. Dites à votre colonel de venir demain matin, je le ferai conduire à la distillerie.

— C'est pas demain, c'est tout de suite. »

L'homme sourit aimablement.

« C'est impossible, c'est en dehors de la ville, il y a des patrouilles et à cette heure, la distillerie est déserte.

— T'occupe pas, poursuit Ickewitz qui commence à s'énerver. Ferme ta baraque et conduis-nous.

— Mais voyons, messieurs, vous n'y pensez pas, nous allons nous faire tirer dessus. »

Ickewitz balance une gifle au Chinois qui s'écroule.

« Tu nous conduis ou je te bute ! »

Clary et Fernandez soulèvent l'homme, le portent par les bras, et le projettent sans ménagement dans la jeep. Ickewitz est passé derrière le comptoir, s'est saisi d'une bouteille d'alcool dont il a brisé le goulot sur le bord du bar, puis, après avoir avalé une large rasade, il explique :

« Pour la route. »

Malgré son ivresse, Fernandez conduit d'une main sûre. Il file à tombeau ouvert dans la direction indiquée par le Chinois qui se tient à l'arrière, épouvanté.

La distillerie se trouve à huit kilomètres de Lang-Son, sur le chemin communal 144 en direction de Knon-Kuyen, — c'est-à-dire à une dizaine de kilomètres tout au plus de la frontière chinoise.

A la sortie de la ville, le véhicule est stoppé par

une patrouille de thabors. Fernandez ne se démonte pas, il déclare :

« Mission d'information technique pour le général Dupuis. »

Le caporal marocain ne parle pas le français. Il fait comprendre qu'il n'a pas d'ordres et qu'il est interdit de passer.

Fernandez se déchaîne. Vociférant, il insulte le malheureux insistant sur les mots : « jeep », « général » (les seuls que le Marocain doit saisir). Dès qu'il comprend que l'hésitation commence à gagner la sentinelle, Fernandez embraie et démarre, laissant pantois les hommes de la patrouille. Les légionnaires s'attendent à essuyer des coups de feu, mais rien ne se produit ; le caporal marocain a dû être impressionné par l'assurance agressive de Fernandez.

« Qu'est-ce qu'il va se farcir comme cabane, le bounioul ! constate Ickewitz hilare.

— T'as raison, mais on ferait mieux de rentrer par un autre chemin, fait remarquer Fernandez. Entre-temps, ils se seront sûrement réveillés. »

Le sentier, fait de terre et de pierres, est semé d'obstacles, de trous et d'embûches. Contre toute prudence, Fernandez roule en troisième, pied au plancher.

La jeep effectue de véritables bonds et file pleins phares.

Le Chinois n'avait pas menti, la distillerie se trouve bien à l'endroit qu'il avait désigné. Elle n'est gardée que par un vieillard ensommeillé qui est maîtrisé séance tenante. Les trois légionnaires repèrent une cuve d'alcool qu'ils entaillent à la hache, puis, à plusieurs reprises, ils lavent les jerricans, les reniflant entre chaque rinçage pour se rendre compte si l'odeur de l'essence s'atténue. Enfin, ils remplissent les six bidons de vingt litres, les refermant hermétiquement, et reprennent le chemin du retour, laissant le reste de la cuve se répandre sur le sol.

Fernandez roule plus prudemment et a éteint les phares. Il est possible qu'une patrouille soit déjà partie à leur recherche. A un kilomètre de la ville, il quitte le chemin et engage la jeep dans la forêt. Le véhicule parvient à parcourir une centaine de mètres avant d'être définitivement bloqué par la végétation. Ickewitz attache alors le Chinois au pare-chocs de la jeep ; les trois légionnaires s'emparent chacun de deux pesants jerricans et s'apprêtent à rejoindre Lang-Son, en coupant à travers bois.

Obéissant à une inspiration subite, Clary se retourne vers le Chinois entravé et déclare, menaçant :

« Écoute-moi bien ! quand on t'interrogera, tu diras que nous étions des légionnaires. Tu me comprends bien : tous les trois nous avions des képis blancs, pas des calots. Si tu nous trahis on te retrouve et on te bute.

— Oui, oui, balbutie l'homme, prêt à jurer n'importe quoi. Des légionnaires, je dirai que vous étiez des légionnaires. »

Dès qu'ils se trouvent hors de portée de voix du Chinois, Fernandez apprécie, en connaisseur, l'astuce de Clary. Il formule pourtant une réserve :

« Et si il jouait le jeu ? Et qu'il prétende vraiment que nous étions fringués en légionnaires ?

— Sûrement pas. Et puis tu oublies les thabors et le vieux de la distillerie. De toute façon, ne t'inquiète pas, le Chinetoque s'allongera à la première baffe qu'il va prendre dans la gueule, et ça ne fera que renforcer notre alibi. »

Dès qu'ils sortent de la forêt et qu'ils aperçoivent les premières maisons de Lang-Son, les trois légionnaires se déchaussent et accrochent leurs pataugas autour de leur cou. Il est évident que l'alerte a été donnée, et que des patrouilles sillonnent toutes les ruelles.

« Ça va pas être du sucre, chuchote Clary, ça a l'air de barder vachement.

— T'as raison, vaut mieux se séparer ; rendez-vous au G. M. C. »

L'habitude et l'entraînement des trois hommes leur permettent, malgré leur chargement, de passer entre les mailles du filet et d'échapper aux patrouilles lancées à leur recherche. Ils se retrouvent pratiquement ensemble auprès du G. M. C. de leur section, dissimulent les jerricans d'alcool sous les banquettes et regagnent leur cantonnement. Les uniformes de la Coloniale disparaissent dans le sac de Clary et les trois complices rejoignent leurs lits de camp.

Il est près de quatre heures du matin ; dans une heure ce sera le réveil.

Tandis que les trois ivrognes sombraient dans un sommeil alourdi par l'alcool, la ville était réveillée par un gigantesque remue-ménage. Le colonel V..., commandant la zone et possesseur de la jeep volée, prenait lui-même en main la direction des opérations, entouré de plusieurs de ses officiers, et menait l'enquête avec fureur.

La jeep et le Chinois sont rapidement retrouvés. Et comme l'avait prévu Clary, l'homme débite tout ce qu'il sait, sans omettre la phrase finale.

« Ils m'ont fait jurer de mentir, mon colonel. Ils m'ont fait jurer de dire qu'ils avaient des déguisements de la Légion. Mais c'est faux, c'étaient des soldats de la Coloniale avec des calots bleus. Ils ont dit qu'ils me tueraient si je disais la vérité, mais je suis fidèle à l'Armée française et je sûr que vous les trouverez et que vous les empêcherez de mettre leur menace à exécution. »

Le colonel V... est irrité. Aucun doute à avoir sur les déclarations du Chinois. Elles corroborent les autres témoignages recueillis et établissent de façon incontestable que le coup a été perpétré par des hommes de son bataillon.

Des fouilles sont entreprises dans la nuit. Seules y échappent les unités de Légion étrangère qui sont jugées hors de soupçon.

Le rassemblement général a lieu à six heures trente. Tout le long de l'artère principale de Lang-Son, chaque groupe de Légion se tient, l'arme au pied, devant le véhicule qui lui a été attribué au départ d'Hanoï.

Le colonel V... commande le convoi. C'est un officier hautain, à l'allure altière. Il est grand, mince et porte avec élégance un uniforme de coupe remarquable. La veille il s'est fait présenter le capitaine Mattei, l'invitant à bord de sa jeep (la fameuse jeep) pour la randonnée du lendemain sur la R. C. 4 en direction de Cao-Bang.

D'entrée, Mattei l'a détesté. En revanche, le colonel qui a eu vent des faits d'armes du légionnaire en Cochinchine, fait preuve à son égard d'une sympathie condescendante qui n'est pas sans agacer Mattei. C'est pourtant souriant et courtois qu'il se présente au colonel V..., quelques instants avant l'heure prévue pour le départ.

« Vous avez entendu parler des événements de la nuit ? interroge le colonel.

— Non, mon colonel, c'est grave ?

— Pas du tout, mais c'est fâcheux. Trois voyous ont volé ma jeep et mis à sac une distillerie d'alcool, après avoir malmené deux indigènes. Nous avons passé une partie de la nuit à mener une enquête et à perquisitionner afin de tenter de récupérer leur butin.

— Vous y êtes parvenu, je suppose ?

— Non. Les malandrins courent toujours, mais je ne perds pas confiance, nous les prendrons et croyez-moi, ils seront traduits devant le Tribunal militaire.

— Je m'étonne, mon colonel, de n'apprendre cet incident que maintenant. Je n'ai pas entendu dire que les hommes de ma compagnie aient été troublés cette nuit par une perquisition.

— Ils sont hors de soupçon. L'enquête que j'ai menée personnellement a formellement établi qu'il s'agissait d'éléments appartenant à mon bataillon. »

Le colonel marque un temps. Puis, dans un élan superbe :

« A ce propos, au nom des crapules qui, je le déplore, servent dans mon unité, je vous dois des excuses : mes coloniaux ont tenté de rejeter la responsabilité de leur acte sur la Légion, et c'est peut-être ce qu'il y a de plus révoltant dans leur conduite.

— Je vous remercie, mon colonel, réplique Mattei. Nous autres légionnaires, avons l'habitude de nous voir accusés de tous les délits. Ça fait partie des traditions de l'armée. Avouez, mon colonel que vous-même, si vous ne vous étiez pas trouvé en présence de preuves irréfutables prouvant notre innocence, vous auriez porté sur nous vos premiers soupçons. »

Grand seigneur, le colonel V... concède :

« Je l'avoue.

— Et votre suspicion, mon colonel, m'aurait plongé dans un cruel embarras, car je connais tous les hommes de ma compagnie et je sais qu'aucun d'eux n'est capable d'un tel forfait. Seulement, vous n'auriez pas été obligé de le croire, et nos relations en auraient souffert.

— Dieu merci, ce n'est pas le cas, rétorque courtois, le colonel V...

— Dieu merci », conclut Mattei en prenant congé.

Le colonel V... s'éloigne à grands pas tandis que Mattei, les mains dans ses poches, se dirige, d'une allure très lente, vers le lieu où stationnent les véhicules de sa compagnie. Il s'arrête devant Fernandez qui se fige au garde-à-vous. Le légionnaire est rasé de frais, propre, impeccable, serein. Pas la moindre trace de gueule de bois ne peut se déceler sur son visage.

« Repos, ordonne Mattei (qui poursuit sur un ton badin, sans ôter les mains de ses poches) j'ignore notre destination exacte, mais j'exige que dès que nous y parviendrons tu me remettes — jusqu'à la dernière goutte — les cent vingt litres d'alcool que tu as secoués cette nuit. La gnôle, je la distribuerai moi-même à bon escient, et crois-moi, elle sera chère. Grâce à vos conneries, j'ai dû faire un numéro de putain qui va me rester dans la gorge pendant des années.

« Et surtout, bande de couillons, vous avez pété un amortisseur de la jeep et c'est moi qui vais me cogner le cul pendant toute la route ! »

24

Coups de sifflets, hurlements d'ordres, cliquetis d'armes : dans un grondement de moteur, le convoi s'ébranle vers Cao-Bang.

Précédée d'un half-track, la jeep du colonel V... ouvre la route. L'officier supérieur conduit lui-même. A ses côtés, le capitaine Mattei ; sur la banquette arrière, un sergent et un caporal de la Coloniale qui surveillent, attentifs, les bas-côtés l'arme au poing. Le secteur est, paraît-il, calme. Le colonel V... a déjà effectué — sans avoir à déplorer le moindre incident — un aller-et-retour entre Lang-Son et Cao-Bang la semaine précédente. L'enseignement succinct qu'il a tiré de cette mission, ajouté aux notions qu'il possède sur les desseins futurs du haut-commandement, vont lui permettre de se lancer dans une brillante démonstration, énoncée sur le ton d'un propriétaire terrien orgueilleux qui fait visiter son domaine.

Au début, Mattei ne prête qu'une oreille vague aux propos de son supérieur. Les fracas familiers du convoi, la poussière que soulèvent les véhicules, les cahotements réguliers de la jeep bercent le capitaine et le plongent dans une torpeur dont il ne sort que pour donner quelques signes d'approbation, marmotter une onomatopée obligeante.

Le long convoi roule avec régularité. Chaque heure, une quinzaine de kilomètres sont parcourus, tandis que le soleil monte et que la chaleur augmente. Sans s'arrêter, les voitures traversent Dong-Dang, Na-Cham,

Lich-Son. Les véhicules de tête ont parcouru une cinquantaine de kilomètres sans que Mattei sorte de sa paresseuse somnolence.

Brusquement le paysage éclate dans une furieuse splendeur. Au terme de la route qui serpente, le capitaine aperçoit les contreforts de That-Khé, et derrière la ville, les premières chaînes montagneuses. Les sommets âpres, qui se fondent dans le ciel terne. Une dense végétation enveloppe les montagnes. Indéfinissable est sa couleur, inimaginable sa profondeur. C'est une jungle tourmentée et compacte qui s'étend à perte de vue, accrochée aux rochers. Seule, une interminable arête jaunâtre coupe à vif l'uniformité de ce bloc majestueux : la R. C. 4, la route inquiétante qui les attend.

« C'est superbe, n'est-ce pas ? s'extasie le colonel. J'espère que comme moi, vous êtes sensible à la féerie de certains décors.

— Magnifique ! » approuve Mattei qui, soudainement, est devenu attentif à tout.

That-Khé est dépassé. La colonne souffre maintenant dans l'ascension du col de Loung-Phaï.

« C'est à partir de ce point, explique le colonel, que nous allons installer des postes kilométriques. Des bastions en dur, prévus pour abriter chacun une vingtaine d'hommes. Le drapeau français va flotter au sommet de chaque piton. Les postes assureront la sécurité de la route, tout en démontrant notre présence à l'ennemi. Et ceci, de Lang-Son à Cao-Bang, et au-delà de Cao-Bang jusqu'à la frontière de Chine. »

Mattei est consterné. Il pense : « Ou cet homme est fou furieux, ou c'est le plus grand con qu'aucune armée au monde ait jamais connu ! » Mais, tout en se maîtrisant pour ne pas hurler son désaccord, Mattei se rend compte que ce plan n'émane pas de l'officier supérieur qui le lui expose, c'est sans aucun doute l'aboutissement d'une multitude de conférences d'état-major, de projets et de contre-projets, de consultations interminables entre Paris, Saigon et

Hanoï. Par son enthousiasme, son compagnon fait seulement preuve de son ignorance en matière de guérilla.

Tous les sens de l'officier de Légion sont maintenant en éveil. Il cherche à comprendre les raisons du haut-commandement. Ce n'est pas très difficile à imaginer. Ils ont pensé qu'ils allaient occuper les villes et les routes qui les relient entre elles. Qu'en conséquence ils allaient tenir en main le Haut-Tonkin. Évidemment, il restera à l'ennemi les forêts, la jungle, les montagnes et les bourgades isolées. Mais, impuissants à enrayer les communications françaises entre les centres, les viets « grenouilleront dans la nature », et finiront par se lasser, paralysés et vaincus. Rien à redire sur la stratégie, c'est logique. Seulement Mattei découvre, angoissé le paysage qui se déroule sous ses yeux, et c'est maintenant dans la peau de l'ennemi qu'il se place.

A brève ou à longue échéance, les viets vont se trouver maîtres absolus de la jungle qui, sur plus de cent kilomètres, longe la frontière de Chine. La Chine ! Les rebelles pourront en recevoir tout le ravitaillement, tout l'armement, et toutes les munitions qu'ils jugeront utiles. Ils y trouveront un refuge où ils pourront toujours s'abriter. Et cette route sur laquelle la colonne motorisée progresse aujourd'hui sans difficulté on ne pourra plus bientôt y garantir un seul mètre de sécurité. Les grands centres seront isolés. Les P. K., ces fameux bastions que l'on se propose de construire, seront massacrés les uns après les autres. A moins que l'ennemi, conscient de leur inutilité, ne les dédaigne purement et simplement. Tôt ou tard, cette route sur laquelle le plus médiocre des bandits de la terre ferait une carrière, va devenir un piège géant. Sur ce champ de manœuvre idéal, les petits combattants malins, rusés et volontaires du Viet-minh vont pouvoir apprendre à faire la vraie guerre. Mais quel *shadow-partner* va-t-on leur sacrifier ?

Mattei sort de sa réflexion :

« Mon colonel, savez-vous si les unités qui doivent occuper ces postes protecteurs ont été désignées ? »

Souriant, et savourant à l'avance l'effet qu'il escompte, le colonel répond :

« C'est la surprise que je vous réservais. La Légion étrangère va avoir cet honneur. »

« Pour l'effet de surprise, tu repasseras », pense Mattei. C'était tellement évident qu'il se demande même pourquoi il a posé la question.

Après un bref instant, le capitaine reprend :

« Je vois... Deux sections par poste, sous la responsabilité d'un sergent-chef. Quelques partisans. Ils vont construire. Après, de temps en temps, ils effectueront quelques patrouilles pour ne pas s'asphyxier. La vie de château, en quelque sorte.

— Eh oui, approuve le colonel. Ce sera peut-être un peu monotone, mais le repos ne fera pas de mal à vos hommes, après les durs combats qu'ils viennent de mener dans le Sud. »

Mattei se demande par quel miracle il parvient à se contenir. Il ne répond pas et continue à scruter la route.

Dong-Khé, San-Khao, Nam-Nang, Khuoi-Nâm. A chaque virage, après chaque côte, au passage de chaque radier, la situation est propice à une embuscade. Mattei se demande combien d'hommes de sa compagnie lui seraient nécessaires pour anéantir le convoi d'une centaine de véhicules en tête duquel il se trouve. Tout bien pesé, une vingtaine de ses légionnaires suffirait. Il observe le half-track qui précède la jeep. Imagine le coup de bazooka bien placé qui l'immobiliserait, bloquant derrière lui toute la colonne (la voie est unique). Puis les rafales de F.M., les coups de mortier qui atterriraient sur la route au milieu des soldats désemparés, incapables de situer leur ennemi. Il voit les blessés, les mourants, cherchant dans la panique un abri apte à les protéger contre les coups furieux tirés par d'invisibles agresseurs. Le capitaine songe au poste de protection le plus voisin. Il ne serait peut-être qu'à quelques centaines de mètres ; au sommet de son mât flotterait le glorieux drapeau, mais derrière les remparts de béton, un brave sous-off serait torturé par un cas de conscience, scrutant, impuissant, à la jumelle, le combat inégal. Ses tergiversations ne dureraient que quelques minutes, puis il se verrait contraint de choisir entre deux solutions aussi terrifiantes l'une que l'autre. Soit sortir et faire massacrer sa section, soit demeurer spectateur, observer à l'abri l'hécatombe, et attendre que les viets décrochent pour aller ramasser les restes du convoi anéanti.

Le capitaine Mattei n'est pas le seul jeune officier à avoir eu, dès 1947, une vision de l'avenir aussi précise. Une vision qui, hélas ! allait se révéler rigoureusement conforme par la suite. Quatre-vingt-dix pour cent des gradés de la Légion, qui montèrent à l'époque au Nord-Tonkin et empruntèrent, avant les premiers carnages, la R. C. 4 de Lang-Son à Cao-Bang, eurent exactement le même réflexe, comprirent, dès leur premier contact, ce qu'en haut-lieu on se refusait même à envisager.

Le convoi atteint Cao-Bang avant la tombée de la nuit. Tout de suite, les hommes constatent que la ville détruite ne va pas tarder à renaître de ses cendres. Des coloniaux, des tirailleurs, un thabor marocain, des partisans, des supplétifs, et de nombreux civils, s'emploient déjà à reconstruire. Mais surtout, le 3e Étranger va y établir son P. C., et mettre à l'ouvrage tous les techniciens, tous les corps de métiers qu'il possède, bien décidé à créer sa capitale au sein de cette zone d'insécurité.

Mattei prend congé du colonel V..., le remerciant de son hospitalité à bord de sa jeep, et de l'intéressant exposé qu'il a bien voulu lui faire.

Dès que l'officier supérieur a tourné les talons, les subalternes du capitaine rejoignent leur chef (on pourrait être tenté de dire le gang, ou la bande Mattei). Ils sont tous là : les sergents-chefs Klauss, Osling,

Lantz, Favrier ; Fernandez, l'ordonnance ; Ickewitz et Clary, les gardes du corps.

Klauss, le premier, interroge le capitaine :

« Vous avez des détails, mon capitaine ? On va établir un pont aérien et fortifier Cao-Bang ? En faire un poste hérisson ? »

Mattei sourit, et répond :

« Vous n'y êtes pas du tout. C'est la route que nous venons d'emprunter qui les intéresse. On va construire des petits postes tout le long pour la protéger. Ah ! j'oubliais, avec des drapeaux ! Le colonel tient tout particulièrement aux drapeaux. Un sur chaque poste pour saper le moral des viets.

— Vous rigolez, mon capitaine ?

— J'ai l'air de rigoler, Klauss ?

— Il faut faire quelque chose, mon capitaine ! Envoyez un rapport !

— A mon tour de vous demander si vous rigolez, Klauss.

— Sans indiscrétion, mon capitaine, interrompt Osling, vous pouvez nous apprendre notre affectation ?

— Je ne la connais pas encore. Mais pour ça j'ai l'intention de m'agiter. Je pense obtenir qu'on ne disperse pas la 4ᵉ compagnie. L'essentiel est que nous restions tous ensemble. Nous, on se démerdera toujours, où que nous soyons. Ça ne signifie pas que je me désintéresse du sort des autres, mais franchement je n'y peux rien.

— Mon capitaine, reprend Klauss, vous avez remarqué la série de pièges à cons que l'on peut tendre sur cette route ? J'ai relevé plus de cent points rêvés. Après, j'ai arrêté, j'en avais marre.

— Bien sûr, j'ai remarqué. Et en plus, moi j'avais le colonel qui m'expliquait comment il comptait transformer la région en contrée touristique. Sa seule crainte réelle, c'est que les légionnaires des postes trouvent le temps long et s'emmerdent à ne rien foutre.

— Ah ! parce qu'évidemment, c'est la Légion qui va se farcir les postes !

— A qui pensiez-vous ? Aux Bénédictins de Saint-Benoît-de-Nursie ?

— Non, non, bien sûr, mon capitaine. Je voulais vous demander si c'est au 3ᵉ Étranger qu'on va les prendre ?

— Eh oui, Klauss ! A dater de ce jour, vous pouvez considérer le 3ᵉ comme l'ange gardien de la R. C. 4, — ou je me trompe beaucoup — on en reparlera ! »

Les craintes que nourrissait Mattei concernant le fractionnement éventuel de sa compagnie se révélèrent superflues.

Dès ses premiers contacts, le capitaine s'aperçoit que le secteur de Cao-Bang est avant tout une affaire de Légion étrangère. On laisse le 3ᵉ Étranger libre de s'y organiser comme il le veut — en attendant de l'y laisser mourir.

Le problème de Mattei est, dès lors, résolu : les possibilités autonomes de la 4ᵉ compagnie sont connues des chefs de bataillon Raberin et Gaume ; les bilans obtenus au cours de ses campagnes antérieures sont impressionnants, et le capitaine passe pour un chef qui jouit d'une chance insolente, qui possède la « baraka ».

La médaille a son revers ; s'il ne fut jamais question de morceler la 4ᵉ compagnie, la position qu'elle se vit attribuer était considérée — à tout seigneur, tout honneur — comme pratiquement indéfendable. Le soir de son arrivée, Mattei n'en apprend que le nom : Ban-Cao ; la distance qui la sépare de Cao-Bang : une vingtaine de kilomètres au sud-ouest ; la route qui y conduit : la R. C. 3.

Pour le reste, il faudra attendre le lendemain pour juger.

25

A l'aube du 11 août, la 4ᵉ compagnie se rassemble au centre des ruines de Cao-Bang. Mattei a obtenu deux jeeps et quatre G. M. C. qui composent la totalité de ses éléments motorisés. Il est maintenant maître absolu de ses hommes (une centaine), de ses mouvements, des opérations qu'il jugera bon de monter, de l'attitude qu'il conviendra d'adopter avec les civils qui vivent sur sa zone. Il n'a plus qu'une consigne à suivre : se maintenir dans son camp de base, le fameux Ban-Cao.

Entre Cao-Bang et Ban-Cao, les hommes trouvent le même décor que la veille. La route est encore plus étroite. Par moments, ils se demandent si les G. M. C. vont pouvoir passer. Un indigène tonkinois accompagne le convoi. Il parle bien le français et semble connaître parfaitement la région. On a garanti sa fidélité au capitaine qui ne reste pas moins sur ses gardes. Après deux heures de route, le Tonkinois frappe le bras de Mattei pour attirer son attention.

« Après ce virage, c'est Ban-Cao », déclare-t-il, souriant.

Mattei est surpris. Rien ne laisse prévoir la présence d'une bourgade dans ce lieu. Les G. M. C. viennent de gravir une succession de côtes et doivent se trouver à cinq ou six cents mètres d'altitude. Après le virage, rien de nouveau n'apparaît, si ce n'est la route sablonneuse qui continue à serpenter à travers la forêt.

« Tu te fous de moi, questionne Mattei, où est ton patelin ?

— C'est là, c'est là », affirme le Tonkinois, désignant un sentier muletier qui s'enfonce en pente vertigineuse dans la jungle.

D'un geste du bras, Mattei a fait stopper derrière lui les quatre véhicules. Il fait signe à Klauss et Osling de le rejoindre :

« Le Chinois prétend que c'est ce toboggan qui conduit à Ban-Cao. Vous pensez qu'on peut y faire descendre les camions ?

— On peut toujours les faire descendre, réplique Klauss, mais pour les remonter, ça sera une autre musique.

— Il sera toujours temps d'y penser. On va aller voir à pied ce que ça donne plus bas. »

Le Tonkinois interrompt le dialogue des légionnaires.

« Mon capitaine, en coupant à pied à travers la forêt, dans cinq minutes, on peut tout voir. Le village, tout.

— Osling, vous restez avec les hommes. Klauss et Clary, vous m'accompagnez », ordonne Mattei.

Plus agile et plus habitué au terrain, le Tonkinois les précède d'une dizaine de mètres. Au bout de quelques minutes de marche, il s'arrête, et fait signe aux légionnaires de le rejoindre.

« Venez voir, mon capitaine, c'est là, on voit tout. »

Effectivement, on voit tout. Les trois hommes contemplent, muets, l'excavation géante qu'ils surplombent. Au fond, ils distinguent un groupe de paillotes misérables et délabrées, serrées les unes contre les autres, et recouvertes de végétation.

Le Tonkinois qui ne comprend rien à la stupeur des légionnaires, ne cesse de répéter, en désignant le fond de l'énorme cavité :

« Ban-Cao, mon capitaine, c'est Ban-Cao, mon capitaine ! »

Le premier, Klauss, prend la parole :

« Nom de Dieu ! je ne pensais pas qu'ils nous en

voulaient à ce point là ! Mais qu'est-ce qu'on leur a fait ?

— Ah, ça, il faut reconnaître qu'ils nous ont soignés ! Ce n'est même pas une cuvette, c'est un entonnoir », répond Mattei.

Toujours aussi spirituel, Clary croit bon d'ajouter :
« C'est pas difficile : les viets, il leur suffira de nous pisser dessus pour qu'on crève tous noyés. »

De l'endroit où ils se trouvent, les trois légionnaires distinguent la piste qu'ils devront emprunter pour descendre. Agréable surprise : elle semble praticable pour les véhicules, dans un sens comme dans l'autre.

« C'est bon, déclare Mattei, rejoignons les hommes et descendons admirer le point de vue que l'on découvre d'en bas. »

Les camions dévalent la pente abrupte avec une facilité relative, et se disposent en demi-cercle autour de la bourgade. Une cinquantaine de civils accueillants se rassemblent autour des légionnaires. Un vieillard s'approche de Mattei.

« Soyez le bienvenu, capitaine. Croyez que mes concitoyens et moi-même ferons tout ce qui est en notre pouvoir pour faciliter nos relations, et rendre votre séjour parmi nous aussi doux que vous le souhaiteriez. »

Le vieux paraît posséder une sérieuse culture française. En outre, il semble sincère dans ses déclarations. D'entrée, il plaît à Mattei qui répond par quelques banalités courtoises. Mais le capitaine se soucie assez peu des rapports mondains qu'il aura à entretenir avec les autochtones. Il est uniquement préoccupé par la disposition des lieux. Un léger optimisme lui vient. D'en haut, par une illusion d'optique la vision était fausse : finalement, ce n'est pas un entonnoir, ce n'est qu'une cuvette. A partir du hameau, on pourrait tracer un cercle de douze à quinze cents mètres de rayon, sur une surface relativement plane, avant d'atteindre les premiers contreforts montagneux. Cette superficie comprend les terrains de culture des habitants, le reste est couvert d'herbes hautes.

Mattei lance à Klauss :

« Installez les hommes pour le mieux, je vais me promener. Clary et Ickewitz, vous m'accompagnez. »

Il est dix heures du matin quand les trois hommes quittent la compagnie. Ils ne la regagnent qu'à six heures passées. Pendant huit heures, Mattei a marché sans prendre une minute de répit. Il n'a pas prononcé un seul mot, il a étudié le terrain, imaginé des multitudes de possibilités, échafaudé puis rejeté des dizaines de plans, il a ignoré totalement la présence de ses gardes du corps vers lesquels il ne s'est pas retourné une seule fois.

De retour au camp, le capitaine s'affale, épuisé, sur le pare-chocs d'un G. M. C. tandis que Clary et Ickewitz, trempés de sueur, se débarrassent de leurs armes et se laissent tomber par terre au côté de leur chef.

« On peut pas dire que vous soyez causant aujourd'hui, mon capitaine, déclare Clary.

— Quand j'aurai besoin d'un jeune homme de compagnie, je te ferai signe. Pour l'instant contente-toi de veiller sur ma sécurité et de fermer ta grande gueule. »

Devant l'attitude désolée du Corse, Mattei reprend, plus conciliant :

« Allez chercher les jerricans d'alcool, on va boire un coup. »

Le visage des deux hommes s'illumine. Comme par enchantement, Fernandez surgit de derrière le camion, et les trois légionnaires se précipitent vers un G. M. C. éloigné. Quelques secondes après, ils apparaissent porteurs de cinq jerricans qu'ils disposent bien alignés devant le capitaine. Fernandez déclare, solennel, fixant l'officier dans les yeux :

« La parole des légionnaires, c'est sacré, mon capitaine ! C'est vous qui répartirez l'alcool quand vous le jugerez bon. »

Mattei, amusé, dévisage l'un après l'autre les trois

compères. Il ne répond pas, il se contente de sourire.

« Alors, mon capitaine, on le boit, ce coup ? déclare Clary, jovial.

— J'attends, dit calmement Mattei.

— Vous attendez quoi, mon capitaine ? interroge Fernandez, feignant l'étonnement.

— Tu le sais parfaitement. J'attends le sixième bidon. »

Avec un parfait ensemble, les hommes protestent avec virulence.

« Mon capitaine, tonne Fernandez, sur la tombe de ma mère qui repose au cimetière de Calatayud, je vous jure qu'il n'y a jamais eu que cinq jerricans. »

A son tour, Ickewitz se dresse, majestueux.

« Mon capitaine, je n'ai pas connu ma mère, mais je peux vous donner ma parole de soldat...

— Arrêtez, arrêtez ! interrompt Mattei. Je sais : Clary va me jurer sur le tombeau de l'Empereur. Épargnez-moi ça. Mais puisque nous en sommes aux serments, moi je vais vous en faire un : si dans trente secondes le sixième bidon n'est pas là, je répands par terre le contenu des cinq autres, et j'y fous le feu !

— Va chercher le bidon, Ickewitz », jette Fernandez, désespéré.

Lorsque Ickewitz réapparaît, porteur du sixième jerrican, de sa main libre il tient un litre vide et un tuyau de caoutchouc. Il explique, souriant :

« On va siphonner et remplir la bouteille ; comme ça on risquera pas d'en foutre en l'air. »

Cette fois, Mattei éclate de rire :

« Tu t'imagines vraiment que tu vas siffler un litre de gnôle sous mes yeux, en faisant semblant d'aspirer ! Tu me prends pour un sérieux con !

— Je risquais rien d'essayer, mon capitaine. »

Les hommes tendent leurs quarts que le capitaine remplit généreusement avant de refermer le pesant récipient. Mattei avale l'alcool d'un trait et rejoint les sous-officiers qui surveillent la bonne marche de l'installation. Lui-même apprécie la disposition des tentes, des postes de guet, la vitesse avec laquelle les hommes ont travaillé tout en conciliant au maximum le confort et la sécurité.

« Klauss, prévenez Osling, Lantz et Favrier ! Après le casse-croûte on fait le point ensemble. Je vous exposerai mes projets.

— Vous pensez vraiment qu'on va rester ici, mon capitaine ? C'est indéfendable.

— Je suis sûr que nous allons rester ici. Des mois. Peut-être des années. Il faudra bien que ça devienne défendable. »

La nuit commence à tomber lorsque les quatre sous-officiers rejoignent leur chef. Le crépuscule permet encore une excellente visibilité et le panorama se distingue parfaitement. Mattei brandit son inséparable canne, la dirigeant vers le plus haut sommet.

« Vous voyez ce piton ? déclare-t-il. Il n'est porté sur aucune carte, le chef du village ne lui connaît aucun nom, nous le baptiserons du nom du premier légionnaire qui tombera à Ban-Cao. Jusque-là nous l'appellerons « le but ». Car c'est à son sommet que je veux mon poste, un poste en dur, en pierres, en ciment, en béton. Une citadelle miniature avec un parc pour les véhicules, une soute pour les munitions, des logements spacieux pour les hommes, une infirmerie modèle pour Osling, et un foyer agréable pour nous. »

Les quatre sergents se dévisagent, ahuris. Ou le capitaine est devenu fou, ou il se moque d'eux. L'endroit qu'il a désigné pour la construction de son poste chimérique doit se trouver entre huit et neuf cents mètres d'altitude. La montagne est recouverte d'un enchevêtrement touffu d'arbres, de lianes, d'arbustes et d'herbes épaisses. Un alpiniste chevronné qui parviendrait au sommet accomplirait un véritable exploit, et le capitaine, calmement, vient d'annoncer qu'il a l'intention de le faire atteindre par des camions de vingt tonnes.

« J'avoue que je ne comprends pas, dit Klauss.

— Moi, je crois comprendre votre idée, tranche Osling. Vous avez l'intention de construire une route. Je ne désapprouve pas. Au contraire, c'est stratégiquement génial, mais hélas ! je considère que c'est irréalisable avec l'effectif et les moyens dont nous disposons.

— Une route, mais c'est impossible ! » surenchérit Favrier, immédiatement approuvé par Lantz.

D'un geste familier, Mattei prend appui sur sa canne de ses deux mains. Puis il jette sur les quatre sous-officiers un méprisant regard circulaire avant de leur déclarer :

« Je vais vous dire une chose, des milliers d'années avant Jésus-Christ, un gus dont le nom m'échappe a décidé de faire construire une pyramide dans la banlieue du Caire. Vous connaissez la suite. Eh bien, à mon avis, si ce gus avait été secondé par des collaborateurs défaitistes dans votre genre, il ne serait même pas parvenu à se faire bâtir un bungalow de trois pièces.

— Il s'appelait Chéops, votre gus, précise Osling, amusé. Mais vous semblez oublier une chose, mon capitaine, c'est qu'il disposait d'une sacrée putain de main-d'œuvre, et que nous ne sommes qu'une centaine.

— Erreur, Osling, erreur ! En tout cas pour ce qui concerne la construction de la route. Une trentaine seulement par roulement. Il est indispensable qu'un tiers de notre effectif patrouille en permanence dans la région selon un dispositif que j'établirai ultérieurement.

— Et le troisième tiers ? s'enquiert timidement Favrier.

— Le troisième tiers sera occupé à la construction et à l'aménagement de la piste d'atterrissage dont j'ai prévu l'emplacement. A peu de chose près, elle partira de l'endroit où nous nous trouvons en ce moment.

— Ah ! parce qu'on va aussi avoir un aéroport,

énonce Klauss sur le ton d'un homme que plus rien ne peut étonner.

— Évidemment, et croyez-moi, il ne sera pas inutile.

— Mon capitaine, interrompt Osling, encore une fois je vous dis bravo pour la stratégie, mais par quel moyen comptez-vous défricher, et entamer ces rochers ? Vous savez aussi bien que moi que ces montagnes ne sont pas friables. C'est à du granit que nous allons devoir nous attaquer.

— Mettons les choses au point entre nous, Osling, et cela une fois pour toutes. Même si je n'avais pas la moindre idée, les moindres possibilités, j'entreprendrais ce travail, dussé-je contraindre les hommes à gratter le roc avec des limes à ongles. Et ce, parce que je considère que ce plan constitue notre seule chance de survie. Cela dit, nous n'en sommes pas là. Hier, à Cao-Bang, j'ai appris que les paras de l'opération « Léa » avaient récupéré des tonnes de dynamite que le Viet-minh s'est vu obligé d'abandonner dans sa fuite. Et tenez-vous bien, cette dynamite est un sujet d'emmerdements, de paperasses et de tracasseries pour l'état-major qui ne sait pas quoi en foutre ! Demain, à l'aube, je pars avec les quatre G. M. C. pour débarrasser ces messieurs d'un souci. »

Les quatre sergents retrouvent leur enthousiasme. Klauss siffle d'admiration.

« Ça change tout au problème, mon capitaine. Sans compter Gardini qui était officier de Génie dans l'armée italienne, il y a le caporal Shmier, le Hollandais, qui a été chef de chantier sur un barrage au Chili ou au Pérou. C'est un spécialiste des explosifs.

— Je sais tout cela, Klauss, j'y ai pensé, merci quand même de me le rappeler. »

Les réticences dont avaient fait preuve les sous-officiers ne sont rien à côté de celles de l'état-major, lorsque le capitaine expose son plan en vue de se faire octroyer l'énorme quantité d'explosifs qu'il juge indispensable.

Mattei doit perdre à Cao-Bang quarante-huit heures en palabres, en discussions, en démarches. Du reste, très rapidement, il se rend compte que son projet — jugé utopiste — n'intéresse personne. Sa seule chance d'obtenir la dynamite est d'importuner les autorités jusqu'à ce qu'elles se lassent de le voir et lui donnent satisfaction pour se débarrasser de lui.

Alors, de colonel en lieutenant-colonel, de lieutenant-colonel en chef de bataillon, Mattei entreprend une ronde continue des bureaux, créant une telle confusion qu'il fait perdre la tête à bon nombre de responsables de l'Intendance. Prétendant avoir l'accord de l'un sous réserve de l'approbation de l'autre, déplorant l'absence (évidemment fausse) d'un supérieur pour obtenir la signature de son subordonné, Mattei ne se lasse jamais. La ténacité, l'aplomb, et l'hypocrisie dont il fit preuve pour arriver à ses fins sont considérés par les officiers de Légion qui suivirent en spectateurs ses efforts, comme un modèle du genre de diplomatie à employer face à la carence militaire.

Lorsque enfin il fait charger sur les G.M.C. les caisses d'explosifs pourvues des autorisations lui permettant d'en disposer à la guise, Mattei déclare à Osling qui l'accompagne :

« J'ai l'impression que je viens de mener le combat le plus dur depuis le début de cette guerre. »

Six mois seront nécessaires à la 4ᵉ compagnie pour réaliser le plan fou de son capitaine. Se relayant sans trêve, des équipes travaillent jour et nuit ; d'assourdissantes explosions déchirent la montagne vierge que les légionnaires violent mètre par mètre. Le feu déblaie le terrain. La dynamite brise les obstacles. Et à l'arrière, les hommes assemblent un puzzle géant avec les éclats qu'ils nivellent et polissent pour leur donner la forme cubique d'un pavé. La route ne contourne pas la montagne. Pour des raisons de sécurité, elle serpente sur un seul flanc. Celui qui reste en vue de Ban-Cao.

Simultanément, un second groupe de légionnaires trace la piste d'atterrissage longue de douze cents mètres. Le travail, moins pénible, est plus minutieux. Les hommes qui en sont chargés ont été choisis en conséquence.

Chaque semaine, Mattei se rend à Cao-Bang où l'arrivée des camions vides de la 4ᵉ compagnie précédés par la jeep du capitaine est redoutée de tous. Le P. C. n'ignore pas que les véhicules reprendront, quelques heures plus tard, le chemin de Ban-Cao bourrés des matériaux les plus divers. L'état-major du secteur de Cao-Bang est maintenant presque exclusivement composé par des officiers de la Légion étrangère, et si le capitaine perd, de ce fait, le parti qu'il sait tirer de la pagaille et de l'incapacité des chefs dont il cherche à obtenir une faveur, il y gagne en revanche la compréhension et l'indulgence de ses supérieurs légionnaires, qui le connaissent, l'estiment et l'approuvent. La route fabuleuse n'en est qu'aux deux tiers de son harassante construction que Mattei est déjà parvenu à stocker tous les éléments nécessaires à l'édification de son nid d'aigle.

Au début de février 1948, le projet utopique est définitivement achevé. Partout dans le Haut-Tonkin, les légionnaires ont bâti, reconstruit, fortifié. Une trentaine des fameux postes kilométriques jalonnent les R. C. 3 et 4. Cao-Bang est devenu une forteresse ; trois bataillons du 3ᵉ Étranger en ont fait le verrou du dispositif Légion avec des moyens mille fois supérieurs à ceux de Mattei.

Pour l'instant, l'ennemi ne s'est pratiquement pas manifesté ; seuls, des convois légers sont tombés dans de timides embuscades ; aucun poste n'a subi d'assaut réel, mais, à intervalles réguliers, ils sont « tâtés » la nuit par des tirs rebelles. Il est évident que les viets organisent leur regroupement pour les combats qu'ils préparent.

A Ban-Cao, la 4e compagnie est prête à faire face. Tous les appareils légers peuvent emprunter la piste d'atterrissage en cas de nécessité. Le nid d'aigle est imprenable. De ses postes de guet, un mouvement ennemi serait décelé à des kilomètres à la ronde. Les véhicules lourds peuvent atteindre le sommet du piton sans la moindre difficulté. Si Mattei le désirait, il pourrait attendre, du haut de son perchoir de béton, la fin de la guerre sans courir le moindre risque. C'est l'époque à laquelle le capitaine décide d'étendre son contrôle dans un rayon de vingt kilomètres autour de son poste. C'est l'époque où les viets ont décidé, de leur côté, que pas un mètre carré de la jungle ne doit leur échapper, et qu'il leur faut devenir les maîtres absolus du maquis.

Le grand affrontement de la guerre d'Indochine va commencer.

26

LA région de Ban-Cao est l'une des plus propices à l'ennemi pour créer une concentration de forces. De fortes unités, excessivement mobiles, indécelables dans l'épaisseur de la jungle s'installent dans les montagnes et la forêt. L'abondance des bourgades isolées favorise l'éparpillement des viets qui, le cas échéant, peuvent se regrouper pour frapper. Pour lutter efficacement contre eux, Mattei a compris qu'il était indispensable d'obtenir le soutien des habitants des hameaux. Et c'est maintenant la tâche à laquelle il s'emploie. Il ne se leurre pas. La majorité de la population tonkinoise est idéologiquement du côté des rebelles, et le capitaine ne dispose que de faibles arguments pour rallier les autochtones à la cause française. Mais il sait que le Viet-minh se montre violent, cruel et sans pitié, à l'égard des paysans qui sont pillés, rançonnés, contraints de participer, bien au-dessus de leurs moyens, à l'effort de guerre, sous peine de se voir sauvagement exterminés.

La seule carte des Français est de tenter de prouver à ces malheureux qu'ils sont aptes à les protéger. Hélas ! ce principe de la loi du plus fort comporte une lamentable et douloureuse servitude : se montrer en cas de trahison, aussi implacablement cruel et intransigeant que l'ennemi.

Les premiers contacts pris par les patrouilles qui, quotidiennement, fouillent les environs de Ban-Cao, ne sont pas mauvais. Dans chaque village, les res-

ponsables jurent fidélité aux Français en échange
de leur protection. Dans ce fameux rayon qu'il avait
tracé autour de son poste. Mattei a reçu l'assurance
d'être averti de tout mouvement suspect. Il n'en reste
pas moins sceptique et demeure dans l'expectative
quant à l'attitude à adopter ultérieurement.

L'un des premiers jours de février, le capitaine a
pris le commandement d'une patrouille plus importante que d'habitude : des bruits insolites ont été
perçus pendant la nuit et au début de la matinée,
les habitants de Ban-Cao ont fait preuve d'un mutisme
inaccoutumé.

A travers les sentiers montagneux qu'ils ont ouverts,
les légionnaires se dirigent en direction de Cao-Fong.
Leur poste passe à quelques centaines de mètres
d'un minuscule hameau sans nom. Mattei connaît
l'endroit ; il ne manque jamais d'y faire une halte.
Le groupe de paillotes est habité par une petite tribu
Man qui y vit paisiblement sous le pouvoir compétent
d'un vieux chef, Ku-Kien, et de son jeune fils Kien.

Le vieux Ku-Kien fut l'un des premiers à promettre
sa coopération à la garnison de Ban-Cao. Il le fit
ouvertement, se déplaça ostensiblement accompagné
de son fils et se présenta au capitaine, assurant à
l'officier la fidélité de sa tribu (une vingtaine d'âmes).
Le vieux parlait un français correct, mais son fils
s'exprimait dans notre langue avec une aisance proche
de la préciosité, ayant acquis ses connaissances à
Hanoï dans une école où il avait séjourné plusieurs
années. Le vieux expliqua qu'il attendait l'appui des
légionnaires. Il ne chercha pas à cacher que son
attitude était dictée avant tout par la pauvreté des
siens que toute aide aux rebelles plongerait dans un
insurmontable dénuement. La sincérité du vieillard
était incontestable, et Mattei avait ordonné à toutes
les patrouilles qui emprunteraient l'axe Ban-Cao - Cao-
Fong de se détourner pour aller saluer la tribu Man,
et s'assurer de sa quiétude.

Ce jour-là, le détour et la halte sont prévus comme à l'accoutumée. Le misérable hameau se trouve à deux heures de marche de Ban-Cao. Vers midi, la patrouille s'en approche. D'instinct, Klauss flaire une atmosphère insolite. Et très vite, Mattei et Osling sont atteints du même sentiment étrange de malaise. Leur appréhension croît à chacun de leurs pas. Puis, brusquement, c'est l'atroce vision du carnage. C'est toujours aussi révoltant, aussi écœurant, aussi pénible à découvrir. Mais maintenant, ils ont l'habitude, cela ne les étonne plus. Les ordres, les gestes sont devenus familiers. On creuse une fosse commune dans laquelle on ensevelit les corps mutilés. S'il subsiste quelque chose à brûler, on met le feu, et on repart un peu plus meurtri par l'injustice de ce combat.

Mattei est allé s'asseoir au pied d'un arbre, Klauss le rejoint.

« Mon capitaine, on ne trouve aucune trace du vieux ni de son fils.

— Vous êtes sûrs ? Ils n'ont sûrement pas été épargnés.

— Ça, je m'en doute, mais en tout cas, ils ne sont pas parmi les cadavres dénombrés.

— Je le déplore, Klauss. S'ils ont été emmenés vivants, je ne veux même pas penser au sort qu'ils vont subir. »

Klauss se contente d'approuver d'un signe. A son tour, Osling les rejoint.

« Mon capitaine, nous avons trouvé des traces qui indiquent la direction de la fuite du commando viet.

— Vous êtes certains que ce n'est pas un piège ?

— Je ne le pense pas.

— Nous allons les suivre, ça ne donnera vraisemblablement rien, mais nous pouvons toujours le tenter. La boucherie a dû avoir lieu dans la soirée d'hier. Il se peut que les viets se soient arrêtés cette nuit pour camper : ils ne pouvaient pas prévoir que nous passerions ici aujourd'hui. »

Sans être ostensibles, les traces sont suffisamment

nettes pour être suivies. Mais la colonne ne parcourt pas plus d'une centaine de mètres avant de s'apercevoir où elles mènent.

C'est Kien, le fils, qu'ils aperçoivent d'abord. Il est attaché à la branche horizontale d'un arbre ; ses bras en croix y sont liés solidement et soutiennent tout le poids de son corps ; entravés, les pieds pendent à quelques centimètres du sol. La tête du supplicié a basculé en avant et repose, inerte, sur sa poitrine. Osling s'est précipité. Il est certain de la mort du jeune homme, et son premier geste n'est pas de couper les liens, mais de lui relever la tête d'un mouvement de l'index sous le menton. Soudainement, le sergent-chef hurle :

« Mais il vit, nom de Dieu, il vit ! Coupez les cordes ! Vite, coupez les cordes ! »

En moins d'une seconde, Kien est allongé au pied de l'arbre. Osling s'est penché sur lui et l'examine, découvrant, ahuri, que le jeune homme n'a aucune blessure, qu'il respire normalement et que son évanouissement n'est dû qu'à la terrible position dans laquelle il a été attaché, dans laquelle il est demeuré vraisemblablement pendant près de vingt heures.

« Dans deux jours, il pourra courir comme un lapin, déclare Osling ravi. Ils voulaient que son supplice fût le plus long possible, ils ne pouvaient pas prévoir notre passage. Le raffinement dans la cruauté aura, pour une fois, sauvé la vie de leur victime. »

Depuis qu'il s'est penché sur le jeune Kien, Osling n'en a pas détourné les yeux. Mattei lui frappe l'épaule de deux petits coups de sa canne. Osling se retourne.

« Mon capitaine ?

— Venez voir, Osling. Le vieux, lui, ne vit plus. Et c'est inimaginable ce qu'ils ont inventé. Je crois que cette guerre nous apprendra chaque jour, dans le domaine de l'horreur. »

Osling se relève. Il aperçoit l'arbre d'en face autour duquel les légionnaires, hébétés, se tiennent en demi-cercle. Précédé de Mattei, il écarte les hommes, et découvre à son tour l'hallucinant spectacle.

Le corps du vieux chef repose assis par terre, à la manière des Bouddhas, les jambes repliées sous les fesses. Il est ficelé à la base de l'arbre, ses mains sont liées sur son ventre. A son cou, une fine entaille a été pratiquée, à hauteur de son artère jugulaire. L'entaille a été bouchée par une petite sonde, elle-même transpercée d'un minuscule tube de verre : le vieillard s'est vidé de son sang, goutte à goutte, à chaque pulsation de son cœur ; chaque goutte de son sang tombait sur ses mains, et cela sous les yeux de Kien, crucifié en face de son père supplicié.

Osling s'approche et examine longuement la nette blessure avant d'en retirer la sonde.

« Une véritable opération chirurgicale, déclare-t-il. Réalisée avec adresse. L'agonie du vieux a dû être très longue ; en revanche il n'a pas dû souffrir.

— Ce n'est pas lui qu'ils ont cherché à faire souffrir, réplique Mattei, c'est son fils. Et je ne pense pas qu'ils aient raté leur coup. »

Osling acquiesce.

« A propos du fils, poursuit Mattei, vous disiez qu'il est pratiquement indemne ?

— Chef, il revient à lui », crie un légionnaire qui se trouve auprès du jeune Man.

Osling se précipite. Mattei donne l'ordre de détacher rapidement le corps du vieillard pour que son fils ne découvre pas, une fois encore, la vision qui — sans aucun doute — va l'obséder jusqu'à son dernier jour.

Kien reprend conscience rapidement. Deux hommes massent ses bras. Dès qu'il est sûr d'être compris de lui, Osling dit doucement :

« On n'est pas arrivé à temps pour sauver ton père, Kien, mais je peux t'assurer que sa mort a été douce, il n'a pas souffert, je te l'affirme.

— Je sais, répond le jeune Man. Je l'ai vu mourir. Le soleil était déjà haut dans le ciel. Depuis l'aube, il n'a pas cessé de me regarder en souriant. Mais vous vous trompez quand vous dites qu'il n'a pas souffert, il a souffert plus qu'aucun être au monde. Pas dans sa chair. Dans son esprit, à cause de moi. Il ne pouvait pas prévoir que je survivrais, il devait penser que je mettrais plusieurs jours à mourir.

— Tu devrais tâcher d'oublier, de ne plus parler de ça, interrompt Osling. On va te transporter au camp.

— Je peux marcher, je vous suis, je n'en parlerai plus jamais. L'oublier ?... Pensez-vous que ce soit possible, même si je devais vivre un millier d'années ? »

La colonne reprend le chemin de Ban-Cao. Kien tente de participer au transport de son père, mais ses bras ne le lui permettent pas. Il doit se résoudre à marcher derrière les brancardiers. Il a refusé l'alcool qu'on lui a proposé. Il avance, la tête haute, sans que le moindre sentiment puisse se déceler sur son visage. Peu de temps avant d'arriver, Mattei lui déclare :

« Nous allons te loger en haut, au poste avec nous. » Sans hésitation, Kien refuse.

« Non, dit-il, je vais trouver asile à Ban-Cao, chez les gens de ma race. Personne ne doit savoir ce qui s'est passé. Je dirai que j'étais absent au moment du massacre. Personne ne doit apprendre que je vous dois la vie, et je ne veux pas donner l'impression de m'entendre avec vous.

— Je ne te comprends pas.

— C'est pourtant simple. Je désire me venger en vous aidant. Mais pas en vous suivant et en tenant un fusil parmi vos hommes. Pour ça vous êtes assez nombreux. Je vais essayer de faire mieux, il est possible que j'y parvienne.

— Tu souhaites devenir une sorte d'espion ?

— Si je reprends contact avec vous, c'est que j'aurai quelque chose à vous dire. Si vous ne me revoyez pas, c'est que je ne peux rien pour vous, ou que je serai mort. Dans tous les cas, merci, veillez à ce que mon père repose en paix. »

Dans les jours qui suivent, lorsque Mattei cherche à se renseigner au village sur le jeune chef Man, il apprend que Kien n'y a passé qu'une nuit. A l'aube, il a disparu, sans confier à quiconque ses projets et sa destination.

Les jours, les semaines, puis les mois passent, et le souvenir du jeune homme s'estompe dans l'esprit des légionnaires. Et ce n'est pas sans surprise que le capitaine Mattei reçoit de ses nouvelles de façon insolite, quelques jours avant Pâques 1948.

Dans la soirée, une colonne vient de regagner le poste après une longue patrouille. A première vue, il semble que rien ne soit à signaler. Mais la porte franchie, le sergent Favrier qui commandait la section, demande à rendre compte au capitaine. Pour qu'il se présente suant et poussiéreux, l'urgence ne fait aucun doute, et Mattei le reçoit séance tenante.

« Je t'écoute, Favrier.

— Mon capitaine, comme nous étions sur le chemin du retour, il y a à peine une dizaine de minutes, nous avons été interpellés par le jeune Kien qui se dissimulait dans un buisson. Vous vous souvenez de lui ?

— Évidemment. Alors ?

— Alors, il voudrait vous voir, mais il ne veut pas que les habitants du village s'aperçoivent de sa présence. Il m'a demandé de prévenir les postes de garde de le laisser passer ce soir vers minuit. Il sera seul, sans armes. J'ai hésité beaucoup, mais finalement, j'ai pris sur moi de donner mon accord. J'ai pensé que vous m'approuveriez, car on ne risque pas grand-chose.

— Tu as bien fait, je te félicite. Préviens les guetteurs, dis-leur d'ouvrir l'œil. Laissez-le entrer que s'il est seul. Qu'on le fouille dès qu'il sera à l'intérieur, et qu'on me l'amène. »

A minuit, les avant-postes aperçoivent l'ombre fur-

tive qui gravit la route d'accès. Le jeune Man marche
pieds nus, aucun bruit ne décèle sa présence. Il est
rapidement palpé, mais il n'a même pas un couteau
sur lui. On le conduit au capitaine Mattei qui le reçoit
cordialement.

« J'espère que tu ne m'en veux pas de t'avoir fait
fouiller, c'est la règle, ce n'est pas dirigé particulièrement contre toi.

— C'est la règle, capitaine, je comprends.

— Eh bien, que me veux-tu ? En dehors de m'apporter le plaisir que j'ai à te revoir. »

Kien ne cherche pas à tergiverser.

« Mon capitaine, demain à dix heures trente, le
soir, je sais où doivent se rencontrer une douzaine
d'officiers de l'état-major viet-minh. Ils auront des
documents, ils doivent tenir une importante conférence. »

Aussitôt passionné, Mattei multiplie les questions,
cherchant à juger l'authenticité des déclarations du
Man, mais il n'obtient aucune réponse probante.

« Capitaine, déclare Kien, vous me croyez ou vous
ne me croyez pas. Si oui, j'ai un plan. Tous les détails
sont réglés. Et il faut les respecter scrupuleusement.
Sinon, je repars et vous n'entendrez plus jamais
parler de moi.

— Tu peux me dire au moins l'endroit où doit se
passer cette rencontre ?

— Approximativement, oui. Précisément, non. Je
m'en excuse, mais je ne peux pas prendre le risque
de vous voir monter une opération que vous pourriez
juger réalisable, et que moi je saurais vouée à l'échec.
J'adopte cette attitude autant pour votre sécurité et
celle de vos hommes que pour la mienne.

— Tu peux m'exposer ton plan ?

— Dans les grandes lignes, oui. Vous avez une
carte depuis Cao-Bang jusqu'à la Chine ? »

Le capitaine désigne sur le mur une immense carte
d'état-major. Kien s'en approche, et sans hésiter,
trace un cercle de son index, avant de reprendre :

« C'est par là. »

Mattei émet un sifflement perplexe.

« C'est en Chine ?

— Vous voulez la vérité ? Même si votre conscience risque d'en être troublée ?

— Ma conscience me conduirait sans me troubler jusqu'à Pékin, mais je ne tiens pas à créer un incident diplomatique. De toute façon, oui, je veux la vérité.

— Le lieu de la rencontre est, sans contestation possible, sur le territoire du Tonkin. Mais à cet endroit la frontière est sinueuse, et je ne dis pas que, pour y parvenir, nous ne soyons pas contraints à entrer, puis à sortir de Chine.

— C'est très emmerdant, répond Mattei. Si je me fais coincer avec une section en armes sur le territoire chinois. je vais déguster, et pour une fois, ils n'auront pas tort.

— Qui vous a parlé d'une section en armes », tranche Kien.

Mattei le dévisage, surpris.

« Parce qu'on y va seuls tous les deux ?

— Nous serons obligés de faire une partie du trajet à cheval. Je dispose de six chevaux, un pour vous, un pour moi, il vous reste à désigner quatre légionnaires pour nous accompagner. »

L'esprit de Mattei travaille à une fulgurante vitesse. Un instant il a envisagé et redouté le piège. Kien ne rejette-t-il pas la responsabilité de la mort de son père sur ceux qui n'ont pas réussi à le protéger ? La faiblesse du contingent requis par le jeune Man écarte tout soupçon. Si Kien avait projeté un traquenard de représailles, il aurait eu intérêt à prétendre qu'une forte unité était indispensable. Servant de guide, il aurait pu la faire massacrer où bon lui aurait semblé. Poussé par sa passion de l'aventure, Mattei aurait probablement relevé le défi. Maintenant qu'il considère certaine la sincérité du jeune Man, c'est avec méthode qu'il entend monter l'opération.

« De toute façon, remarque-t-il, il faut emprunter la route jusqu'à Soc-Giang, traverser Cao-Bang, Na-Khan, Na-Giang, ça fait une bonne cinquantaine de kilomètres à parcourir dans une région infestée de rebelles.

— Qui va s'attaquer à une malheureuse jeep ? Les viets sont trop occupés à préparer les embuscades contre les convois pour risquer de faire repérer leurs positions par l'agression d'un véhicule isolé, surtout la nuit si nous roulons sans phares.

— Tu m'as dit que c'était pour demain, dix heures trente du soir ? Il ne fait pas nuit avant huit heures. Ton plan est donc irréalisable.

— Mais c'est tout de suite qu'il faut partir.

— Quoi ! Mais tu es fou !

— Les chevaux nous attendent au-delà de Soc-Giang, à six heures trente ce matin. Il faut quitter Ban-Cao dans une heure au plus tard et avoir une certitude de ne pas être retardés par les barrages. »

Le capitaine prend une minute de réflexion. Il scrute attentivement la carte comme si elle pouvait fournir une réponse à la multitude de questions qu'il se pose. Puis, brusquement, il se retourne, ouvre la porte, et tonne dans le couloir :

« Fernandez ! »

Instantanément, Fernandez apparaît. Contre toute logique il est en tenue de combat et parfaitement réveillé.

« Mon capitaine ?

— Tu écoutais derrière la porte, charognard ! Je m'en fous, mais épargne-moi ton numéro d'indignation, il m'exaspère.

— J'ai tout entendu, mon capitaine, mais c'était par hasard, je passais...

— Ta gueule ! Va réveiller Klauss, Ickewitz et Clary. On taille la route dans une demi-heure. Préviens le radio de contacter Cao-Bang, je vais leur parler moi-même.

« Je te fais confiance, ajoute Mattei à l'adresse de Kien. Je suivrai tes instructions ; accompagne-moi à la radio. »

Lorsqu'ils arrivent dans la pièce exiguë qui abrite le poste radio, un caporal, vêtu seulement d'un slip, est en train de débiter sur le ton conventionnel des échanges :

« Cao-Bang, ici le poste de Ban-Cao, je vous reçois 5 sur 5. Comment me recevez-vous ? A vous. »

Après un temps d'écoute, le radio reprend :

« Parfait, je vous passe mon Autorité qui désire vous parler en personne. »

Mattei se coiffe du casque et déclare :

« Ici, capitaine Mattei. Mettez-moi en rapport avec l'officier de service. A vous. »

Après un temps, il crie :

« Eh bien, réveillez-le, bougre de con ! Evidemment, c'est important ! »

Quelques minutes s'écoulent. Mattei, silencieux et attentif, allume une cigarette, il en propose une à Kien qui refuse ; enfin le contact reprend :

« Ah ! c'est vous, Lemoine ? Ici Mattei. Dites-moi, mon vieux, je monte une opération d'un genre spécial. Les ordres viennent de très haut. Je pars de Ban-Cao dans un quart d'heure. Un seul véhicule : ma jeep. Faites en sorte que je franchisse les barrages de Cao-Bang sans encombres, et prévenez Na-Khan, Na-Giang et Soc-Giang. Même consigne pour eux. A vous. »

Résigné, Mattei écoute calmement la réponse à laquelle il s'attendait, enfin il reprend :

« Lemoine, je le sais aussi bien que vous que la route n'est pas sûre, et figurez-vous que moi aussi j'ai une carte, et que je n'ignore pas que Soc-Giang n'est pas loin de la frontière. Ça ne m'amuse pas d'exposer ma vie, mais je ne tiens pas à être cassé de mon grade pour insubordination, même si le général T... est fou à lier !

— Le général T... ? grésille dans l'appareil la voix du lieutenant des transmissions.

— Évidemment, vous ne pensez pas que c'est sur moi que je prends une telle responsabilité, ou que je suis imsomniaque. »

Après un nouveau temps d'écoute, Mattei conclut :

« Parfait ! Entendu. Je parlerai de vous au général pour lui signaler la promptitude avec laquelle vous avez exécuté ses ordres. Je ne vous vois pas loin du tableau, mon vieux, merci encore. »

Klauss, Clary et Ickewitz rejoignent au pas de course. Sans leur accorder un regard, Mattei déclare simplement :

« Nous partons en Chine avec Kien. On s'entasse à six dans ma jeep. Départ dans cinq minutes. »

Klauss ne pose qu'une question :

« Armement, mon capitaine ? »

27

La jeep atteint Cao-Bang en moins d'une heure. Au barrage qui en protège l'accès, se trouve le lieutenant Lemoine des transmissions. Il a mis à profit le temps écoulé depuis le contact radio pour se raser, se laver, et se présenter dans une tenue impeccable.

« Il devait penser que le général serait avec moi, songe Mattei. Il faut vraiment qu'il soit borné. »

Le lieutenant se présente réglementairement.

« Mon capitaine, les postes vous attendent jusqu'à Soc-Giang. J'ai transmis vos consignes, on vous laissera passer.

— Parfait, merci, rétorque Mattei, en faisant signe à Klauss d'embrayer.

— Mon capitaine, ajoute timidement Lemoine, vous n'oublierez pas, pour le général. Vous savez, j'aurais déjà dû être au tableau cette année.

— Comptez sur moi, Lemoine, cette injustice sera réparée. »

Mattei ponctue sa phrase d'un clin d'œil, et d'un geste léger, il tape de deux doigts ses épaulettes de capitaine.

Dès que la jeep a repris sa course, Klauss interroge :

« Ça ne me regarde pas, mon capitaine, mais j'ai l'impression que ce malheureux lieutenant va avoir des ennuis.

— Vous avez raison, Klauss, ça ne vous regarde pas.

— C'est marrant, reprend néanmoins le sergent-chef, mais pour vous, il n'y a que la Légion, les autres peuvent crever.

— Erreur, Klauss, il existe des officiers corses qui ne sont pas légionnaires. »

A l'arrière, coincé entre Ickewitz et Fernandez, Clary éclate de rire.

Lemoine a fait le nécessaire, et la course de la jeep est à peine ralentie par les contrôles. Soc-Giang franchie on entre dans le no man's land. Il n'existe plus aucun poste française jusqu'à la frontière de Chine, qui ne se trouve qu'à deux ou trois kilomètres. La route terrassée est devenue un chemin sinueux, il mène à Binh-Mang, le village frontalier.

Entassés dans la jeep, les cinq légionnaires se tiennent sur leurs gardes. Ils ont emporté trois pistolets mitrailleurs, deux fusils mitrailleurs et une caisse de grenades. Vu à quelques mètres, le véhicule surchargé ressemble à s'y méprendre à ceux qui rentrent au quartier après un soir de nouba. En réalité, bien que les hommes soient confusément vautrés les uns contre les autres, chacun d'eux se trouve en position de combat, le doigt sur la détente de son arme, et l'équipage de la jeep est prêt à riposter à une éventuelle attaque sous quelque angle qu'elle se produise.

Avant d'atteindre le village frontalier, Kien désigne un sentier à peine perceptible qui s'engage sur la gauche. La jeep y parcourt quelques mètres avant que le jeune Man réclame un arrêt.

« Je vais descendre, dit-il, et marcher devant pour vous guider. Les chevaux nous attendent à cinq cent mètres environ. Mais il ne faut surtout pas allumer les phares, vous n'avez qu'à me suivre, je connais le sentier, la jeep peut passer ; au bout on peut la garer et lui faire faire demi-tour.

— D'accord, approuve Mattei, je ne te perds pas de vue.

— Moi non plus », ajoute Fernandez en armant son colt.

Kien hausse les épaules, méprisant, et s'éloigne vers l'avant de son pas léger.

Les six chevaux sont là, gardés par un tout jeune homme que Kien libère et qui file dans la forêt sans avoir prononcé un mot. Les sabots des vieilles carnes ont été soigneusement enveloppés d'épais chiffons ; elles n'ont ni selle, ni même une couverture sur le dos. Leurs mors sommaires sont attachés avec des ficelles et les brides composées de cordelettes pourries et rafistolées. Les légionnaires parviennent néanmoins à arrimer les fusils mitrailleurs et la caisse de grenades. Puis ils se hissent sur les bêtes squelettiques. Les étranges cavaliers se mettent en chemin, suivant Kien qui a pris la tête. Ils marchent au pas. Les chiffons sous les sabots se révèlent d'une incroyable efficacité sur le sol pierreux. Le bruit de la colonne montée est pratiquement nul. Afin de respecter la volonté de Kien, Mattei s'est gardé de consulter la carte qui est dans son képi. Mais il l'a imprimée dans son esprit avant le départ et il devine relativement et où ils se trouvent, et la direction qu'ils prennent. Le col qu'ils s'apprêtent à franchir ne fait que confirmer ses hypothèses. Ils sont à l'extrême nord du massif montagneux de Nuil-Hoaï vraisemblablement en Chine. En revanche, une fois le col franchi, le sentier doit replonger vers l'ouest et les ramener au Tonkin. Kien semble avoir dit la vérité sur tous les points, et Mattei s'en trouve apaisé.

Le jour est entièrement levé lorsque la colonne s'arrête dans une forêt sur un terrain plat. Kien descend de cheval et fait signe aux légionnaires de l'imiter. Ils attachent leurs montures aux arbres.

« Il faut continuer à pied, chuchote-t-il. Enlevez vos chaussures, nous atteindrons notre but tout au plus dans un quart d'heure. »

Les cinq légionnaires s'exécutent ; seul Clary qui a les pieds sensibles — selon lui — proteste sans grande conviction.

Après une dizaine de minutes de marche, Kien s'arrête et d'un geste, attire l'attention du capitaine. Mattei le rejoint. D'où ils se trouvent, ils ne sont qu'à une trentaine de mètres d'une pagode circulaire de style chinois, dissimulée, invisible au cœur de la forêt.

« C'est là, annonce Kien à voix basse. Je vais en avant. Si tout va bien, je vous fais signe. »

Tout va bien. Et l'absence de précautions avec laquelle le jeune Man signale la tranquillité des lieux permet aux légionnaires de le rejoindre sans méfiance.

L'un après l'autre, les hommes pénètrent dans la pagode. L'intérieur n'est qu'un vaste hall, une vingtaine de coussins usés sont disposés par terre, et en retrait, une table et une chaise constituent le seul ameublement. Kien parle à voix haute :

« C'est ici. Voilà ce que je vous suggère : regardez le plafond. »

Instinctivement, les cinq hommes lèvent la tête. Un enchevêtrement de poutres massives soutient le toit conique de la pagode. En grimpant, on peut facilement s'y cacher.

« Excellent, approuve Mattei, mais combien y aura-t-il de viets ?

— Les chefs seront douze, ça j'en suis sûr. Il est vraisemblable que chacun d'eux sera accompagné d'un garde du corps. Certains en auront peut-être deux, mais c'est un maximum.

— Et s'ils les laissent dehors ?

— Non, je connais leurs habitudes. Les gardes du corps se tiendront debout, en cercle, autour des parois. Les douze chefs se rassembleront au centre. Ils posteront un seul homme dehors.

— D'après toi, comment arriveront-ils ?

— A cheval, à pied, à dos de mulet, en tout cas sans engin motorisé.

— Risquent-ils d'être en avance ou en retard ?

— Aucun d'eux n'arrivera après vingt-deux heures trente, mais il se peut qu'ils soient précédés de quelques hommes. Je vous conseille de gagner vos positions tout de suite et de vous tenir prêts pendant la dizaine d'heures qui va suivre. C'est plein de recoins là-haut, vous pouvez parfaitement vous dissimuler tous les cinq.

— En ce qui me concerne, c'est à vous de choisir, capitaine. Il y a deux solutions : ou je reste avec vous, mais dans ce cas je dois vous demander votre parole d'officier qu'il n'y aura aucun survivant et que vous achèverez les blessés. Ou alors je vous quitte, vous connaissez le chemin du retour, vous retrouverez les chevaux et la jeep.

« Vous n'avez rien à redouter dans cette zone, la concentration viet est entièrement basée de l'autre côté. »

Mattei n'hésite pas, des prisonniers seront plus utiles que des morts.

« Tu nous quittes, on se démerdera ! Merci, Kien, et bonne chance. J'ai une confiance entière dans ta parole. »

D'un geste, Kien salue les légionnaires et reprend le chemin de la forêt, sans ajouter un mot. Klauss interroge :

« Vous êtes vraiment si sûr de lui, mon capitaine ?

— Sans la moindre restriction. Il avait vingt fois l'occasion de nous faire marron sans nous amener ici.

— Alors, on grimpe ?

— On grimpe. Mais avant, écoutez-moi tous attentivement. Une fois en haut, dès que nous serons en position, je ne veux plus entendre un pet, et ça risque d'être long, pas un mot, pas une cigarette, quoi qu'il arrive, aucune démonstration avant vingt-deux heures trente. Si tout se passe comme prévu, dès que je déclencherai l'action, tir à tuer sur les subalternes. Ne tirez au centre sur les chefs que si vous êtes menacés. Compris ?

— Compris, mon capitaine, répondent avec ensemble les quatre hommes.

— Bon, maintenant, Ickewitz, tu nous fais la courte

échelle, tu nous passes les armes, après on te hissera. »

Le piège est rapidement agencé. Les hommes parviennent sans mal à se tapir de façon à être parfaitement invisibles du bas, tout en conservant la possibilité de se mouvoir et de déclencher leurs tirs d'armes automatiques en une fraction de seconde.

La longue attente commence. Les positions des légionnaires ne sont pas inconfortables, ils sont allongés sur de larges poutres ; ce sont les efforts qu'ils fournissent pour rester silencieux et la tension nerveuse du guet qui rendent pénible leur situation.

D'où il est placé, Mattei découvre le seul accès de la pagode. Il n'en voit que la partie inférieure, mais nul ne pourrait la franchir sans qu'il s'en aperçoive. Les heures passent sans que se relâche un seul instant la rigueur du dispositif.

Il est près de vingt heures lorsque enfin se manifeste, venant de l'extérieur, une première rumeur confuse. Puis, presque aussitôt, les échos d'un dialogue. Ils sont deux à pénétrer dans la pagode. Un instant, Mattei a une vision furtive de leur silhouette, lorsqu'ils passent dans son champ visuel. Ahuri, il constate qu'il s'agit d'un homme et d'une femme.

Le couple disparu de sa vue, le capitaine devine, à l'ouïe, les mouvements et les occupations des deux viets : l'installation d'un réchaud ou d'un matériel destiné à la fabrication de thé ou autre préparation culinaire. Ce n'est évidemment qu'une hypothèse, mais en revanche, les sons suivants perçus par l'oreille attentive de l'officier, ne laissent aucun doute sur leur origine.

Le crépitement d'une machine à écrire, utilisée par des doigts compétents, résonne dans le hall voûté. Le dialogue a cessé entre le couple et la cadence de la machine démontre que la femme porte toute son attention à sa tâche. Pendant deux heures, le claquement de la machine ne cesse de retentir que lorsque la secrétaire change ses feuilles. Mattei jubile. Selon toutes probabilités c'est pour lui qu'elle travaille. Il y a de fortes chances pour qu'il récupère les documents qu'elle tape...

Exactement comme l'avait annoncé Kien, l'arrivée des responsables viets s'échelonne entre vingt-deux heures et vingt-deux heures trente. Sans bouger, le capitaine considère qu'il pourra décider de l'attaque en se fiant à son oreille ; le brouhaha confus qu'il perçoit pour l'instant n'a rien d'un colloque. Donc, logiquement, il pourra deviner la naissance du débat et, de ce fait, être sûr de la présence de l'ensemble des participants. Il ne se trompe pas. Au bout d'un moment, le tumulte jacassant fait place à un silence relatif, il est évident que les hommes s'installent.

Mattei dégage sa tête de son madrier et risque un coup d'œil sur la paroi opposée qu'il surplombe. Il bénit Kien. Le tableau qu'il découvre démontre que le jeune Man connaissait et prévoyait la situation dans ses moindres détails. Le capitaine dénombre une dizaine d'hommes alignés, debout contre le mur. Aucun d'entre eux ne lève la tête dans sa direction. Leurs yeux sont fixés vers le centre de la pagode, là où les chefs doivent se trouver installés sur leurs coussins. Les dix hommes qui sont dans le champ visuel de Mattei ne peuvent lui échapper et les autres gardes du corps vont se trouver pris dans le feu croisé de ses compagnons.

De son pistolet mitrailleur, le capitaine déclenche son feu meurtrier. Les viets tombent. Autour de lui, les quatre légionnaires ont ouvert le tir simultanément. Mattei change trois fois de chargeur, s'acharnant sur les hommes à terre. Un survivant pourrait tuer l'un d'eux car dès que les légionnaires vont descendre, c'est vers le centre qu'ils devront se porter. Courageusement, mais stupidement, les deux viets laissés à la porte comme guetteurs, font irruption dans la pagode et sont abattus. Mattei hurle :

« Tous en bas ! »

Dans un ensemble parfait, les cinq légionnaires atterrissent arme au poing, avec une souplesse féline. Ils entourent le groupe central qui n'a pas la moindre chance d'échapper. Pourtant, plusieurs des hommes encerclés cherchent à se saisir d'une arme, contraignant les légionnaires à ouvrir le feu. Neuf viets sont mortellement atteints, les trois derniers et la femme se rendent, levant leurs bras.

Ickewitz, très à l'aise, patauge au milieu des cadavres et des mourants, s'assurant qu'aucun d'eux ne risque de tirer un coup de pistolet. Mattei est fasciné par l'amoncellement de documents éparpillés. Quant à Clary, c'est la femme qui provoque son intérêt ; elle est jeune et jolie, et il la dévisage avec une convoitise mal dissimulée. Fernandez, lui, explore les poches des morts.

« Ickewitz, gueule Mattei, ligote-moi ces quatre Chinois. Klauss, Clary, ramassez tous les papiers que vous trouverez. Et Fernandez, apporte-moi le pognon que tu viens de rafler, répugnant chacal !

— Il n'y a pas de pognon, mon capitaine, je cherchais des documents ou des armes.

— Ce que tu vas trouver, c'est mon pied au cul, si tu ne m'apportes pas le fric !

— La moitié, mon capitaine, marchande Fernandez.

— Partage-le en quatre, après tout, je m'en fous !

— En trois, rectifie Klauss, je ne détrousse pas les morts. »

Poussant devant eux les quatre prisonniers, les légionnaires prennent, dans la nuit, le chemin du retour. Ils retrouvent les chevaux là où ils les avaient laissés. Pour faire marcher les captifs, ils les entravent par les mains, à quelques mètres derrière les montures. S'approchant du capitaine, Clary suggère :

« Je peux laisser mon cheval à la gonzesse, mon capitaine. Moi je n'ai rien à en foutre de marcher à pied.

— Et moi, donc ! Mais surveille-la, et je tiens à te

prévenir : si tu cherches à te placer, tu as intérêt à le faire rapidement, parce qu'en arrivant à Cao-Bang, elle gîte au 2ᵉ Bureau avec les autres.

— Ah ! on va pas la garder, déplore Clary déçu. Alors, elle a qu'à marcher. »

Il monte sur son cheval sans lâcher la laisse qui tire la fille. La colonne s'ébranle silencieuse sur le sentier qui grimpe vers la Chine. La déclivité abrupte du chemin rend l'ascension pénible pour les bêtes qui souffrent visiblement. Derrière elles, les prisonniers sont contraints, par moments, de se laisser traîner. Plusieurs fois, la fille trébuche et tombe à genoux. Clary, d'un coup sec sur sa laisse, l'oblige à se relever et à reprendre sa marche. Après deux ou trois répétitions de ce manège, Clary, maugréant et pestant contre lui-même, descend de cheval, marmonnant entre ses dents :

« Je suis trop cul, un vrai micheton. (Puis il poursuit à l'adresse de la fille.) Allez, grimpe là-dessus, connasse ! Et arrête de gémir, je pourrais changer d'idée. »

En souplesse, la fille monte sur le cheval, et souriant timidement au légionnaire, elle dit :

« Merci.

— Tu parles français ?

— Évidemment. Tous, nous parlons français. »

Clary active la marche du cheval qui a pris quelques mètres de retard sur le reste de la colonne. Lui-même trotte, haletant, frappant les fesses de l'animal épuisé. Lorsqu'ils ont rattrapé Klauss qui ferme la marche, Clary se porte en avant et saisit le cheval par la bride. Il demande à la fille :

« Tu sais lire et écrire le français ?

— Oui.

— Si j'obtenais l'autorisation du capitaine, tu travaillerais pour nous ?

— Je ne trahirai pas les miens.

— Écoute, imbécile, tu sais ce qui va t'arriver si on te laisse à Cao-Bang ? Ils vont te faire baiser par tout un bataillon de bicots, jusqu'à ce que tu dises tout ce que tu sais. Après on t'expédiera dans un claque, d'où tu ne pourras plus jamais sortir de ta vie. »,

La prisonnière ne se fait aucune illusion sur les motifs qui poussent le légionnaire à lui proposer son soutien. Malgré ses exagérations, elle ne se leurre pas non plus sur le sort qui l'attend.

« Que faudra-t-il que je fasse ? demande-t-elle.

— Écoute-moi, le capitaine est un bon type, je te le garantis. S'il accepte de te protéger, personne ne te touchera, et pour ça, il suffit de lui révéler tout ce que tu sais. De toute façon, d'une manière ou d'une autre, c'est ce qui arrivera, alors autant éviter le pire... »

Un long moment la fille garde le silence ; elle ne détient pas de secret qui puisse changer quoi que ce soit au combat des siens, et puis, elle pourra toujours tricher. Le principal c'est d'éviter les violences qui la menacent. Le type qui marche à ses côtés s'est montré prévenant, son attitude prouve qu'il cherche à la séduire alors qu'il a la possibilité d'abuser d'elle. Elle a assisté à la scène de pillage ; les réactions de l'officier et du sous-officier, qui s'exclurent du partage, jouent en faveur du groupe dont elle est momentanément la captive.

Le prisonnier qui les précède a entendu le dialogue. En français, il déclare :

« Va avec eux s'ils te le proposent, Tinh, j'en parlerai moi-même à leur chef. »

La fille ne répond pas. La colonne a atteint le sommet du col et s'engage dans la descente.

Le jour n'est pas encore levé lorsqu'ils parviennent à la jeep. Il va falloir tenir à neuf à bord du véhicule et néanmoins ne pas relâcher la vigilance. Tandis que Mattei cherche une solution à ce problème, le prisonnier qui avait parlé à la fille s'adresse à lui :

« Capitaine, je voudrais vous dire un mot.

— Je vous écoute.

— Tinh Lang, notre secrétaire, est étrangère à toutes nos activités. Elle nous a rejoints il y a juste un mois. Nous l'avons employée à cause de ses capacités de dactylo, mais elle se contente de taper des notes auxquelles elle ne comprend rien. Vous connaissez le sort de ceux qu'on cherche à forcer à dire ce qu'ils ignorent. Surtout lorsque ce sont des femmes.

— Je n'emploie pas les méthodes auxquelles vous faites allusion.

— C'est pour ça que je vous demande de ne pas la livrer à ceux qui les emploient.

— Qu'est-ce qui vous prouve ma sincérité ?

— Appelons ça de l'intuition. Si je me trompe, tant pis pour elle. »

Mattei n'a pas la moindre envie de s'embarrasser d'une fille, surtout jolie. Il imagine les sources de tracas, qu'une telle présence risque de créer à Ban-Cao. En revanche, la proposition du chef viet peut la tirer d'un grand embarras. Sur l'opération fructueuse qu'il vient de mener à bien, le capitaine va devoir rendre des comptes. On va le mettre en demeure de donner la source de son information, et en aucun cas, il ne veut compromettre Kien. D'une part, parce qu'il peut attendre de lui d'autres renseignements, d'autre part parce que des fuites éventuelles auraient pour le jeune Man les pires conséquences. Soudainement décidé, Mattei répond :

« Il y a un moyen, un seul, c'est que la fille accepte de passer pour notre informatrice. Je la signalerai dans mon rapport, ce qui me permettrait d'en exiger la garde. En revanche, avant une semaine, tous vos copains seront avisés et persuadés de sa culpabilité. Je vous autorise à la prévenir. Si elle nous suit, elle change de camp sans aucun espoir de retour dans le vôtre. »

Le viet semble un moment perplexe. Pour sa race, il est très grand, il se tient droit, ses mains entravées n'enlèvent rien à la noblesse de sa silhouette. Il reprend sur un ton résigné :

« Je suppose que je n'ai pas non plus de grandes chances de rejoindre les miens.

— Je crains que non.

— Si je refuse de parler, je serai supplicié jusqu'à la mort. Si je parle, je serai ensuite sommairement exécuté.

— Je ne veux pas le savoir.

— Je ne vous prenais pas pour un lâche. »

Singulièrement, Mattei conserve son calme.

« Je ne pense pas être un lâche, mais je ne suis pas le Bon Dieu, je ne suis qu'un capitaine responsable d'une compagnie. Chez moi, les méthodes auxquelles vous faites allusion et que vous êtes les premiers à employer, sont exclues et bannies. Mon pouvoir s'arrête là. »

Le chef viet semble un instant plongé dans un abîme de réflexions. Enfin, il poursuit amèrement :

« Si vous employez avec la petite votre procédé classique qui consiste à « mouiller », comme vous dites, vos adversaires pour en faire des partisans engagés, pouvez-vous au moins vous porter garant de sa sécurité ? Elle n'a pas seize ans. »

L'attitude du viet intrigue Mattei.

« Le sort de cette gosse paraît vous tenir particulièrement au cœur.

— C'est ma fille.

— Je vous donne ma parole que rien de fâcheux ne lui arrivera tant qu'elle acceptera de demeurer parmi nous.

— Elle acceptera si vous me laissez lui parler. »

Le chef viet n'échange que quelques mots avec sa fille avant de rejoindre le groupe. Mattei fait installer les trois prisonniers à plat ventre sur le capot de la jeep. Il les attache soigneusement, moins par crainte qu'ils ne cherchent à s'enfuir que pour les préserver d'une chute. Ensuite, le capitaine donne l'ordre de détacher la jeune fille et la fait installer à l'arrière, entre Ickewitz et Fernandez. Klauss reprend le volant, tandis que Clary, imitant les gestes que Kien avait faits à l'aller, précède à pied le véhicule pour le guider sur l'étroit sentier.

Dès qu'ils parviennent au chemin, Clary se tasse auprès du capitaine et la jeep repart lentement.

Au barrage de Soc-Giang, Mattei déclare aux sentinelles qui contemplent, interloquées, l'étrange équipage :

« Prévenez l'O. R. du 2ᵉ bataillon à Cao-Bang.
Signalez-lui que je lui amène trois clients de luxe et
des documents. »

Lorsque le commando arrive à Cao-Bang, le jour
est levé. La jeep n'a pas plus tôt franchi la porte de
la cour du quartier, que l'officier de renseignements,
accompagné du chef de bataillon R... se précipitent,
intrigués par le message qu'ils viennent de recevoir.
Mattei connaît personnellement l'O. R., le lieutenant K...

« Je t'amène du gros gibier, déclare-t-il. Vraisemblablement A. X. 1 » (les lettres A, B, C, désignent la
position hiérarchique d'un prisonnier, A en est le
sommet et X est généralement attribué à un supérieur ennemi dont on suppose qu'il ne parlera pas, les
chiffres 1, 2, 3, 4 signalent, dans l'ordre, la valeur
des renseignements que possèdent vraisemblablement les prisonniers).

Lorsque Mattei a annoncé à l'officier de renseignements « probablement des A. X. 1 », cela signifiait
en langage clair : « Ce sont des huiles, mais vous
n'en tirerez rien. »

« En revanche, poursuit le capitaine, j'ai eu la
chance de mettre la main sur un paquet de documents qui vous en apprendront sûrement plus que
ces trois lascars.

— Qu'est-ce que c'est encore que cette salade,
Mattei ? interroge le commandant. Où avez-vous perpétré ce commando ? En dehors de votre secteur,
en tout cas... Lemoine est venu me raconter une histoire à dormir debout ; il est aux arrêts pour vous
avoir laissé passer.

— Mon commandant, interrompt l'O.R. qui a déjà
plongé son nez dans les paperasses étalées sur le
capot de la jeep, je crois que nous tenons des renseignements de tout premier ordre.

— Évidemment, le bilan va encore vous sortir d'un mauvais pas, Mattei. Mais, méfiez-vous, la chance n'est pas éternelle. Et puis, qu'est-ce que c'est que cette fille que vous trimbalez ?

— Mon informatrice, mon commandant. C'est grâce à elle que j'ai pu mener à bien cette mission. »

Aucun doute n'effleure le chef de bataillon à ce sujet. Il fallait bien que Mattei tire ses renseignements de quelqu'un pour réussir une opération de cette envergure. Le capitaine ne cherche pas à prolonger le dialogue.

« Bien, commandant. Si vous m'y autorisez, je regagne Ban-Cao. Je vous transmets un rapport dans les plus brefs délais », conclut-il.

Avant que la jeep ne s'éloigne, le chef viet se dégage d'une brusque secousse de l'étreinte légère du légionnaire qui le retenait distraitement, et, se courbant vers l'arrière de la jeep, il crache au visage de sa fille. Il est aussitôt tiré violemment en arrière et reçoit un coup de poing qui l'envoie par terre. Mattei, d'un signe, ordonne à Klauss de poursuivre le chemin.

Dès que la jeep quitte la cour du quartier, le capitaine se retourne vers la jeune fille :

« J'espère que vous avez compris les raisons de son geste ? » demande-t-il.

La jeune Tonkinoise acquiesce d'un signe de tête :

« Il m'avait prévenue qu'il le ferait, quand il m'a parlé tout à l'heure. Il m'a dit que ce serait son adieu, son dernier geste d'amour envers moi. »

28

La renommée de Ban-Cao dépassait le cadre de la Haute-Région ; jusqu'à Hanoï, et même Saigon, on parlait de la réalisation du capitaine de Légion. De cet état de choses devait naître une situation qui portait Mattei au paroxysme de l'exaspération : la visite de Ban-Cao par les « huiles » de toutes sortes, attirées par le colonel V... qui jouait le rôle d'agent de publicité. — « Une mère maquerelle qui vante les mérites de ses putes », disait Mattei.

Le programme ne variait guère. La veille ou l'avant-veille, on prévenait par radio : « Le général X... ou l'administrateur Y... ou même tel ou tel ministre de passage a entendu parler de la conception intelligente de votre poste modèle... Il serait très désireux, etc .» Le lendemain ou le surlendemain, à l'heure dite, un Morane atterrissait sur la piste. Le colonel V... en descendait toujours impeccablement cintré dans son élégant uniforme, suivi de deux ou trois personnes d'allure autoritaire et suffisante. Alors commençait ce que Mattei appelait : « la visite du château ». Lui, se contentait de suivre le cortège, dissimulant à grand-peine son agacement et le malaise que lui causait le port de son uniforme réglementaire. Il laissait le colonel V... se conduire en seigneur des lieux. D'ailleurs, les visites se reproduisaient si fréquemment que le colonel connaissait maintenant le poste dans ses moindres recoins et, du moins dans ce rôle de guide, il se montrait parfaitement compétent.

Un soir, à l'issue de l'une de ces inspections admiratives, Mattei et Osling assistent à l'envol de l'avion qui reconduit à Hanoï son chargement de hautes personnalités. Sans qu'Osling en soupçonne la raison, le capitaine est soudainement secoué par un éclat de rire. Le sergent-chef le dévisage, intrigué :

« Un élément irrésistible de drôlerie a dû m'échapper, mon capitaine. »

Mattei entraîne le sergent le tenant par le bras, sans interrompre son hilarité.

« Non, Osling, vous ne pouvez pas comprendre. J'ai eu une vision ; je voyais le colonel debout à la porte de l'avion, son képi à la main, et déclarant : « N'oubliez pas le guide, s'il vous plaît. »

Aucun des hommes de la 4e compagnie qui séjournèrent à Ban-Cao, n'oubliera la date du 4 juin 1948.

A l'aube, une grosse colonne (une trentaine d'hommes) quitte le poste pour effectuer une patrouille d'inspection au Sud, en direction de Cao-Bang. Mattei, Klauss et Osling font partie du groupe. Le secteur est maintenant infesté de viets. La fidélité des habitants des villages voisins mollit. Mattei soupçonne les tribus qui vivent assemblées dans des groupes de paillotes perdus dans la forêt d'apporter une aide effective aux rebelles. Le plus souvent, ces rassemblements de paillotes qui abritent entre trente et cinquante individus, ne portent même pas de nom. Mais la modestie de leurs installations permet quand même aux viets de s'y dissimuler et surtout d'y constituer des réserves de vivres et de munitions. Pour les légionnaires, ces hameaux représentent une gangrène contre laquelle il est difficile de lutter. Leur multiplicité rend les inspections laborieuses, et frapper au hasard, en s'exposant à châtier des innocents, risquerait d'engendrer de désastreuses conséquences.

Ce jour-là, Klauss marche en tête. Mattei en troisième position se trouve, comme à l'accoutumée, entre ses gardes du corps, Ickewitz et Clary. La colonne progresse depuis deux heures et se trouve précisément à quelques centaines de mètres de l'un de ces hameaux. Mais il faudrait, pour y parvenir, se détourner de la piste qui conduit à Cao-Bang, et Mattei a décidé d'ignorer le groupe de paillotes et de poursuivre son chemin.

Pour une fois, Klauss est trahi par son flair. Il passe sans rien remarquer, et c'est Ickewitz qui, derrière lui, décèle le premier la présence de l'ennemi. Il entrevoit, à moins de dix mètres, l'arme automatique braquée dans leur direction. Alors, d'instinct, il fait un bond et se jette entre l'arme et le capitaine. Il est frappé en pleine poitrine par la première rafale, il ne tombe pas, il se retourne pour constater que Mattei s'est jeté par terre et qu'il se trouve à l'abri. Le géant parvient alors à faire quelques pas dans la direction de ses compagnons ; il reçoit une nouvelle rafale dans le dos et, cette fois, il s'écroule.

Fou de rage, Mattei ordonne l'assaut. Les hommes se ruent. Un légionnaire tombe foudroyé. Un second s'effondre, gravement blessé, mais en moins d'une minute le groupe viet est exterminé, ils étaient treize. Il n'y a que deux survivants ; l'un qui n'a que quelques minutes à vivre, le second est atteint au bras d'une blessure superficielle.

Osling s'est précipité auprès d'Ickewitz, suivi du capitaine qui attend, angoissé, le pronostic du médecin.

Osling se retourne et déclare :

« On l'amène au poste au pas de course. Désignez huit types qui se relaieront pour porter le brancard, je les accompagne.

— Il a une chance ?

— Franchement, je ne le pense pas, mais il est tellement costaud qu'on peut espérer un miracle. Dès que j'arriverai je tenterai d'obtenir un avion pour le transporter à l'hôpital d'Hanoï. S'il a une chance, c'est la seule. La série d'interventions que nécessite son état ne peut même pas être envisagée à l'infirmerie de Ban-Cao.

— Prenez douze hommes, vous pourrez courir plus vite, faites l'impossible, moi je reste ici.

— Vous oubliez qu'il y a un autre blessé, interrompt Osling.

— Il est mort, annonce Klauss qui vient de les rejoindre.

— Partez, supplie Mattei. Dépêchez-vous, sauvez Ickewitz, je me charge du reste. »

Le groupe Osling s'éloigne en courant. Les quatre premiers brancardiers font des efforts visibles pour secouer le moins possible le mourant, malgré le rythme de leur pas gymnastique. Mattei rejoint Klauss et la vingtaine de légionnaires qui lui restent. Au milieu des cadavres de ses compagnons, le survivant viet se tient accroupi. Il tremble de tous ses membres. Il est indéniable qu'il est envahi de terreur, qu'il n'est pas un de ces fanatiques comme il y en a tant dans les rangs des rebelles.

Mattei le contemple un instant, puis l'interroge :

« Tu comprends le français ? »

L'homme fait un signe de négation.

« Kas », hurle Mattei.

Kas est l'un des partisans de la 4ᵉ compagnie. Il suit toutes les opérations pour servir éventuellement d'interprète. Le supplétif indigène se précipite aux côtés du capitaine.

« Demande-lui d'où il venait ! Où ils ont passé les dernières nuits ? Qui les a ravitaillés ? »

Kas se lance, de sa petite voix aiguë, dans un monologue incompréhensible en dialecte tonkinois. Le viet répond d'une brève syllabe.

« Il refuse de parler, mon capitaine.

— Votre revolver, Klauss », ordonne Mattei.

Le sergent-chef sort de son étui son colt 45 et le tend à l'officier. Mattei s'accroupit auprès du blessé, et arme le colt en mettant une balle dans le canon, pratiquement contre l'oreille du viet. Puis il applique le canon du pistolet sur la tempe de l'homme.

« Dis-lui que je lui vide le chargeur en entier dans la tête s'il ne répond pas immédiatement. »

Kas traduit. Le viet pousse un cri déchirant et se laisse tomber en avant, à genoux. Il balbutie une série de sons incohérents.

« Ne tirez pas, mon capitaine, il va parler. »

Mattei se relève et rend à Klauss son pistolet. D'un geste machinal, sans même regarder ses mains, le sergent éjecte la balle du canon et la replace dans le chargeur. Puis il rengaine le colt. Toujours à genoux, haletant, affolé, le petit viet parle. Les mots se succèdent à une cadence étourdissante. Il ne s'interrompt que pour chercher son souffle. Au bout d'un moment, Kas l'arrête et, le poussant du pied, le rejette en arrière.

« Ça fait trois jours qu'ils se cachent au hameau du chef Süng, mon capitaine. C'est par là, à moins d'un kilomètre. Ils y ont entreposé des armes et du ravitaillement dans des caches qu'il m'a désignées. Ce sont les hommes de Süng qui leur ont appris que nous empruntions ce chemin au moins une fois par semaine. Et que souvent vous nous accompagniez. Le but de leur opération, c'était vous. S'ils ne vous avaient pas reconnu à vos galons, ils auraient laissé passer la patrouille sans se manifester.

— C'est la célébrité, mon capitaine, tranche Klauss. La rançon de la gloire. Sans Ickewitz, ils réussissaient. Et pourtant, ils savaient qu'ils couraient le risque de tous se faire massacrer ensuite. Votre tête commence à valoir cher. »

Mattei est livide de fureur contenue. Ce n'est pas de savoir qu'il est devenu chez l'ennemi l'homme à abattre, c'est de se remémorer le geste d'Ickewitz et la chute du géant s'écroulant après lui avoir sauvé la vie.

« Attachez cette lope à un arbre, on le récupérera au passage. Klauss, partez en avant avec la moitié de l'effectif. Allez au hameau de Süng, je vous suis dans un quart d'heure. Quand j'arriverai, je veux que que la totalité des habitants, à l'exception des enfants, soit rassemblée au centre du village. »

Songeur, Mattei contemple la section qui s'éloigne. Autour de lui, il reste Clary, Fernandez, six légionnaires valides et les deux morts. Le capitaine les désigne :

Pendant que les hommes exécutent ses ordres, Mattei conserve un mutisme absolu. Il se tient à l'écart et fume en silence. Juste après avoir jeté et écrasé du pied son mégot, il appelle Clary :

« Mon capitaine ?

— Il y a combien de cadavres viets ?

— Douze, mon capitaine.

— Coupez-leur la tête ! Proprement. Évitez de faire de la boucherie.

— Compris, mon capitaine », répond Clary. Sans s'émouvoir, il crie aux hommes : « On décapite les macchabées. Chacun un, moi j'en prends quatre. Ordre du capitaine ! Et proprement ! Sans vous salir. »

Les légionnaires ne s'émeuvent pas davantage que Clary. Ils accomplissent leur macabre besogne sans la moindre incommodité ; à l'écart, Mattei se désintéresse de l'opération. Lorsque la mutilation est achevée, le capitaine déclare simplement :

« Prenez les têtes par les cheveux, on les transporte au village. »

Dans un sourire béat, un légionnaire déclare :

« Je ne peux pas, mon capitaine, le mien il est chauve !

— T'as qu'à lui passer deux doigts dans les trous de nez, rétorque Clary, provoquant simultanément l'hilarité de ses compagnons et la fureur de son chef.

— Vous trouvez vraiment ça drôle, bande de sauvages ! tonne Mattei.

— Tout de même, mon capitaine, objecte Clary, c'est vous...

— Bien sûr, c'est moi, crétin, ça ne veut pas dire que ça m'amuse. Et ce n'est pas non plus pour me venger. Oh ! et puis, merde ! A quoi bon chercher à t'expliquer... Tu ne comprendrais pas ; allez, en route ! »

A mi-chemin, ils aperçoivent l'éclaireur envoyé par Klauss à leur rencontre. Le légionnaire reste, un instant, interdit devant le spectacle que forme le cortège. Il s'exclame :

« Ben, nom de Dieu, ça alors !

— Alors ? interrompt Mattei, le village ? »

L'homme semble émerger de sa stupéfaction.

« Pardon, mon capitaine, le sergent vous fait dire qu'il a rassemblé toute la population, ils vous attendent. »

Mattei se retourne vers ses porteurs de têtes.

« Vous avez entendu ? Tout le village est rassemblé et nous attend. Dès que nous arriverons, vous balancerez les têtes à leurs-pieds.

— On pourrait peut-être leur en balancer une ou deux en travers de la gueule, mon capitaine, suggère Clary.

— Clary, pour la dernière fois, je t'ordonne d'exécuter mes ordres et d'éviter toute improvisation.

— Ah ! bon, moi c'que j'en disais, c'était manière à vous rendre service. »

Mattei hausse les épaules, exaspéré, et fait signe à la colonne de reprendre son chemin.

Dès qu'ils arrivent au village, la cérémonie se déroule comme prévu. Süng se tient debout devant tous les membres de sa tribu. Il n'a pas le moindre mouvement lorsqu'une tête atterrit sur ses pieds. Derrière lui, les femmes détournent leurs regards. Mais tout se passe dans un silence absolu, qui n'est rompu brusquement que par la voix fracassante du capitaine.

« Je vous ramène les hommes que vous avez aidés à combattre contre nous. C'est le sort qui les attend tous. Süng, j'ai décidé de vous laisser la vie, à toi et aux tiens. Mais ne prends pas ma clémence pour de la faiblesse. Je vais faire brûler ton village. Tu vas être contraint d'éparpiller ta tribu. Qu'ils aillent chercher refuge dans les hameaux voisins, qu'ils préviennent que les prochains d'entre eux qui apporteront leur aide aux rebelles seront exécutés sur place par mes hommes et périront en même temps que leur village ! Puisque c'est le seul langage que vous compreniez, je vous prouverai que moi aussi, je sais le parler. Je vous donne un quart d'heure pour rassembler vos affaires. Après je fais tout brûler. »

Le jour commence à baisser lorsque les légionnaires atteignent Ban-Cao. Dès qu'on lui a signalé l'approche du groupe Mattei, Osling est descendu à la rencontre du capitaine. Prévenant la question de l'officier, il déclare :

« Il est toujours en vie, mais il a été impossible d'obtenir un avion pour l'évacuer. Je vous attendais avec impatience, espérant que votre autorité pourrait emporter la décision, mais je crains qu'il ne soit trop tard : dans moins d'une heure il fera nuit. »

Suivis par la colonne, les deux hommes sont parvenus dans la cour du poste. Mattei fait appeler Favrier. Dès que le sergent se présente, l'officier ordonne :

« Tu vas mettre tout le monde au travail, vous allez me confectionner des torches avec des chiffons, de l'huile, de l'essence, n'importe quoi, je m'en fous. Je veux que la compagnie au complet se tienne prête à aller baliser la piste d'atterrissage. Deux torches dans les mains de chaque homme, je veux qu'on y voie comme en plein jour.

— Compris, mon capitaine.

— Ickewitz est conscient ? poursuit Mattei à l'adresse d'Osling.

— Hélas ! oui, mon capitaine, je lui ai fait de la morphine, il ne cesse de vous réclamer.

— Ne lui annoncez pas mon retour, je vais d'abord à la radio. »

Le capitaine Mattei s'apprête à passer la nuit la plus longue de sa vie. Par radio il ne peut entrer en contact qu'avec des subalternes irresponsables. Il appelle successivement Lang-Son, Hanoï, Haïphong, n'obtenant que des réponses confuses émanant de services nonchalants qui ne comprennent rien à sa requête. Enfin, vers dix heures du soir, il obtient l'aéroport d'Hoan-Long (Hanoï). Il parvient à entrer en contact avec son ami le lieutenant Lecocq, auquel il explique la situation.

« D'accord, conclut Lecocq, on peut tenter d'atterrir avec un Morane si vous balisez la piste. Mais nous ne disposons ici que d'un seul Morane, c'est celui du colonel V... Du reste, son plan de vol est prévu pour la matinée de demain. Il doit se rendre chez vous avez des officiels, vous êtes au courant ?

— Je l'avais oublié, mais en effet, c'est exact. Écoutez, Lecocq, cherchez le colonel, trouvez-le où qu'il soit. Suppliez-le au besoin, de ma part, qu'il vous laisse l'usage de son appareil cette nuit.

— D'accord, mon capitaine, le cas échéant, je le réveillerai. Je vous rappelle dès que j'ai du nouveau.

— Merci, Lecocq. Nous restons en écoute permanente. Terminé. »

Mattei rend le casque au radio.

« Je suis à l'infirmerie auprès d'Ickewitz, dit-il. Dès qu'Hoan-Long rappellera, fais-moi prévenir. »

Le long corps d'Ickewitz est étendu sur un lit beaucoup trop court pour lui. Ses pieds dépassent. A part les bandelettes qui l'entourent de la poitrine jusqu'à la taille, il est nu. Les dispositifs de sérum et de plasma sont suspendus au-dessus de son lit et rattachés à ses bras. Dès qu'il aperçoit Mattei, Ickewitz sourit et balbutie :

« Mon capitaine...

— Ne parle pas, Adam, ça va te fatiguer », murmure Mattei.

Le visage du géant s'assombrit un bref instant, puis il reprend son faible sourire.

« Je suis foutu, n'est-ce pas mon capitaine ?

— Bien sûr que non. Pourquoi dis-tu ça ?

— Vous avez dit : « Ne parle pas, Adam », ânonne le géant. Si je n'allais pas mourir, vous auriez dit, comme d'habitude : « Ta gueule, Ickewitz ! »

Mattei fait des efforts pour ne pas laisser paraître son émotion. Il répond :

« Tu seras toujours aussi con, et moi qui croyais que tu parlais sérieusement. Maintenant, repose-toi. Je vais m'asseoir auprès de toi, j'attends des nouvelles d'Hanoï, un avion va venir pour t'évacuer. »

A minuit, Lecocq rappelle. Il a pu joindre le colonel V... mais l'officier supérieur a refusé catégoriquement de le laisser disposer de son appareil, arguant qu'il est insensé d'endommager le Morane et d'exposer la vie de son équipage, pour éventuellement sauver un homme. Il ne conçoit même pas que Mattei ait eu une idée aussi saugrenue et se soit cru permis de le déranger au milieu de la nuit. Il compte s'en expliquer de vive voix avec le capitaine, lorsqu'il atterrira dans la matinée.

« Qu'est-ce qu'il m'a passé ! conclut le lieutenant-aviateur. Et qu'est-ce qui vous attend tout à l'heure, mon capitaine !

— Merci, mon vieux, répond Mattei accablé et écœuré. Excusez-moi pour cette engueulade qui ne vous était pas destinée.

— Ce n'est rien, mon capitaine, je vous comprends... »

Mattei regagne le chevet du Hongrois. Osling, Clary et Fernandez sont assis autour de son lit. Mattei fait signe à Osling de le suivre.

« Impossible de l'évacuer, annonce-t-il.

— Alors, il est foutu. Je suis désolé, mon capitaine. »

Le capitaine passe la nuit assis près du lit du mourant. C'est maintenant la seule chose qu'il puisse faire pour lui. Ickewitz reprend conscience à plusieurs reprises, il constate la présence de l'officier, et en semble apaisé avant de sombrer à nouveau dans le coma.

Seul, Fernandez a été autorisé à rester avec lui. Mais à la porte de l'infirmerie, Osling, Klauss, Lantz, Favrier et Clary se sont installés, assis par terre en silence. Toutes les heures, Osling se porte près du mourant, puis le sergent-médecin sort et regagne sa place entre ses compagnons. Il est 9 h 10 du matin lorsque Fernandez apparaît livide, et déclare :

« Il vient de mourir.

— Le capitaine ? demande Osling.

— Il pleure, laissez-le. »

Vers midi, Mattei, Fernandez et Clary creusent eux-mêmes la tombe destinée à leur compagnon. Ils sont tous les trois en short, pieds et torse nus. L'emplacement qu'ils ont choisi pour en faire la sépulture du Hongrois se trouve au pied de la route d'accès au poste. Nul ne pourra gagner le nid d'aigle sans passer devant le tombeau d'Ickewitz. Ce lieu est très proche de l'une des extrémités de la piste d'atterrissage. C'est Fernandez qui, le premier, perçoit le bruit du Morane.

« Mon capitaine ! Le colonel et ses invités ! on les avait oubliés ! »

Mattei ne répond pas. Il continue à creuser en silence, s'aidant de son pied nu pour enfoncer la pelle dans le sol.

Le Morane effectue sa ronde rituelle autour du piton avant de prendre son axe d'atterrissage. (Le colonel commence toujours son exposé en faisant admirer à ses hôtes le panorama d'ensemble du poste.) L'avion se pose ensuite en souplesse, et vient s'immobiliser à quelques mètres seulement des trois légionnaires.

Deux hommes et une femme élégante accompagnent aujourd'hui le colonel V... visiblement surpris et désorienté par l'absence du traditionnel comité d'accueil. Lorsque dans l'un des trois hommes à demi nus qui viennent à leur rencontre, pelle en main, suant et mal rasés, le colonel reconnaît Mattei, il suffoque d'indignation.

« Capitaine ! Vous avez perdu la tête ! » vocifère-t-il.

Mattei s'approche du colonel, le touchant presque. Il ignore les autres personnages présents. Bien que sa haine et son ressentiment soient évidents, c'est avec calme qu'il déclare :

« Foutez le camp !

— Mattei, vous délirez, réplique le colonel. Vous oubliez mon grade, la position des gens qui m'accompagnent, je vous ferai traduire devant le conseil de guerre ! »

Sans s'émouvoir, Mattei reprend :

« Foutez le camp ! Si dans une minute vous n'êtes pas parti, je fais balancer une douzaine de grenades sur la piste. Vous serez contraint d'emprunter la R. C. 4 pour regagner Lang-Son et Hanoï. Vous vous souvenez de la « magie grandiose de certains décors féeriques » dont vous me parliez il y a deux ans, vous pourrez en faire goûter le charme à vos invités. »

Le colonel se tourne vers les civils :

« Veuillez excuser cet homme qui a dû être pris d'une crise de folie subite. Rentrons, je pense que c'est plus sage. »

Le Morane effectue un demi-tour sur place et reprend son vol. Jamais plus Mattei n'entendra parler du colonel V... qui ne transmit aucun rapport sur l'incident.

Adam fut enseveli dans la soirée, et le nid d'aigle prit le nom de « Poste Ickewitz ».

Jusqu'à l'évacuation de Ban-Cao, chaque dimanche Fernandez a pris une habitude qui est respectée de tous : il réclame au capitaine son attribution d'alcool, et il va se soûler sur la tombe de son compagnon. Pour chaque verre qu'il boit, il en renverse un sur la sépulture et il parle. Plus il boit, plus il parle. Lorsque l'ivresse devient absolue, il oublie que son ami est mort et il lui raconte la vie du poste. Dans la soirée, deux hommes sont désignés pour le ramener de cet étrange pèlerinage dominical. Ce n'est généralement pas de tout repos.

29

Tandis qu'à Ban-Cao Mattei exécute sa mission avec un acharnement têtu et se force à fermer les yeux sur tout ce qui ne concerne pas son objectif immédiat, à l'échelon supérieur la situation pourrit, se dégrade, empire. Des bataillons entiers sont cachés maintenant dans la jungle. Les premières pièces d'artillerie ont fait leur apparition dans les rangs de l'ennemi. Sa proie est installée au centre du piège, il ne reste plus au Viet-minh qu'à le refermer progressivement.

L'insécurité de la R.C. 4 s'accroît jour après jour. Le cordon ombilical qui relie Lang-Son à Cao-Bang est devenu une artère sanglante. A partir de la mi-1948, un convoi sur deux est attaqué, et tous ceux qui empruntent la route ont l'impression, au départ, de jouer leur vie à pile ou face.

5 juin 1948. Lang-Son, quatre heures du matin. Comme toutes les fois où un convoi est prévu pour Cao-Bang, *La Mère casse-croûte* a ouvert à trois heures trente. Elle a préparé un chaudron de thé, des bouteilles d'alcool de riz et toutes sortes de camelote qu'elle va vendre aux légionnaires avant leur départ. Ce qui vaut dix piastres à Lang-Son en vaut vingt à Cao-Bang, quarante à Bac-Kan. Cet état de choses rend le commerce fructueux, et, quelles que soient les denrées que la Tonkinoise est parvenue à stocker, elle est certaine de s'en défaire à l'aube.

Ce jour-là, le convoi est considérable. Plus de cent véhicules (G. M. C., Dodge, command-car, pick-up). L'équipe de protection comprend plusieurs blindés d'escorte : scout-cars, half-tracks, chars M 5. De chez *La Mère casse-croûte*, on distingue, dans la nuit claire, la colonne immobile qui s'étend sur plus de cinq cents mètres. Une dizaine de légionnaires sont déjà là, dégustant de l'alcool de riz ou du thé, marchandant leurs éventuelles acquisitions. Ils sont gais, insouciants. La mort est leur métier : ils ne pensent pas à la mission qui les attend.

Le caporal suédois Thomas Shiermer rejoint à une table le sergent Meunier. C'est le sixième convoi que les deux hommes effectuent ensemble. Deux fois ils ont été attaqués, deux fois ils s'en sont sortis miraculeusement. Shiermer est un remarquable chauffeur, il conduit un G. M. C. Le sergent sert, à la fenêtre, un fusil mitrailleur.

Entre eux, sur la banquette du camion, s'intercale un troisième légionnaire : le chargeur, dont la mission consiste à passer des munitions aux tireurs en cas d'attaque. Des trois hommes, en principe, c'est lui le moins exposé. Pourtant, lors du dernier convoi il a été tué sur le coup. C'était un Anglais, il s'appelait Gérald Ross.

Shiermer pose sur la table deux gobelets de thé brûlant et il extrait à l'aide de ses dents, le bouchon d'une bouteille qu'il tient à la main. Puis il verse une large rasade d'alcool blanc dans chaque gobelet :

« La vieille m'a foutu trente boîtes de singe, et cinq litres de gnôle dans un carton, on les prendra en sortant, annonce-t-il.

— Parfait, approuve Meunier.

— Au fait, sergent, on vous a désigné le nouveau chargeur ?

— Oui, mais je ne l'ai pas encore vu. Il n'est arrivé qu'hier soir, directement de Bel-Abbès, via Haïphong. C'est un bleu, un jeune, il a couché au centre de triage. Le capitaine, chef de convoi, doit nous l'amener directement au véhicule.

— Un bleu ? Mais ils sont dingues ! Ils savent que nous roulons sur « bikini » aujourd'hui.

— Non seulement ils le savent, mais je l'ai rappelé au capitaine, il m'à répondu qu'il n'avait rien à en foutre. Que le gus avait fait ses classes à Bel-Abbès, qu'il était donc compétent. Quant au fait qu'il roule sur « bikini » pour sa première sortie, il trouve ça parfaitement normal. »

L'appellation « bikini » est un exemple type de l'humour de la Légion étrangère. Elle désigne les camions dont le chargement — carburant ou munitions — explosera à la première balle reçue sans laisser aucune chance de survie à ses occupants.

Un légionnaire pénètre dans le bistrot. Il est d'une extrême jeunesse. Ses traits d'adolescent s'accordent mal avec son képi blanc et son uniforme neuf. Il jette un regard circulaire et s'approche d'un groupe d'hommes auxquels il pose visiblement une question. L'un des légionnaires désigne la table de Meunier ; timidement le jeune homme s'en approche, puis il salue le sergent et déclare, au garde-à-vous :

« Légionnaire Blondeau, François. Désigné par le chef de convoi pour votre véhicule, sergent.

— Oui, je sais, assieds-toi, tu veux boire un coup ? » L'adolescent remercie, acquiesce et s'assied.

« Voilà le caporal Shiermer, ajoute Meunier, c'est notre chauffeur, un as. »

Le jeune légionnaire se relève et à nouveau se fige dans un salut spectaculaire.

« Arrête ce cirque, interrompt Shiermer, je ne suis pas général de brigade. Assieds-toi et trinque avec nous. »

Blondeau accepte le thé mais refuse l'alcool. Un peu honteux, il s'excuse :

« Pour moi il est trop tôt. Dans la soirée, je ne dis pas...

— Personne ne te force », réplique gentiment Meunier.

Les deux vétérans sont conscients du malaise du jeune garçon. En d'autres circonstances ils en auraient vraisemblablement profité pour lui infliger quelques brimades rituelles. Mais la situation ne s'y prête guère. Et au contraire, ils cherchent à créer une ambiance amicale. Le jeune bleu prend peu à peu une assurance timide ; après quelques échanges anodins, il déclare :

« Il paraît que nous allons rouler sur « bikini » ? C'est épatant ! »

Les deux gradés se dévisagent en silence.

« Qui est-ce qui t'a raconté ça ?

— Un grand rouquin et deux autres types. Ce sont eux qui m'ont dit que je vous trouverais ici. Le rouquin a ajouté : « Tu vas rouler avec le sergent Meu-« nier, sur un « bikini » ! Pour ton premier convoi, « tu as du pot ! Tu dois être vachement pistonné. »

Shiermer va parler ; d'un geste le sergent l'interrompt :

« C'est vrai, il a raison, tu es verni. On appelle « bikini » les G. M. C. qui sortent de révision. Le nôtre tourne comme une horloge, tu verras. (Meunier poursuit, s'adressant au Suédois :) Tu restes un moment avec lui, j'ai une course à faire. »

Le jour se lève quand il sort du bistrot. En moins d'une minute, le sergent repère le rouquin qu'il connaît bien. Il l'attrape par l'épaule, le fait pivoter, et lui assène son poing sur l'œil de toutes ses forces. Surpris, l'homme effectue quelques pas en marche arrière avant de tomber groggy. Le sergent s'approche et déclare tranquillement :

« Veux-tu que je te dise, Hans ? Tu gagnes à être connu. Chaque jour on s'aperçoit que tu deviens encore plus marrant que la veille. »

Puis, il se retourne et regagne le bistrot d'un pas tranquille.

Comme d'habitude, jusqu'à That-Khé, c'est une promenade. La chaleur n'est pas encore gênante, une embuscade improbable. Le G. M. C. conduit par les mains expertes de Shiermer roule en quatrième position, précédé par un half-track et deux autres camions. Dans la cabine, les deux gradés plaisantent. Le jeune Blondeau cherche désespérément à adopter leur ton, mais il n'y parvient pas. Il est évident qu'il est paralysé par la peur. Les efforts qu'il fournit pour ne pas le laisser paraître sont silencieusement appréciés par ses compagnons. That-Khé dépassé, Blondeau a épuisé ses ressources nerveuses, il finit par demander :

« Sergent, la première fois, vous avez eu peur ? »

Le Suédois éclate d'un grand rire qui lui secoue la panse.

« Parce que tu t'imagines qu'aujourd'hui on n'a pas peur ? On est des hommes comme toi, rien d'autre. Quand il y a du danger quelque part, on a peur. Seulement, avec l'habitude, on apprend à y penser moins, c'est tout. »

Sur ce point au moins, Blondeau paraît rassuré.

« Tant mieux, dit-il, parce que j'aime mieux vous l'avouer, depuis le départ, je pète de trouille, et je craignais d'être un lâche.

— Tu sais ce que tu devrais faire, tranche Meunier. Oublier les principes de ta maman, et te farcir un bon coup de gnôle. »

Le sergent débouche la bouteille et la tend au jeune légionnaire qui s'en empare ; dans une grimace, il avale une large rasade.

« Tu vois, je suis sûr que ça va déjà mieux.

— Je crois.

— Dis donc, tu sais au moins ce que tu as à faire si par hasard on est attaqué ?

— Ne vous inquiétez pas, sergent, je tiendrai le coup.

— Bon, maintenant, pense à autre chose. Tiens, par exemple, raconte-nous la dernière gonzesse que tu as baisée. »

Pour la première fois depuis le départ, un mince sourire se dessine sur le visage de l'adolescent.

« J'aimerais mieux l'avant-dernière », dit-il.

Meunier flaire la bonne histoire. En plus, il est prêt à tout pour distraire le jeune légionnaire.

« Rien à faire, la dernière ! C'est un ordre !

— C'est que ça n'est pas bien glorieux. C'était sur le bateau, une A. F. A. T.

— Et alors, intervient le Suédois, sans relâcher l'attention qu'il porte à la route. Y'a pas de mal à ça.

— C'est que ça n'était pas précisément une jeunesse, avoue Blondeau.

— Comment elle s'appelait ? interroge Meunier.

— Je ne sais même pas. Ses copines l'appelaient « la doyenne ».

Les deux gradés partent dans un rire énorme.

« Denise ! lance le Suédois. Denise, la vieille salope ! Elle a toujours pas décroché. »

A son tour, Blondeau rit maintenant de bon cœur. Sa peur semble s'être évanouie.

« Vous la connaissez ?

— Tu parles ! Tu pissais encore dans tes langes qu'on la tringlait déjà ! Pas vrai, sergent ?

— Ah, ça, pour sûr ! approuva Meunier. Celle-là quand on va la foutre à la retraite, elle fera la sortie des orphelinats. »

Ça y est ! C'était aussi simple que cela. Maintenant les trois hommes plaisantent grossièrement. Ils pensent à autre chose. C'est le secret. On ne peut pas, on ne doit pas avoir peur douze heures de suite. On deviendrait fou. Et puis, les « vacheries », les points à redouter, Shiermer et Meunier les connaissent par cœur. Ils savent les franchir. On avale un coup de gnôle, on jette son mégot, et on serre les dents. Ça dure cinq ou dix minutes, et immédiatement après on rallume une cigarette, on avale un nouveau coup de gnôle, et on recommence à déconner.

Ces vacheries, ils en ont déjà passé quatre aujourd'hui. Le col des Ananas, les gorges de Bam-Bu, le tunnel de Na-Cham, et le col de Loung-Phaï. Ils vien-

nent de traverser Dong-Khé, ils s'apprêtent à attaquer le cinquième « merdier » : le col de Nguom-Kim.
Au sommet, il y a une centaine de mètres de plat
avant de replonger. Sur la gauche, du côté de Shiermer, c'est un vertigineux précipice. Sur la droite, le
flanc de la montagne continue de grimper, couvert
de végétation et de rochers.

Shiermer est gêné par la moiteur de ses mains.
Meunier et Blondeau se taisent, les nerfs tendus. Les
véhicules de tête sont déjà engagés dans la descente.
Ils sont tirés d'affaire. Dans une minute ou deux ce
sera leur tour ; alors, ils pourront à nouveau respirer.

Comme d'habitude, la tactique des viets est parfaite. Ils ouvrent le feu sur le moteur du camion
de Shiermer. Le half-track d'escorte, avec ses armes
lourdes, est trop en avant pour venir en aide. Et si
les rebelles parviennent à immobiliser le G. M. C.
avant qu'il ne gagne la pente, c'est gagné pour eux.
Derrière, toute la colonne sera contrainte de s'immobiliser. Le carnage pourra commencer.

De la fenêtre du G. M. C., le sergent fait feu au
hasard. Blondeau a conservé son calme et lui passe
les munitions. Le moteur du camion commence à
flamber. Son élan devrait lui permettre de gagner
la pente, mais l'un des pneus avant a éclaté, les
roues prennent la direction de la droite, vers le
flanc montagneux. Si Shiermer laisse faire, c'est en
travers de la piste que va s'immobiliser le véhicule.
C'est la catastrophe.

Alors, de toutes ses forces, le Suédois braque vers
la gauche — vers le vide. Il doit se lever à moitié
pour s'aider du poids de son corps dans cette poussée furieuse sur le lourd volant. Par terre, la jante à
nu crisse sur la pierraille, mais elle finit par céder,
et le G. M. C., mollement, oblique vers le précipice.
Shiermer gueule :

« Sautez ! Sautez vite tous les deux ! »

Meunier a compris. Si le Suédois lâche le volant,
le camion se redresse et s'arrête. Il hurle à son tour :

« Shiermer ! Non, Shiermer ! »

— Saute, nom de Dieu ! Saute avec le gosse ! »

Meunier obéit instinctivement. Il saute en tirant Blondeau par le bras. Contre le remblai, les deux légionnaires sont hors d'atteinte du tir ennemi. Par la porte ouverte du camion, ils voient le Suédois. Shiermer est maintenant couché sur le volant, crispé par l'effort. Vingt centimètres. Dix centimètres. Puis le camion plonge dans le précipice, libérant la route derrière lui. L'explosion déchire la vallée ; dans un gigantesque éboulis, les pierres giclent, volent dans tous les sens. Mais le camion suivant reprend de la vitesse, il ralentit à peine au passage pour récupérer Blondeau et Meunier qui se tassent dans la cabine. Faisant feu de toutes les issues des véhicules, le convoi progresse.

Les viets n'avaient pas prévu qu'ils échoueraient en essayant de bloquer le quatrième camion. Le sacrifice d'un homme vient d'en sauver près d'un millier.

Thomas Shiermer fut décoré de la Légion d'honneur à titre posthume. On ne retrouva même pas sa plaque d'identité dans les débris du G. M. C. éparpillés dans un rayon de cent mètres.

30

A Ban-Cao, le massacre de la R. C. 4 ne change pas grand-chose à la vie. Seules, les sorties se font moins fréquentes et moins lointaines, mais le poste peut être ravitaillé par parachutage et les avions légers peuvent emprunter sa piste d'atterrissage.

Les bastions moins importants supportent plus difficilement le resserrement de l'étau viet ; ils commencent à se trouver dans un tel état d'isolement et de dénuement que leurs occupants sont souvent contraints de se contenter quotidiennement d'une poignée de riz et d'une tasse de thé léger. Les légionnaires sont en loques ou vivent pratiquement nus. Certains restent cinq ou six mois sans recevoir le moindre appui extérieur.

En revanche, Cao-Bang est devenu un gigantesque lupanar, la forteresse du bout du monde bouillonne d'une fiévreuse excitation. Les bistrots, les bordels, les maisons de jeux, ne désemplissent pas. Les légionnaires qui occupent la ville-hérisson savent qu'ils sont les habitants d'une citée irréelle ; Cao-Bang n'est qu'un mirage éphémère dont ils cherchent à tirer le maximum de jouissances. Pour les groupes de passage, l'exaltation est encore plus intense. Venus de postes lointains ou isolés, les permissionnaires se jettent désespérément dans quelques jours de détente ; après des mois d'exil, ils ont économisé des sommes considérables ; ils ont peur de ne pas avoir le temps d'en dépenser l'intégralité. Enfin, il y a les convoyeurs

de la R. C. 4. Lorsqu'ils arrivent, ils peuvent considérer comme un miracle d'être en vie et ils savent
que le lendemain ou le surlendemain ils devront
repartir. Alors tous ces hommes se déchaînent furieu-
sement et plongent avec une frénésie sauvage dans
ce cirque géant composé de morts en sursis.

Les autorités légionnaires ferment les yeux. Un
officier qui était alors basé à Cao-Bang m'a dit :

« Imaginez Pigalle, à Paris, San-Paoli à Hambourg,
Soho à Londres, s'il était établi, de façon incontestable, que la fin du monde surviendrait la semaine
suivante. Imaginez ce qui se passerait dans ces lieux,
et vous aurez une vision objective de ce qu'était Cao-
Bang à cette époque. L'antichambre de l'enfer... »

Dans son bureau du Quartier Général du 3e Étranger à Cao-Bang, le sous-lieutenant Benoît tourne en
rond comme un fauve en cage. Il est attaché au secré-
tariat de l'état-major, ce qui, dans un régiment de
Légion étrangère, ne constitue pas une sinécure : en
plus des risques qui sont sensiblement les mêmes
que ceux des autres combattants, le jeune officier
est astreint à un ingrat labeur de paperasserie et de
classement d'archives, avec toutes les responsabilités
que comporte ce genre de besogne.

Ce matin-là, le sous-lieutenant Benoît peste contre
ses supérieurs. Sa colère est telle qu'il finit par se
laisser aller à parler à haute voix, bien qu'il soit seul
dans son bureau :

« Des lâches, grogne-t-il, ce sont tous des lâches.
Malgré leurs décorations qui leur pendent jusqu'au
nombril les jours de fête, ils ne sont qu'une foutue
bande de lâches !

— Vous m'avez appelé, mon lieutenant ? »

L'adjudant-chef Javorsky vient de passer la tête à
la porte du bureau adjacent.

« Non, Javorsky, je parlais tout seul, mais vous
pouvez entendre. Je disais que depuis le colonel
jusqu'au lieutenant Leroux ce sont tous des lâches. Et
j'espère que vous m'approuvez. »

L'adjudant-chef est partagé entre la règle immuable qui consiste à ne jamais contredire un supérieur et le scepticisme que lui inspirent les déclarations de Benoît. Il fait une réponse de Normand :

« Mon lieutenant, dans le tas, il y en a quand même quelques-uns qui ont une sacrée grosse paire.

— Évidemment, crétin. Au combat, ils ont tous une sacrée grosse paire, comme vous dites si élégamment. Mais ça n'est pas de ça que je veux parler. Ce n'est pas devant l'ennemi qu'ils font la valise, c'est devant les emmerdements diplomatiques. Les missions subtiles qui demandent du doigté, entraînent une dégringolade à rebours, dans le sens inverse de la hiérarchie, jusqu'à ce qu'elles atterrissent sur le paletot de l'officier le moins gradé, en l'occurrence, moi-même !

« Ce qui me fait râler le plus dans cette histoire, poursuit objectivement le sous-lieutenant, c'est qu'ils ont précisé que seul un officier pouvait se charger de la corvée. Sans ça, je m'en serais foutu, moi aussi. Je m'en serais débarrassé sur votre dos. Vous auriez fait de même sur la personne d'un des sergents, et on aurait fini par aller chercher un deuxième pompe en punition aux latrines. Mais là, rien à faire, la vacherie est pour moi. Dès que le père Lemaître arrivera, faites-le entrer. »

Le père Lemaître, aumônier du 3ᵉ Étranger, est une figure légendaire au régiment. Il porte avec élégance l'uniforme sur lequel seules les épaulettes indiquent son sacerdoce. Il arbore, en permanence, un paisible sourire, et fait preuve d'une égale bonne humeur et d'une immense compréhension à l'égard de son très spécial troupeau d'ouailles. Dès qu'il pénètre dans le bureau de Benoît, le jeune officier se dresse :

« Bonjour, mon père, asseyez-vous.

— Mon père ? s'étonne le prêtre. Vous devenez cérémonieux avec l'âge.

— Excusez-moi, l'abbé, rectifie Benoît, je ne suis pas dans mon assiette.

— Vous devriez plutôt voir le major. Vous ne semblez pas en être au point de requérir mes offices.

— Non, l'abbé, cliniquement je ne suis pas atteint ; en fait, j'ai une déclaration à vous faire, qui me met particulièrement mal à l'aise. »

L'aumônier est amusé par l'embarras du sous-lieutenant.

« Je vous écoute.

— Je tiens d'abord à préciser que les consignes que j'ai reçu l'ordre de vous transmettre, viennent d'en haut. Je n'ai participé en rien au débat qui les ont fait naître. Dans cette histoire je ne suis qu'un instrument.

— C'est tellement grave qu'aucun de vos supérieurs n'a eu le courage de m'affronter ? C'est bien ça ?

— Ce n'est pas tellement grave, c'est terriblement emmerdant.

— Et bien, allons-y, mon vieux.

— Voilà, l'abbé. Chaque dimanche vous entreprenez une audacieuse tournée des postes isolés, en jeep, accompagné par deux légionnaires. Vous allez dire la messe, confesser, et remonter le moral des exilés. Je vous admire pour votre courage, et je vous remercie en notre nom à tous.

— Je vous coupe, Benoît. Si par mesure de sécurité, le colonel a décidé d'interrompre mes périples dominicaux, faites-lui savoir que je les poursuivrai sans escorte. Je suis capable de conduire une jeep. Rien ne me fera renoncer. Ces hommes ont besoin de moi, et le colonel le sait mieux que quiconque.

— Ce n'est pas ça, l'abbé. Mais voyez-vous, si grand que soit l'apaisement que vous apportez aux légionnaires isolés, chaque dimanche, il est une loi de la nature que votre Foi ne saurait réfréner. »

Le prêtre reste un instant perplexe, dévisageant le jeune officier. Puis, brusquement, il comprend, et part d'un grand rire.

« Je crois que je vais vous aider, Benoît, et cela en exposant moi-même ce que vous avez été chargé de me transmettre. Voilà. D'après ce que je crois comprendre, les hommes réclament des putes. Le colonel considère ce désir comme légitime. Seulement il ne veut pas exposer deux véhicules. Alors, on a pensé à la jeep du curé qui pourrait faire d'une pierre deux coups, si j'ose m'exprimer ainsi. »

Benoît rougit comme une pivoine. Il contemple ses chaussures en marmonnant :

« C'est à peu près cela, l'abbé. A un détail près ; ce ne sera plus votre jeep, mais un Dodge six roues, et l'escorte sera renforcée ; elle sera composée désormais de quatre légionnaires. »

La nouvelle s'est répandue comme une traînée de poudre, et le dimanche suivant les hommes se trouvent rassemblés en grand nombre dans la cour du quartier pour assister au départ de « ces dames » et du curé.

Les prostituées sont cinq, quatre Tonkinoises et une Française. Elles semblent davantage gênées par la présence du prêtre que lui ne l'est par la leur. Yvonne, la Française, une grande rouquine, dirige le groupe. Elle dispose ses compagnes sur les banquettes parallèles du véhicule. Deux légionnaires en armes s'intercalent entre elles. Enfin, le père Lemaître prend place. Un légionnaire s'approche, un Kodak rudimentaire en main :

« Ça vous ennuierait que je fasse une photo, l'abbé ? C'est tellement marrant.

— Vas-y ! Tu me conserveras un tirage... »

Ce n'est que le troisième dimanche après l'inauguration du système, que Ban-Cao se trouve sur le plan de route du « Dodge-Loisirs », comme on l'a surnommé. Mattei et ses subordonnés ont entendu parler du nouveau procédé de récréation et se réjouissent à l'avance de la visite originale qu'ils attendent.

Le capitaine a rassemblé la compagnie au complet dans la cour du poste. Il met les hommes au repos et laisse la parole à Klauss :

« Vous savez ce qui va arriver ? crie le sergent-chef, afin d'être entendu de tous. Le curé et les putes ! Ensemble ! Pour des questions d'organisation, le capitaine nous autorise à voter à main levée. Alors allons-y : que ceux qui préfèrent baiser avant la messe lèvent le bras ! »

Quelques bras se lèvent timidement.

« Bon, maintenant, ceux qui préfèrent commencer par la messe. »

La presque totalité de la compagnie se manifeste. Klauss se tourne vers le capitaine et rend compte :

« Mon capitaine, à une forte majorité, les hommes préfèrent baiser après la messe !

— Parfait, je le ferai savoir au père dès qu'il arrivera. »

Le père Lemaître est un ami personnel du capitaine. Sans être un pratiquant très convaincu, Mattei porte un grand respect au culte et voue une immense estime à l'aumônier du 3e Étranger dont il admire le courage et l'abnégation. Dès que le Dodge pénètre dans la cour, Mattei se porte, souriant, à la rencontre du prêtre.

« Content de vous voir, l'abbé ! comment supportez-vous ce nouveau calvaire ?

— C'est la guerre, Mattei ! Et puis ces femmes sont, elles aussi, des espèces de saintes d'un genre spécial. Considéré sous cet angle, je suppose que le Seigneur me pardonne leur promiscuité.

— C'est vrai. Elles risquent leur vie. Évidemment, c'est surtout pour de l'argent, mais à ce détail près...

— Détrompez-vous, Mattei, le facteur vénal n'intervient en rien dans leur conduite : le dimanche elles gagneraient tout autant d'argent en demeurant à l'abri dans leur maison close de Cao-Bang. Et elles sont toutes volontaires. Non, voyez-vous, je commence à les connaître et à les estimer. Elles sont poussées par un irrésistible besoin de se rendre utile, c'est en quelque sorte leur manière de faire pénitence.

— Vous êtes bon, l'abbé. Vous savez trouver des explications nobles aux pires choses. A propos, j'ai fait voter la compagnie ce matin pour savoir dans

quel ordre les hommes entendaient user de vos offices respectifs. J'ai le plaisir de vous annoncer qu'à
une forte majorité, la messe s'est vu octroyer la
priorité.

— Ça, pas question, tranche l'aumônier souriant,
en prenant le capitaine par le bras. Depuis trois
semaines, dans chaque poste, c'est le même tabac.
Le premier dimanche, j'ai marché, j'en ai peut-être
même — Dieu me pardonne — retiré une certaine
fierté, mais j'ai vite compris.

— Je ne vous suis pas.

— C'est pourtant d'une élémentaire simplicité.
Nous arrivons ; les hommes dévisagent longuement
les prostituées, ils font leur choix selon leurs goûts
personnels ; puis ils se rendent à l'office religieux,
et à quoi croyez-vous qu'ils pensent ensuite pendant
la messe ? »

Mattei éclate de rire.

« L'abbé, vous êtes irrésistible ! J'avoue que votre
lucidité est surprenante. Comment êtes vous donc
parvenu à réaliser cet état de choses ?

— Hélas ! pendant la première messe ! Vous n'ignorez pas qu'un prêtre se retourne à plusieurs reprises
pendant l'office ; j'ai vu leurs têtes, épargnez-moi de
plus amples explications. »

Mattei appelle Klauss :

« Klauss, prévenez les hommes. Changement de
programme, ils baisent maintenant, la messe après. »

Dans le courant du mois de juin, alors qu'il se
trouve sur le chemin du retour, le Dodge tombe
dans une embuscade entre Ban-Lang et Cao-Bang.
Les agresseurs ne sont qu'un petit groupe isolé, néanmoins un légionnaire de l'escorte est tué sur le coup
avant que les occupants ne puissent évacuer le véhicule et se mettre à l'abri pour organiser la défense.
Les femmes réclament des armes. On leur en distribue, elles se battent avec acharnement. L'une d'elles
est tuée, deux autres sérieusement blessées. L'aumô-

nier cherche à les réconforter tandis que les survivantes font le coup de feu aux côtés des légionnaires. Une heure durant elles parviennent à repousser les viets avant que de Cao-Bang toute proche, d'où l'on a perçu la fusillade, n'arrive une colonne de secours. Les deux blessées survivront. Le prêtre passe la nuit à leur chevet, il considère qu'il leur doit la vie. Sans leur courage, la puissance défensive du groupe se serait trouvée insuffisante, et ils auraient été submergés et anéantis avant l'arrivée des secours.

Le père Lemaître, compris et approuvé par l'ensemble des officiers du 3e Étranger, réclame pour les quatre filles une citation et l'attribution de la Croix de Guerre. Mieux que personne l'aumônier imagine le plaisir que procurerait cet honneur aux prostituées qui savent que la demande a été transmise en haut-lieu et qui en attendent fiévreusement la réponse. Hélas ! à Saigon, on refuse. On ne comprend même pas que la Légion ait osé faire une proposition aussi absurde. Les filles regagnent leur maison et, chaque dimanche, elles effectuent de nouveau leur dangereux circuit.

La seule chose que l'aumônier put faire pour elles fut de refuser la citation qu'on lui attribua.

31

ENTRE Cao-Bang et Bac-Kan, cinq postes de Légion bordent la terrible R.C. 3 : Vo-Chang, Bel-Air, Ban-Cao, Ngan-Son et Phu-Tong-Hoa.

Comme Ban-Cao, ce sont des petites forteresses : murs d'enceinte formés de solides constructions ; angles renforcés par des blockhaus ; effectif d'une centaine de légionnaires sous le commandement de jeunes officiers qui se connaissent de longue date. Mais à l'encontre du nid d'aigle de Mattei, Vo-Chang, Bel-Air, Ngan-Son et Phu-Tong-Hoa sont situés dans la vallée à proximité des villages. Surplombés de massifs montagneux, ils constituent de superbes cibles.

La distance qui sépare les postes varie de dix à vingt kilomètres. Entre eux c'est la jungle montagneuse tenue par les viets. L'épine formée par la R.C. 3 est d'une telle vulnérabilité, l'insécurité y est si constante et absolue que les chefs de poste ne considèrent plus la route comme un moyen de circulation. Leurs contacts se bornent, désormais, à des échanges radio. Emprunter la R.C. 3 pour se porter un secours mutuel, équivaudrait à un suicide. Et pourtant...

Le 21 juillet, on est en pleine saison des pluies. Ces pluies tonkinoises ne rafraîchissent pas l'atmosphère, elles ne sont qu'un crachin tiède et poisseux, une pourriture humide qui tombe du ciel, et qui imprègne les chemises, se mêlant à la sueur.

De Cao-Bang, les nouvelles sont mauvaises. De violents combats viennent de se dérouler sur la R. C. 4 à hauteur de Dong-Khé. L'antenne chirurgicale de Cao-Bang a été transportée sur les lieux. Osling l'a rejointe, ainsi que tous les médecins, officiels et officieux, du 3ᵉ Étranger.

Dans un rayon de cinquante kilomètres autour de Cao-Bang, il ne reste plus un chirurgien ; seuls quelques infirmiers demeurent au sein des compagnies.

A vingt heures, le lieutenant Palisser, commandant le poste de Ngan-Son, à sept kilomètres au nord de Ban-Cao, appelle le capitaine Mattei : des renseignements irréfutables lui signalent qu'un bataillon viet fait mouvement vers son secteur. Sur un ton des plus naturels, le jeune lieutenant annonce qu'il va tenter une sortie de nuit afin de monter une embuscade. Il pense pouvoir intercepter l'immense force ennemie au col des Vents ; il est sûr de lui porter un coup sévère malgré sa grande infériorité d'effectifs (environ un contre dix). Palisser demande simplement à Mattei de rester en écoute permanente afin de se porter, le cas échéant, en renfort.

Autant par application des règles militaires, que par simple logique, Mattei aurait dû dissuader son subalterne d'une action aussi démesurément téméraire. Il fait exactement le contraire, et répond :

« Palisser, je pars sur-le-champ avec la presque totalité de ma compagnie. Je tâcherai de vous rejoindre à l'aube. »

Évitant la R. C. 3, se frayant un chemin à travers la jungle, là 4ᵉ compagnie marche toute la nuit. Les légionnaires contournent le poste de Ngan-Son que Palisser et ses hommes ont quitté dans la soirée. Ils ne se trouvent plus qu'à une petite heure de marche du col des Vents lorsque leur parviennent les premiers fracas du combat. En principe, cela signifie que Palisser a réussi et que le bataillon viet est tombé dans l'embuscade tendue par la poignée de légionnaires.

Mattei ordonne une marche accélérée. Dès qu'ils

arrivent sur les lieux, le capitaine et ses hommes s'aperçoivent que le piège dressé par le lieutenant Palisser a fonctionné au-delà des plus optimistes prévisions. Les légionnaires sont disposés à l'abri et les viets se défendent en pleine panique, dans un désordre et une confusion totale. L'arrivée des renforts achève de briser leur moral. Ils n'ont certainement aucune idée de la faiblesse numérique de leurs adversaires, ils ne pensent qu'à fuir. Pour une fois, la Légion a pu appliquer la méthode que depuis plus d'un an elle subit.

Le 22 juillet, à huit heures trente du matin, on peut considérer que la réussite de l'opération est totale. Les cadavres des viets jonchent le sol. Les légionnaires ne comptent que trois morts et quelques blessés.

C'est alors que Palisser commet une erreur. Enfiévré par son triomphe, le lieutenant décide de poursuivre les fuyards et se lance à l'assaut, à découvert, en tête de ses hommes. Presque aussitôt il est atteint d'une balle dans l'abdomen et s'écroule. Mattei se porte à son secours. Et tout en ordonnant aux hommes de regagner leurs abris, il transporte lui-même le blessé à couvert.

Les deux colonnes se replient aussitôt sur Ngan-Son sous la direction de Mattei qui en a pris le commandement.

Le 22 juillet, à midi, le lieutenant Palisser est installé dans l'infirmerie du bastion de Ngan-Son ; il n'y a ni chirurgien ni médecin. A première vue, sa blessure ne paraît pas mortelle à condition de parvenir à extraire la balle qui s'est vraisemblablement logée dans ses intestins. Le jeune officier n'a jamais perdu conscience, il ne semble pas trop souffrir, il est calme et optimiste.

Le légionnaire qui possède les notions médicales les plus étendues est le caporal-chef-infirmier de la compagnie Palisser. C'est un Suisse-Allemand, il s'appelle Walter Fryer. Sous l'œil de Mattei, il examine la blessure avant de faire une piqûre de morphine et d'annoncer l'évidence :

« Il faut extraire la balle.

— Ça, je m'en doute, commence Mattei. (Il s'interrompt brusquement pour s'adresser à Palisser.) Je te laisse un moment, je vais demander par radio si on peut nous envoyer un toubib. En attendant, repose-toi.

— Allons, mon capitaine, interrompt Palisser, qui sans effort, parle distinctement. Ne me prends pas pour un enfant de Marie ! Tu sais aussi bien que moi qu'il n'y a pas de toubib à cinq cents bornes à la ronde ! Et puis même si, en ce moment, un congrès médical tenait ses assises à Ban-Cao, pas un seul de ses membres n'aurait la moindre chance de parvenir jusqu'à nous. La seule chose qui est en ton pouvoir est celle que tu as décidée : aller chuchoter derrière la porte avec l'infirmier. Alors, épargne-moi ça, j'aime autant participer au débat. »

Mattei ne cherche pas à nier. Devant le lieutenant, il s'adresse à l'infirmier :

« Tu te sens capable de tenter l'extraction ?

— J'ai jamais fait ça, mon capitaine, répond Fryer, tandis que d'énormes gouttes de sueur se forment sur son front et envahissent ses sourcils.

— Je le sais, je te demande seulement si tu t'en sens capable. »

L'infirmier cherche un faux-fuyant.

« Mon capitaine, il n'a pas de fièvre, et ça fait quatre heures qu'il a été touché. Ça prouve qu'aucun organe essentiel n'a été atteint. Vaudrait peut-être mieux attendre... »

Ignorant l'infirmier, Palisser s'adresse à Mattei :

« Il faut qu'il tente le coup, Antoine. Tu le sais bien, on ne peut espérer aucun secours. Je ne vais pas vivre éternellement avec ce morceau de plomb dans le bide. Au moindre mouvement, il peut me perforer n'importe quoi, et alors, bonjour !

— Palisser, moi je ne peux pas le tenter, je suis maladroit comme une vache, c'est tout juste si j'arrive à bouffer en me servant de mes mains.

— Fryer est habile, lui, il fait des piqûres indolores et confectionne des pansements savants. Vous trouverez tout un matériel chirurgical dans l'armoire derrière vous. Il y a même le mode d'emploi ! Le bouquin militaire sur les premiers soins aux blessés ! Il faut vous démerder avec ça.

— Mon lieutenant, vous n'allez pas m'obliger à faire ça, balbutie Fryer, épouvanté.

— Nom de Dieu, c'est tout de même pas toi qui vas te plaindre ! réplique sèchement le blessé. Va chercher le bouquin et donne-le au capitaine. »

Pendant plus d'une demi-heure, Mattei se plonge dans la lecture de la rubrique *Blessures par balles ou éclats dans la région de l'abdomen*. Il prend des notes sous le regard attentif et anxieux du lieutenant et de l'infirmier. Enfin, il déclare :

« Voilà. Il faut déchirer la peau et découper le péritoine. Ensuite, il faut surtout éviter de toucher la veine ou l'artère mésentérite supérieure. Si c'est plus bas, l'artère iliaque, et d'une façon plus générale, le duodénum. Je crois que c'est le principal. »

L'énoncé de ces noms scientifiques achève de briser le moral de Fryer.

« Mon capitaine, je ne sais même pas de quoi vous parlez. Comment voulez-vous que je reconnaisse vos veines ou vos artères, machin-chose ? Non, croyez-moi, c'est pas possible. »

Palisser interrompt :

« Il a raison, Antoine, fous-moi ce bouquin en l'air. C'est plus simple que ça, la balle est passée par un chemin et elle se trouve au bout. Il n'a qu'à improviser et essayer de trouver en charcutant le moins possible.

— J'ai rien pour vous endormir, mon lieutenant.

— Dans la chambre, il y a une bouteille de gnôle, va la chercher. »

Fryer se précipite. Palisser fait signe à Mattei :

« Va avec lui, qu'il n'en siffle pas la moitié en route. Il ne manquerait plus qu'il revienne canné. »

De retour au chevet du blessé, Mattei emplit un grand verre d'alcool et le fait boire au lieutenant par petites gorgées. Puis il ingurgite lui-même une rasade à la bouteille. Fryer réclame :

« Donnez-m'en juste une goutte, mon capitaine. »

Les deux officiers échangent un regard.

« Vas-y, déclare Palisser, ça ne lui fera pas de mal, je connais ses capacités. »

L'infirmier boit un demi-verre, puis va se plonger la tête dans un broc d'eau ; ensuite il lave soigneusement ses mains et les tend au capitaine afin de s'y faire répandre de l'alcool. Il transpire toujours autant.

« Je crois qu'il va falloir que je t'attache les mains, annonce Mattei, en prenant les poignets de son ami.

— J'aimerais que tu me tiennes, mon capitaine, j'aime pas qu'on m'attache.

— Il faut que j'essuie le visage de ton « chirurgien » pendant l'opération, il sue comme un porc.

— Va chercher un ou deux gus, ils pourront faire ça. »

Mattei acquiesce, et gagne lentement la porte de l'infirmerie. Palisser le rappelle :

« Antoine...

— Oui ?

— Des gus de chez toi. Si je gueule, j'aime autant, tu comprends ? »

Mattei approuve d'un signe de tête. Quelques secondes plus tard, il revient suivi de Klauss et de Clary, il leur explique ce qu'il attend d'eux. Fryer a disposé les instruments chirurgicaux mais il compte ne se servir que d'un bistouri et d'une longue et fine pince. S'il échoue avec eux rien d'autre ne pourra l'aider.

Mattei place entre les dents de Palisser un mouchoir propre qu'il pourra serrer. Puis il lui maintient solidement les mains. Le capitaine ne peut pas se retourner, il ne veut pas interroger, mais aux crispations du visage de son compagnon, il comprend que l'opération a commencé.

Le calvaire dure près de cinq minutes. Palisser n'émet pas la moindre plainte, ne pousse pas même un gémissement. Pas un instant il ne perd conscience.

La balle n'était pas loin, mais il est quand même miraculeux que l'infirmier soit parvenu à l'extraire. Enfin, il murmure :

« Je l'ai sortie... »

Puis Fryer reprend aussitôt son assurance. De malhabiles et hésitants, ses gestes deviennent rapides et précis. Il saupoudre la plaie d'antibiotiques et pose des points de suture aussi bien que n'importe quel médecin. Mattei lâche les mains du lieutenant, se retourne et les quatre hommes restent un instant fascinés par le bout de plomb sanguinolent que Fryer a déposé dans le bac aux instruments. Derrière eux, Palisser balbutie faiblement :

« La balle... »

Mattei comprend. Il prend la balle, la rince à l'alcool et la dépose dans la main du lieutenant. Palisser dit encore, en palpant le bout de plomb entre ses doigts :

« Tu me la gardes. »

Puis il s'évanouit.

A six heures du soir, Palisser est de nouveau conscient. Mais la fièvre l'a gagné, et les réserves d'antibiotiques du poste sont épuisées. Mattei se tient à ses côtés, impuissant. Brusquement, il se décide :

« Non ! je ne te laisserai pas crever comme Ickewitz ! Je t'évacue !

— Sois sérieux, Antoine. On ne fera pas deux kilomètres. Les viets sont partout, et pour gagner Cao-Bang il faut parcourir une soixantaine de bornes.

— Je m'en fous ! On crèvera tous ensemble. Si on continue à ne rien faire, à subir sans rien tenter, c'est de toute façon le sort qui nous attend ; alors, un peu plus tôt ou un peu plus tard... c'est le même tabac ! Je te laisse quelques minutes, je vais organiser la promenade. »

Fernandez n'est pas là. Atteint de plusieurs furoncles, il était demeuré à Ban-Cao et n'avait pas participé au commando de la veille. Mattei va rejoindre Clary au foyer.

« Préviens Klauss, et trouve-moi le chauffeur de jeep le plus habile de la compagnie. On va tenter d'évacuer le lieutenant sur Cao-Bang cette nuit. »

Bien qu'il soit conscient de la folie de l'entreprise, Clary n'a même pas un mouvement d'hésitation. Seuls l'intéressent les détails techniques de l'entreprise.

« Bien entendu, on roule sans phares, mon capitaine ?

— Evidemment, on ne va pas non plus faire fonctionner une sirène. Tu pourrais nous faire gagner du temps en évitant de poser des questions idiotes.

— C'est pas tellement idiot, mon capitaine, parce que tous les gus de la compagnie sont capables de conduire une jeep. Ce qu'il faut, c'en est un qui y voie dans le noir.

— Il existe ?

— Oui, Frahm. Il a des chasses de greffier.

— Va me le chercher, et évite de parler argot quand tu t'adresses à moi.

— Comme si vous compreniez pas, mon capitaine ! Je cause peut-être pas distingué, mais je sais de quoi je cause. »

Clary revient, accompagné de Frahm.

« Il paraît que tu as des yeux de chat, des chasses de greffier, comme dit Clary ? interroge Mattei.

— J'y vois assez bien la nuit, mon capitaine. Je pense que je peux conduire sans phares mieux qu'un autre.

— Parfait ! Alors, départ dans cinq minutes. Disposez une civière pour lieutenant, Frahm au volant, Clary et Kalish en protection à l'arrière avec un fusil mitrailleur chacun. »

Frahm conduit bien, et effectivement, il semble y voir. Par moments, Mattei se demande par quel miracle il parvient à suivre la route. La visibilité est nulle, le crachin ne cesse de tomber. Le lieutenant Palisser a été enroulé, nu, dans trois couvertures, et une grossière toile imperméable recouvre la civière. La jeep passe à hauteur de Ban-Cao sans s'arrêter. Les occupants ne parlent pas, ne fument pas, seul le bruit du moteur rompt le silence de la nuit. Les viets qui sont partout ne peuvent pas ne pas l'entendre. La seule chance de Mattei réside dans le fait que les rebelles doivent se terrer à l'abri de la pluie ; ils n'ont pas le temps de réagir au passage du véhicule.

La jeep roule depuis des heures ; les légionnaires commencent à prendre confiance. Ils ont parcouru les quatre cinquièmes du chemin, mais le dernier obstacle reste à franchir : l'amphithéâtre de Kouei-Pet. La route devient une corniche à mi-pente. C'est le coupe-gorge rêvé pour tendre une embuscade. Pour la première fois depuis le départ, Frahm prend la parole en chuchotant :

« J'ai vu une lueur dans le fond. »

Mattei n'a rien remarqué. Et pourtant il n'a jamais cessé d'écarquiller les yeux :

« Tu es sûr ?

— Sûr, mon capitaine. Peut-être une allumette cra-quée, ou un éclair de lampe électrique, mais ce ne sont pas les yeux d'une bestiole. Je sais distinguer, il y a du monde en bas.

— Arrête, ordonne Mattei. (Il descend de la jeep et poursuit :) Klauss et Clary, évacuez et pitonnez en éclaireurs. Frahm, tu fais demi-tour et tu roules en marche arrière. Si on tombe sur un merdier, on pourra toujours essayer de foutre le camp. »

Le drame se joue tout en bas de la pente. Klauss et Clary progressent en éclaireurs, fusil mitrailleur sous le bras. Mattei est resté dans la jeep auprès de Palisser ; à genoux sur la banquette arrière, il guide le chauffeur de la voix, lui disant simplement : « Gau-che » ou « droite ». Soudain, la roue arrière droite déclenche le dispositif d'une mine. La jeep parcourt encore un mètre, puis c'est l'explosion.

Frahm est tué sur le coup. La jeep saute et se couche sur le flanc. Le lieutenant Palisser gît sur la route, les couvertures ont glissé, son corps est nu sous la pluie fine. Mattei pense qu'il est mort. Le capitaine se précipite au hasard dans la forêt, tombe dans un fossé, gravit quelques mètres sur l'autre versant, et se blottit dans un épais buisson. Il aperçoit Klauss et Clary qui courent dans la montée de Vo-Chang. Fuir en avant est imprévu, donc intelligent. Tous les cinq pas, chacun leur tour, ils se retournent et lâchent une rafale de fusil mitrailleur en arc de cercle. C'est un véritable ballet qu'ils dansent avec un synchronisme parfait. Ils abattent plusieurs viets qui s'étaient lancés à leur poursuite.

« Ils vont s'en sortir, songe Mattei, et ce n'est que justice. Leur réflexe de bons soldats va leur sauver la vie. » Le capitaine aperçoit maintenant les viets qui s'agitent autour de la jeep renversée. Ils allument des lampes électriques dans la direction des corps étendus. Frahm est déchiqueté, Palisser est laissé pour mort. Entre les rebelles un conciliabule s'engage ; ils ont vu fuir Mattei, ils se préparent à organiser une battue pour le débusquer.

32

Le capitaine Antoine Mattei comprend que son heure est venue. Dans sa fuite il a emporté une carabine légère américaine. Une balle est engagée dans le canon, il soulève le cran de sûreté. Il s'accroupit, à genoux dans son buisson, ses fesses reposant sur ses talons. Il cale la crosse de la carabine sur le sol, presse l'arme entre ses cuisses, et introduit le canon dans sa bouche. Enfin, il dispose son pouce sur la détente — décidé à se suicider à l'instant même où il sera découvert.

Autour de lui, les viets battent le fossé, explorent les moindres buissons ; ils envoient des jets de pierres, lancent des éclairs de lampe électrique. Dix fois, vingt fois, ils frôlent la cachette du capitaine. Dix fois, vingt fois, Mattei est sur le point de tirer. C'est contre lui-même qu'il lutte désespérément, il ne peut s'empêcher de penser qu'il est impossible qu'il ne soit pas découvert. Alors pourquoi prolonger son calvaire ? Pourquoi ne pas en finir tout de suite ?

Ce n'est qu'au bout d'une heure que Mattei s'aperçoit qu'il est accroupi sur un nid de fourmis rouges, que ses jambes, ses cuisses et son ventre sont envahis par les insectes géants qui le rongent. Une heure encore se passe avant qu'une nouvelle sensation n'apparaisse. Il la reconnaît, car il en sait les effets : Une bonne vingtaine de sangsues doivent adhérer maintenant à ses membres inférieurs engourdis. Pourtant il n'a pas bougé d'un centimètre, pas fait

le moindre mouvement. La pluie et la sueur dégou-
linent le long de la carabine. Le canon est toujours
dans sa bouche, son pouce sur la détente.

Les fourmis. Les sangsues. Les viets qui continuent
leur ronde infernale. Antoine Mattei ne bouge toujours pas. C'est inimaginable, et pourtant le capitaine
va rester dans cette position plus de six heures.
Après avoir passé la nuit entière à le frôler, les
rebelles ne le découvriront pas, et décrocheront à
l'aube, lassés, persuadés que l'officier est parvenu à
fuir.

A partir du moment où il est certain que l'ennemi
a quitté les lieux, Mattei fournit encore l'effort surhumain de ne pas bouger pendant une demi-heure
supplémentaire. Puis il enlève le canon de sa bouche,
laisse tomber l'arme à terre, et tente de dégourdir
ses membres.

Il se laisse choir sur le côté et détend lentement
une jambe après l'autre, il répète le mouvement une
centaine de fois en accélérant progressivement. Ner-
veusement, il a envie de rire car il songe à l'expression : avoir des fourmis dans les jambes. C'est exactement la sensation qu'il éprouve, alors que sur tout
son corps les insectes grouillent, agglutinés par grappes.

Le jour est complètement levé. Dès qu'il peut marcher, le capitaine gagne précautionneusement les
abords de la route. Le corps déchiqueté de Frahm gît
sous les débris de la jeep, mais Palisser a disparu.
Mattei ne comprend pas. Les viets ont dû l'emmener.

La pluie a cessé. Ce dont le capitaine le plus besoin,
c'est d'allumer une cigarette. Il explore ses poches ;
sa boîte d'allumettes est inutilisable, ses cigarettes
ne sont plus qu'un bloc compact de tabac humide,
il ne lui reste qu'un espoir : le corps de Frahm qui
paraît avoir été partiellement protégé de la pluie
par le pare-brise de la jeep renversée. Mattei explore
les poches du mort. Il conserve les papiers, le porte-

feuille, la plaque d'identité ; enfin il trouve ce qu'il cherche, un briquet zippo qui fonctionne et un paquet de cigarettes Mic relativement sèches.

Le capitaine fait une autre découverte qui a pour lui une grande importance. Le jerrican d'essence attaché à l'arrière du véhicule n'a pas explosé, il est intact. Mattei s'en empare et s'enfonce dans la jungle, cette fois sur le versant opposé. Il marche une bonne heure, traînant le lourd bidon, puis il trouve un abri dans les rochers. Alors il se déshabille entièrement. Les fourmis tapissent son corps, mais ce sont surtout les sangsues qui le préoccupent. Il en dénombre une vingtaine. Mattei allume une cigarette et commence à brûler une après l'autre les ventouses gonflées de son sang.

Chaque fois, il laisse une cicatrice douloureuse sur ses jambes. Ensuite, il écrase soigneusement la dernière cigarette et commence à déverser sur son corps nu et sur ses vêtements épars sur le sol, l'intégralité des vingt litres d'essence contenus dans le jerrican, créant ainsi un massacre chez les fourmis. Alors le capitaine enfile son pantalon et ses chaussures ; il ne conserve que sa carabine, il abandonne tout le reste, et se met en route à travers la jungle montagneuse.

Le capitaine Mattei a décidé de regagner Ban-Cao par des chemins imprévisibles et vierges. C'est sa seule chance. A vol·d'oiseau, il y a une vingtaine de kilomètres à parcourir, il pense qu'il mettra trois jours, peut-être quatre... Mais il sait qu'il doit à tout prix éviter les abords de la R. C. 3...

Dans la nuit, contre toute logique, Klauss et Clary sont parvenus au poste de Vo-Chang à treize kilomètres du lieu de l'embuscade. Klauss se blesse sans gravité en faisant exploser un engin de défense français aux abords du poste.

Contre toute logique également, le lieutenant Palisser qui n'était pas mort sur le coup, a réussi à parcourir deux kilomètres en se traînant dans la boue. Il a été récupéré par une patrouille partie de Vo-

Chang sur indication de Klauss et Clary. Hélas ! il ne survivra que quelques heures et rendra son dernier soupir à l'infirmerie du poste dans la matinée du 23 juillet.

Dans la soirée, la mort du capitaine Mattei est annoncée officiellement, et transmise par radio de poste en poste. Le drapeau de Ban-Cao est mis en berne. Un pavillon noir est hissé sur le nid d'aigle.

Mattei marche seul dans la jungle. Il connaît tous les chemins, les pistes que risque d'emprunter l'ennemi. Un instinct de fauve traqué l'habite, il se terre souvent des heures entières, il ne laisse aucune trace derrière lui, ne cherche ni à manger ni à boire, n'hésite pas à prolonger son chemin par d'harassants détours. il sait que chacun de ses mouvements doit passer inaperçu.

Pendant deux jours et une nuit l'officier de Légion se dirige vers Ban-Cao, le poste qui porte son deuil.

24 juillet 1948, dix-huit heures trente. Le poste de garde sur la route d'accès au nid d'aigle a été renforcé. Quatre légionnaires l'occupent. Il fait encore jour, mais la pluie tombe de nouveau rendant la visibilité opaque et confuse. Les sentinelles n'aperçoivent la silhouette en haillons que lorsqu'elle se dessine, devant le groupe de paillotes, à une centaine de mètres d'eux. La démarche n'est pas celle d'un Chinois. L'ombre s'avance ; plus de doute, c'est l'un des leurs. Les quatre légionnaires demeurent néanmoins sur la défensive, puis, pour l'un des hommes, la silhouette devient soudainement un fantôme :

« Nom de Dieu ! C'est le capitaine...

— Arrête tes conneries, le capitaine est mort avant-hier... »

Pour un second légionnaire, l'évidence éclate.

« Il a raison, c'est le capitaine. »

Les deux autres écarquillent les yeux, se frottent le visage pour en chasser la pluie.

« C'est pas possible... Mais c'est pas possible !... »

Maintenant, Mattei n'est plus qu'à dix mètres. Les quatre légionnaires l'ont reconnu. Alors, sans se concerter, ils sortent de leurs abris, se dressent au garde-à-vous sous la pluie, et présentent les armes au clochard loqueteux qui s'avance vers eux en boitillant. L'un d'eux, un Polonais qui portent une épaisse barbe pour dissimuler la cicatrice qui lui fend la joue, ne peut réfréner son émotion. Il pleure sans honte, laissant glisser ses larmes qui se perdent dans l'épaisseur de ses poils frisés. Mattei ordonne d'une voix usée et caverneuse :

« Repos ! mes enfants... Aidez-moi à monter. »

Il tend sa carabine à l'un des hommes et passe ses bras autour des épaules des deux autres. Sans ordre, instinctivement, le quatrième part en courant et gravit la pente en hurlant.

« Le capitaine est vivant ! Le capitaine est revenu ! »

Un homme, puis deux, puis dix, puis l'ensemble de la compagnie paraît à l'entrée du poste, et se porte à la rencontre de son chef dans un concert d'exclamations. Lorsque, à mi-pente, ils rencontrent le trio formé par l'officier et les hommes qui le soutiennent, les légionnaires se figent dans un silence absolu. Ils s'écartent pour le laisser passer, puis se regroupent derrière lui, et, sans un mot, forment une lente procession.

Dans sa chambre, Mattei s'affale et réclame une cigarette et un verre d'alcool. Klauss et Clary n'ont pas encore rejoint Ban-Cao et se trouvent toujours à Vo-Chang.

C'est Fernandez qui s'affaire autour de l'officier, qu'il dévisage comme s'il refusait d'admettre l'évidence.

« Tu me prépareras mon rasoir, du linge et des serviettes propres. Dès que j'aurai fini ma cigarette, je vais me décrasser, ça ne sera pas superflu. »

Pendant un instant, Fernandez, les yeux baissés, se dandine d'un pied sur l'autre. Puis, brusquement, adoptant l'attitude chère à Ickewitz, il se rive dans un garde-à-vous rigoureux et lance d'une voix fracassante :

« Mon capitaine, il faut me casser la gueule et me mettre en prison. »

Mattei est surpris et affligé. L'image d'Ickewitz vient de traverser son esprit. La connerie dont fatalement va s'accuser Fernandez est reléguée à un plan secondaire.

« Qu'est-ce que tu as encore fait, imbécile ? Tu ne peux même pas me laisser ressusciter tranquille.

— C'est que justement, mon capitaine, vous êtes mort... Enfin, je veux dire, vous étiez mort.

— Et alors ? »

Fernandez cherche par tous les moyens à s'éloigner du fait.

« On a reçu l'avis officiel depuis Cao-Bang, on a même foutu le drapeau en pleurniche.

— En berne, rectifie Mattei. Respecte au moins ça, pâle voyou.

— Vous comprenez, mon capitaine, vous étiez mort, et bien mort. Alors je me suis dit qu'on n'avait jamais vu un mort avoir besoin de tout ce que peut contenir sa cantine... »

Brusquement Mattei comprend. Il se lève et se retourne pour constater la disparition de sa cantine. Il ouvre son armoire, elle est vide. Même ses affaires de toilette ont disparu.

« Cherchez pas, mon capitaine ! avoue Fernandez. J'ai tout vendu. (Il ajoute, penaud :) La punition, je m'en fous, mon capitaine, même si vous me mettez une balle dans la tête, ce qu'il ne faut pas c'est que vous pensiez que je ne suis pas aussi heureux que les autres de vous savoir en vie. »

De cela, Mattei en est certain. Il juge qu'il serait cruel et inutile de laisser planer à ce sujet le moindre scepticisme.

« Je n'en doute pas, Fernandez. Ça n'empêche pas que tu es le plus sinistre fumier de détrousseurs de cadavres que tous les bandits de la terre aient jamais connus. Et que si tu veux l'éviter, ta balle dans la tête, tu ferais pas mal d'aller récupérer mes affaires au pas de course. D'abord, à qui les as-tu vendues ?

— C'est que ça va pas être simple, je les ai larguées aux Chinois, aux enchères sur la place du village.

— Tu es légionnaire, Fernandez ! démerde-toi ! Je risque de m'énerver.

— A vos ordres, mon capitaine. »

Le capitaine Mattei récupérera la presque totalité de sa cantine. L'incident sera vite oublié, car il se situait dans la soirée du 24 juillet 1948, et cette nuit-là était le prologue de la sanglante tragédie tonkinoise.

33

LE 25 juillet 1948 dans le Haut-Tonkin, la guérilla débouche sur la guerre. Les viets ont beaucoup appris dans leur combat singulier avec les meilleurs soldats du monde. Regroupés et instruits dans la jungle, formés par les embuscades sur les routes et par les harcèlements de postes, les rebelles franchissent un nouveau palier de l'escalade qui les mènera à Dien-Bien-Phu : ils lancent un assaut général contre tous les bastions de la Légion sur la R.C. 3.

A Ban-Cao, le capitaine Mattei — à peine remis de son équipée — repousse sans effort une force viet qu'il évalue à trois cents ou quatre cents hommes. Visiblement, les combattants lancés contre le nid d'aigle ne croyaient pas à leur propre succès. Le drame, en effet, se jouait ailleurs.

A Phu-Tong-Hoa.

Pour comprendre la tragédie de Phu-Tong-Hoa, il est nécessaire de retourner deux mois en arrière.

Phu-Tong-Hoa, dernier poste de la Légion sur la R.C. 3, avant Bac-Kan, est situé dans une cuvette au confluent de deux arroyos aux eaux claires, vives et fraîches. Tel un bastion moyenâgeux, il domine, sur un mamelon, une petite plaine où les cultures traditionnelles bordées de diguettes tracent un dessin de vitrail.

Le poste est un rectangle aux murs de béton. Quatre blockaus d'angle le renforcent. Il est en outre protégé par des palissades de bambous et des champs de mines. Depuis le mois de janvier, il est occupé par la 2ᵉ compagnie du 3ᵉ Étranger qui comprend, au complet, cent quatre légionnaires. Le capitaine Cardinal est à la tête de cette unité d'élite, il est secondé par le lieutenant Charlotton. Le responsable du magasin, des vivres et des munitions est le sergent Guillemaud.

Dans les premiers jours de juin, l'importance de l'effectif ennemi qui entoure Phu-Tong-Hoa est rendue évidente par une incroyable découverte. Cherchant à bloquer la R. C. 3, les viets, en une seule nuit et sur la faible distance de cinq kilomètres, sont parvenus à creuser plus de sept cents tranchées ou trous en damiers. Le calcul est élémentaire. Un minimum de trois mille hommes a été employé pendant la nuit à ce travail de termites.

Que les viets soient autour d'eux, puissants de trois bataillons, ne constitue pas une découverte brutale pour les officiers de Phu-Tong-Hoa, ils s'en doutaient depuis longtemps. Seulement les rebelles viennent de démontrer qu'ils ne craignaient pas de le leur faire savoir, et cela, c'est plus grave. Le capitaine Cardinal et le lieutenant Charlotton en tirent une conclusion : l'attaque du poste est imminente. Par radio ils le signalent à Bac-Kan et à Cao-Bang, mais personne ne s'émeut. Pour un peu, on taxerait les deux officiers de couardise. Comment peuvent-ils imaginer que les viets auraient l'audace de s'attaquer à leur citadelle ? Cardinal réclame des parachutages de munitions supplémentaires et particulièrement de grenades. En réponse, il ne reçoit que des ricanements. Alors, il triche, il prétend que ses réserves d'explosifs sont épuisées. Cette fois, on obtempère, mais on signale l'ouverture d'une enquête. On pense que les légionnaires pêchent à la grenade dans les arroyos voisins.

Dans les derniers jours de juin, le lieutenant Charlotton assiste, songeur, aux incessants va-et-vient dans la cour du poste. Par groupes entiers, les habitants tonkinois du village entrent et sortent sous les prétextes les plus divers. C'est l'usage, ça dure depuis des mois ; du reste, certains des indigènes participent à des petits travaux et ce n'est seulement qu'à partir de huit heures du soir que les légionnaires se retrouvent isolés.

Le magasin d'armes et la soute aux munitions sont disposés à un mètre vingt de l'un des murs d'enceinte. Sous le coup d'une subite imagination, Charlotton s'y rend, et déclare au sergent Guillemaud :

« Tu peux me trouver quatre types sûrs en dehors de toi et moi pour travailler toute la nuit ?

— Mon lieutenant, toute la compagnie est sûre !

— Je veux dire quatre types discrets, des taciturnes, quatre types qui ne soient ni des m'as-tu-vu, ni des grandes gueules.

— Compris, mon lieutenant ! C'est facile, il y a mes deux adjoints, Bishoff et Juhasz, et on peut prendre aussi les caporaux Polain et Huegel. J'en réponds comme de moi-même. Si vous leur demandez de la boucler, on peut les découper en rondelles, ils ne parleront pas.

— Parfait, rendez-vous à huit heures trente, ici, au magasin. Je vous expliquerai ce que j'attends de vous. »

A l'heure dite, les six hommes se retrouvent. Le lieutenant va droit au but :

« Voilà... J'ai décidé de changer, dans le plus grand secret, l'emplacement de la soute aux munitions. On va tout transporter cette nuit dans la cave des réfectoires. A part ça, le magasin reste à sa place. Vous vous arrangerez simplement pour que les hommes sachent où aller se ravitailler en cas de coup dur. Mais, hors cette éventualité, j'exige que tout le monde — je dis bien : tout le monde sans aucune exception — ignore que les munitions ne se trouvent plus au même endroit... »

Les cinq légionnaires acquiescent. Ils ont compris. Ils ne posent pas de questions. En silence, ils se mettent au travail, et toute la nuit ils déménagent les lourdes caisses.

Le 18 juillet, on annonce de Bac-Kan l'arrivée d'une section de renfort. C'est imprévu et follement téméraire : les dix-neuf kilomètres qui séparent Bac-Kan de Phu-Tong-Hoa sont entièrement contrôlés par les viets.

Pourtant, la section arrive sans encombre. C'est un gag. Huit bleus qui débarquent en droite ligne de Bel-Abbès, placés sous le commandement d'un sous-lieutenant de vingt-trois ans, ne possédant pas d'autre expérience militaire que celle qu'il vient d'acquérir à l'École de Coëtquidan, le sous-lieutenant Bévalot. De taille moyenne, le nouvel arrivé possède un physique de jeune premier, il est gai, sympathique, enthousiaste. Immédiatement, il est adopté par Cardinal et Charlotton qui — s'ils déplorent son inexpérience — ne peuvent en aucune façon la lui reprocher.

L'esprit vif de Bévalot lui permet de comprendre rapidement la situation. En un minimum de temps, il assimile un maximum de connaissances.

Le dimanche 25 juillet, de l'aube au crépuscule, le crachin sale n'a pas cessé de tomber. Le sergent Guillemaud, le caporal-chef Polain et le sergent-chef Delamare ont passé la journée à pêcher au bord de l'arroyo ouest. Pas à la grenade. A l'aide de lignes de fortune qu'ils ont eux-mêmes confectionnées. Ils ramènent deux poissons-chats et quelques anguilles. Ils sont trempés jusqu'aux os, ils se changent, vont se restaurer au réfectoire et se retrouvent au magasin d'armes pour fumer une pipe d'âcre tabac local (Ils n'ont plus que quelques rares cigarettes qu'ils économisent).

Vraisemblablement, comme dans tous les moments de détente, ils devaient parler de femmes, de putes, de virées, de cuites. Mais à dix-neuf heures trente leur conversation est interrompue. C'est d'abord le sifflement caractéristique qui précède l'explosion. En techniciens chevronnés, les trois hommes se jettent par terre, protégeant leur nuque de leurs mains. Puis c'est le choc de l'obus qui transperce le toit. Enfin l'éclatement brutal de la charge explosive qui projette sur les légionnaires un amoncellement de débris.

Guillemaud, Polain et Delamare ne sont pas atteints ; l'obus a traversé le plancher du magasin d'armes et c'est dans l'ancienne soute à munitions qu'il a explosé. Le tir ennemi s'acharne maintenant sur ce point précis : sans l'initiative secrète du lieutenant Charlotton, les munitions auraient sauté, et le poste se trouverait maintenant sans défense, à la merci de ses agresseurs.

Les trois légionnaires se précipitent dehors. En une minute, le fracas est devenu étourdissant. L'ennemi semble tirer de partout et ce ne sont que des coups d'armes lourdes. Pour parcourir les quinze mètres qui les séparent le magasin du réfectoire, les légionnaires se jettent à plusieurs reprises à plat ventre dans la boue. Lorsqu'enfin ils y parviennent, Polain gueule :

« Je fais le tour des blockaus ! Je préviens tout le monde que les munitions sont au réfectoire. »

Guillemaud, accroupi, observe les éclairs qui déchirent le ciel.

« Nom de Dieu ! constate-t-il. Les fumiers, ils ont des 75 ! Qu'est-ce qu'on va déguster ! »

Le capitaine Cardinal s'est précipité vers le central radio. Juste avant d'y parvenir, un obus éclate à quelques mètres de lui. Les trois hommes qui l'accompagnaient sont tués sur le coup. Le capitaine tombe, grièvement atteint à la jambe et aux hanches par les éclats. Il se traîne pourtant jusqu'à la chambre-radio. Les légionnaires Shern et Jungerman essaient, dans le calme, d'entrer en contact avec Bac-Kan. Le capitaine s'affale par terre dans un angle. Il

perd son sang mais il ne semble guère s'en soucier.
Il interpelle Jungerman :

« Allez prévenir les lieutenants Charlotton et Bévalot. Dites-leur que je suis blessé, qu'ils viennent ici
chercher les ordres. »

Charlotton arrive presque aussitôt. Bévalot le suit
à une minute. Le premier lieutenant s'est précipité
sur son chef pour examiner sa blessure :

« Il faut vous transporter à l'infirmerie, mon capitaine, vous faire un plasma.

— Ta gueule, je reste ici ! Y'a pas de temps à
perdre, je crois que c'est le vrai coup dur. »

Shern enlève son casque d'écoute.

« Bac-Kan ne peut rien pour nous. Cao-Bang non
plus. Tous les postes sont attaqués, c'est l'offensive
générale, les viets sont partout. »

Au réfectoire transformé en magasin d'approvision-
nement, Polain réapparaît.

« J'ai prévenu tout le monde, annonce-t-il. Vous
pouvez préparer les citrons, ils vont venir les chercher.

— Comment ça se passe ? questionne Guillemaud.

— Pour le mieux. Tout va merveilleusement bien.
Si tu veux mon avis, les viets ne sont pas plus de
4 ou 5 000. Trois ou quatre bataillons dont un ou deux
d'artillerie lourde. Le capitaine est mourant, et il
pleut ! A part ça, le moral est bon. »

Ce n'est, certes, pas Guillemaud qui va s'étonner
de la boutade cynique du caporal-chef Polain. Depuis
dix ans ils se connaissent et l'Indochine n'est pas la
première campagne dans laquelle ils sont engagés
ensemble.

Polain est Belge. C'est un colosse wallon qui a
dépassé la quarantaine ; on ne compte plus le nombre
de fois où il fut promu, puis cassé et promu de
nouveau ; on ne compte pas davantage ses citations
et ses faits héroïques. Mais tout le monde se souvient,
ou a entendu parler, du plus célèbre de ses records :
en Norvège, pendant la dernière guerre, il ingurgita,

à la suite d'un pari, dix litres de bière forte en moins de quatre heures.

Quelles que soient les circonstances, Polain fait preuve d'une égale bonne humeur. Il a une voix qui porte à cent mètres, et son rire énorme est légendaire. Une anecdote fameuse est demeurée attachée à son personnage. Dans un rapport officiel, relatant un violent combat en Libye, un chef de bataillon écrivit : « ... le rire du caporal-chef Polain couvrant le fracas des détonations, il m'est difficile de définir avec précision la force dont disposaient nos assaillants... »

Fixant Guillemaud, Polain reprend son sérieux et devient presque solennel.

Pour le sergent, ça ne peut signifier qu'une chose : il va être question de futilité. Il ne se trompe pas.

« Dis donc, sergent, tu n'aurais pas une pipe ? Les réserves pour les jours de fête, ça me paraît un peu dépassé, tu ne penses pas ? »

Guillemaud sourit. Il ouvre un tiroir et tend un paquet de Mic à son compagnon.

« Tout un paquet ! s'extasie le Belge. Si le Bon Dieu m'aime, il me laissera le temps de le fumer en entier. »

Polain allume une cigarette dont il tire une longue bouffée avec délice.

« Je vais faire un tour, donne-moi une caisse de grenades, je vais la distribuer. »

Le tir d'artillerie s'intensifie de minute en minute. Une grêle d'obus s'abat sur le poste, faisant voler en éclats toutes sortes de matériaux. Tués ou blessés les hommes tombent. Polain marche droit, à pas lents. Sous le bras gauche il porte sans effort la caisse de grenades, et son souci majeur paraît être de préserver de la pluie la cigarette qu'il tient dans sa main droite.

Il est vingt heures quinze. La préparation d'artillerie dure depuis trois quarts d'heure lorsque, brusquement, c'est le silence. Les légionnaires eux aussi, cessent le tir. Il ne reste dans leurs oreilles que le sifflement que suivent les détonations, et l'odeur de la poudre qui imprègne leurs narines.

Du poste de radio, le capitaine Cardinal a compris que cet entracte précède l'assaut ; il donne l'ordre de redoubler de vigilance. Polain a distribué ses grenades, il poursuit sa promenade. En passant à proximité de l'ancien magasin d'armes, il est attiré par un bruit insolite.

Sur une vingtaine de mètres de long, la paroi de fond du magasin forme avec le mur d'enceinte un couloir. C'est un véritable boyau d'un mètre vingt de large dont les extrémités sont bloquées par deux solides portes de bois fermées au cadenas.

Silencieusement, Polain pénètre dans le magasin. Il connaît les lieux par cœur et peut s'y mouvoir malgré l'obscurité. Contre le mur opposé à la porte d'entrée, quatre couchettes superposées sont fixées. Une échelle de bois en permet l'accès. En souplesse, Polain grimpe. Juste au-dessus de la quatrième couchette, une lucarne d'aération donne sur le fameux boyau. Les vitres ont explosé et la lucarne n'est plus qu'un trou béant. Prudemment Polain jette un regard ; il demeure paralysé de stupeur.

Dans le boyau, les viets grouillent comme des rats, ils continuent à escalader en silence le mur d'enceinte, ils sont peut-être déjà cent ou cent cinquante à l'intérieur. A chaque extrémité du corridor, deux d'entre eux sont occupés à dévisser les plaques qui soutiennent les cadenas.

En une seconde, Polain juge la situation. Il connaît la solidité de ces plaques. Il est évident que les viets veulent les démonter en silence pour préparer une attaque surprise. Il leur faudra près d'une demi-heure pour y parvenir, aucun doute là-dessus.

Polain redescend de son perchoir. Sous le feu ennemi, il traverse la cour et rejoint au réfectoire le sergent Guillemaud. Le caporal-chef est calme, serein, un sourire fend son visage jovial ; il se saisit d'une nouvelle caisse de grenades :

« Ils en réclament encore ? interroge Guillemaud.

— C'est pour mon usage personnel, je suis sur un coup.

— Explique ! »

Polain repose la caisse, il semble avoir une nouvelle idée. Sur sa vareuse il serre son ceinturon d'un cran et commence à se bourrer de grenades qu'il accumule entre sa peau et son vêtement. En se gonflant de toutes parts, il explique :

« Sergent, ça fait longtemps qu'on se connaît, toi et moi. On en a fait des coups ensemble ! On a rigolé plus d'une fois. Tu sais mieux que personne que j'ai une nature joyeuse, eh bien, je vais t'étonner : me marrer comme je vais me marrer dans quelques minutes, ça ne m'était encore jamais arrivé ! Et comme je t'aime bien, je vais t'en faire croquer ! Viens avec moi... »

Sans comprendre, Guillemaud, en silence, suit son compagnon. Sur l'insistance de Polain, il transporte, dans une caisse, les grenades que n'a pu contenir la vareuse du caporal. A l'entrée du magasin, Polain chuchote :

« Je m'installe sur la couchette supérieure, toi sur celle d'en dessous. Quand je n'aurai plus de grenades, tu m'en passes. »

Le sergent comprend.

« Il y a des viets dans le boyau ?

— Des viets ? murmure Polain sur un ton méprisant. Toute l'armée du Viet-minh est entassée dans ce couloir !

— Oh ! putain, lance Guillemaud. Quelle boucherie !

— Quelle rigolade ! » rectifie Polain.

Sans le moindre bruit, les deux légionnaires gagnent les couchettes. Polain s'installe confortablement allongé, après s'être assuré, d'un bref regard, que la concentration des rebelles n'a fait que croître pendant son absence.

Alors, tranquillement, il dégoupille la première grenade, et la lance par la lucarne.

L'explosion suscite instantanément un concert de

hurlements suivi d'un déchirant tumulte. Polain éclate de son rire tonitruant et poursuit ses jets de grenade, cherchant seulement à varier leur destination. Quand il a épuisé sa propre réserve, il en réclame de nouvelles à Guillemaud :

« Dégoupille-les-moi, sergent, on gagnera du temps. »

C'est dangereux mais les deux légionnaires ont l'habitude. Ils effectuent un véritable numéro de jongleur. Leurs index droits sont en sang à force de tirer sur les anneaux de dégoupillage.

Lorsque Polain est certain qu'il ne reste plus un seul homme valide dans le boyau, il passe sa tête par la lucarne et contemple, admiratif, le résultat du carnage. Enfin, il semble satisfait et saute à terre.

« Leur idée n'était pas con, constate-t-il simplement. Ils auraient bien pu nous faire marron ! »

Profitant de l'accalmie provisoire, les deux légionnaires entreprennent un tour rapide du poste, s'assurant que les positions de défense et surtout les armes automatiques des blockhaus d'angles sont toujours occupées par des hommes valides. Cette précaution n'est pas superflue. Autour des mitrailleuses, qui sont servies chacune par trois légionnaires, ils découvrent de nombreux blessés (certains grièvement) qui ont préféré ne pas signaler leur état et continuer le combat.

De leur côté, les lieutenants Charlotton et Bévalot ont eu le même réflexe, et à plusieurs reprises, remplacent des tireurs et des chargeurs blessés, en dépit de leurs protestations.

En dix minutes les postes de défense sont à nouveau entre les mains d'hommes valides, mais malheureusement, souvent moins expérimentés.

A vingt et une heures, le silence est brusquement rompu. Ce n'est plus un tonnerre d'artillerie, ni un fracas de détonation, mais la lancinante jérémiade de centaines de trompes d'assaut qui déchirent la nuit de leurs geignements lugubres. Même pour les vétérans les plus endurcis, cette cacophonie exacerbe

les nerfs. Et surtout ils en connaissent la signification : de toutes les montagnes environnantes, une
horde humaine va' maintenant se ruer sur le poste.

Au central radio, le capitaine Cardinal donne ses
dernières instructions. Autour de lui ses subalternes
savent qu'il n'a plus que quelques minutes à vivre. Ils
seront nombreux à entendre ses ultimes paroles :

« Du courage, les enfants ! Au corps à corps, ils ne
valent pas un clou ! »

Après la mort du capitaine Cardinal, le lieutenant
Charlotton assure le commandement du poste, pendant douze minutes, avant de tomber lui-même, foudroyé, au moment où les premières vagues d'assaut
parviennent à escalader l'un des murs d'enceinte.

Le blockhaus ouest succombe, et les viets s'emparent d'un fusil mitrailleur qui le défendait. Ils le
retournent vers le poste. L'un des rebelles hurle en
français, d'une voix aigre et aiguë :

« Rendez-vous ! Vous êtes perdus ! Rendez-vous ou
nous vous tuerons tous ! »

Instantanée, la réponse vient du blockhaus sud. Sa
mitrailleuse crache, déchiquetant l'orateur. C'est le
caporal-chef Martin, le secrétaire du capitaine Cardinal, qui a tiré. Il est secondé par Piperno, le petit
cuisinier sicilien, et Chauvé, le gitan.

Il est impossible de décrire avec précision le combat
hallucinant et confus qui suivit ces instants.

Par vagues successives, les soldats viets parviennent à occuper de nombreuses positions à l'intérieur
du poste. A la grenade, à coups de crosse, à l'arme
blanche, les légionnaires finissent par les en déloger.

Polain, acculé contre un mur, se défend contre une
grappe d'assaillants qui cherchent à le capturer
vivant. Un poignard-commando dans chaque main,
il tue quatre viets avant d'être transpercé d'un coup
de baïonnette. Son sang gicle, et il s'écroule.

Les rebelles s'acharnent alors sur le corps du géant
wallon qu'ils perforent d'une centaine de coups de

poignards et de coupe-coupe. Il restait dix-huit cigarettes dans son paquet de Mic.

Le stock de grenades épuisé, le sergent Guillemaud
décide en désespoir de cause de distribuer d'inoffen-
sives grenades fumigènes. Surprise ! Les viets croient
qu'il s'agit de gaz asphyxiant et ont un mouvement
de recul.

Les yeux injectés de larmes, les légionnaires reprennent aussitôt plusieurs positions essentielles. En tous-
sant, en crachant, les survivants continuent à se
battre comme des fauves furieux. Ils remettent en
batterie les armes automatiques utilisables et s'apprêtent à tirer à l'aveuglette lorsqu'un miracle joue
en leur faveur.

Brusquement le ciel se déchire, la lune apparaît,
découvrant les forces ennemies. Alors, au fusil mitrailleur, et au mortier, le carnage commence. Trois mille
viets se replient devant l'acharnement, la ténacité, le
refus de succomber de trente-quatre légionnaires
enragés.

A vingt-trois heures, les trompes viets mugissent à
nouveau. Mais cette fois, c'est la retraite qu'elles
commandent.

Les légionnaires restent néanmoins sur le qui-vive
toute la nuit. Dans l'infirmerie où les blessés sont
entassés à même le sol, gisant dans des mares de
sang, on n'entend que plaintes déchirantes, gémissements de douleur.

Au passage du sergent Guillemaud, Chauvé le gitan,
qui a reçu une rafale d'arme automatique en pleine
poitrine, et des éclats de grenade dans le ventre,
supplie, haletant :

« Finis-moi, sergent, je t'en prie, finis-moi ! »

Guillemaud n'en a pas le courage. Pour la suite
de ce récit, laissons-lui la parole :

« ...Une fois le contact pris avec les survivants,
regroupés au sud sous les ordres du sous-lieutenant
Bévalot, il convient de remettre un peu d'ordre dans

l'incroyable confusion qui règne encore à l'intérieur du poste. C'est vite fait. Avec les autres sous-officiers, dont les sergents Galli, Fissler et Andry, nous répartissons les légionnaires valides en quatre groupes, et reprenons possession des positions évacuées, nous assurant qu'aucun viet vivant, ne s'est maintenu dans le poste. Il fait de moins en moins sombre. Ou tout au moins, l'obscurité de la nuit se lève au fur et à mesure que la lune apparaît derrière la montagne et les collines. Je me dirige vers la muraille nord dans l'intention de poster quelques légionnaires aux créneaux. Mais tout d'abord il faut enlever les cadavres viets laissés sur place par l'assaillant. En relevant les corps de nos adversaires, je m'aperçois qu'outre les armes automatiques, les viets étaient munis de tiges de bambou longues de deux mètres cinquante environ, terminées soit par des fers de lance crantés, soit par des sortes de serpes courbes. Le tout soigneusement affûté. Sous un des corps, je trouve un fusil mitrailleur de fabrication étrangère ; les fusils récupérés sont de très grande taille et les baïonnettes qui les somment, sont soigneusement liées par des fils de fer. De nombreuses grenades non éclatées jonchent le sol et c'est très dangereux. Le matin, au jour, nous constaterons que les fusils sont russes, les fusils mitrailleurs tchèques, et les grenades de fabrication locale.

« Il me vient à l'idée d'aller voir dans l'emplacement du mortier de 60 qui jouxte le magasin d'armes et ma chambre à l'est. A ce moment, je suis rejoint par le chef de pièce. Nous poussons une exclamation de surprise au premier regard. Littéralement entortillé autour du mortier, un cadavre viet fait corps avec le tube, car il est retenu par la bretelle de portage. Une grenade lui a explosé sous le nez, juste au moment où il tentait d'emporter la pièce.

« Dans le blockhaus 3, une dizaine de cadavres viets encombrent la partie intérieure. Nous les dégageons, et constatons avec surprise qu'ils recouvrent les corps des légionnaires Baran et Speck. Baran serre encore dans sa main droite le bloc percuteur de son F. M. qui lui a été enlevé par les viets, mais par son dernier geste, il a rendu l'arme inutilisable.

« Pour permettre à quelques-uns d'entre nous de prendre un peu de repos, un tour de garde est organisé. Mon tour passé, je peux aller m'étendre et dormir deux ou trois heures. Je suis trop exténué pour me préoccuper des gravats et des débris de tuiles qui m'entourent. Je suis réveillé par un légionnaire envoyé par le sous-lieutenant Bévalot. Il fait beau, le soleil s'est levé, il est déjà chaud, mais le spectacle qui s'offre à moi est épouvantable. Les corps de nos vingt et un morts, étendus et rangés sous ce qui reste du réfectoire. Le capitaine Cardinal, le lieutenant Charlotton, les caporaux-chefs Polain et Huegin, les légionnaires Walther, Manault, Piperno le Sicilien, Baran, Speck, Chauvé le Gitan, Hergessen, et bien d'autres, que je connais peu ou mal parce qu'arrivés avec les derniers renforts de Bel-Abbès, il y a à peine huit jours... Il importe de procéder au plus vite à l'inhumation des corps en raison de la chaleur de plus en plus intense et aussi parce que des nuages entiers de grosses mouches voraces s'abattent sur eux.

« A huit heures quarante-cinq du matin, le contact radio en phonie est rétabli avec Bac-Kan. C'est le commandant Sourlier qui a pris lui-même le micro pour converser avec la radio. Il s'est mis à lui poser des questions pour le moins saugrenues de prime abord. Il est évident qu'il n'était pas sûr que Phu-Tong-Hoa n'était pas occupé par les viets en raison de notre dernier message. Les réponses faites aux questions posées par le commandant, lui ont permis de se convaincre qu'effectivement, Jungermann, le radio, était libre de ses réponses et que contre toute vraisemblance, le poste était encore aux mains de la 2ᵉ compagnie.

« Ensuite, avec mon magasinier Bischoff, nous nous affairons à récupérer les armes et les munitions qui traînent un peu partout. Nous récupérons aussi des documents et notamment des plans du poste. En

général ces derniers sont fort bien faits, extrêmement
fidèles ; les viets étaient parfaitement renseignés sauf
sur un point : tous les documents indiquent l'*ancien*
emplacement de notre soute à munitions. Sur l'un
des corps viets, dont l'uniforme porte des insignes
de gradé, nous trouvons un drapeau rouge timbré
de l'étoile jaune à cinq branches. Manifestement destiné à remplacer le nôtre. Mais celui-ci est resté hissé
à son mât toute la nuit... »

Revenons à Cao-Bang où depuis le silence du poste
de Phu-Tong-Hoa le 25 juillet à vingt et une heures,
on est persuadé que la citadelle est tombée.

Le lieutenant-colonel Simon, commandant de zone,
passe la nuit à préparer un détachement de secours,
qui partira à l'aube. Ce détachement comprend un
peloton du 5ᵉ escadron du régiment d'Infanterie
coloniale, la 3ᵉ compagnie du 23ᵉ bataillon de Tirailleurs algériens, un détachement du Génie, et en protection, bien entendu, une compagnie du 3ᵉ Étranger.

L'organisation de cette colonne de secours est logique et normale. Ce qui ne l'est pas, c'est que le colonel Simon en prenne le commandement en personne,
exposant dangereusement sa vie. Ses subalternes tentent de le faire renoncer à ce projet. Mais l'officier
supérieur demeure intraitable ; il sait que sa présence
sur la R. C. 3 peut considérablement relever le moral
des légionnaires qui peuvent tous subir demain le
sort de leurs camarades de Phu-Tong-Hoa. Le colonel
Simon dira simplement avant son départ :

« C'est la seule chose qui reste en mon pouvoir,
j'estime que c'est peu. »

La colonne Simon mettra trois jours pour atteindre
Phu-Tong-Hoa. Elle sera attaquée violemment quatre
fois, subira des pertes sensibles, mais parviendra finalement à son but. Une fois encore, laissons parler
le sergent Guillemaud :

« ... Lorsque vers dix-neuf heures, les premiers éléments de la colonne tant attendue sont signalés au
détour de la route de Diang, un soupir de soulage-

ment monte du poste et un formidable hourrah retentit.

« Juché sur le blockhaus 3, jumelles en main, je scrute la route illuminée par le soleil couchant. Une jeep apparaît, se détachant de la colonne. Quatre hommes sont à bord, et il me semble reconnaître la silhouette du colonel ; c'est bien lui, accompagné de son chef d'état-major, le capitaine Soulier, et d'un sous-officier de la section de protection...

« Dans le silence le plus complet, le colonel Simon termine à pied la montée vers le poste. Les commandements réglementaires retentissent. Le cliquetis des armes ponctue le maniement impeccable. La tradition est respectée ; gradés et légionnaires se présentent.

« A part le décor on se croirait au Quartier Vienot de Bel-Abbès. »

Phu-Tong-Hoa était resté légionnaire. Fidèlement.

34

A Ban-Cao, le train-train reprend. Chaque sortie du poste est maintenant devenue une entreprise d'une audace insensée. Les légionnaires ne quittent plus leurs bastions que sur des renseignements irréfutables. Mattei attend une permission qui doit lui permettre de regagner la métropole. Il espère que son ordre arrivera à temps pour qu'il n'ait pas à assister à l'évacuation et à la destruction de son nid d'aigle. Il sait que c'est imminent et inévitable : à plus ou moins brève échéance, tous les postes Légion sur la R. C. 3 sont condamnés.

Depuis deux ans déjà, la 4ᵉ compagnie a pour sergent-major un homme en tous points exceptionnel. Engagé à la Légion, en 1945, sous le nom de Burgens, Mattei n'ignore pas son identité réelle : Hervé de Broca, né le 17 juillet 1894, à Tavernay (Saône-et-Loire). Il est âgé de cinquante-quatre ans. C'est le doyen de la 4ᵉ compagnie. Hervé de Broca, ancien élève de l'École normale supérieure, était avant la guerre mondiale attaché au cabinet d'Édouard Herriot. Sous l'occupation, c'est à Vichy qu'on le retrouve comme sous-secrétaire d'État et ami personnel du maréchal Pétain. A la Libération, condamné à mort par contumace, il parvient à fuir et à s'engager dans la Légion étrangère. Mattei le respecte pour deux raisons principales : d'abord, malgré son âge, de Broca a toujours participé courageusement aux combats de la compagnie ; ensuite, comme sergent-major chargé de la comptabilité (souvent complexe) et de la correspondance (non moins délicate) du capitaine, il fait merveille. Sa diplomatie, son érudition, son sens politique lui ont permis, à diverses reprises, de « noyer le poisson » avec subtilité et élégance dans des rapports amphibologiques.

Dans le courant du mois d'août, Burgens s'est assis dans le bureau du capitaine, qui vient, une fois de plus, de lui faire part d'un tracas administratif.

« Burgens, Lang-Son me talonne à propos de ce village auquel j'ai fait foutre le feu ! il paraît qu'il y a des plaintes. Ils veulent des détails en haut lieu... »

Burgens sourit. Seul un léger embonpoint trahit sa cinquantaine.

« C'est pour ça que vous vous inquiétez, mon capitaine ? Rassurez-vous, je vais rechercher dans le Code militaire ; il existe des multitudes de lois auxquelles on peut faire dire ce que l'on veut ; il suffit de savoir les interpréter. »

Burgens consacre une semaine à l'élaboration d'un compte rendu d'une étonnante ambiguïté. Puis, par goût du canular, l'ancien normalien s'amuse à le réécrire en latin. Il met un point d'honneur à ne pas commettre la moindre faute, la moindre maladresse de syntaxe, et lorsqu'il se présente devant le capitaine, il lui soumet les deux textes, l'original et sa traduction latine. Il y en a une quarantaine de pages.

« Au début, mon capitaine, explique-t-il, j'ai commencé à traduire par jeu, et puis l'idée de poursuivre m'a séduit, je suis assez fier du résultat. Ce texte peut être soumis à d'éminents latinistes sans qu'ils puissent y relever la plus petite faute. »

Mattei est enchanté. Il approuve la version française et se prenant au jeu, décide d'envoyer à Lang-Son le rapport en latin.

L'effet de surprise qu'il escomptait dépasse de loin son pronostic. Le rapport fait le tour des officiers généraux qui, pour la plupart, l'annotent. Il est soumis au gouverneur général Bollaert et finit par arriver à Paris où il se trouve encore conservé dans les

Archives de l'Armée, telle une pièce de musée. Le but initial de l'opération est dépassé de très loin : personne ne se soucie plus de savoir pourquoi et comment un village tonkinois a péri sous les flammes.

Depuis la mort d'Ickewitz, Fernandez a obtenu une faveur du capitaine, ses fonctions ont changé. D'ordonnance, il est passé garde du corps.

Le capitaine Mattei en profite aussitôt pour se laisser aller à son penchant naturel qui consiste à ignorer toute recherche dans sa tenue, au point de ressembler davantage à un vagabond qu'à un officier de l'armée française. La visière de son fameux « képifétiche » est devenue tellement branlante qu'il est obligé de la maintenir à l'aide d'une épingle. Sur ce chapitre de la discipline vestimentaire, le capitaine est aussi indulgent vis-à-vis de lui-même qu'intraitable envers ses hommes, desquels il exige toujours une tenue parfaite, des uniformes immaculés, une propreté méticuleuse. Ignorant que le capitaine se complaît dans ce relâchement, la bande des sous-officiers s'émeut tristement, allant jusqu'à plaindre leur chef qu'ils considèrent un peu comme un homme abandonné par sa femme et incapable de faire face aux exigences domestiques.

Un matin, Klauss se lance dans un exposé solennel.

« Mon capitaine, depuis le changement des attributions de Fernandez, vous êtes privé d'ordonnance. Ça ne s'est jamais vu. Excusez-moi de vous parler si librement, mais il serait temps de songer à en désigner un nouveau.

— Qu'est-ce que c'est encore que cette invention ? Vous pensez que je ne suis pas assez grand pour me passer d'une nourrice ?

— Mais c'est la règle, mon capitaine.

— Nous ne sommes pas dans la Wehrmacht ! Foutez-moi la paix avec vos conneries, j'ai d'autres chats à fouetter ! »

Klauss s'attendait à cette réponse et décide de déclencher la seconde phase de l'opération :

« Dommage ! dit-il. Si vous saviez ce que j'ai découvert... Ça vous ferait peut-être changer d'avis... Enfin, si vous le prenez comme ça... »

Mattei ne peut s'empêcher de sourire. Décidément ses hommes commencent à le connaître, peut-être mieux qu'il ne se connaît lui-même : la curiosité est son point faible.

« Allez ! Accouchez, dit-il.

— Kalish, mon capitaine, Emil Kalish, légionnaire de 1ʳᵉ classe, vous voyez qui c'est ? »

Mattei connaît par leur nom tous les hommes de sa compagnie. Il voit effectivement Kalish. Un grand Allemand, bon soldat, discipliné, sobre. Il n'a jamais eu à s'en plaindre.

« Oui, Kalish, je sais qui c'est, acquiesce Mattei. Et après ?

Afin de doser ses effets, le sergent-chef est décidé à ne lâcher le morceau que par petits bouts.

« Eh bien, Kalish, pendant la dernière guerre, a été l'ordonnance personnelle d'un officier allemand.

— Et c'est pour ça que vous me faites ce numéro, Klauss ? Laissez-moi, j'ai du travail.

— A vos ordres, mon capitaine », déclare Klauss en effectuant un demi-tour réglementaire.

Avant d'atteindre la porte, il se retourne et ajoute :

« Un général allemand...

— Quoi ?

— Kalish a été l'ordonnance d'un grand général de la Wehrmacht. »

Mattei comprend que le numéro n'est pas terminé : S'il adopte cette attitude de joueur de poker, Klauss doit avoir un full dans son jeu.

« Ça suffit, j'ai compris. Assez joué. Maintenant, Klauss, videz votre sac.

— Mon capitaine, pendant quatre ans, Kalish a été l'ordonnance du maréchal Rommel. Il l'a suivi partout, dans toutes ses campagnes, il était le sous-officier le plus envié de l'Afrika Korps. »

Mattei est intéressé et amusé.

« Vous en êtes sûr ?

— Incontestable ! Il a conservé tout un dossier qui confirme son affectation. Il a même des photos, j'ai tout vu.

— Et d'après vous, le fait d'avoir été l'ordonnance de Rommel prouve qu'il est plus compétent qu'un autre dans ce domaine ?

— Mon capitaine, si vous voulez mon avis, le maréchal Rommel n'était pas un timide... Si Kalish n'avait pas fait l'affaire, il ne l'aurait pas gardé cinq minutes.

— Non, admet Mattei, songeur. Je ne pense pas que Rommel ait été un grand timide. Allez me chercher Kalish, ça m'intéresse. »

Ostensiblement impeccable, Kalish se présente. Il est évident qu'il est au courant de la manœuvre de Klauss.

« Alors, déclare Mattei, souriant, on m'annonce que j'ai dans ma compagnie un intime du Feld-maréchal ?

— J'ai servi sous les ordres du maréchal Rommel pendant quatre ans en qualité d'ordonnance, mon capitaine.

— Et tu serais prêt à assumer les mêmes fonctions auprès de moi ? »

Demeurant raide dans son superbe garde-à-vous, Kalish répond :

« Je n'aurais pas à discuter vos ordres, mon capitaine, mais je me permets d'ajouter que je considérerais comme un honneur de devenir votre ordonnance. »

Mattei siffle entre ses dents :

« Il faut reconnaître que c'est un compliment. D'accord, tu entres en fonction immédiatement. Mais d'abord, dis-moi un peu ce qu'attendait au juste de toi le maréchal ?

— Tout, mon capitaine. Je lavais et je repassais son linge, je cirais ses bottes et ses chaussures, j'astiquais et je recousais les boutons de ses tuniques, j'achetais moi-même ses chemises. C'est moi également qui salissais ses uniformes pour les photographes.

— Qu'est-ce que tu racontes ?

— Je ne mens pas. Quand nous attendions la visite des photographes ou des opérateurs d'actualités en Libye, le maréchal me chargeait de répandre de la poussière de sable sur son uniforme et je lui en saupoudrais également le visage avec un petit pinceau de soie. Après, c'est moi qui nettoyais tout. »

Mattei part de son grand rire.

« On a raison de dire qu'il n'existe pas de grands hommes pour leurs valets. Rommel se maquiller ! Décidément, j'en apprendrai tous les jours. Rassure-toi, poursuivit le capitaine, devant la mine affligée de Kalish, ça n'enlève en rien l'admiration que je lui porte. »

L'entrée en fonction de Kalish en qualité d'ordonnance va avoir deux effets : le premier, sur l'aspect physique du capitaine qui, immédiatement va s'améliorer ; le second va être d'assimiler Kalish à la bande Mattei (Clary, Klauss, Fernandez). Les « truands-prétoriens », comme les nomme le capitaine, sont de nouveau quatre. Sans être oublié, Ickewitz est remplacé.

En septembre 1948, le capitaine Mattei reçoit enfin sa permission. La joie qu'il éprouve à l'idée de revoir la France qu'il a quittée depuis plus de quatre ans, et plus précisément sa Corse natale, est assombrie par sa certitude de quitter Ban-Cao à tout jamais. Il n'ignore pas que le poste vit ses derniers jours, que bientôt ses hommes feront sauter en quelques heures le travail acharné de six mois.

Dans le village tonkinois on est au courant du proche départ du capitaine, et durant deux semaines les notables préparent un festin d'adieu. Cette marque de sympathie spontanée émeut l'officier de Légion qui accepte avec enthousiasme de participer à ce gala auquel sont également conviés Osling, Klauss, Kalish, Fernandez, Clary et Burgens.

Le mystère qui entoure l'élaboration de cette festivité laisse présager le faste et l'importance que les Tonkinois désirent donner à leur réception.

Par une chaude soirée, les sept légionnaires descendent du poste en grande tenue. Pour une fois, Mattei a revêtu son uniforme sans maugréer. Les sous-officiers sont impeccables. Kalish a veillé à tout. Clary et Fernandez se réjouissent à l'idée du repas qui les attend.

« Il paraît qu'ils ont trouvé du vin de France », clame Fernandez, l'œil pétillant.

D'un geste, Mattei arrête les six hommes.

« Entendons-nous bien avant d'arriver, dit-il. Personne ne se soûle la gueule. Ces braves gens vous ont invités comme s'ils vous considéraient comme des êtres civilisés, et sur ce point, je ne trouve pas leur naïveté ridicule, mais touchante. J'entends qu'ils ne soient pas déçus.

— Tout de même, mon capitaine ! On peut boire un petit coup par ci, par là, marmonne Clary. Sans ça, c'est pas la peine d'aller à une fête.

— Un petit coup par ci par là, comme tu dis. Fais-moi confiance, j'y veillerai. »

Les notables sont rassemblés devant la plus importante des paillotes. Eux aussi sont vêtus avec un soin inhabituel. Ils saluent l'arrivée des légionnaires par de respectueuses courbettes avant de les prier d'entrer.

Mattei admire la longue table rectangulaire, les fleurs qui la parent sont disposées avec art et goût. Puis, levant les yeux, le capitaine a un choc qui le contraint à mordre ses lèvres pour ne pas éclater de rire.

Au fond de la longue salle, est disposé un portrait géant du président Vincent Auriol entouré de quatre cierges qui l'éclairent. Le chef du village s'en approche et joignant ses deux mains sur sa poitrine, il s'incline respectueusement en signe de vénération. C'est un suprême hommage rendu à ses invités. Burgens murmure dans l'oreille du capitaine :

« Nous devons l'imiter. Allez vous incliner devant l'effigie de notre chef suprême. »

Mattei fait des efforts surhumains pour conserver son sérieux. Pour s'aider, il pense : « Si je me laisse aller à une crise de fou rire, derrière moi, ça va être le délire chez les légionnaires, et le dîner des Tonkinois est foutu... » Alors, imitant le chef du village, il joint ses mains, et à son tour, se courbe respectueusement devant le portrait d'Auriol. Derrière lui, Burgens et les sous-officiers répètent les mêmes gestes, ahuris.

Seconde surprise. Plusieurs bouteilles de whisky font leur apparition. Enfin, après quelques échanges de civilités, les hommes passent à table et c'est là que l'étonnement des légionnaires va atteindre son paroxysme.

Venant de l'extérieur, une file de serveurs pénètre dans la paillote ; chacun d'eux porte un petit singe vivant dont la tête est serrée dans un carcan et le corps emprisonné dans une sorte de trépied de bois. Un animal est disposé devant chaque hôte et chaque invité. Les petits singes affolés tentent, par des convulsions désespérées, de se dégager de leur prison miniature. Les légionnaires se dévisagent abasourdis, seul Burgens a compris. Il est au courant de l'usage. Conservant tout son calme, il explique, sur un ton badin, s'adressant à Mattei :

« C'est le plus grand honneur qu'ils pouvaient vous faire, mon capitaine. En Chine du Sud la coutume est courante. Ici c'est plus rare, c'est en quelque sorte leur caviar. Il paraît que c'est délicieux. Pour ma part, je ne suis pas mécontent de tenter cette expérience, jusqu'à présent je n'en avais qu'entendu parler. »

Le chef du village a saisi le dialogue, il sourit enchanté.

« Je suis ravi de vous faire découvrir la délicatesse de ce mets de roi. »

Mattei n'a toujours pas compris où on allait en

venir. Il demeure néanmoins souriant et s'adressant à Burgens, interroge :

« Si vous m'expliquiez la suite...

— Attendez, mon capitaine, réplique mystérieusement Burgens. Vous allez voir. Il vous suffit d'observer le chef et de l'imiter. Du reste, voici le cuisinier, l'opération va commencer. »

Un indigène est apparu, armé d'un long couteau d'une finesse de rasoir. Il passe derrière les convives et, d'un geste rapide et précis, tranche le sommet de la calotte crânienne de chaque singe. Les petits animaux ne semblent même pas se rendre compte de leur mutilation ; scalpés, ils continuent à s'agiter avec la même vivacité, et les légionnaires découvrent, à l'intérieur des petits crânes, les convulsions du cerveau qui continue à palpiter.

Fier et conventionnel, le chef tonkinois se saisit d'une petite cuiller spéciale qu'il plonge dans le crâne de son singe et, lui imprimant un mouvement circulaire, il extrait la matière cervicale qu'il porte à ses lèvres en la savourant avec délice. Après un dernier sursaut, le corps du petit animal retombe, inerte.

Mattei et les sous-officiers, médusés, sont devenus livides. Seul, Burgens conserve sa placidité. Il se saisit de sa petite cuiller, et déclare souriant :

« Il faut y aller, mon capitaine ! Vous avez des oursins en Corse, pensez à ça ! »

Reprenant ses esprits, Clary lance :

« Merde, alors ! Des singes à la coque !

— *Mangia é sta zitta*, ordonne, en Corse, Mattei.

— Après vous, mon capitaine, je connais les usages. »

Surmontant sa répulsion, Mattei procède au curetage et avale d'une bouchée la minuscule cervelle. Il est tellement satisfait d'avoir réussi à surmonter l'épreuve qu'il complimente le chef de la succulence de son mets original. Plus curieux par nature, Burgens a dégusté et recherché le goût. Il reconnaît sincèrement, lui, que c'est délicieux. Les autres, comme le capitaine, ont avalé leur cervelle, crispés. Puis ils se sont précipités sur le vin qui, heureusement, est distribué en abondance.

Le reste du repas se passe sans autre incident que l'état d'ébriété de Clary et Fernandez. Néanmoins, ils ne créent pas de scandale.

Sur la route du poste, le retour est houleux. Clary a une idée fixe. Il veut manger la cervelle de Fernandez comme celle du singe. Il répète d'une voix pâteuse d'ivrogne :

« La cervelle à Fernandez, ce serait encore meilleur parce qu'elle baigne dans l'alcool depuis trente ans. »

En octobre 1948, l'ordre est donné d'évacuer la R. C. 3. Les prédictions du capitaine Mattei, qui se trouve en France, sont devancées de quelques semaines. A son départ, la 4ᵉ compagnie a été placée sous le commandement du capitaine Roch ; c'est lui qui ordonne la destruction de Ban-Cao.

Le nid d'aigle au nom d'Adam Ickewitz, la route prodigieuse, le terrain d'atterrissage, volent en éclats, tandis qu'une interminable colonne de légionnaires s'en va chercher refuge à Cao-Bang.

Les viets laissent partir leur proie ; ils ne sont pas encore assez puissants pour refermer sur elle les mâchoires du piège ; inlassablement, ils se préparent pour le jour où la Légion devra évacuer, à son tour, la R. C. 4.

La R. C. 4. La route du sang.

CINQUIEME PARTIE

35

Pour le sergent-major Burgens, alias Hervé de Broca, le repli de la Légion sur Cao-Bang marque le début d'une nouvelle vie.

L'ancien dignitaire de Vichy a obtenu la responsabilité d'un magasin en plein centre de Cao-Bang. Au début, il assure la gérance et la comptabilité d'un dépôt de l'Intendance. Mais très vite, son sens des affaires, et le vent de folie qui souffle sur le hérisson de la R. C. 4 lui permettent de mettre sur pied le plus invraisemblable et le plus hétéroclite des commerces. Chez Burgens on trouve tout : une roue de jeep, de l'essence, des chaussures, des sous-vêtements féminins, du foie gras de Strasbourg, du champagne, des préservatifs. Et si, par extraordinaire, le sergent-major n'a pas sous la main ce qui lui est réclamé, il suffit de patienter vingt-quatre heures pour que le produit arrive d'Hanoï par le *Junker* quotidien.

Par ses relations et ses amitiés, Burgens est au courant des secrets militaires en même temps (quelquefois avant) que l'état-major.

C'est ainsi qu'en janvier 1949, il prononce au mess des sous-officiers une phrase restée célèbre : une phrase qui annonçait un tournant dans l'histoire de la R. C. 4. Verre de champagne en main, devant un auditoire attentif, Burgens déclare :

« Messieurs, jusqu'à présent le 3e Étranger était à Cao-Bang sous le commandement d'un seigneur que je salue au passage, le lieutenant-colonel Simon.

Demain, du ciel, nous arrivera pour le remplacer, un dieu, le colonel Charton. »

La nouvelle provoque l'effet d'une bombe. Charton, le baroudeur, Charton, le dur, allait les rejoindre, Charton, le dieu de la Légion, venait prendre le commandement du 3ᵉ Étranger.

Le colonel Pierre Charton est à peine âgé d'une quarantaine d'années. Sec et osseux, il est de taille moyenne mais se tient tellement droit qu'il paraît grand. Nombreux sont ceux qui, pour le décrire, parlent de son visage d'oiseau de proie. En réalité, le colonel Charton a des traits fins, des yeux clairs et perçants, et de tout son être, sous une apparence de fragilité, se dégage une impression d'endurance et de détermination indéfectibles.

En quelques jours, le colonel Charton a compris la situation. A l'intérieur, le bordel. A l'extérieur, les viets. Aucun de ces deux facteurs ne le gêne : s'il est impossible de ramener la citadelle à la moralité, son invulnérabilité au moins est incontestable. Les viets sont partout mais contre Cao-Bang ils ne peuvent rien.

Il suffit de ne pas relâcher la vigilance de la garnison et de multiplier les patrouilles de reconnaissance — spécialités où les légionnaires sont passés maîtres, quelle que soit la frénésie de leurs distractions quand ils ne sont pas en service.

Une nuit, un commando ramène un chef rebelle fait prisonnier aux portes mêmes de la ville. L'homme refuse de parler, mais il est en possession de documents et de papiers importants. Charton trouve notamment un plan des fortifications de Cao-Bang. Les moindres détails y figurent, y compris la description de sa propre villa, le nom et la valeur de ses gardes du corps, le lieu d'habitation des principaux officiers du 3ᵉ Étranger, l'emplacement des armes lourdes : des armes automatiques, des blindés, des camions, des véhicules légers.

Un détail intrigue Charton. Le plan viet signale la présence d'une ambulance en état de marche, derrière un hangar, dans le quartier ouest de la ville. Le colonel se rappelle une série de rapports signalant la disparition d'une ambulance. Il ordonne une enquête. Une section se rend à l'endroit désigné sur le plan viet. L'ambulance s'y trouve ; elle part au premier coup de démarreur. Charton réclame les rapports, il s'agit bien du même véhicule. Des légionnaires en goguette avaient dû « l'emprunter un soir de java » et l'abandonner là. Depuis on la cherchait. Quatre officiers se retrouvent aux arrêts et Charton prend la décision de rassembler, le lendemain, l'ensemble de la population tonkinoise sur la place principale. Il déclare, aidé d'un haut parleur portatif :

« S'il s'en trouve parmi vous qui désirent rejoindre les rebelles, je leur ouvre les portes. Aucun mal ne leur sera fait, rien ne sera tenté contre eux, je leur donne six heures pour se décider. Par la suite, si parmi ceux qui ont choisi de demeurer sous notre protection, j'en surprends un seul à communiquer avec le Viet-minh, je le fais fusiller sur-le-champ. A vous de choisir ! »

La tradition de la Légion était respectée mais personne ne quitta la ville ce jour-là. Fuites, trafics, combines continuèrent comme par le passé. Grandiose lupanar, Cao-Bang n'en poursuivit pas moins sa garde insensée aux frontières de la Chine — douloureuse épine dans le flanc des armées viets que le général Giap rassemble maintenant dans la jungle montagneuse du Haut-Tonkin.

Seul maître après Dieu à Cao-Bang, le colonel Charton n'en dépend pas moins du P. C. du colonel Constans à Lang-Son. Les deux officiers se connaissent de longue date. Ils se tutoient. Les épithètes qui leur sont affublées décrivent bien leur caractère : « Charton le baroudeur », « Constans le mondain ».

Cet amour que le colonel Constans porte au faste et à la magnificence, à l'étalage grandiose des traditions de la Légion, va permettre à Charton de se débarrasser élégamment du sergent-major Burgens qu'il ne mésestime pas mais que son opulent commerce agace et inquiète.

Charton a appris que Constans cherche un officier capable d'organiser « sa maison ». En réalité, il s'agit d'un véritable palais que le colonel vient d'aménager à Lang-Son.

L'échange radio a lieu dans le courant de mars 1949.

« Constans, déclare Charton, tu cherches, paraît-il, un majordome.

— Un aide de camp, capable et courtois, rectifie Constans.

— Je pense avoir ce qu'il te faut. Un seul ennui : son grade ! il n'est que sergent-major.

— Tu te fous de moi !

— Pas le moins du monde. Je pensais à Burgens. Tu as dû en entendre parler. Son identité réelle est de Broca, comte Hervé de Broca. Il tapait sur le ventre d'Herriot et de Pétain, ce qui n'est qu'un détail, mais dans le genre « mes hommages, mar-« quise », tu ne trouveras pas mieux. »

Constans a entendu parler de Burgens, il a lu notamment son célèbre rapport en latin. Pas de doute, c'est l'homme qu'il cherche, il prie Charton de le lui envoyer par le prochain avion. Charton jubile. Il va pouvoir mettre le trafic de Burgens entre des mains moins expertes mais plus contrôlables...

A Lang-Son, il suffit d'une entrevue entre Burgens et Constans pour que le sergent comprenne ce que l'on attend de lui. « Il faut que ça brille, il faut que ça claque, il faut que ça fasse du vent. » En fait de vent, c'est un ouragan que Burgens va déclencher. L'ancien sous-secrétaire d'État va se surpasser et obtenir des résultats qui engloutiront de loin les espérances les plus optimistes du colonel. A la fin du premier entretien, il répond simplement :

« Mon colonel, je vous demande vingt-quatre heures, et je vous soumets un projet. »

Le lendemain ce sont trois projets qu'il exposera au colonel Constans, lui expliquant :

« Mon colonel, voici mes suggestions. Si vous êtes

d'accord, nous différencierons vos réceptions en trois catégories selon l'importance que vous accorderez aux personnalités que vous serez appelé à traiter. Pour simplifier les choses, appelons ça, si vous me le permettez, « cirque numéro un », « cirque numéro deux », « cirque numéro trois ». Vous trouverez dans mes rapports tous les détails concernant ces trois catégories. Si vous les approuvez, il vous suffira de me dire vingt-quatre heures avant l'arrivée de vos invités : « cirque, un, deux, ou trois »... Vous ne serez pas déçu, mon colonel, je me chargerai de tout. »

Constans est d'accord, et pendant plus d'un an, dans cette petite ville de la frontière chinoise, va se dérouler une féerie hollywoodienne dont le faste pourrait être envié par les plus grandes capitales du monde.

Burgens commence par constituer « la royale », la garde personnelle du colonel, soixante légionnaires dépassant tous un mètre quatre-vingt-dix de taille. L'allure et la discipline de ces « loufiats pittoresques » (comme les a surnommés Burgens) est inimaginable. Ils font partie des trois « cirques ». Ils sont là comme des statues vivantes ; partout ils accompagnent Constans de leur marche lente et cadencée, tonnant des chants allemands sur des paroles françaises. Mais leur accent est tellement prononcé que tout le monde s'y perd.

Une des premières réceptions du sergent-major à Lang-Son se déroula vers la fin mai 1949.

Le colonel Constans apprend la visite d'un amiral et de deux capitaines de vaisseau de l'*U. S. Navy* en mission d'information. Il prévient aussitôt Burgens, c'est le « cirque numéro trois ». Tout le dispositif est rapidement mis en place. Une seule ombre au tableau, l'absence d'éléments féminins dans l'assemblée. Pourtant, notoirement, l'amiral américain passe pour un grand amateur de la grâce asiatique. Burgens fait une suggestion :

« Je pourrais trouver une princesse Moï d'une grande beauté, mon colonel. »

Constans se méfie. Il craint que, cette fois, Burgens n'aille un peu loin :

« Vous vous portez garant de son authenticité ?

— Je me porte garant d'un fait plus essentiel, mon colonel : la princesse ne parlera ni l'anglais ni le français. Avec votre assentiment, je servirai d'interprète moi-même, ayant acquis depuis deux ans de solides notions de *nhac*. »

Constans préfère ne pas en apprendre davantage. Il s'en remet à Burgens.

D'où sort la fille ? Nul ne le sait vraiment, mais tout le monde s'en doute. Elle est effectivement d'une grande beauté et Burgens l'a parée comme une princesse. Pendant tout le repas, elle s'adresse en *nhac* à Burgens, debout entre elle et l'amiral. Burgens traduit. L'officier de marine américain sera émerveillé de voir tant d'esprit allié à une telle grâce.

Pendant le souper, des légionnaires en gants blancs annoncent les mets d'une voix de stentor, chacun dans la langue de son pays d'origine. Deux orchestres se relaient. Un tzigane, d'abord, puis un quatuor à cordes qui joue du Mozart. Quand les officiers américains, éberlués, regagnent leurs chambres, ils trouvent du whisky « carte noire » sur leur table de nuit ; deux prisonniers viets sont à leurs ordres pour les laver et les masser avant qu'ils ne s'endorment.

Les échos de ces fêtes somptueuses parviennent jusqu'à Cao-Bang. Le colonel Charton, apprenant la création de « la royale » du colonel Constans, forme, lui aussi, une garde personnelle. Il la baptise « l'impériale ». « L'impériale » n'est composée que de douze légionnaires ; ils ne sont pas choisis en raison de leur taille, mais de leurs capacités au combat...

De Lang-Son, P. C. du colonel Constans, à Cao-Bang, P. C. du colonel Charton, la R. C. 4 serpente sur cent seize kilomètres. Elle traverse, à partir de Lang-Son : Dong-Dang, kilomètre 15 ; Na-Cham, kilomètre 33 ; That-Khé, kilomètre 63 ; Dong-Khé, kilomètre 88 ; Nam-Nang, kilomètre 101. Elle arrive enfin à Cao-Bang, kilomètre 116.

Une trentaine de postes kilométriques, disposés en retrait ou à quelques mètres seulement de la route, tiennent, en outre, les principaux points stratégiques, mais la concentration viet est tellement forte que leur présence n'arrête pas l'hécatombe.

Dong-Khé, kilomètre 88, est la ville-étape. Les convois s'y arrêtent pour la nuit, avant d'affronter la section la plus redoutable de la R. C. 4 — les trente-huit kilomètres de mort qui les séparent encore de Cao-Bang.

Le poste de Dong-Khé est tenu par deux compagnies du 3ᵉ Étranger. Le commandement est assumé par le chef de bataillon de Lambert. Certains considèrent le commandant de Lambert comme un fou furieux ; les plus modérés pensent que c'est un original ; personne, en tout cas, ne met en doute son courage et sa valeur de combattant.

A Dong-Khé, le commandant de Lambert n'a pas grand-chose à faire. Comme les autres chefs de la R. C. 4, il est encerclé. Il ne peut rien tenter. Alors, il dépense son énergie à la création d'un établissement de plaisir, à la fois casino, boîte de nuit et bordel. *Le Hublot* va être bâti à flanc de rocher dans les calcaires. C'est, il est vrai, l'endroit idéal pour fonder une installation de ce genre : les officiers et les hommes qui s'arrêtent à Dong-Khé savent qu'ils vont peut-être y passer leur dernière nuit. L'argent qu'ils ont en poche ne compte pas, et la caisse noire des compagnies de Dong-Khé prend des proportions considérables.

On joue à tout au *Hublot :* poker, chemin de fer, baccara, backuan. On se soûle et les femmes ne manquent pas. Une note de service officielle, signée du chef de bataillon, est placardée à la porte :

« Par suite du décès du caporal Négrier, et des blessures des légionnaires Untel et Untel... (suivent six noms)... les jeux dits du « buffle » et du « coucou » seront désormais interdits dans l'enceinte de l'établissement. »

Un légionnaire m'a raconté le déroulement de ces jeux interdits :

« Il faut avoir vécu cette époque pour comprendre. Rien n'était plus normal, rien ne se passait comme ailleurs. Le « buffle » et le « coucou » ne se jouaient pas pour de l'argent ; l'argent, tout le monde s'en foutait. On jouait par gloriole comme dans les westerns. Vous savez, le thème du tireur d'élite. Tout le monde veut l'affronter, pour avoir une chance de le surclasser et devenir à son tour le caïd, et donc l'homme à abattre.

« Le « buffle » se jouait à deux. On disposait sur le bar deux verres géants et deux bouteilles d'apéritif, la plupart du temps du Cinzano ou du Dubonnet. On remplissait les verres de chaque concurrent à ras bord, et ils engloutissaient leur contenu cul sec. Ensuite, prenant l'élan qu'ils voulaient, les légionnaires se précipitaient l'un contre l'autre, tête en avant, mains derrière le dos. Si au premier choc aucun des deux ne tombait, on remplissait à nouveau les verres, à nouveau ils les vidaient cul sec et se ruaient, tête baissée, comme des buffles. On en a vu vider deux bouteilles d'apéritif chacun et se cogner plus de deux fois, avant de tomber et d'être, la plupart du temps, transportés à l'infirmerie.

« Le « coucou » c'était pire. Ça se jouait dans une grande salle au sous-sol, sommairement meublée, que l'on plongeait dans une obscurité totale. Les joueurs étaient généralement bourrés comme des cantines. Ils entraient dans le noir armés chacun d'un colt 45 et de neuf balles. Le premier joueur criait « coucou » pour faire connaître sa position approximative, et effectuait aussitôt un bond dans une direction imprévue pour tenter d'échapper à la balle que son partenaire tirait au jugé, d'après le son de la voix. C'était ensuite au second joueur de crier « coucou ». Quand les dix-huit balles étaient échangées sans que l'un des légionnaires soit atteint (ce qui était rare), on remontait au *Hublot*, pour fêter l'événement dans une cuite générale. Mais le plus souvent, les hommes ramassaient des balles un peu partout, comme ce malheureux caporal Négrier qui en prit une en plein front. Ça déclencha la fureur du commandant de Lambert et l'affichage de l'interdiction que, du reste, personne ne respecta.

Mon légionnaire conclut, songeur :

« Oui, nous étions fous. Ou plus exactement : on nous avait tous rendus fous. »

La R. C. 4 rend fou.

Sur ses cent seize kilomètres la route du sang versé longe la Chine, et dans la jungle montagneuse qui la sépare de la frontière, d'autres petits postes ont été construits. Ils n'abritent souvent qu'une dizaine d'hommes — vivantes sonnettes d'alarme destinées à détecter et à mesurer la croissance de l'armée rebelle.

Ces légionnaires sacrifiés ne gênent en rien les viets. Au contraire ils leur servent à se faire la main. De temps en temps, l'ennemi attaque un petit fortin, plus pour tester ses possibilités de défense que pour supprimer une position stratégique gênante.

L'avantage que ces bastions représentent pour les soldats de Giap, c'est qu'ils sont en dur : ils permettent d'expérimenter toutes sortes de moyens pour faire des brèches dans le béton des postes. Des dizaines de systèmes sont ainsi essayés, avec plus ou moins de bonheur, contre ces poignées de légionnaires isolés qui servent de cobayes à l'ennemi. Des combattants kamikaze se feront sauter, portant sur eux des charges d'explosifs. Des dispositifs formés de longs bambous bourrés de dynamite seront projetés comme des flèches. Le plus inattendu des systèmes d'attaque aura lieu dans la région de Dong-Khé, à proximité de la borne frontière numéro 20, au début de l'année 1950.

Le poste, qui n'a comme désignation qu'une cote, est occupé par six légionnaires et huit partisans ; le commandement en est assuré par le sergent-chef Gianno. Il n'y aura qu'un survivant, un légionnaire hollandais, Strast. C'est lui qui fera le récit hallucinant de l'attaque viet.

« ... Aux environs de minuit, tout semblait calme. Aucun bruit n'était perceptible venant de la jungle, lorsque j'aperçus un trait lumineux qui déchirait le ciel. L'alarme donnée aussitôt, tous les hommes se portèrent aux créneaux et ouvrirent le feu au hasard, dans l'obscurité.

« Le premier jet lumineux atterrit en plein centre de la cour du bastion. Nous pensions à quelques bombes de fabrication locale, quand avec stupéfaction, nous nous aperçûmes que c'était un chat vivant qui venait de retomber sur ses pattes. A sa queue était attachée une mèche d'amadou. Brusquement l'animal s'enflamma comme une torche et se mit à courir en hurlant. Il fut suivi par cinq, puis dix, puis finalement une centaine de chats fous qui s'embrasaient, courant dans tous les sens en hurlant de douleur. »

Le but recherché par les viets dans cette incroyable opération atteignit parfaitement son objectif. Plusieurs des chats enflammés parvinrent à se réfugier dans la soute aux munitions, faisant ainsi sauter la presque-totalité du poste. Les chats avaient été trempés dans de l'essence et projetés tournoyant par la queue.

Ce procédé d'attaque ne fut pas renouvelé : malgré son succès, les viets le jugèrent, sans doute, trop artisanal pour la grande offensive qu'ils préparaient.

36

En février 1950, le capitaine Mattei a reçu sa nouvelle affectation : Na-Cham, kilomètre 33, sur la R. C. 4. Il prend le commandement de la 2ᵉ compagnie du 1ᵉʳ bataillon. Il a récupéré, à la 4ᵉ, Klauss, Osling, Clary et Fernandez. Le gang est reformé.

La responsabilité de Mattei ne se borne pas à la bourgade de Na-Cham, et au poste militaire qui la surplombe. Il est en outre chargé d'assurer la sécurité du blockhaus de Bo-Cuong qui protège le passage du col de Lung-Vaï. Sa mission consiste enfin à veiller sur la colonie catholique, une centaine de Tonkinois chrétiens placés sous la tutelle d'un patriarcal missionnaire, le révérend père Mangin.

De plus en plus rares les convois ne font généralement qu'une brève halte à Na-Cham, pressés de gagner la cité-étape de Dong-Khé.

Il est un équipage pourtant qui a pris l'habitude de s'arrêter à Na-Cham. C'est un camion solitaire qui emprunte la R. C. 4 au mépris de tout danger, contre tous ordres.

Ses occupants sont deux légionnaires du 3ᵉ Étranger qui, ayant fini leur temps, ont choisi de se faire démobiliser sur place, dans l'espoir de s'enrichir en six mois. L'un d'eux est un Méridional, Félix Gidotti, originaire de Menton, l'autre, son meilleur ami, un Danois qui a dépassé la quarantaine, Jan Kirsten. L'idée des deux hommes commercialement n'est pas insensée : à cette époque, toute denrée, toute marchandise, triplait de valeur entre Lang-Son et Cao-Bang. Restait évidemment à parcourir une fois par semaine les cent seize sanglants kilomètres de la R. C. 4...

Devant quelques réticences de Kirsten, Gidotti avait répondu :

« Les viets se foutent pas mal d'un véhicule isolé. Mieux que quiconque nous savons renifler les mines. Tout ce qu'on peut risquer, c'est qu'une fois ou deux ils nous saisissent la marchandise ; on n'en mourra pas. En six mois, on peut ramasser vingt briques et rentrer en France pour s'acheter un bistrot tranquille dans le Midi. »

Manquant de fonds au départ, les deux anciens légionnaires effectuèrent les premiers voyages à bicyclette, tirant des roulottes sommaires. Ces déplacements réalisés miraculeusement sans incident, ils achetèrent un camion. Mais quel camion.

C'était un vieux Citroën rafistolé de toutes parts. Les pneus ne possédaient pas de chambres à air et avaient été bourrés d'herbes humides. Les freins étaient inexistants, leur huile ayant été remplacée par de l'eau savonneuse. Dans les descentes, un jeune Tonkinois courait et plaçait des cales sous les roues pour freiner la vitesse. Le réservoir d'eau fuyait et un autre enfant se tenait en permanence à cheval sur le capot, versant de l'eau dans le radiateur à l'aide d'un arrosoir.

Gidotti et Kirsten, eux aussi, étaient devenus fous. Ils étaient inconscients mais on saluait leur courage. Pendant quatre mois, chaque semaine, ils passèrent. Il est vraisemblable que les viets, eux aussi, les admiraient, car lorsque l'étrange équipage finit par sauter sur une mine au col des Ananas, il ne fut pas massacré. Les deux enfants ne furent même pas blessés. Kirsten tué sur le coup, Gidotti, les jambes déchiquetées, fut tiré par les gosses jusqu'à Na-Cham où on dut l'amputer. Aujourd'hui il est cul-de-jatte, mais il est propriétaire de son bistrot dans le Haut-Var.

Pour organiser la défense de Na-Cham, Mattei a deux idées fixes. Primo, faire monter le maximum d'armement dans les calcaires. Seuls les légionnaires qui hissèrent, à l'aide de palans, les deux 75 sans recul que possédait la 2ᵉ compagnie, auraient pu protester contre cette initiative, car Mattei n'a consulté personne pour élaborer son plan. Connaissant le terrain et la stratégie viet, le capitaine a une vision nette des événements dramatiques qui se préparent. Mais c'est surtout à son service de renseignements qu'il se fie. Depuis les temps héroïques de Ban-Cao, Mattei est passé maître dans l'art de recueillir des informations auprès de la population indigène. Il sait le crédit qu'il peut accorder aux déclarations de ses indicateurs, il connaît leur tempérament, le degré de leur cupidité, ou les motifs qui les poussent à trahir les leurs.

Et c'est ainsi qu'au début d'août, Mattei acquiert une certitude : en Chine, à quelques kilomètres de la frontière, le Viet-minh vient de construire une reproduction fidèle, grandeur nature, du village et de la citadelle de Dong-Khé.

Cela paraît inimaginable, et pourtant... Une fois déjà, les armées de Giap ont occupé Dong-Khé. Ils ont eu tout loisir d'en relever le plan dans les moindres détails. D'autre part, pour eux, la main-d'œuvre ne compte pas. Sans compter les Chinois, ils ont pu employer dix ou vingt mille hommes à ce travail de reproduction — ce travail qui va leur permettre de répéter un gigantesque assaut comme on répète une pièce de théâtre.

Pour le capitaine Mattei, un fait prime tout : il est certain de l'exactitude de son information. Reste à en convaincre ses supérieurs. Pour le colonel Charton, ce n'est qu'une formalité ; le commandant de la forteresse de Cao-Bang répond par radio :

« Reproduction grandeur nature ou pas, ma conviction est faite depuis longtemps. Les viets attaqueront soit Dong-Ké, soit That-Khé. C'est logique. Ne perdez pas votre temps à prêcher un converti. Si vous voulez convaincre quelqu'un, c'est vers Lang-Son qu'il faut vous tourner. »

Dans la première quinzaine d'août, Mattei parcourt trois fois les trente-trois kilomètres qui séparent Na-Cham de Lang-Son. Il réclame audience au colonel Constans. Deux fois il est évincé. La troisième, le 16 août, il est reçu une dizaine de minutes par le colonel qui écoute ses révélations sans y accorder la moindre croyance. Pour Constans, l'objectif de Giap c'est Cao-Bang, il ne veut pas en démordre. Du reste, à cette époque, il harcèle Charton par radio :

« Renforce tes positions, reste sur tes gardes. Les viets vont lancer une offensive sur Cao-Bang. »

Charton en frémit de rage impuissante.

« C'est impossible ! Il leur faudrait sacrifier entre dix et vingt mille combattants ! Ils ne sont pas assez cons pour l'ignorer. Ils ne peuvent pas se le permettre. »

La réputation de combattant optimiste du colonel Charton, la confiance qu'il a dans la force du 3e Étranger jouent contre lui.

« Tu es trop sûr de toi, répond Constans. Ça te perdra. Cao-Bang n'est pas invulnérable.

— Mais si ! Nom de Dieu ! Si ! Je le·sais, et ils le savent ! Ne t'occupe pas de nous, on peut tenir deux ans. C'est au centre de la R. C. 4 qu'ils vont frapper ! C'est là qu'il faut faire monter de l'appui de feu... »

Quant à Mattei, de retour à Na-Cham, il a compris. Une fois de plus, il va préparer sa petite guerre personnelle, sans rendre de comptes à personne. Ce combat, il va l'organiser en fonction d'un nouvel atout : l'idée de plus en plus précise qu'il se fait sur les fautes que s'apprête à commettre le haut-commandement. Pas plus que Charton, Mattei n'incrimine particulièrement le colonel Constans. L'un comme l'autre, ils savent qu'il est l'homme du général Carpentier, et que les ordres du commandant en chef demeureront toujours pour lui paroles d'Évangile. En plus, Mattei, comme Charton, considère que le style d'officier fastueux que représente Constans est indispensable à un corps d'armée aussi exceptionnel et imprégné de traditions que la Légion étrangère. Tout au plus, déplore-t-on de temps en temps dans les mess, que ce genre de « seigneur de parade » se voie chargé, en outre, de faire la guerre.

Le plan que Mattei va commencer à mettre sur pied à partir du 16 août est fondé sur une hypothèse : à brève échéance, de gigantesques combats auront lieu sur la R. C. 4 entre Cao-Bang et Na-Cham.

Le capitaine convoque l'un de ses adjoints, le lieutenant Jaluzot, qui commande le petit poste de Bo-Cuong, à sept kilomètres au nord.

« Ou je suis le roi des cons, ou on va très bientôt en prendre plein la gueule. Pas nous, du moins je ne le pense pas, mais plus haut, dans les gros calcaires. En conséquence, notre secteur va voir déferler une armée en déroute. La seule chose qui demeure en notre pouvoir, c'est qu'à partir de chez nous, les copains puissent passer sans subir le coup de grâce. Quand je dis « à partir de chez nous », je pense à partir de chez toi. Car c'est Bo-Cuong au col de Lung-Vaï qui va être le plus exposé.

— Tu ne crois pas que tu es un peu pessimiste, mon capitaine ?

— Je crains d'être trop optimiste, Jaluzot !

— De toute façon, trois obus de mortier sur Bo-Cuong et bonsoir maman !

— Non, mon vieux, parce qu'à partir de demain à l'aube, on va s'occuper de ta toiture. On va te la renforcer, la blinder, et la bétonner de telle sorte qu'elle puisse résister à une bombe atomique. »

Bien que sceptique, Jaluzot approuve.

« De toute façon, ça ne fera pas de mal au moral des hommes, le travail les distraira. »

Bo-Cuong est situé à deux mètres de la R. C. 4, au point culminant du col de Lung-Vaï. C'est un blockhaus circulaire à ras de terre. Douze meurtrières permettent de tirer à couvert au fusil mitrailleur. Il est occupé en permanence par onze légionnaires, dix partisans et le lieutenant Jaluzot. Mais bien que le blockhaus se trouve sur le point le plus haut de la route, il est surplombé par les montagnes, les calcaires et la forêt.

Pendant une semaine, trois sections de légionnaires aidées par une trentaine de partisans renforcent le toit du poste nain. Du béton est coulé entre un enchevêtrement de poutrelles d'acier. Le travail terminé, Bo-Cuong ne résisterait peut-être pas à une bombe atomique, mais aucune des armes les plus lourdes engagées dans les combats du Tonkin ne serait capable seulement de l'ébrécher.

Pour Mattei, ce n'est pas encore suffisant, il a repéré cent mètres plus haut, dans les calcaires abrupts, une grotte qui paraît assez vaste. Il y fait hisser une mitrailleuse de 12,7. Il y installe des couchettes, des munitions et du ravitaillement pour trois mois. Deux légionnaires y demeureront sur place par roulement.

Vingt-cinq hommes seulement assurent l'ouverture de la R. C. 4 au col de Lung-Vaï, mais plus d'un bataillon serait nécessaire pour les inquiéter.

Comme s'il n'avait pas suffisamment de tracas un problème secondaire vient troubler les préparatifs du capitaine Mattei : le révérend père Mangin et sa colonie catholique. C'est Clary qui soulève le lièvre. Un soir au poste il déclare :

« Mon capitaine, le curé, je le vois pas beau !

— Qu'est-ce que c'est encore que cette histoire ?

— C'est pas une histoire. Dans le pays on jase. Les catholiques ne sont pas en majorité, et le curé fait de la retape. Il prêche. Il fait des discours pour la paix des hommes, et un tas de conneries dans ce genre-là... Tout le cirque, quoi ! Je suis catholique, vous le savez, et je ne suis pas contre la messe de temps en temps, avec ma mère, à Bastia le dimanche, vers onze heures. Mais ici, c'est pas le moment de déconner tout ce qu'il déconne. Et il lui arriverait des bricoles que ça ne m'étonnerait pas...

— Écoute, Clary, merci de me prévenir, mais j'ai autre chose à foutre que de m'occuper du curé. Alors, sois gentil, fous-moi la paix !

— Comme vous voudrez, mon capitaine, moi ce que j'en disais, c'est parce que je l'aime bien, le père Mangin, et que ça va me faire de la peine de vous le ramener en tranches un de ces quatre matins.

— Tu penses vraiment que c'est à ce point-là ?

— Et alors ! Renseignez-vous, mon capitaine, vous verrez bien. »

Mattei entreprend une brève enquête auprès de ses indicateurs. Il en ressort que Clary ne se trompait pas. Le curé est bel et bien condamné à mort par le Viet-minh, qui n'attend qu'une occasion propice pour l'enlever et l'exécuter. Il ne reste au capitaine qu'à se rendre au cloître.

Le père Mangin approche de la soixantaine, il est grand, noble et sec. Les années qu'il a passées au Tonkin ont fini par imprégner son visage de la couleur jaunâtre que prennent les Européens exilés en Orient. Il aime bien Mattei, malgré le manque d'intérêt que l'officier porte au culte.

« Mon capitaine, quelle heureuse surprise ! Votre présence, pourtant souhaitée, est rare dans la maison de Dieu.

— Mon père, ce n'est pas précisément une heureuse nouvelle qui m'amène vers vous. Je viens d'apprendre que votre vie est en danger, que le Viet-minh songe même à vous supprimer.

— Capitaine, vous n'êtes pas assez naïf pour penser que je l'ignore. »

Mattei est décontenancé par cette réponse qu'il n'attendait pas.

« Et alors ? Vous attendiez que je vienne vous en parler ? Je ne vous comprends pas.

— C'est pourtant simple, capitaine ; vous n'y pouvez rien. Alors, pourquoi vous inquiéter inutilement ?

— Comment, je n'y peux rien ? Je peux tout, au

contraire. Je vais vous faire aménager une chambre à l'intérieur du poste militaire, vous y serez en sécurité.

— Vous n'y pensez pas sérieusement, capitaine ! Vous me demandez d'abandonner la maison du Seigneur dans un moment comme celui-ci ! Et je ne parle même pas de mes ouailles.

— Vos ouailles, le Viet-minh s'en contrefout. Il y a trop de catholiques au Tonkin pour qu'il s'amuse à les égorger tous ! En revanche, les missionnaires le dérangent, surtout ceux de votre trempe, des propagandistes convaincants et courageux ; d'ailleurs je perds mon temps, vous savez tout ça mieux que moi.

— Certes, capitaine. Mais ce n'est pas pour la vie de mes fidèles que je me bats, c'est pour leur âme. Que penseraient-ils de moi et des paroles que je leur prodigue depuis des années si, sous la simple menace de perdre ma vie, je quittais le Lieu Saint pour aller me réfugier chez vous ? »

Mattei fait des efforts pour ne pas laisser éclater sa fureur. Il éprouve de la sympathie pour le prêtre et admire son courage. Mais l'heure est trop grave, la situation trop tendue pour engager une polémique sur la théologie. Calmement, il déclare :

« Écoutez, mon père, cette zone est sous mon contrôle, sous mon autorité, alors je vous demande d'obtempérer. Si vous vous sentez une vocation de martyr, ayez l'amabilité d'attendre de vous trouver sur le secteur d'une autre compagnie.

— Et c'est tout ce que vous avez trouvé pour me convaincre ? réplique le père Mangin. Laissez-moi en paix. Je vais prier pour vous et pour vos hommes. »

Mattei salue et quitte le cloître. Il a compris qu'aucune parole ne parviendrait à vaincre l'obstination du prêtre. Il a besoin de réfléchir, il gagne son bureau et s'enferme. Une demi-heure après il se dirige à grands pas vers le mess des sous-officiers. Klauss et Osling sont là. Brièvement le capitaine les met au courant de son entretien avec le père Mangin. Osling prend les devants :

« Si j'ai bien compris, mon capitaine, vous attendez de nous que nous allions le chercher avec une section en armes.

— Évidemment, ça a été ma première réaction. Seulement, la sienne n'est pas difficile à prévoir. Il refusera de vous suivre et vous autorisera à tirer sur lui... Et alors, vous aurez l'air malin...

— Oui, je comprends, personne n'a envie de lui balancer une pêche.

— Exactement, Klauss ! Donc, voilà ce que nous allons faire. Nous allons y aller sans armes, et, par surprise, lui attacher les mains derrière le dos. Après cela, le cas échéant, je reprendrai ma conversation avec lui.

— Moi, je ne l'attache pas, mon capitaine.

— Moi non plus, ajoute Osling. Vous ne pouvez pas exiger ça de nous !

— Allez me chercher Clary et Fernandez, et préparez-vous au moins à nous accompagner. »

Pour la première fois, Clary et Fernandez discutent un ordre de Mattei. Il faut les convaincre que seul leur geste peut sauver la vie du prêtre.

Lorsque les cinq légionnaires pénètrent dans la chapelle, le père Mangin est agenouillé près de l'autel. Il ne les entend pas entrer. Mattei se découvre et se signe. Ses hommes l'imitent. Clary chuchote dans l'oreille du capitaine :

« On pourrait pas faire ça ailleurs ? »

Pour toute réponse, Mattei, d'un signe de tête, confirme son ordre. Clary et Fernandez posent leur képi sur une chaise et s'avancent lentement vers le prêtre. Clary tient à la main une cordelette. Les deux hommes attendent que le missionnaire s'aperçoive de leur présence. Alors Clary déclare doucement :

« Pardonnez-nous, mon père. »

Ils se saisissent du curé, le soulevant chacun par un bras, et avec des gestes experts, lui lient les mains derrière le dos. Le missionnaire se lève et se retourne.

Ignorant ses agresseurs il foudroie du regard le capitaine et les deux sous-officiers qui s'avancent vers lui.

« Vous ne comprendrez donc jamais que la force et la violence, capitaine ! » déclare-t-il amèrement.

Mattei est sur le point de répliquer : « C'est vous qui ne comprenez que la force et la violence », mais il se retient ; il s'est promis de ne pas engager le fer.

« Une seule question, mon père, dit-il. Vous marchez auprès de nous ou dois-je également vous attacher les pieds et vous faire porter ?

— Marcher auprès de vous constituerait une concession à laquelle je me refuse. Prenez l'entière responsabilité de votre profanation, je ne ferai pas le moindre geste pour m'en rendre complice. »

Mattei fait un nouveau signe à l'adresse de Clary et de Fernandez. Cette fois, c'est l'Espagnol qui s'adresse au père Mangin :

« On exécute les ordres, mon père, c'est pour votre bien, il faut nous pardonner.

— C'est à Dieu qu'il faut réclamer votre pardon et celui de votre chef », réplique le prêtre solennellement.

Clary a lié les pieds du père Mangin. Il se baisse et le saisissant sous les fesses, du bras gauche, il fait basculer le curé entravé qui se retrouve hissé sur l'épaule du légionnaire. Avant de sortir de la chapelle, Clary, qui supporte sans le moindre effort le corps du prêtre, se retourne, fait une génuflexion et se signe.

Dehors, très rapidement, un cortège, plus intrigué qu'hostile, se forme et suit l'étrange procession jusqu'à l'entrée du poste. Le père Mangin est conduit dans une chambre et détaché. Deux légionnaires sont désignés pour garder sa porte. Deux autres se relaieront nuit et jour devant sa fenêtre.

Malgré le grade qu'ils avaient à l'époque (caporal et caporal-chef) Clary et Fernandez sont admis par faveur spéciale au mess des sous-officiers. Ce soir-là, comme à l'accoutumée, ils s'y rendent pour boire une ou deux bouteilles de bière. Ils s'assoient à leur table habituelle ; la table est occupée par un adjudant et six sergents qui se sont tus brusquement à leur arrivée. Clary et Fernandez les ignorent et commandent leur boisson.

Parlant intentionnellement à voix haute, l'un des sergents déclare :

« Ça commence à barder sérieusement dans le secteur ! J'ai entendu parler d'un de ces commandos dans la soirée ! C'était féroce.

— Oui, approuve l'adjudant, je n'ai pas beaucoup de détails, mais il paraît que nous avons remporté une glorieuse victoire. De toute façon les survivants vont sûrement être proposés pour une citation avec palme... »

Clary et Fernandez boivent leur bière, feignant d'ignorer la conversation.

« D'après ce qu'on m'a dit, reprend un autre sergent, l'ennemi s'était réfugié dans la chapelle.

— Oui, il y en a qui ne respectent vraiment rien.

— Comment est-on parvenu à déloger les rebelles ?

— Deux volontaires, deux héros, une vraie mission suicide. »

Clary et Fernandez échangent un regard, puis avec un ensemble parfait, ils saisissent leurs canettes par le goulot et en brisent le cul sur le bord de la table, ils se lèvent, se retournent et font face :

« Alors, lance Clary, les traits crispés par la rage, qui veut continuer la conversation ? »

Aucun des sous-officiers n'est chaud pour la bagarre. La force et l'habileté de Clary sont légendaires. La ruse et la souplesse de Fernandez également. L'adjudant préfère parlementer.

« Le prends pas comme ça, Antoine, tu vas t'attirer des ennuis. On voulait simplement rigoler.

— Moi, j'ai pas envie de rigoler, surtout avec des gonzesses. Les gonzesses, je les baise, je rigole pas avec. »

Sous l'insulte, un sergent se lève et, à son tour, brise le cul de sa bouteille.

Le fracas d'une détonation rompt le silence. La

balle frappe le plancher entre les deux hommes. Klauss se tient sur le seuil, son colt à la main ; il a tiré de haut en bas entre Clary et Fernandez.

« Lâchez ces bouteilles », ordonne-t-il.

Les trois légionnaires obéissent.

« Vous trouvez que c'est le moment de vous cogner entre vous, bande de cons ! gueule le sous-officier. Attendez plutôt les viets pour calmer vos nerfs de fillettes !

— Il a raison, admet le sergent. Allez, Clary, oublie ça, viens boire un coup. »

Clary hausse les épaules, mais les mots magiques ont rendu toute sa bonne humeur à Fernandez.

« Il reste du champagne dans cette baraque ! lance-t-il, joyeux. Allez, que tout saute ! »

Il ne croyait pas si bien dire.

37

CAO-BANG, 16 septembre. Dong-Khé signale par radio une attaque massive d'artillerie. Depuis les crêtes, l'ennemi tire sur le poste situé dans une cuvette. Les 5e et 6e compagnies du 3e Étranger réclament l'appui de l'aviation. Hélas ! le ciel est bouché, et en cette saison, une éclaircie improbable. De Cao-Bang, Charton appelle Constans à Lang-Son.

« Dong-Khé est pilonné par des armes lourdes. Les capitaines Vollaire et Allioux réclament de l'aide. Que dois-je faire ?

— Tu ne bouges pas, ce n'est qu'un tir de harcèlement.

— Et si c'était l'attaque ?

— Alors, tu n'y peux rien. »

C'est vrai. Au point où en sont les choses, si le tir d'artillerie dirigé contre Dong-Khé annonce une offensive d'envergure, l'appui que peut apporter Cao-Bang est insignifiant. Et puis, n'est-ce pas précisément ce qu'attend l'ennemi ? Le 3e bataillon de Légion, renforcé de six cents tirailleurs et thabors marocains, est pratiquement invulnérable tant qu'il est retranché dans Cao-Bang. Mais s'il en sort, il devient une proie pour les rebelles qui sont maintenant concentrés par Bo-Doï entiers dans la jungle. Charton ne peut que demeurer au central radio et attendre impuissant, les appels de plus en plus désespérés des deux cent cinquante assiégés de Dong-Khé.

Dans la nuit du 16 au 17, Charton ne peut plus

rester inactif. Malgré les ordres formels qu'il a reçus de Constans, il décide d'envoyer une compagnie de légionnaires qui partira à pied. Ordre est donné à son chef de rebrousser chemin sans chercher à intervenir, s'il s'agit d'une importante opération ennemie. Les mots exacts du colonel sont :

« Si vous tombez sur du dur, taillez-vous sans tirer un coup de feu. Pas d'héroïsme gratuit, nous n'en n'avons plus les moyens. »

Il y a trente et un kilomètres entre Cao-Bang et Dong-Khé. A l'aube, la compagnie de marche en a parcouru quinze. A Cao-Bang, un ultime message des assiégés vient de tomber.

« Le poste est en ruine, nous ne sommes plus qu'une trentaine de survivants, les viets descendent des montagnes, ils sont des milliers au coude à coude. »

Puis, brusquement, le contact est coupé.

Charton se précipite. Il part lui-même au volant de sa jeep. Seuls trois légionnaires l'accompagnent. En moins d'une heure, il rattrape la compagnie de marche et lui ordonne de faire demi-tour, puis, écœuré, il regagne Cao-Bang.

Les trente survivants de Dong-Khé parviendront à tenir encore seize heures. Dans la nuit du 17 au 18, le poste est en feu, il ne reste que dix-neuf hommes valides et trois cents cartouches qu'ils se partagent. Alors ils se séparent en trois groupes pour tenter de gagner la jungle et de glisser entre les mailles serrées du filet tendu par les viets.

A la date du 18 septembre, le poste de Dong-Khé sera déclaré pris par l'ennemi. Le 23, neuf légionnaires en loques, harassés, affamés et assoiffés, arrivent aux avant-postes de That-Khé. Ils constituent tout ce qui reste des 5e et 6e compagnies du 2e bataillon du 3e Étranger.

Le colonel Charton avait eu raison : les viets ont coupé la R. C. 4 en deux.

Le 1er juillet 1948, au camp de Khamisis dans l'Ora-

nais avait été constitué le premier corps de légionnaires parachutistes. Un jeune officier en avait pris
le commandement, le capitaine Segretain. Le 24 octobre, à Mers-El-Kébir, le 1er bataillon Étranger de
Parachutistes — le B. E. P. — embarquait sur le
Pasteur à destination de l'Extrême-Orient. Le 12 novembre, il arrivait en baie d'Along ; le 15, il s'implan-
tait à Gia-Lam dans la région d'Hanoï.

A dater de ce jour, le B. E. P. mène dans la guerre
d'Indochine une ronde infernale. Il est de tous les
coups durs, il est l'ange gardien des unités en péril,
le pompier du Tonkin en feu. Les légionnaires parachutistes sautent sur les terrains les plus invraisemblables, quelles que soient les conditions atmosphériques. Ils atterrissent dans les situations les plus
confuses, quel que soit le rapport des forces en présence. Ne connaissant pas de répit, astreint à un entraînement sans relâche, le B. E. P. est devenu le fer
de lance de la Légion, une arme redoutable et efficace dont on use comme si elle pouvait résoudre
tous les problèmes.

Le 17 septembre 1950, la poignée de survivants de
Dong-Khé résiste encore quand Hanoï alerte le B. E. P.
A seize heures, quatre Dakota délabrés embarquent la
1re compagnie. Un officier accompagne la première
vague, le capitaine Jeanpierre. La seconde est placée
sous le commandement du lieutenant Faulque. Ce
sont deux hommes d'acier au palmarès déjà impres-
sionnant.

Parmi les sous-officiers se trouve un grand sergent-
chef yougoslave qui a pris le nom de Zorro. Il est
chef de stick de son avion. Par routine, il vérifie le
harnachement de ses légionnaires avant qu'ils ne se
hissent dans l'appareil. Chaque Dakota est prévu pour
larguer dix-huit parachutistes, ce jour-là ils sont
vingt-quatre qui se serrent sur les banquettes de fer
parallèles. Ils ne savent pas où on va les faire
sauter, mais cela leur est indifférent. Le seul renseignement qui leur est communiqué, avant une opération, c'est s'ils doivent atterrir en pleine confusion

ou sur des positions tenues par les forces amies. Les plus curieux (et ils sont rares) s'enquièrent parfois du temps de vol ; pour le reste, ils ont des chefs, ils s'en remettent à eux.

Aujourd'hui l'objectif est une position tenue par les Français. Temps de vol approximatif : une demi-heure ; c'est une promenade. Le ciel est bouché, les vieux avions sont secoués durement. A plusieurs reprises, les hommes sont soulevés de leurs sièges lorsque des trous d'air font ballotter l'appareil trop brutalement. La lumière rouge s'allume. Les hommes se lèvent et accrochent leurs sangles au long câble qui traverse la carlingue. Quelques-uns jettent leur cigarette qu'ils écrasent du pied sur la tôle usée.

Zorro se tient courbé, il doit sauter le premier, ses deux mains accrochent le haut de la porte. A l'extérieur, ses doigts sont frappés par le vent et la pluie fine. Il a l'œil rivé sur la lumière rouge. Quand c'est l'autre qui s'allume — la verte — il tire sur ses bras et lance sa jambe droite en avant, puis il prend dans le vide une position de fœtus. Il sent le claquement des sangles sur ses épaules, puis c'est le silence total.

Les légionnaires ont été largués à cent cinquante mètres, la terre se rapproche très rapidement. Le terrain est mou, aucun d'eux ne se blesse à l'atterrissage. Les autres Dakota les survolent et lâchent leurs compagnons tandis que les hommes de la première vague se regroupent après avoir sommairement plié leurs parachutes.

Le 18 septembre un communiqué laconique suit celui qui annonce la chute de Dong-Khé :

« Le 1er B.E.P. a sauté sur That-Khé en renfort, il a sans incident occupé les positions qui lui ont été réparties. »

Entre Cao-Bang et Lang-Son, les pions sont sur place : Dong-Khé, l'armée de Giap ; à That-Khé, l'élite de la Légion, le B.E.P.

A Cao-Bang, le moral du colonel Charton, ébranlé

par la chute de Dong-Khé, va être soumis, à quarante-huit heures d'intervalle, à une succession d'émo-
tions contradictoires.

Il reçoit d'abord la visite du commandant en chef
du Corps expéditionnaire, le général Carpentier, qui
arrive par avion, sans préavis. Le général visite les
installations, félicite, fait preuve d'optimisme et d'assurance, admet l'invulnérabilité de la ville, assure qu'il
n'est pas question de l'évacuer. Cao-Bang va rester
un poste-hérisson au bout de la R. C. 4. C'est le plan
que, depuis plus d'un an, préconise Charton. Le colonel respire, on lui a fait confiance.

L'avion du général Carpentier n'a pas encore
retrouvé son altitude de croisière que déjà Charton
rassure ses subordonnés et la population civile. Pour
tous, c'est un immense espoir, Cao-Bang demeure
la sécurité.

Le colonel Charton passe deux nuits paisibles. Il
ignore absolument que de Lang-Son vient de se
déclencher l'opération « Thérèse », dont le but final
est l'évacuation définitive de Cao-Bang.

La visite du général Carpentier n'était destinée
qu'à l'endormir. On savait que Charton était obstinément opposé au plan que l'on mettait sur pied, qu'il
lutterait par tous les moyens pour faire revenir ses
chefs sur leur décision et surtout qu'il n'accepterait
jamais ce qu'on attendait de lui : quitter Cao-Bang,
furtivement, abandonnant à l'ennemi non seulement
tout ce que la Légion y avait bâti, mais encore ses
armes lourdes et ses dépôts de munitions.

Pour contraindre Charton il n'y avait qu'un
moyen, le prévenir seulement quelques heures avant,
lui intimant un ordre formel auquel il serait obligé
d'obtempérer sans perdre une minute et sans avoir
le temps de faire preuve de la moindre initiative.

On se méfie tellement de Charton et de ses réactions qu'on décide de lui envoyer un second général
pour lui confirmer les rassurantes déclarations de
Carpentier.

Le général Alessandri, commandant du Tonkin, atteint Cao-Bang quarante heures après Carpentier, il est chargé de la même mission. Mais au dernier moment, Alessandri ne peut s'y résoudre, l'homme l'emporte sur le soldat, l'amitié et l'estime qu'il porte à Charton, sur le respect de la discipline militaire. Dans le bureau du colonel, il avoue à l'officier de Légion que de Lang-Son est déjà partie une colonne destinée à venir à sa rencontre sur la R.C. 4, que dans quelques jours il recevra ordre de se mettre en route avec son effectif au complet et d'évacuer Cao-Bang avec la plus grande discrétion.

Charton est médusé, mais surtout il s'indigne, car il sait ce projet irréalisable.

« Mon général, répond-il, comment peuvent-ils penser que seize cents soldats et autant de civils pourraient se glisser sur cette voie unique en y passant inaperçus ? Même au plus profond de la nuit ? Ce n'est pas seulement honteux, c'est absurde. Les viets seront au courant de notre départ avant même que le premier homme n'ait mis les pieds sur la R.C. 4 !

— Bien sûr, Charton, mais ce que le haut-commandement redoute c'est qu'ils soient prévenus plusieurs jours à l'avance — par exemple par une destruction minutieuse des installations —, et qu'ils profitent de ce laps de temps pour préparer des embuscades contre vous.

— Mais ces embuscades, il y a des mois qu'elles sont tendues ! La R.C. 4 n'est qu'une gigantesque embuscade qui s'étend sur cent seize kilomètres ! Et ça ne changera rien qu'ils apprennent notre évacuation quatre jours, quatre heures, ou quatre minutes avant qu'elle ne se produise.

— Ce sont les ordres, Charton, je n'y peux rien.

— Et Dong-Khé qui se trouve maintenant entre leurs mains ? Je suis censé le reprendre au passage ?

— La colonne montante reprendra Dong-Khé.

— Qu'est-ce au juste que cette colonne montante ?

— Des troupes d'élite. Trois thabors et le 8e Régiment de Tirailleurs marocains qui seront renforcés du 1er B. E. P. à That-Khé. Ils sont sous le commandement d'un artilleur, le colonel Lepage.

— Et où sommes-nous censés nous rejoindre ?

— Quelque part entre Dong-Khé et Nam-Nang, je n'en sais pas davantage. Vous recevrez des ordres en temps utile, je viens de désobéir en vous avertissant. »

Charton comprend l'accablement du général Alessandri. Le petit Corse volontaire et tenace est exténué, vidé par des mois de luttes morales, des mois durant lesquels il a combattu avec un acharnement têtu... pour en arriver à être contraint de venir chuchoter dans l'oreille d'un subalterne le plan qu'il désapprouve, le plan contre lequel il s'est toujours insurgé et qu'on lui a donné l'ordre de taire. Tristement, Alessandri se laisse accompagner comme un automate jusqu'à son avion. Il semble ne demeurer en lui qu'une consolation, le sentiment d'avoir accompli, en prévenant Charton, son devoir d'homme, si ce n'est celui de soldat.

Pour Charton, l'espoir réside ailleurs. Il est dans cet artilleur inconnu et dans ces Nord-Africains, ce colonel Lepage, qui doit au passage reprendre Dong-Khé, pour venir à sa rencontre, probablement à son secours.

38

Na-Cham, 18 septembre. Le capitaine Mattei vient d'être prévenu de l'arrivée de la colonne Lepage. Lang-Son a câblé. Il est probable que l'artilleur et ses troupes feront halte à Na-Cham pour la nuit avant de continuer leur périlleuse progression sur la R. C. 4.

A midi, le passage de la colonne est signalé à Dong-Dang, sans incident, ils seront là dans la soirée.

Effectivement, à partir de dix-huit heures, l'interminable chenille humaine apparaît dans un nuage de poussière, s'étendant du village de Na-Thin jusqu'aux avant-postes de Na-Cham. Mattei cherche à évaluer la puissance numérique des arrivants. Deux mille hommes ? Peut-être un peu plus.

Le colonel Lepage doit se trouver au centre de la colonne, car, avant son arrivée, de jeunes officiers se présentent et s'occupent avec Mattei de l'installation des hommes. Ceux-ci s'organisent pour camper dans un ordre et une discipline relatives. Au côté de Mattei, le lieutenant Jaluzot assiste aux mouvements confus de cette troupe hétéroclite.

« Qu'est-ce que tu penses de tout ça, mon capitaine ? interroge Jaluzot.

— Rien de bien fameux... Tous ces Marocains sont de bons soldats mais ils n'ont pas l'air très frais, et ce qui est plus grave, c'est qu'ils n'apparaissent pas non plus très convaincus.

— Tu as entendu parler de ce colonel Lepage ?

— J'ai entendu son nom hier pour la première fois. S'il est là, c'est qu'on considère que c'est sa place. »

Le colonel Lepage fait son apparition vers dix-neuf heures. Il descend d'une jeep conduite par un Marocain barbu. Les deux jeunes officiers de Légion se présentent réglementairement.

« Je vous ai fait préparer une chambre, mon colonel, déclare Mattei. J'espère, en outre, que vous accepterez de présider notre repas.

— Avec plaisir, mon vieux, je suis éreinté, ça ne me fera pas de mal de profiter de l'hospitalité et du confort de la Légion.

— Je vous fais escorter jusqu'à chez vous, mon colonel, nous nous retrouverons au mess.

— Avec plaisir, merci.

— On va boire un coup ? interroge Jaluzot dès que le colonel a tourné le dos.

— Dans un moment, réplique Mattei, j'aimerais d'abord jeter un coup d'œil sur cette armée qui s'installe chez nous. »

Mattei et Jaluzot parcourent le camp marocain. Il y a une cinquantaine de camions usés, quelques véhicules légers, l'armement des hommes a l'air bien entretenu. C'est la vision d'ensemble qui est déplorable. Brusquement, Mattei tombe en arrêt. Il vient d'apercevoir l'artillerie. Deux canons de 105, deux de 75, qu'il contemple, songeur.

« C'est marrant, comme j'arrive facilement à deviner tes pensées, déclare Jaluzot en souriant.

— C'est pas marrant, c'est logique. Qu'est-ce qu'ils vont foutre de toute cette artillerie sur la R. C. 4 ? Elle va retarder leur progression et à la première escarmouche, elle va sauter. Ils n'ont pas une chance sur mille de pouvoir utiliser leurs canons !

— Et tu crois pouvoir convaincre le colonel de te les prêter sur gage ?

— S'il n'est pas le roi des cons — ce dont il n'a pas l'air — il ne pourra qu'admettre une évidence aussi indiscutable. »

Pendant le dîner qui rassemble une dizaine d'officiers de la colonne Lepage, les sujets de conversation ne manquent pas. Mais Mattei demeure sur ses gardes. Il ne veut pas donner l'impression qu'il cherche à percer les grandes lignes d'un plan secret. De son côté, Lepage cherche à évaluer le jeune officier. Jaluzot assiste, en spectateur muet, à cette prise de contact, à cette observation mutuelle entre les deux hommes qui, visiblement, ont envie de se laisser aller à un échange d'opinions. Il était normal que ce soit le colonel qui engage le dialogue. Durant tout le repas, Mattei l'y a habilement poussé, tout en restant dans les limites qu'il s'est imposées. Enfin, ce qu'il attendait, anxieux, se produit ; jetant son masque, Lepage déclare :

« Vous êtes au courant de la mission dont je suis chargé ?

— Pas officiellement, mon colonel, mais elle me paraît évidente.

— Poursuivez, Mattei, dites-moi le fond de votre pensée.

— Si vous montez, c'est que Charton descend. Les ordres doivent être pour vous d'attaquer Dong-Khé par le sud. Pour lui, par le nord.

— Ce n'est, hélas ! pas si simple, Mattei. Je dois aller chercher Charton au-delà de Dong-Khé, c'est moi qui suis censé reprendre la ville, avec l'appui du 1er B. E. P. qui a sauté hier et aujourd'hui sur That-Khé.

— Ce n'est pas un appui à dédaigner !

— Certes, et bien qu'elle ne paye pas de mine, ma troupe non plus n'est pas médiocre. Ce sont de bons soldats, tous des vétérans, ils sont éreintés mais je leur fais confiance.

— Vous savez, mon colonel, les Arabes sont les meilleurs soldats du monde quand tout va bien, les pires quand ça tourne mal. Les légionnaires c'est à peu près le contraire, ils ont l'habitude des actes désespérés, de s'accrocher à un contre dix, mais j'avoue que si l'association du B. E. P. et des thabors est bien dirigée, ça peut donner un résultat intéressant.

— Mattei, vous connaissez cette région mieux que moi, et principalement la R. C. 4. Si je vous demande de me donner votre opinion sans détour, êtes-vous prêt à le faire ?

— Je peux me tromper, mon colonel, je ne suis qu'un officier parmi tant d'autres. Si je vous parle franchement, je vous demanderai de considérer que mes propos ne se fondent sur aucune certitude mais sur des renseignements, sujets à caution, et sur une opinion absolument personnelle.

— Je vous écoute.

— A mon avis, vous allez à une catastrophe. Les viets sont partout par bataillons entiers et vous êtes condamné à rester rivé à la route. Votre seule chance serait de mener votre opération à une vitesse qu'ils ne soupçonnent pas ; ça me paraît irréalisable.

— Nos avis se rejoignent. J'avais du reste l'intention de vous laisser ici mon artillerie, mes quatre malheureux canons qui vont ralentir considérablement notre avance.

— Je pense, mon colonel, que je vous l'aurais suggéré. Votre artillerie ne pourrait vous être utile que dans le cas où elle parviendrait intacte, au point de la R. C. 4 qui surplombe Dong-Khé. Mais ça, l'ennemi ne l'ignore pas. Et s'il découvre que vous avez des armes lourdes, il sera contraint de vous attaquer, peut-être même avant que vous ne soyez parvenu à réaliser votre jonction avec le B. E. P. De la route, vous le savez mieux que moi, il vous sera impossible de vous servir de vos canons qui ne seront que des cibles.

— Si je vous laisse mes canons, vous comptez les utiliser ?

— Je n'aime pas envisager les défaites, mais dans le cas présent, j'y suis contraint. Votre artillerie peut nous permettre de tenir le col Lung-Vaï que vous aurez à franchir demain. Et si jamais dans les jours qui viennent vous êtes obligés de vous replier en catastrophe, je vous certifie que vous pourrez passer à partir de ce point.

— Je vais vous laisser le lieutenant D... C'est un artilleur expérimenté, il pourra vous aider, mais je dispose en tout d'une centaine d'obus pour chacune de mes pièces.

— Là-dessus, j'ai mon idée, mon colonel.

— Ne comptez pas sur Constans, il considère cette opération comme une simple formalité.

— Ce n'est pas sur lui que je compte.

— Parfait, Mattei, je vais profiter des quelques heures de repos que je peux prendre chez vous. Ensuite, à la grâce de Dieu !... »

Le lendemain, à cinq heures du matin, les derniers véhicules, suivis des tirailleurs de queue, quittent Na-Cham, et la colonne entreprend l'ascension sinueuse du col de Lung-Vaï. Le lieutenant Jaluzot les accompagne jusqu'au sommet où il va reprendre le commandement de son fameux poste à toiture invulnérable, Bo-Cuong.

Mattei rassemble sa compagnie. Il ordonne que tous les hommes s'emploient à hisser les quatre canons dans les calcaires, sur des positions qu'il a relevées. Une fois de plus il va falloir installer des palans, réaliser un travail de Romain.

Ses ordres donnés, le capitaine gagne le central-radio.

« Appelle-moi Hanoï, lance-t-il au caporal des transmissions. Le P. C. du général Alessandri.

— A qui voulez-vous parler, mon capitaine ?

— Appelle et passe-moi la communication, t'occupe pas d'autre chose. »

Klauss vient d'entrer.

« Vous appelez le général à cinq heures du matin, mon capitaine ? interroge-t-il.

— Les Corses ne dorment pas quand on s'apprête à leur tuer leurs soldats. Rappelez-vous de ça, Klauss. »

Le caporal obtient Hanoï sans difficulté, il débite les litanies rituelles.

« Ici, Na-Cham, je vous passe mon Autorité.

— Ici, Mattei, commandant le poste de Na-Cham. Je désire obtenir un échange avec le général Alessandri, question prioritaire, caractère d'urgence absolue.

— Reprenez le contact dans un quart d'heure, nous transmettons votre message au général. »

A cinq heures trente, Mattei obtient en personne le général Alessandri.

« Mon général, j'ai besoin d'obus de 105 et de 75. Tout ce que vous pourrez me larguer. J'installe un appui de feu sur la R. C. 4 qui assurera le passage du col de Lung-Vaï.

— Vous avez combien de pièces, Mattei ?

— Deux 105, et deux 75, mon général.

— Je l'ignorais.

— Je vous raconterai tout ça un de ces jours, mon général.

— Mais Lepage est déjà passé au col de Lung-Vaï ?

— C'est à son retour que je pensais, mon général. »

Sciemment, Alessandri ignore la dernière phrase du capitaine, il reprend :

« Quel est votre plafond ?

— Hélas ! très bas. Il faudrait me larguer ça pratiquement en rase-mottes.

— Je vais voir si je peux foutre la main sur Fontange. J'essaie de vous donner satisfaction en tout cas.

— J'avoue que j'avais pensé à lui, mon général, merci. »

Mattei repose le micro et se tourne vers Klauss :

« Vous voyez bien que tous les généraux ne sont pas des abrutis comme vous sembliez le penser, Klauss.

— Bien sûr, mon capitaine, et le fait que vous soyez Corse n'a rien changé à la situation.

— Pas d'insolence facile, Klauss, et surtout foutez la paix aux Corses.

— Excusez-moi, mon capitaine. Au fait, qui est ce fameux Fontange auquel a fait allusion le général ?

— Le capitaine de Fontange, Klauss. C'est un ivrogne chronique qui se sert d'un Junker comme d'un Piper-Cub.

— Ah ! oui, j'en ai entendu parler. C'est le pilote qui fait du rase-viet en Chine, chaque fois qu'il est bourré.

— On le prétend, Klauss. On prête au capitaine de Fontange un certain nombre d'extravagances de cet ordre. Les gens sont médisants. En tout cas, bourré ou pas, si un aviateur est capable de nous survoler par cette crasse, c'est lui et pas un autre. »

A dix heures du matin, on entend le *Junker* sans le voir. Le capitaine de Fontange a établi un contact radio.

« Je suis en pleine purée, il faut me guider, quelle est votre visibilité ?

— Cent mètres maximum. Et attention à vous, Fontange, autour, ça n'est pas plat.

— Je connais l'approche par le sud. Si je passe, je vous balance les caisses sans parachutes. Gare à vos gueules ! »

Quand le gros *Junker* apparaît, ses trois moteurs au ralenti, Mattei pense qu'il va s'écraser sur eux. L'avion lâche une dizaine de caisses qui tombent échelonnées sur trois cents mètres, puis il effectue un ahurissant virage sur l'aile, frôle littéralement le toit du poste, reprend péniblement de l'altitude et va se perdre de nouveau dans l'épaisseur de la brume poisseuse. Fontange n'a pas interrompu son contact.

« Ça va, Mattei ? »

Le capitaine reprend le micro.

« Bravo, Fontange ! Pas une bavure !

— Tant mieux, je rentre. La plus petite caisse, c'est du champagne, j'ai enveloppé les bouteilles moi-même dans de l'ouate, elles doivent être intactes, mais laisse-les quand même reposer une heure avant de les siffler !

— Compris, merci.

— On fait une drôle de guerre, Mattei ! En tout

cas, le petit Corse d'Hanoï va être content. Ça lui a remonté le moral de te donner un coup de main, et crois-moi, il en avait besoin.

— Alors, merci aussi pour lui, Fontange ! A bientôt !

— Qui sait ?... »

39

Cao-Bang, 1er octobre. Charton a mis en place le dispositif qui lui permettra de faire sauter la ville entière dès qu'il recevra l'ordre d'évacuation. Cet ordre, il le reçoit dans la soirée : l'abandon de Cao-Bang est prévu pour le lendemain, 3 octobre à minuit.

Par radio, Charton hurle sa désapprobation. Il est absurde de fixer une date précise ; l'évacuation ne doit avoir lieu qu'en fonction des conditions atmosphériques ; l'appui de l'aviation et donc un temps clair sont, selon lui, la seule chance de succès.

La réponse est non : le 3 octobre à minuit, pas une seconde avant, pas une après. D'ailleurs la colonne Lepage progresse sans incident, elle a établi sa jonction avec le B. E. P. Dong-Khé n'est pas tombé, mais c'est une question d'heures.

« Dans ce cas, réplique Charton, que Lepage vienne m'attendre au kilomètre 22, au-delà de Nam-Nang, et non au kilomètre 28 comme il est prévu. Je vais être encombré de quinze cents civils, des malades, des blessés, des femmes enceintes, des enfants. »

Pour cela encore, c'est non ! La jonction se fera au kilomètre 28. On se demande ce que peut bien redouter Charton le baroudeur. Comment peut-il penser que les viets commettraient la folie de s'attaquer à une force aussi considérable que ce rassemblement du 3e Étranger du B. E. P. et d'un régiment de Tirailleurs marocains ?

Le 2 octobre à midi, Charton commence à faire

sauter la ville. Avec un mélange d'amertume et d'excitation, les légionnaires incendient, anéantissent, saccagent, pillent, gonflent leurs sacs de tout ce qui peut se manger ou se boire.

Les civils sont prévenus. Ceux qui veulent suivre la Légion ne seront pas abandonnés. Les autres peuvent rester et attendre l'armée du Viet-minh. Personne n'opte pour la seconde solution et un invraisemblable troupeau humain se présente aux portes de la ville. Tous cherchent à confectionner les plus invraisemblables moyens de transport pour tenter de sauver les étranges bric-à-brac qui constituent leurs seules richesses.

A minuit, encadré par la troupe, l'interminable rassemblement s'ébranle, tandis que jusqu'à l'aube, en présence du colonel, une compagnie entière achève la destruction, faisant exploser les mines qui avaient été disposées.

Enfin, ne laissant derrière eux que ruines et cendres, les derniers légionnaires quittent Cao-Bang.

Il ne pleut pas. Mais le ciel est bas, l'intervention éventuelle de l'aviation est donc impossible. Il ne reste qu'à marcher et à attendre le miracle, le rendez-vous sauveur du kilomètre 28.

La première journée se passe sans incidents ; au crépuscule les éléments de tête ont parcouru seize kilomètres, mais la masse humaine s'étend sur plus de trois. Charton ordonne une halte pour la nuit. Lentement, il longe en jeep le vulnérable ruban que forme sur la route ce gigantesque caravansérail. Le moral de tous est excellent. Aucun des civils ne se plaint. Ils ont une confiance absolue en leur escorte. L'ordre et la discipline des légionnaires, le calme des hommes, l'assurance des officiers dégagent une étonnante impression de puissance.

Il est vraisemblable que les deux hommes les plus inquiets, sont Charton et son adjoint le commandant Forget. D'autant que Forget, commandant le 3e bataillon, est handicapé par une blessure récente, il marche avec difficulté.

Charton reste toute la nuit à portée de son poste-radio. Il cherche en vain un contact avec la colonne Lepage qui ne devrait se trouver qu'à douze kilomètres devant eux. Pas de réponse. Charton redoute le pire. Vers trois heures du matin, sa radio parvient à capter Lang-Son, mais l'échange est presque inaudible. Il en filtre néanmoins quelques paroles rassurantes : pour Lepage tout va très bien ; il sera sans aucun doute au rendez-vous du kilomètre 28 ; s'il ne répond pas c'est qu'il n'est pas à l'écoute ; il n'y a pas lieu de s'inquiéter.

Un instant Charton se demande s'il ne traverse pas une crise de défaitisme provoquée par l'évacuation de sa forteresse, et si, finalement, tout ne va pas se passer comme prévu. Comme il le souhaite, le brave colonel Charton, qui prie Dieu pour tous ces civils qui font preuve envers lui d'une confiance aveugle !

A l'arrière, une section a reçu l'ordre du commandant Forget, de fermer la marche. C'est la section « balai ». Elle a pour mission de ramasser tout ce qui traîne. Quoi qu'il arrive, ces six légionnaires doivent demeurer les derniers sur la route. Cette section — séparée du bataillon par la horde désordonnée des civils — ne possède comme tout contact avec ses chefs qu'un émetteur-récepteur d'une portée maximum de cinq kilomètres. Pour ce travail ingrat et périlleux, Forget a choisi des hommes sûrs, des hommes de fer. Le sergent Eric Kress assume le commandement. C'est un Allemand solide et froid, le caporal-chef Chris Snolaerts, Hongrois, est chargé des transmissions. Les deux gradés sont secondés par Anton Zavriew, Tchécoslovaque, Hugo Maggioli, Italien, Felipe Castera Espagnol et Fernand Govin, un Français de Lyon.

De ces sanglants combats d'octobre 1950, sur la R. C. 4, on est parvenu à reconstituer le déroulement hallucinant à l'aide des rapports des quelques officiers, sous-officiers et hommes qui survécurent. Les historiens militaires ont cherché à évaluer la responsabilité des uns ou des autres, à établir les raisons de la catastrophe, à savoir surtout si, une fois le plan « Thérèse » entré en action, il aurait pu connaître un aboutissement moins tragique. Mais on a souvent oublié qu'au-delà des chefs qui déjà ne comprenaient pas grand-chose à la succession d'ordres et de contrordres dont ils étaient assaillis, il y avait les hommes qui, eux, comprenaient encore moins où on voulait en venir.

Des hommes totalement ignorants de la stratégie et de la manœuvre, qui ne pouvaient ni prévoir ni discerner, tant les mouvements qui leur étaient imposés étaient illogiques. Alors, ils suivaient, obéissaient, se battaient, mouraient sans savoir pourquoi, sans jamais deviner dans quelle direction se trouvait le salut, ou même l'espoir.

Dans cette nuit du 3 au 4 octobre, on n'en était pas encore là. La journée avait été calme et paisible. Les quelques coups de feu que la colonne avait essuyés, tirés depuis les crêtes, étaient plutôt rassurants. Ils prouvaient que les viets, embusqués dans la jungle, ne se sentaient pas en mesure d'attaquer et se contentaient de quelques tirs de harcèlement.

Dans la nuit, la section « balai » a installé son camp à quelques mètres en retrait de la R.C. 4. Le sergent Kress veille à ce qu'aucun de ses hommes n'abuse de l'alcool que l'on possède à profusion. Les six légionnaires cassent la croûte en plaisantant. Ensuite, Maggioli, le Rital, s'adresse au sous-officier :

« Si tu m'y autorisais, sergent, j'irais bien tirer un petit coup, histoire de me remonter le moral. Les putes ne sont pas à cent mètres, j'ai repéré le troupeau tout à l'heure dans une côte.

— Ça, c'est une idée, approuve Govin, le Lyonnais. Je t'accompagne. »

Kress hausse les épaules, indifférent, avant de répondre :

« Si vous avez le cœur à ça, moi, j'ai rien à en

foutre ! Si vous remarquez quelque chose sur la route, signalez-le-moi, je vous donne une demi-heure. »

Les deux légionnaires ont à peine disparu dans l'obscurité que le P.C. du commandant Forget appelle. Snolaerts écoute, attentif. Les autres ne réussissent à capter que le grésillement incompréhensible et nasillard qui s'échappe du récepteur. Kress interroge le radio du regard, Snolaerts lui répond d'un vague signe indifférent, puis reprend dans son micro :

« Tout va bien, mon commandant. Le sergent vient d'envoyer deux hommes en reconnaissance. Faut-il vous rappeler à leur retour ? (Après un temps, il ajoute :) Parfait, mon commandant, à vos ordres. (S'adressant à Kress, il poursuit :) Tout est calme, chez eux aussi, on n'appelle qu'en cas d'incident. »

Les quatre hommes s'allongent, la tête reposant sur leurs sacs, leurs képis sur le visage pour se protéger des moustiques. Vingt minutes plus tard, ils sont rejoints par Maggioli et Govin qui adoptent, en silence, la même attitude. Sans bouger, à travers son képi, Kress déclare :

« Govin, tu prends la garde pour deux heures. Maggioli te relaiera, après ce sera Zavriew.

— Et merde ! proteste Govin, qui néanmoins se saisit d'un fusil mitrailleur et va se poster en contrebas à quelques mètres de la route.

— Dites donc, vous êtes rapides, interroge Castera.

— Ne m'en parle pas, grogne l'Italien en allumant une cigarette fripée. Elles n'ont rien voulu savoir, les salopes. Elles prétendent qu'elles sont en vacances. »

Quelques grognements de satisfaction amusés se font entendre sous les képis des quatre légionnaires somnolents.

« Les Chinoises, elles auraient marché, poursuit amèrement Maggioli, mais c'est cette putain de salope d'Aïcha qui leur a bourré le mou. Elle fait du syndicalisme, cette mauresque de mes fesses ! Elle est arrivée à les convaincre toutes, que si elles commençaient, ça n'arrêterait plus et que très vite elles n'auraient plus la force de suivre la colonne.

— Dans un sens, elle n'a pas tort, fait remarquer le sergent. Si on apprend dans le bataillon qu'elles ont ouvert leur commerce, elles n'ont plus qu'à se préparer à faire la R. C. 4 à quatre pattes.

— D'accord, sergent, mais cette charogne d'Arabe n'avait pas besoin de m'insulter.

— Ah ! Parce qu'elle ne s'est pas contentée de vous jeter dehors ! En plus, elle vous a chambrés.

— Tu parles ! Elle m'a dit : « Vous avez qu'à vous « niquer entre vous. »

— On n'a pourtant pas entendu de coup de feu ! Tu vieillis, Hugo !

— Je lui ai foutu une baffe, je crois qu'on est fâchés. »

Le 4 octobre, à cinq heures du matin, Forget prévient que l'on se remet en marche. Kress fait passer l'ordre qui se transmet le long de l'interminable convoi humain. La chenille géante reprend son allure traînarde. Les premiers passent Nam-Nang déserté, vers dix heures. Les éléments de tête ont recueilli quelques rares civils supplémentaires au passage.

Deux heures plus tard, la section « balai » Kress vient juste de sortir de Nam-Nang à son tour lorsque — imprévu — c'est l'arrêt.

Par radio, Kress interroge. On lui répond :

« On attend des instructions, on vous préviendra. Restez à l'écoute. »

Les ordres se font attendre trois quarts d'heure. Enfin, le contact reprend. Snolaerts réclame, par geste, un papier et un crayon. Sans lâcher l'écoute, avec une application d'élève studieux, il écrit, son papier froissé disposé en équilibre sur le genou. Enfin, il répond :

« Bien compris. Question — Unité — Alpha — Nord — Gala — *Quang*. Loi — Idée — Est — Taxi — *Liet* — Quang — Liet — Terminé.

— Qu'est-ce que c'est que cette salade ? interroge Kress.

— Il paraît que Charton et Forget cherchent une piste du nom de Quang-Liet qui doit se trouver dans le secteur, sur la droite de la route. Ils nous demandent de remonter le long des civils et de les questionner pour savoir si quelqu'un la connaît. De leur côté, ils envoient deux gus qui interrogent les Chinois de tête en descendant vers nous :

— Une piste ? Qu'est-ce qu'ils veulent en foutre ? »

Snolaerts tend le micro.

« Si ça t'intéresse, sergent, tu le leur demandes. Moi, je fais que transmettre, c'est mon boulot.

— Oh ! ça va ! Bon, j'y vais avec Govin. Il faut commencer par trouver un interprète : neuf sur dix de ces Chinois ne parlent pas un mot de français.

— Les putes...

— Evidemment, les putes ; au moins elles vont servir à quelque chose, et c'est pour ça que j'y vais en personne. »

La présence du sergent n'était pas superflue. Il faut convaincre Aïcha que si on lui enlève quelques instants l'une de ses « protégées » c'est pour un motif noble, que ça n'est pas pour « niquer », comme elle s'acharne à se le faire jurer.

La petite Annamite qui suit les deux légionnaires parle un français parfait, et en *nach,* elle sait se faire comprendre. Le long de la colonne, elle ne cesse d'interroger : « Qui connaît la piste de Quang-Liet ? » Il faut plus d'une heure de recherches avant qu'un vieillard réagisse à la question. Il engage avec la prostituée un long palabre incompréhensible, avant qu'elle ne traduise :

« Il connaît Quang-Liet. C'est une ancienne piste qui mène à That-Khé par le village de Lan-Haï, mais il dit que personne ne passe plus par là depuis des années.

— Demande-lui s'il saurait reconnaître l'endroit. »

Le vieillard est affirmatif. Il fut un temps où il se rendait souvent à Lan-Haï par la piste.

Les deux légionnaires se trouvent plus près de la queue de la colonne que de sa tête. Ils décident de redescendre et de contacter le P.C. par radio. Ils emmènent avec eux le vieillard et déposent la putain au passage.

Le commandant Forget est prévenu. Un quart d'heure plus tard il arrive en jeep, accompagné de son chauffeur et d'un interprète. De nouveau le vieillard est interrogé, puis il est invité à prendre place dans la jeep qui disparaît dans un nuage de poussière, remontant la colonne.

Forget, nerveux, a à peine répondu aux questions de la section arrière.

« Et voilà, déclare Kress, pour les explications on repassera !

— Tu crois qu'ils ont l'intention de nous faire prendre cette piste ? interroge Maggioli.

— S'ils la cherchent avec tellement d'insistance c'est sûrement pas pour aller y cueillir des fraises. »

Kress a sorti de son képi une carte imprégnée d'humidité et de sueur, il l'étudie attentivement avant d'annoncer :

« Le nom de Quang-Liet ne figure pas sur la carte, mais la piste doit être ce trait blanc pointillé qui conduit à Lan-Haï et qui poursuit sur That-Khé.

— Putain ! En pleine jungle ! Ils sont malades, ou quoi ? lance Govin. Ils cherchent à éviter Dong-Khé comme si on l'avait pas repris.

— Qui t'a dit qu'on l'avait repris, Dong-Khé ? Radio-bambou ? »

Ce que les hommes appellent radio-bambou, ce sont les nouvelles contradictoires qui courent de popotes en secrétariats, et qui arrivent jusqu'à eux amplifiées et déformées. Pourtant, radio-bambou reste leur seule source d'information.

« Si on n'a pas repris Dong-Khé, c'est que les viets y sont encore ! Et alors, je me demande ce qu'on fout là ! reprend Govin.

— D'après ce que je crois comprendre, on contourne par cette fameuse piste.

— On contourne mon cul ! Tu t'imagines les viets

à Dong-Khé nous laissant manœuvrer avec ce ramassis de clochards qu'on traîne avec nous !

— Maintenant, ta gueule ! tranche le sergent. On nous a demandé de marcher les derniers et de suivre. Pour le reste, c'est Charton que ça regarde. Et sur les grandes idées que tu as dans la tête, il doit lui aussi avoir une opinion. »

Pour les légionnaires, c'était la seule chose à faire. S'en remettre aveuglément à l'expérience de Charton. Admettre qu'en tête le Dieu invincible prenait pour eux les décisions qui les sauveraient. Ils pouvaient tous se dire : « Peut-être ne comprenons-nous rien, mais Charton et Forget savent ce qu'ils font. »

Hélas ! la situation de Charton et de Forget était, depuis midi, pire que celle de leurs hommes. Car eux ne pouvaient plus compter sur personne. Ils venaient de recevoir de Lang-Son un message dramatique. Les prédictions les plus pessimistes de Charton se voyaient confirmées, et bien au-delà !

Non seulement Lepage et le B. E. P. avaient échoué dans leur tentative pour reprendre Dong-Khé, mais ils s'étaient vu contraints de fuir à l'ouest dans la jungle où ils se trouvaient harcelés de toute part. Ironie cruelle, c'était la colonne de secours qui désespérément réclamait de l'aide...

A l'arrière, c'est vers seize heures que la section Kress reçoit des instructions. On a trouvé la piste. Ou du moins ce que la végétation luxuriante a laissé de la piste abandonnée. Les ordres pour la position arrière changent. Kress et ses cinq légionnaires resteront les derniers, mais on largue tout. On ne conserve que deux jours de vivres, les armes légères et les munitions ; tout le reste doit être détruit. On fait sauter les véhicules, l'artillerie, on met le feu aux « trésors » des Chinois, mais l'ordre le plus atroce, le plus démoralisant, tombe en dernier. Kress prend lui-même l'écoute pour se le faire confirmer par le commandant Forget :

« Vous abandonnez les traînards ! Pas question de perdre une minute. Vous ne demeurez en position arrière qu'afin que le P. C. vous informe de sa vitesse de progression. Cette vitesse, vous devez la respecter. Passez devant tous ceux qui ne pourront pas suivre. »

Écœuré, Kress rend à Snolaerts le récepteur et marmonne entre ses dents :

« On va se farcir le boulot le plus dégueulasse du bataillon. On a devant nous près de deux mille civils, les trois quarts ne tiendront pas le coup, et nous sommes chargés de les contempler, sachant que nous les abandonnons à une mort certaine.

— Ils peuvent pas essayer de retourner à Cao-Bang, sergent ? interroge Castera.

— Ils se feraient massacrer sans pitié jusqu'au dernier, et ils le savent. Jamais le Viet-minh ne leur pardonnerait d'avoir tenté de nous suivre. Non, la seule chose que nous pourrions faire pour eux, ce serait de leur foutre une balle dans la tête au passage, ça leur éviterait un long supplice.

— Ils vont essayer de suivre. Dans un cas comme celui-ci ils puiseront sûrement en eux des forces insoupçonnées.

— Et les femmes enceintes ? Et les gosses ? Et les vieillards ? Tu penses qu'ils vont marcher à la cadence de Charton et de Forget ? »

Les quatre premières heures, tout le monde suit sans peine. La raison en est simple, la progression est d'une extrême lenteur, car, tandis que l'arrière se trouve encore sur la R. C. 4, l'avant a dû s'engager sur la piste qu'il faut « ouvrir ».

Vers quinze heures, la section « balai » quitte la route à son tour, et les six légionnaires évaluent, en experts, le travail des hommes de tête. Ils ont dû couper des lianes, de grosses branches, déblayer un enchevêtrement touffu de végétation pour arriver à découvrir les vestiges de la piste qu'ils doivent s'efforcer de reconstituer en furetant comme des chiens de chasse. Kress remarque :

« Si ça continue à cette lenteur, on aura personne à abandonner. »

Hélas ! du P. C. arrive un appel.

« Nous venons de découvrir un arroyo presque à sec qui longe la piste, on avance dans son cours sans difficulté. Vitesse approximative : quarante mètres-minute ; respectez-la. »

Il est environ dix-sept heures. Personne ne sait si une halte est prévue pour la nuit. La hauteur et la densité des arbres tropicaux sont telles qu'il fait déjà excessivement sombre. Kress envoie en avant Govin et Zavriew.

« Remontez sur cent mètres. Faites activer le mouvement, tâchez de leur expliquer qu'il ne faut qu'ils s'arrêtent sous aucun prétexte. »

Les deux hommes obéissent, mais leur action est inutile. La file a accéléré d'elle-même. Certains des civils qui avaient cherché à conserver quelques affaires personnelles comprennent et abandonnent tout. La piste est rapidement jonchée de petits balluchons.

Puis, avant même que la section de queue n'atteigne le cours d'eau, elle aperçoit le premier vieillard qui renonce. Il est assis adossé contre un arbre, vaincu, résigné, épuisé. Au passage des derniers légionnaires il fait un signe des deux doigts de la main, réclamant une cigarette. Maggioli lui tend son paquet entier. Le vieillard fait le geste de craquer une allumette, Maggioli n'a que son briquet, il le sort et le donne au vieux Tonkinois en haussant les épaules. Puis il reprend sa marche, les dents serrées.

Ce n'était que le premier... Très rapidement, des vieux, des femmes s'effondrent sur la piste et sont dépassés par la section de queue, impuissante, lorsque Zavriew aperçoit une femme enceinte qui peine désespérément, portant sur son dos un bébé de deux ou trois ans et qui se fait remonter par le courant humain ; il demande :

« Si je porte ton gosse, tu pourras marcher ? »

Elle acquiesce d'un signe de tête. Le légionnaire saisit le bambin et l'installe sur ses épaules. Kress intervient :

« Tu connais les ordres.

— Essaie de m'en empêcher », lance Zavriew.

Kress ne répond pas ; du reste, deux heures plus tard, les six légionnaires sont chacun chargés d'un enfant.

La nuit est presque tombée quand la section de queue arrive au cours d'eau. Sur la berge, un légionnaire du bataillon est appuyé contre un arbre. Il n'a conservé aucune arme apparente.

« Qu'est-ce qui t'arrive ? interroge Kress.

— Cheville pétée, sergent ! La poisse, un faux mouvement.

— On n'a pas pu te brancarder ? »

Un sourire amer se dessine sur le visage de l'homme.

« Il paraît que la colonne de secours est en train de se faire couper en rondelles, il faut courir.

— Tu n'as besoin de rien ? »

Sans cesser de sourire, le légionnaire répond :

« J'ai tout ce qu'il me faut... »

Il ouvre sa main, découvrant une grenade.

« Tu as de la gnôle ?

— J'en ai pas besoin, je crois en Dieu. Allez, ne vous retardez pas, les gars, et attention où vous mettez les pieds. »

Dans l'arroyo, ils ont de l'eau jusqu'aux chevilles. La sensation est plutôt agréable mais la ronde des moustiques est infernale, et les six légionnaires encombrés de leurs armes et des gosses ne disposent d'aucune liberté de mouvement pour écraser les insectes qui les harcèlent, sur les joues et la nuque.

La désespérante vision de ceux qui abdiquent et qui sont de plus en plus nombreux soulève le cœur des six hommes de la section Kress. Tous les vingt ou trente mètres, sur les berges, les traînards sont affalés par petits groupes de deux ou trois. Ils se sont assemblés pour ne pas mourir seuls. Un vieillard d'apparence placide s'est assis dans l'arroyo. En approchant, les légionnaires s'aperçoivent qu'il s'est ouvert les veines du poignet et qu'il laisse son sang se répandre dans l'eau boueuse dans laquelle il a plongé son bras...

40

QUE s'était-il passé de l'autre côté ? Quel drame s'était joué pour que la colonne de secours Lepage en arrive à lancer un appel de détresse ? Il faut remonter de quelques jours en arrière pour le comprendre.

A la fin septembre, Lepage et ses Marocains ont établi à That-Khé leur jonction avec le B. E. P. L'artilleur attend l'ordre de passer à l'attaque. Cet ordre, il le reçoit le 30 septembre. Il est laconique, il déclare simplement que le « Groupement Bayard » devra s'emparer de Dong-Khé le 2 octobre à midi.

Alors, Lepage convoque son état-major : le commandant Arnaud du 8ᵉ Tirailleur marocain, le commandant Delcros du 11ᵉ Thabor, le capitaine Faugas du 1ᵉʳ Thabor, mais surtout, l'aréopage des « seigneurs de marbre », les officiers du 1ᵉʳ B. E. P., Segretain, Jeanpierre, Faulque, Roy, Marcé. Ils sont confiants, résolus, inébranlables. De leur bataillon prestigieux se dégage une exaltante impression d'invulnérabilité. Que Lepage décide à cet instant que le 1ᵉʳ B. E. P. se taillera dans ce combat la part du lion, est parfaitement logique. Ce qui l'est moins, c'est qu'il n'ait pas compris que même les meilleurs soldats du monde ne peuvent pas tout.

A l'aube du 2 octobre, sur la R. C. 4, deux compagnies du B. E. P. progressent vers Dong-Khé, en tête de la colonne Lepage.

Sans incident, les parachutistes de la Légion parviennent jusqu'au sommet du col de Loung-Phaï, dépassent le poste abandonné de Na-Pa et arrivent au point culminant de la route. Ils surplombent maintenant la cavité géante au fond de laquelle se dessine la citadelle qu'ils doivent reconquérir. Le capitaine Jeanpierre rejoint le lieutenant Faulque. Les deux officiers scrutent le fortin à la jumelle.

« Il n'y a personne dans le poste, déclare Jeanpierre affirmatif.

— D'après toi, ils sont autour dans la montagne ? interroge Faulque.

— Sans aucun doute.

— Si on descend, on en prend plein la gueule !

— On a une mission ou on fait du tourisme ? Charton est de l'autre côté. Je n'ai pas envie de lui poser un lapin. Il faut tout casser. S'accrocher à la R. C. 4, s'abriter dans la citadelle et tenter de remonter en face. On va y laisser des plumes, mais il n'y a rien d'autre à envisager. Pars en avant avec ton peloton. Je te suis et je fais descendre Lepage et les Marocains. »

Faulque s'élance en tête de son peloton d'élèves gradés, suivi d'une compagnie entière du B. E. P. Dès qu'il atteint le fond de la cuvette, l'enfer se déchaîne. De tous les points de la montagne, une armée fait feu sur une centaine d'hommes. Par surcroît, il reste des éléments viets pourvus d'armes automatiques qui s'étaient embusqués dans la citadelle. Faulque parvient pourtant à mettre ses survivants à l'abri près d'un ruisseau bordé d'herbes et de quelques rochers.

La catastrophe est explicable en quelques mots : Les viets ne sont plus dans Dong-Khé, ils ont évacué la cuvette. Par milliers, pourvus d'artillerie lourde, dissimulés dans les calcaires, ils tiennent les crêtes.

Par radio, Faulque transmet au capitaine Jeanpierre :

« Dans la citadelle, ils ne sont pas nombreux, je peux la prendre. Tu peux suivre et dire au Vieux

de faire dégringoler les Marocains derrière toi. »
Lepage refuse. Il donne l'ordre à Jeanpierre de
faire remonter Faulque et ses hommes. Le lieutenant
obéit. Une trentaine des siens sont morts pour rien.

Dong-Khé n'est pas pris. La R. C. 4 est toujours
coupée en deux.

L'idée que Lepage eut à cet instant semble logique.
Rappelons que nous sommes dans la matinée du
2 octobre. Charton n'a pas encore quitté Cao-Bang.
Lepage compte regagner sa base de départ de That-
Khé et transmettre à Lang-Son que l'investissement
de Dong-Khé est irréalisable sans l'appui de l'aviation, qu'il faut attendre que le ciel se dégage, qu'on
doit remettre à plus tard l'évacuation de Cao-Bang.
(C'était ce que réclamait Charton à cor et à cri depuis
deux semaines.)

La lourde colonne fait demi-tour. Lepage est optimiste ; l'aller s'est passé sans incident, il n'éprouve
aucune crainte pour le retour. Il ignore que, surplombant la R. C. 4, l'ennemi est là aussi, dissimulé par
bataillons entiers ; il ne sait pas que toute la matinée les viets l'ont regardé passer.

A deux heures de l'après-midi, la colonne est en vue
du poste désaffecté de Na-Pa. Elle longe le massif
montagneux de Na-Kéo qui, à l'est, domine la route.
Soudain, l'armée viet-minh attaque ; de la montagne, une grêle ininterrompue d'obus de gros calibre
s'abat sur la R. C. 4.

C'est le carnage. S'ils restent exposés à découvert,
les quatre mille soldats seront exterminés en moins
d'une heure. Spontanément, par instinct, sans attendre les ordres, les survivants quittent la route, se précipitent dans la jungle. Ils n'ont qu'une seule issue :
l'ouest.

C'est alors que Lepage prend une lourde décision.
Comme le haut-commandement qui a monté toute

l'opération « Thérèse », l'artilleur raisonne en stratège classique ; il ignore la force et les procédés de combat des viets ; il s'appuie sur une douloureuse chimère : contre les rebelles, la Légion est invincible. Ce matin même, l'action audacieuse du lieutenant Faulque a renforcé sa conviction : le B. E. P. peut tout, contre le B. E. P. on ne peut rien.

Lepage ordonne au commandant Segretain :

« Le B. E. P. s'implante dans le poste de Na-Pa. Vous fixez l'ennemi, vous le retenez, pour me donner le temps de manœuvrer dans la jungle, de trouver une piste, d'établir un point de rendez-vous avec la colonne Charton. Lang-Son n'aura qu'à lui ordonner de contourner Dong-Khé par l'ouest et de venir à ma rencontre par la forêt au lieu de suivre la route. »

Le B. E. P. a déjà perdu plus du tiers de son effectif. Pourtant, Segretain obéit sans discuter ; il fait occuper le poste de Na-Pa par ses légionnaires-parachutistes ; avec ses quelque cinq cents ou six cents survivants, il va essayer de tenir contre des dizaines de milliers de réguliers viet-minh.

Mais tandis qu'à l'aveuglette, Lepage s'enfonce avec ses Marocains à travers l'épaisseur de la jungle, Segretain, Jeanpierre et Faulque assistent à la naissance d'une nouvelle tragédie.

A la jumelle, Faulque suit le repli d'une compagnie du 8ᵉ Tirailleur. Au moment où ils quittent la route, les Marocains sont attaqués par un régiment entier. Un survivant parvient jusqu'au poste et déclare que son capitaine est mort avec une centaine des leurs.

Segretain a compris. Pour l'instant, les viets ne vont pas l'attaquer. Ils vont se contenter de harceler Na-Pa sans prendre de risques. Mais, en amont et en aval du poste, ils traversent la R. C. 4 et organisent une gigantesque chassé à l'homme ; sur ce terrain dont ils connaissent les moindres replis, ils manœuvrent de façon à pouvoir écraser les fuyards où et quand ils le jugeront opportun.

Tout le sort de la colonne Lepage est en jeu.

Tranquillement, sans panique, aux côtés de Jean-pierre et de Faulque, le commandant Segretain fait le point de la situation. De cette discussion va jaillir un projet dont l'audace insensée ne peut être expliquée que par le désespoir, la certitude qu'en restant sur place le B. E. P. se fera anéantir sans aider Lepage. D'un commun accord, les trois officiers, qui ne sont plus à la tête que d'un bataillon amputé et meurtri, surplombé par un ennemi retranché, organisé, et dix fois supérieur en nombre, décident tout simplement qu'ils vont contre-attaquer, se ruer à l'assaut du massif de Na-Kéo.

Avant la nuit, les parachutistes de la Légion se contentent de subir le tir d'artillerie et tentent de situer les positions de l'ennemi qu'ils se proposent d'investir en profitant de l'obscurité et de la surprise.

A vingt-deux heures, c'est l'attaque du B. E. P. Une compagnie incomplète d'un thabor s'est jointe à eux. C'est hallucinant. Les parachutistes tombent par grappes. On les croit décimés, ils se relèvent, retombent, repartent à l'assaut. Ils grimpent, ignorant l'enfer qui s'est déclenché sur eux, et ils arrivent à occuper plusieurs positions viets, qui, dans la fin de l'après-midi, les avaient pris pour cibles.

A mi-pente, il faut néanmoins se rendre à l'évidence. Le B. E. P. ne peut plus que se fixer et, tout au plus, tenir quelques heures. L'effet de surprise est dépassé, les viets les ont repérés. Segretain parvient à établir un contact avec Lepage qui continue à se replier à travers la jungle, de l'autre côté de la R. C. 4.

« Nous sommes sur le Na-Kéo. Nous avons contre-attaqué. Nous sommes parvenus à créer une diversion qui doit desserrer l'étreinte autour de vous. Nous décrocherons juste avant l'aube.

— Bravo ! répond Lepage, mais ne décrochez pas ! Tenez ! Ma jonction avec Charton en dépend.

— Impossible, nous nous ferions exterminer sans

même vous aider. Le jour levé, il leur faudra moins d'un quart d'heure pour nous anéantir. »

Lepage insiste, refuse d'autoriser le repli du B.E.P. Il persiste toujours dans sa chimère. Il ne peut pas admettre que les légionnaires sont des hommes qui meurent comme les autres. La nuit se passe en palabres vains entre les deux officiers qui reprennent contact toutes les heures. Enfin, Lepage cède :

« D'accord, décrochez. Mais rejoignez-nous à toute vitesse. »

C'est au tour de Segretain de refuser :

« J'ai une centaine de blessés, j'essaie de redescendre sur la R. C. 4 et de les évacuer sur le col de Loung-Phaï. Je vous rejoindrai après. »

Le commandant Segretain ne pourra pas mener à bien son projet. Brancardés par les quelques Marocains qui restent valides, les blessés sont les premiers à tomber dans une embuscade avant même d'avoir pu atteindre la route. Ils sont achevés aux côtés des hommes qui les portaient.

Le B. E. P. pourtant passe en force, abandonnant encore une trentaine des siens sur le terrain. Pour eux aussi, la seule issue est maintenant la jungle ouest. Les survivants du B. E. P. n'ont plus qu'à tenter de rejoindre Lepage.

Toute la journée du 3 octobre, Segretain, Jeanpierre, Faulque, progressent dans la forêt, guidés par la radio de Lepage et une boussole qui répond mal. Du bataillon, il ne reste que trois cent cinquante survivants, tout au plus quatre cents. Ils n'ont pas dormi depuis deux jours, ils n'ont plus de vivres, plus d'eau, ils sont à l'extrême limite de leurs forces. Mais ils ne sont pas vaincus. Vaincus ils ne le seront jamais. Du premier au dernier, ils sont tous prêts à reprendre le combat.

A dix-sept heures, un nouveau contact radio s'établit avec Lepage. L'artilleur semble avoir retrouvé un peu d'espoir. Il a obtenu deux liaisons avec Lang-Son. Dans une première, Lepage a fait part de sa situation

catastrophique et donné sa position approximative.
Une heure plus tard, Lang-Son a répondu que tout
pouvait encore s'arranger. Qu'on allait donner l'ordre
à Charton de se dérouter de la R. C. 4 et d'emprunter
la piste de Quang-Liet. Il pourrait venir au secours
de Lepage dans les gorges de Coc-Xa, en arrivant par
les crêtes. C'est une question de vingt-quatre ou
trente heures au maximum. Lepage conclut à l'adresse
du commandant Segretain :

« Rejoignez-moi à Coc-Xa, ensemble nous tiendrons
en attendant le bataillon du 3ᵉ Étranger. »

Segretain déplie une carte, l'évidence éclate. Coc-Xa
est une immense cavité ou plus exactement deux
cavités reliées par un étroit couloir, presque un
tunnel.

« Coc-Xa est une cuvette ! crie Segretain dans le
récepteur.

— C'est le seul endroit dans cette jungle où on
puisse se défendre, réplique Lepage. Nous y sommes.
N'oubliez pas que Charton va arriver par les crêtes. »

Segretain lâche le micro et se retourne vers Jeanpierre :

« On a tous rendez-vous dans un trou. Il faut y
aller... Lepage a l'air content, il a trouvé une nouvelle
roue de secours, le bataillon Charton. »

Faulque ricane :

« Le Vieux nous fait cocu avec le 3ᵉ Étranger. Il
compte maintenant davantage sur lui que sur nous.
Nous l'avons probablement déçu.

— De toute façon, ce sont des légionnaires, fait
remarquer Segretain. La Légion a un pouvoir tran-
quillisant sur cet artilleur, et s'il s'intéresse tellement
à Charton, il va peut-être enfin nous foutre la paix. »

Jusqu'au crépuscule, le B. E. P. cherche à tâtons
un chemin qui peut le conduire à Coc-Xa. Les parachutistes finissent par y parvenir, mais une fois encore
la situation est inextricable. Ils se trouvent au sommet d'une falaise abrupte et impraticable. Un gouffre
rapide de trois cents mètres. La nuit est presque
tombée. Il n'est pas question de chercher à descendre

avant l'aube du lendemain. Le B. E. P. s'installe sur la crête, les hommes vont enfin pouvoir dormir quelques heures.

Segretain de nouveau entre en contact avec Lepage auquel il transmet sa position après d'approximatifs calculs. Lepage situe : lui-même occupe la grande cuvette nord ; le B. E. P. se trouve en surplomb de la plus petite cuvette. Il donne l'ordre aux légionnaires de descendre dans la nuit.

Cette fois Segretain gueule carrément :

« Si je vous dis que c'est impossible, c'est que ça l'est ! Nous descendrons à l'aube et encore dans la mesure où nous découvrirons une possibilité. Sinon, nous contournerons. Terminé ! »

Segretain coupe le contact sans y avoir été invité.

« C'est vraiment un enfant gâté, fait remarquer Jeanpierre. Voilà qu'il veut qu'on vienne le border dans son lit...

— Ne l'accable pas trop, interrompt le commandant. Mets-toi à sa place. Il est dépassé, on le serait à moins. »

A l'aube du 4 octobre, le lieutenant Faulque trouve une crevasse par laquelle on peut tenter de descendre. C'est excessivement périlleux mais ce n'est pas irréalisable. Avec sa compagnie, il y parvient en moins de deux heures.

Segretain et Jeanpierre s'apprêtent à suivre le même chemin quand Lepage fait savoir qu'il est repéré. Pour le B. E. P., nouveau contrordre de Lepage. Les éléments qui sont encore sur le plateau y demeurent. Cette nouvelle plonge les hommes dans le désespoir car en bas il y a de l'eau et en haut ils sont assoiffés. Le capitaine Jeanpierre descend lui-même avec une section, rejoint Faulque, et organise un ascenseur à bidons.

La journée se passe ensuite dans l'attente. Lepage est toujours harcelé. L'ennemi fait la preuve qu'il est partout retranché à l'abri dans les montagnes calcaires et boisées, mais il ne cherche pas à anéantir les tirailleurs. Une seule raison peut expliquer cette attitude : les viets sont au courant de l'arrivée de Charton. Ils l'attendent pour sonner l'hallali.

Dans la nuit du 4 au 5 octobre, Lepage parvient enfin à entrer en contact avec Charton. Le 3e Étranger sera là le lendemain, au plus tard à l'aube du 6. C'est l'explosion de joie. Mais elle est suivie d'un nouvel ordre incohérent. Le B. E. P. doit descendre dans la nuit et rejoindre au complet les tirailleurs avant l'aube.

Ce qui était périlleux le jour, devient effroyable dans l'obscurité. D'autant que maintenant l'ennemi s'est glissé partout et qu'il faut en plus se tenir sur ses gardes. Une dizaine d'hommes se tuent en tombant dans le vide. Néanmoins à l'aube, lorsque le B. E. P. rejoint Lepage, ils sont encore plus de trois cents survivants.

La journée du 5 se passe en vaines tentatives pour situer l'ennemi, pour rechercher l'endroit par lequel on pourra percer, sortir en force lorsque Charton aura rejoint.

Le matin du 6, le 3e Étranger apparaît sur les crêtes nord (les deux seules qui ne sont pas tenues par l'ennemi). Le bataillon de Charton a dû abandonner tous les civils, mais les quinze cents hommes sont en ordre, encore relativement frais, prêts à se battre.

Leur apparition sur les pitons provoque dans la cuvette un véritable délire de joie. Seuls les trois officiers du B. E. P., Segretain, Faulque et Jeanpierre, demeurent réservés. Ils connaissent les viets ; ils redoutent qu'en deux jours l'ennemi ne soit parvenu à se regrouper en masse.

Les plus pessimistes de leurs prévisions étaient encore bien loin de la réalité : autour des deux cuvettes de Coc-Xa, les viets ont réussi à amener et à dissimuler entre vingt et trente mille hommes pourvus d'artillerie lourde.

A l'heure où on croyait tout sauver, tout était perdu.

Dans les combats qui suivirent, l'héroïsme et la confusion, le désespoir et la grandeur dépassent l'imagination. Pendant quarante-huit heures les encerclés cherchent à sortir par la force. Ils n'abandonnent jamais. Ils tentent plus de vingt points de passage. Chaque fois ils se font hacher sur place. Charton est descendu, a essayé de remonter en face. Des positions ont été arrachées au prix de flots de sang. Il a fallu les abandonner. Finalement, le 7 au soir, l'ordre ultime est donné : chacun pour soi. Objectif : le Sud, That-Khé où la garnison française doit encore tenir.

Le commandant Segretain est tué dans un combat à l'arme blanche. Le lieutenant Faulque est tombé, transpercé par plusieurs balles. Le commandant Forget a été foudroyé à la tête d'une section.

Les chiffres témoignent mieux que n'importe quel récit. Sur près de six mille hommes engagés dans l'opération « Thérèse », moins de cent hommes parvinrent à rejoindre les lignes françaises. Du millier de légionnaires qui constituaient le B. E. P., il n'y en eut que douze.

41

LANG-SON, 6 octobre. L'état-major réalise enfin l'ampleur du désastre. Pendant que les colonnes Charton agonisent dans les calcaires de Coc-Xa, les viets frappent au sud. That-Khé, Na-Cham sont attaqués à leur tour. Toute la R. C. 4 paraît perdue. C'est une question de jours, peut-être d'heures.

L'ordre est alors donné d'évacuer la vieille route coloniale où tant de sang a été versé. On essaiera de tenir That-Khé jusqu'au 10 octobre. La ville servira de havre aux survivants des massacres. Ensuite tout le monde se repliera sur Lang-Son.

Deux compagnies de Légion occupent That-Khé. Pour leur permettre de résister encore quatre jours, on leur largue en renfort des éléments du 3e bataillon de parachutistes coloniaux. Les paras ont reçu des ordres formels : ils ne doivent en aucun cas chercher à se porter au secours des colonnes sacrifiées, ils doivent se contenter de recueillir les survivants qui auront la chance de pouvoir se traîner jusqu'à eux. Ensuite, la mission de cette troupe fraîche consistera à boucler le repli en protégeant les arrières.

Encore une fois, c'est simple et logique ; encore une fois, c'est irréalisable ; les viets ne sont pas seulement devant That-Khé, ils sont derrière, ils sont partout. Le général Giap dédaigne That-Khé comme il a dédaigné Cao-Bang. Il va de nouveau frapper au centre. Il veut couper la R. C. entre That-Khé et Lang-Son.

Pour cela, Giap doit prendre Na-Cham ; il lui faut surtout Bo-Cuong, le poste nain qui tient le col de Lung-Vaï. Tant que la poignée de légionnaires qui l'occupent ne seront pas délogés, le col restera franchissable pour les rescapés. En revanche, si le Vietminh parvient à s'en emparer, le repli vers Lang-Son ne sera même plus envisageable et le bataillon de parachutistes coloniaux que l'on vient de larguer sur That-Khé ne représentera, pour les viets, qu'une victime supplémentaire.

Pour le général viet qui a conquis la citadelle de Dong-Khé, anéanti le B. E. P., massacré le 3ᵉ bataillon du 3ᵉ Étranger de Charton, détruit les Marocains de Lepage, le petit blockhaus à ras du sol paraît une proie bien dérisoire. Mais ce que Giap ignore, c'est qu'il va devoir affronter un officier de Légion qui, depuis le mois d'août, a prévu ses mouvements. Un capitaine corse qui, imitant sa propre tactique, a hissé son artillerie dans les montagnes. Un baroudeur individualiste qui depuis six jours capte tous les échanges radio entre Lang-Son, Charton, Lepage et That-Khé, mais dont l'oreille ne devient inattentive que lorsque les messages lui sont destinés. Cette fois pourtant, Antoine Mattei n'aura même pas à faire le sourd : on l'a oublié, il est libre de ses mouvements, il va en profiter.

Dans cette soirée du 6 octobre, le capitaine Mattei a renoncé à suivre, dans son central-radio, le déroulement des événements. Sa conviction est faite : du côté français c'est la pagaille, l'affolement, le sauve-qui-peut. En revanche, chez les viets, c'est l'organisation, l'exécution systématique d'un plan efficace.

Ce n'est donc pas dans la peau du commandement français que doit chercher à se placer le capitaine. C'est dans celle des dirigeants rebelles. Et pour lui, qui connaît si bien son ennemi et ses réactions, c'est aisément réalisable : le seul contact radio qui l'intéresse désormais est celui qu'il a établi avec Jaluzot, enfermé, avec ses douze légionnaires et ses quinze partisans, dans son poste-terrier de Bo-Cuong.

A dix-huit heures, Jaluzot annonce :

« J'ai décelé des mouvements, ils sont certainement là, en train de se grouper autour de nous.

— N'en doute pas, Jaluzot, ils *doivent* prendre ton poste, même s'ils savent que ça leur coûtera un bataillon entier. Ils vont le tenter. Ne relâche pas ta vigilance, ils vont sans aucun doute t'attaquer dans la nuit. Les deux gus de la mitrailleuse que j'ai fait placer dans les calcaires sont prévenus ; leur grotte est imprenable. Je ne peux rien faire de plus. T'ordonner d'évacuer serait un crime. Il y a toute la garnison de That-Khé et des milliers de civils qui vont devoir passer. Si les viets prennent ton poste, ils bloquent le col et c'est foutu !

— Je le sais, mon capitaine, mais nous ne sommes que vingt-cinq.

— Tu dois tenir, Jaluzot ! Jusqu'à la limite ! Les retarder le plus longtemps possible ! Des milliers de vies humaines sont entre tes mains.

— Compris ! On reprend le contact toutes les heures. Terminé. »

L'attaque commence à vingt heures quinze par un tir de mortier qui ne s'interrompt qu'à vingt et une heures. Puis, brusquement, c'est le silence. Jaluzot reprend le contact.

« Ils viennent d'arrêter. Le toit n'a même pas été ébranlé et ils ne donnent pas l'assaut. Pourtant j'ai situé leur point de tir, ils nous encerclent, ils sont partout.

— C'est évident, réplique Mattei, ils ignoraient le renforcement du toit. Ils pensaient vous foutre en l'air au mortier. Pour l'instant, ils doivent être désorientés. Du reste, ils sont peut-être moins nombreux que tu ne le penses. Mais ne te leurre pas ; s'ils ont arrêté, c'est qu'ils attendent des ordres après s'être trouvés devant une situation imprévue. Le cas échéant, ils feront venir des renforts. En mettant les choses au mieux pour nous, ils ne te réattaqueront que demain. Mais il leur faut ton poste, ils ne peuvent pas y renoncer. Ne relâche pas ton dispositif, distribue du maxiton à tes hommes. Qu'aucun de vous ne ferme l'œil. »

Mattei n'avait pas commis la moindre erreur dans son appréciation des réactions de l'ennemi. Il en a la confirmation lorsque à minuit, changeant leur tactique, et sans tir d'artillerie préalable, des milliers de rebelles se ruent à l'assaut de Bo-Cuong.

Jaluzot établit une liaison d'écoute permanente :

« Nous tirons par toutes les issues, on fait un carnage, mais plus on en fout au tapis plus il en arrive ! Si on tient une heure, c'est le bout du monde.

— La mitrailleuse dans les calcaires ?

— Elle crache sans interruption. On fait du bilan, tu peux me croire, mais ils sont trop nombreux, mon capitaine, on ne tiendra pas. »

Une demi-heure plus tard, c'est l'agonie. Mattei reçoit un ultime appel :

« Ils sont à portée de grenades, ils ne reculent même plus, ils enjambent leurs morts, nos mitrailleuses sont brûlantes et nous allons manquer de munitions.

— Tu as de la casse chez toi, Jaluzot ?

— Tout le monde est indemne, mais c'est quand même foutu. Dans un quart d'heure ils sont dans le poste.

— Écoute, Jaluzot... Jaluzot, nom de Dieu ! Jaluzot, réponds ! »

Le contact est interrompu. Ou un éclat a détruit l'émetteur de Jaluzot, ou le lieutenant a simplement coupé, jugeant plus utile de servir une arme.

Alors, en dix secondes, Mattei prend une décision qui risque de lui coûter sa carrière, de l'amener (s'il sort vivant de ce combat) devant le conseil de guerre.

Ses hommes sont autour de lui, ainsi que le lieutenant D..., l'artilleur que Lepage lui a laissé avec quatre
canons. C'est à D... que le capitaine s'adresse :

« Le 105 qui se trouve dans les calcaires à hauteur
de la cote 71, vous vous y rendez immédiatement, et
vous ouvrez un feu ininterrompu sur le sol.

— Mais, mon capitaine, je risque de toucher le
poste ?

— C'est ce que je veux, imbécile ! Tir au but sur
le poste !

— Mais, mon capitaine, vous n'y pensez pas ! Tirer
sur un poste français, je refuse, je ferai un rapport.

— C'est le moment de parler de rapport, abruti !
Vous ne comprenez pas que le poste tiendra !

— Mon capitaine, rien ne prouve qu'il résistera à
des obus de 105.

— Si ! Moi, je le prouve parce que je l'ai décidé.
Et puis, merde ! Assez pinaillé ! Nous perdons du
temps. Klauss, allez me chercher Dietrich.

— Mon capitaine, vous n'allez pas commander à
un artilleur allemand de tirer sur un poste français ! »

Mattei parvient à conserver son calme, il déclare
simplement :

« Clary et Fernandez, désarmez-moi ce con et
foutez-le en taule ! »

Les deux complices obéissent avec enthousiasme et
Mattei donne ses ordres à Dietrich, l'ancien officier
d'artillerie du IIIᵉ Reich. Il est secondé par quatre
Allemands. Moins de dix minutes après l'incident, le
tir au but sur le poste français commence.

Plus de trois cents obus atterrissent et explosent
sur le toit. Pendant la nuit, Mattei en fait tirer quinze
cents. Un toutes les quinze secondes pendant dix
heures. Toute approche devient impossible pour les
viets qui se font massacrer de plein fouet ou par
les éclats qui ricochent sur le béton. A l'aube, l'ennemi se replie vaincu. Mais pour Mattei l'heure de

la vérité va sonner. Que reste-t-il des vingt-cinq malheureux qui viennent de recevoir sur la tête un déluge de plomb ? Le dôme du poste a-t-il résisté à cet enfer ? Le capitaine a-t-il sauvé ses amis ou les a-t-il massacrés ?

Mattei saute dans sa jeep, accompagné de Klauss, Clary et Fernandez. Derrière, suit un Dodge six roues. Osling est au volant, un seul légionnaire à ses côtés.

Depuis Na-Cham, la R. C. 4 serpente. Au kilomètre 5, il y a un léger creux, puis la route remonte sur deux kilomètres vers le sommet, vers Bo-Cuong.

Avant de s'engager dans le creux, Mattei fait stopper le convoi. De l'endroit où il se trouve, il distingue parfaitement le poste. S'il reste un survivant, il doit l'apercevoir. Il scrute à la jumelle. Constate que le toit semble avoir tenu. Puis, brusquement, c'est le miracle !

Un homme sort et agite un drapeau français attaché au canon d'un fusil. Il ne reste au capitaine qu'à foncer contre toute prudence. En seconde, moteur emballé, les deux véhicules plongent dans le creux. Puis gravissent la pente. Malgré leur repli, les viets ne sont sûrement pas loin. Seules la rapidité d'exécution et la surprise peuvent faire réussir l'entreprise.

A cent mètres, il n'est plus possible d'approcher. La route est défoncée par les obus qui ont creusé de profonds entonnoirs. Jaluzot et ses hommes le savent car ils sortent tous du poste en courant et se précipitent vers leurs sauveurs. Comme des fous, ils sautent dans le Dodge, s'accrochent à la jeep, tandis que les deux véhicules repartent en marche arrière. Ils parviennent à faire demi-tour dans le creux et reprennent à toute vitesse la route de Na-Cham. Il ne manque pas un homme. Tous, sans exception, sont blessés. Pas un seul grièvement.

Jaluzot, hagard, a pris place au côté de Mattei. Il n'a reçu qu'un éclat superficiel dans la joue, mais il est choqué, halluciné, étranger à tout. Il fixe devant lui la route qui défile sans sembler la voir. Mattei cherche, par quelques mots, à secouer son ami ; enfin, il comprend : le lieutenant est complètement sourd.

A Na-Cham, Jaluzot met six heures avant de retrouver son contrôle. Ses premiers mots sont pour Mattei qui ne l'a pas quitté :

« J'ai mis une bonne heure avant de me rendre compte que c'était toi qui tirais ! Je suis vraiment con. »

Mattei s'apprête à répondre. Jaluzot l'arrête, lui fait signe qu'il n'entend toujours pas.

Le capitaine écrit sur un bout de papier :

« Osling t'a examiné, tes tympans sont intacts, c'est une question de quelques heures. »

— Ah ! bon, tant mieux, je ne m'entends même pas parler. »

« J'admets que ça a dû faire du bruit », écrit Mattei.

Jaluzot hoche la tête à plusieurs reprises et agite son bras en signe d'assentiment.

Vers seize heures, Jaluzot a recouvré partiellement sa réception auditive. Mais Mattei le considère encore trop ébranlé pour lui confier une responsabilité dans les nouveaux combats qui se préparent. Malgré les protestations du lieutenant, Mattei lui ordonne de ne pas quitter l'infirmerie.

Osling qui vient d'examiner les rescapés de Bo-Cuong fait un rapport au capitaine.

« La plupart d'entre eux tiendront le coup, mais pour trois ou quatre, ce sera grave et long. Il va falloir les évacuer en service neuro-psychiatrique dès que possible.

— Vous plaisantez, Osling ! Nous allons avoir des centaines de blessés et de mourants à évacuer en priorité ! Nous n'avons pas le temps de nous apitoyer sur des hommes dont les nerfs craquent pour un peu de bruit.

— Par moments, mon capitaine, je vous trouve superbe. Les types dont je vous parle risquent de ne jamais s'en remettre, de rester fous toute leur vie, « pour un peu de bruit », comme vous dites ! J'aurais voulu vous y voir.

— Je ne me prends pas pour un surhomme, Osling,

mais je pense sincèrement qu'à leur place, j'aurais compris. Réalisant l'absence de danger, je me serais tranquillement allongé et j'aurais dormi. »

Un long moment, Osling dévisage Mattei, puis il conclut :

« Ce qu'il y a de plus fort là-dedans, mon capitaine, c'est que vraisemblablement vous l'auriez fait... »

42

Na-Cham, 10 octobre. Le poste tient toujours. Pendant les trois jours qui ont suivi le coup d'arrêt qu'il a donné aux viets à Bo-Cuong, Mattei n'a pas changé son dispositif. Son artillerie dans les calcaires prévient toute manœuvre viet sur dix kilomètres de la R. C. 4. Lorsque, soit par radio, soit à vue, un convoi civil ou militaire est repéré, on cesse le tir pour lui laisser le temps de passer. A partir du col de Lung-Vaï c'est le salut pour tous les réchappés de l'enfer.

Le 10, l'ordre de repli est donné à tous les postes de la R. C. 4 à partir de That-Khé. Mattei devrait sans discussion évacuer ses positions. L'ennemi n'étant pas parvenu à déborder Na-Cham, le repli de sa compagnie ne représente aucun problème. Mais derrière, il reste encore à That-Khé la garnison, les parachutistes coloniaux du 3e B. C. C. P., des civils, les quelques rescapés des colonnes Charton et Lepage, sans compter ceux qui vraisemblablement errent encore dans la jungle, espérant trouver le salut à That-Khé, et vont se trouver face à l'ennemi qui n'attend que le départ des Français pour s'installer.

Alors qu'il a parfaitement compris les ordres de Lang-Son, Mattei décide de ne plus attendre. Il appelle le P. C. de Constans, obtient le colonel en personne.

« Mon colonel, déclare-t-il avec une parfaite mauvaise foi, je viens de capter votre ordre d'évacuation de That-Khé. Je pense que vous allez me faire monter des renforts ?

— Vous vous foutez de moi, Mattei ! Ce sont tous les postes de la R. C. 4 qui se replient ! Vous comme les autres, vous le savez parfaitement ! Il y a suffisamment de casse comme ça.

— Mon colonel, si j'évacue Na-Cham, plus personne ne passe. C'est un massacre supplémentaire. Et sur mes talons, les viets prennent Dong-Dang en six heures ; même Lang-Son ne sera plus en sécurité. »

Constans fait machine arrière :

« J'y avais pensé, Mattei, mais c'était une responsabilité lourde à prendre que de vous faire rester derrière les autres.

— Je suis installé, je peux protéger le repli de la garnison de That-Khé ; elle aura suffisamment de mal à percer. Envoyez-moi si c'est possible l'appui de feu, et je vous affirme qu'au moins à partir de chez moi on passera.

— Je n'ai plus aucune artillerie disponible. Les seules unités dont je pourrais disposer sont deux compagnies disciplinaires de Sénégalais. Peut-être un peu plus, si je compte une centaine d'entre eux qui se trouvent en prison. Mais vous savez ce qu'ils sont, Mattei : des Nègres accusés de viols, de pillages, d'assassinats...

— Je ne suis pas raciste, mon colonel, envoyez-les, je m'en charge. Je tiens tant que je peux tenir. Après je vous rejoindrai.

— Parfait, Mattei. Les Sénégalais partent sur l'heure. Bonne chance... »

Rapidement, le capitaine réunit ses sous-officiers.

« Lang-Son nous envoie du renfort, déclare-t-il. Des disciplinaires sénégalais. Ce ne sont pas des enfants de chœur, mais je ne compte pas les employer à un travail d'enfant de Marie ! Dès qu'ils arriveront, démerdez-vous pour vous partager leur encadrement, et grimpez-les dans les calcaires. Jusqu'à preuve du contraire, j'exige que vous les considériez comme de bons soldats : pas de brimades, pas de coups de pied au cul.

— S'ils cherchent à tailler la route, mon capitaine ? interroge Klauss.

— Je ne pense pas que ce soit à redouter si vous savez les prendre. C'est-à-dire s'ils ne se sentent pas méprisés par vous. »

Encadrés par les légionnaires, les trois cents Sénégalais se révèlent une troupe courageuse et disciplinée. Na-Cham continue de tenir.

Pendant trois jours, une véritable rage s'empare des deux camps. Na-Cham et ses positions refusent de succomber. Plus au nord, la garnison de That-Khé et les parachutistes coloniaux du 3e B. C. C. P., d'embuscade en embuscade, parcourent le chemin de croix de la retraite, mais Na-Cham tient toujours. Et les viets sont pris d'une colère frénétique contre cette poignée de combattants qui, imitant leur tactique, à l'abri dans les hauteurs, les empêchent de donner l'ultime coup de grâce aux unités qui se replient sur la R. C. 4.

Les 11 et 12, une horde désordonnée passe. Thabors en déroute, civils affolés, survivants d'unités massacrées, blessés, mourants, foule désespérée de vaincus harassés.

Le 13, quelques rescapés épars débouchent encore de la jungle ou de la route. Puis c'est le silence. Les viets renoncent à l'assaut de Na-Cham qui leur a déjà causé trop de pertes. L'étreinte se desserre. Du plan viet, c'est le seul échec.

Officiellement l'abandon de la R. C. 4 de Cao-Bang à Lang-Son est porté sur tous les rapports à la date du 11 octobre 1950. En réalité, le capitaine Mattei, sa 2e compagnie et ses disciplinaires sénégalais, ont tenu Na-Cham trois jours de plus, jusqu'au 14 octobre.

Le 14, le feu cesse. Sur l'ordre de Mattei les survivants se regroupent dans le village. Le capitaine

ignore si l'ennemi a décroché ou s'il a seulement interrompu son tir. Mais il n'en peut plus, il est à bout de
forces. Il n'a pas fermé l'œil depuis quatre jours.
Aucun de ses hommes non plus. Ils sont tous dans un
état second, ils s'affalent sur la place, près de la
chapelle ; en tout il ne reste que deux cents hommes
valides. Le seul civil qui soit demeuré parmi eux
est le père Mangin. Il est aussi le moins éprouvé, il lui
reste la force de parler et de marcher. Il s'approche
de Mattei qui s'est effondré, la tête appuyée sur un
tube de mortier.

« Capitaine, votre combat est fini.

— Nous sommes tous finis, mon père.

— Si les viets descendent des montagnes cette nuit,
ils nous exterminent.

— Sans aucune difficulté, nous n'avons plus de
munitions, et en aurions-nous qu'il ne nous resterait
pas la force de recharger nos armes.

— Dans ce cas, je vous propose de remettre notre
sort à tous entre les mains de Dieu. A minuit, ce sera
la Sainte-Thérèse, autorisez-moi à illuminer la chapelle en son honneur.

— Illuminez tout ce que vous voudrez, mon père,
mais foutez-moi la paix et laissez-moi dormir. »

Il y a des centaines de cierges dans la chapelle.
Pendant plus de deux heures, le père Mangin s'occupe
à les disposer à l'intérieur et à l'extérieur. L'illumination qui dure toute la nuit doit se remarquer dans
un rayon de plusieurs kilomètres. Autour, les hommes'
dorment. Ils se foutent de tout, du curé, de ses
cierges, de vivre ou de mourir, de la guerre, du Vietminh, du courage, de la défaite, de l'avenir... Ils dorment comme des masses inertes tandis que seul dans
sa chapelle, au centre des étincelants flambeaux, le
père Mangin prie pour eux.

De la nuit entière il ne se passe rien. Et à l'aube
lorsque les premiers hommes sont tirés de leur sommeil par la lueur du jour, le calme est toujours
absolu. Quelques cierges achèvent de se consumer,

de faibles flammes dansent encore sur des blocs de cire fondue.

Mattei a puisé dans son sommeil des forces nouvelles, il réveille les sous-officiers.

« Tout le monde debout ! On fout le camp ! Maintenant, c'est notre tour. »

Une demi-heure plus tard, une colonne s'est formée, elle quitte Na-Cham. Les hommes qui se traînent sans conviction provoquent chez Mattei un violent réflexe d'indignation :

« Klauss ! En ordre, la colonne ! Et au pas jusqu'à Lang-Son ! Que personne n'oublie que nous, nous ne sommes pas des vaincus. »

Et la longue marche commence sur la R. C. 4 abandonnée. En ordre, comme l'a voulu Mattei, les restes de la 2ᵉ compagnie progressent à l'allure lente et lourde de la Légion étrangère. Derrière eux, instinctivement, les survivants des disciplinaires sénégalais trouvent et adoptent la même cadence.

La colonne traverse Dong-Dang sans rencontrer une âme, et le 15 octobre à 19 heures, elle pénètre dans Lang-Son.

Mattei croyait trouver une ville dans laquelle on se préparait à repousser l'ennemi, sur laquelle on avait reporté tous les espoirs. Dans la Haute-Région, depuis le 3 octobre, c'était la défaite ; le 15, à Lang-Son, c'est la honte.

Tout est intact mais tout est désert. Des cent mille habitants il ne reste que quelques attardés. Il reste aussi le P. C. Constans et sa « Garde Royale ». Le colonel a voulu partir le dernier. Mattei renonce à le voir. Il installe ses hommes et traîne avec « sa bande » dans la cité qui, dans quelques jours, tombera sans combattre, entre les mains de l'ennemi auquel elle ouvrira les portes du Tonkin.

Mattei rencontre Burgens. Le sergent-major lui aussi a prévu les événements ; il a stocké tous les cadenas de la ville, il en a fait venir d'Hanoï, il vient de les revendre à prix d'or à tous les fuyards qui désiraient boucler leur cantine.

Au milieu de cette détresse, Mattei ne connaîtra qu'une joie : apprendre que parmi les douze rescapés du B.E.P., se trouve le capitaine Jeanpierre.

Le 16 octobre, Mattei reprendra le chemin de la sécurité provisoire, la route vers Hanoï. Une route qui, pour la Légion, ne s'arrêtera qu'à Dien-Bien-Phu.

43

REVENONS une semaine en arrière, dans les gorges de Coc-Xa au moment où l'ordre est donné du « chacun pour soi ».

Le colonel Charton s'enfonce dans la forêt au milieu des cadavres et des mourants. Il est suivi par quatre hommes : le lieutenant Clerget, le lieutenant Bross, son ordonnance Walter Reiss, et le sergent-chef Schoenberger. Le petit groupe parvient à parcourir un kilomètre avant de se trouver encerclé. Le tir ennemi se déclenche à bout portant. Schoenberger cherche à protéger le colonel, il est littéralement coupé en deux par une rafale. Reiss tombe à son tour mortellement frappé, tandis que Charton reçoit une balle qui lui brise le nez, une seconde dans la hanche et des éclats de grenade dans l'abdomen.

Les viets s'approchent. Le colonel tue le premier d'un coup de carabine, c'était sa dernière balle. Les lieutenants Bross et Clerget sont miraculeusement indemnes, mais eux aussi sont à bout de munitions. Ils se défendent encore à coups de crosse, cherchant à se faire tuer pour en finir tout de suite. Lorsque, ceinturés, ils finissent par lâcher leurs armes, ils s'attendent à être abattus. On se contente de les entraver.

Un chef viet s'avance et, en français, il donne l'ordre de lier également les mains de Charton.

Bross gueule de toutes ses forces :

« Je vous interdis d'attacher un colonel français ! »

Il est le premier stupéfait de la réaction des viets.

« Très bien, admet le chef, nous n'attacherons pas votre colonel. Du reste, nous allons vous détacher vous aussi et vous allez le porter. »

Un second gradé viet rejoint le groupe. Il semble plus important que son prédécesseur ; pourtant il approuve les décisions qu'a prises celui-ci. Il fait examiner les blessures de Charton par un homme, médecin ou infirmier, le colonel ne le saura jamais. Les viets sont habillés de tuniques noires dépourvues d'insignes, ils ont sur la tête des casques couverts de feuillage, tous se ressemblent comme des jumeaux.

Infirmier ou médecin, l'homme est habile. Mais son diagnostic paraît optimiste à Charton.

« Ce n'est pas grave, colonel, vous pouvez marcher. »

Charton le sait, mais il le nie, feint des douleurs qui ne dupent personne.

« Colonel, vos amis vont vous aider pour marcher, répète le viet. C'est seulement pour quelques heures. Après on vous portera. »

Charton ne comprend pas, mais que peut-il faire d'autre ? Les lieutenants Bross et Clerget le soutiennent. Les légionnaires commencent leurs premiers mouvements de captifs. Autour d'eux, les viets apparaissent par centaines. Ils surgissent de derrière chaque sinuosité, ils étaient littéralement intégrés à la végétation.

Lorsque les trois officiers se rendent compte du chemin que l'on compte leur faire emprunter, ils comprennent pourquoi il ne pouvait être question de porter Charton. C'est un sentier abrupt qui a été tracé dans la montagne. A cinq mètres, il est indécelable. Ils vont mettre quatre heures pour le gravir. Bross et Clerget se lancent dans de véritables prouesses d'équilibre pour parvenir, mètre après mètre, à hisser le colonel, puis il faut redescendre, remonter de l'autre côté, redescendre encore, et remonter encore. Ça dure toute la nuit. Les trois officiers cherchent à situer leur position sans aucun succès, jusqu'à l'aube. Alors ils ont un repère, la R. C. 4 qu'ils traversent. Ça ne prouve qu'une chose, ils ont progressé d'est en ouest. Maintenant ils vont marcher en direction de la Chine. A nouveau ils gravissent un massif montagneux.

Si les prévisions qu'ils firent à l'époque étaient exactes (ce que Charton ignore encore aujourd'hui), il s'agissait des montagnes de Na-Gnaum.

Le 8 octobre, quelques minutes avant midi, les légionnaires prisonniers arrivent sur un immense plateau qui domine toute la vallée pour redescendre ensuite en pente douce vers l'est. Charton, Bross et Clerget sont frappés par le désolant spectacle qu'ils découvrent. C'est le point de rassemblement des prisonniers blessés. Ils sont là par centaines, couchés sur les brancards de fortune ; la plupart d'entre eux agonisent au soleil qui vient de faire une timide apparition.

Cette fois, c'est sûrement un chef important qui vient à la rencontre du colonel et des deux lieutenants, accompagné de brancardiers qui portent une civière réglementaire de l'armée française.

Le chef viet se conduit avec morgue et assurance, mais ne fait preuve d'aucune agressivité. Il cherche même à jouer un rôle théâtral de vainqueur compatissant.

« Colonel Charton, dit-il, je m'excuse de n'avoir pu vous faire transporter plus tôt par mes hommes, le terrain que vous venez de couvrir en est l'unique raison. Vous avez compris par vous-même que l'emploi d'une civière aurait été impossible.

— Je préfère avoir été aidé par mes officiers, réplique sèchement Charton.

— Hélas ! colonel, vous allez devoir les quitter. Ils ne sont pas blessés, et vont prendre immédiatement la direction d'un camp de rééducation. Mais ne vous inquiétez pas, maintenant nous vous porterons et nous vous soignerons. »

Deux hommes en armes se sont approchés de Bross

et de Clerget. Malgré la protestation des officiers de la Légion, ils les repoussent vers l'arrière. Bross, d'un mouvement vif, écarte les soldats viets et s'approche du colonel étendu sur sa civière. Les viets s'apprêtent à réagir ; d'un geste leur chef les arrête. Bross pleure, il tend sa main à Charton, hésite un instant, puis se penche sur lui et l'embrasse. Derrière lui, Clerget répète les mêmes gestes. Les trois hommes se quittent sans échanger une parole supplémentaire.

Charton est transporté sur son brancard jusqu'au centre du rassemblement des blessés qui sont alignés par rangées. A sa droite repose un légionnaire dans le coma. A sa gauche, un tirailleur marocain qui ne parle pas le français. Le ciel se recouvre après l'éclaircie que le colonel avait tant souhaitée quelques jours plus tôt. Il reste là, immobile, ignorant tout, étranger à tout, il fixe dans le ciel les nuages qui s'épaississent, il n'a qu'une idée en tête : va-t-il pleuvoir ou ne pas pleuvoir ?

Juste après leur capture, les viets avaient fouillé Charton, Bross et Clerget, s'assurant qu'ils ne dissimulaient pas d'armes, mais ils n'avaient pas touché à leurs papiers, leurs montres, leur argent. Ils avaient même laissé à Charton son canif. Le colonel consulte sa montre-bracelet toutes les cinq minutes. Il la remonte sans cesse comme s'il craignait qu'elle ne s'arrête. Vers seize heures, un regard vers le légionnaire de droite lui apprend que l'homme est mort. Moins d'un quart d'heure après, deux soldats viets, un mouchoir blanc leur protégeant le visage, arrivent et enlèvent sans ménagement le corps du malheureux.

Un quart d'heure se passe encore et un nouveau blessé prend la place du précédent. Il semble également très mal en point. Charton se demande si on va le faire assister à l'agonie de tous ses compagnons. Les porteurs disparus, le légionnaire ouvre les yeux et se tourne vers le colonel. Malgré la gravité évidente de ses blessures, l'homme est conscient. Il déclare, dans un faible sourire :

« Lieutenant Faulque, mon colonel ! 1ᵉʳ B.E.P. J'ai

appris votre présence, j'ai demandé à être installé à vos côtés, ils ont accepté.

— Faulque, réplique Charton surpris, j'ai souvent entendu parler de vous. Quelle étrange façon de faire connaissance, vous êtes là depuis longtemps ?

— Hier soir, mon colonel.

— Vous avez pu apprendre quelque chose ?

— Ils parlent de libérer les plus atteints d'entre nous. Mais je n'ai aucune idée du crédit que l'on peut apporter à ces ragots.

— Le B. E. P., Faulque ?

— Le B. E. P. est mort, mon colonel. Je n'ai pas vu tomber Jeanpierre, mais je sais que le commandant Segretain a été tué.

— Ici, comment vous ont-ils traité ? Ils vous ont laissé vos affaires personnelles, à vous aussi ?

— Affirmatif, mon colonel. Ce ne sont pas de mauvais bougres. Du reste, je crois que nous allons en savoir davantage, voilà de la visite. »

En file indienne, une vingtaine d'hommes s'approchent de la civière de Charton. Le premier d'entre eux s'incline et déclare :

« Je suis colonel dans l'armée du Viet-minh. Je suis venu saluer un combattant courageux, voulez-vous serrer ma main, colonel Charton ? »

Ému et surpris, Charton tend sa main que l'officier viet saisit et secoue deux fois, avant de reprendre :

« Tous les hommes derrière moi sont des officiers, eux aussi voudraient serrer votre main. »

L'émotion est remplacée par l'amusement chez Charton qui acquiesce d'un signe. Un à un, les officiers viets s'approchent, s'inclinent, et lui serrent la main en déclarant simplement : « Colonel Charton. »

« Tout ceci est plutôt sympathique, déclare Charton à l'adresse de Faulque, dès que le dernier homme de l'étrange défilé s'est éloigné.

— Ne vous y fiez pas, mon colonel, ce sont des militaires. Tant que nous serons chez eux, tout demeurera parfait. Je tiens le tuyau de l'un des leurs. Méfiez-vous à partir du moment où ils ne vous appelleront plus par votre grade et où vous entendrez pour la première fois : « Camarade Charton ». Cela signifiera que vous serez entre les mains des politiques. A ce moment-là la musique risque de changer.

— J'en prends note, Faulque, merci. »

A dix-neuf heures, sans explication, deux brancardiers se saisissent de la civière de Charton et l'emmènent d'un pas hâtif. Le colonel tente de comprendre, mais ses deux porteurs ne parlent pas ou feignent de ne pas parler un mot de français. Il a tout juste le temps de faire un signe d'adieu à Faulque.

Pendant près de six heures, sans prendre une seconde de repos, les deux petits porteurs progressent à une allure rapide et régulière. Par moments, ils courent presque, jamais ils ne secouent la civière, ils font jouer à leurs bras agiles les fonctions d'amortisseurs et de régulateurs, leur habileté stupéfie Charton. Il est près d'une heure du matin lorsque le trio parvient à un village.

Après sa libération, le colonel Charton a cherché à situer ses mouvements de captivité. Il ignore toujours s'il a commis des erreurs. D'après lui, en tout cas, le village auquel il parvint dans la première heure du 8 octobre, était Poma, situé sur la route coloniale 27, à trois kilomètres de la frontière chinoise.

On installe Charton dans une paillote entourée de quatre hommes en armes. Le colonel s'endort aussitôt. Il ne peut prendre qu'une heure de repos. A deux heures quinze, il est brutalement réveillé par un homme qui lui tend une tasse de thé avant de déclarer :

« Réveillez-vous, colonel, notre général désire vous parler.

— Votre général ?

— Le général Giap, votre vainqueur. »

Charton est intrigué. Il va rencontrer ce petit bonhomme dont on parle tant sans que personne l'ait jamais vu. Il est porté jusqu'à un petit bâtiment de pierre. Avant d'entrer, son accompagnateur fait arrêter les brancardiers et se penche à son oreille :

« Je vous recommande bien une chose, soyez très poli avec le général.

— S'il est poli avec moi, je serai poli avec lui », réplique Charton.

Dès qu'il est introduit à l'intérieur du petit bâtiment, Charton réalise qu'il s'agit d'une école, qu'il se trouve dans une salle de classe. Derrière les pupitres réservés aux élèves, une vingtaine d'hommes sont assis. Chacun a devant lui un cahier, à la main un crayon ; sur chaque encrier une bougie éclaire les pupitres. Sur l'estrade réservée au professeur, se tient un petit viet, encadré par quatre lumignons. C'est le général Giap. Sans se lever et sans la moindre formule de politesse, Giap se lance immédiatement dans un interrogatoire.

« Colonel Charton, pourquoi avez-vous évacué Cao-Bang ? »

Jetant un coup d'œil vers l'arrière, Charton aperçoit le troupeau attentif qui s'apprête à prendre des notes. Il répond simplement :

« Parce que tels étaient mes ordres.

— Général.

— Pardon ?

— Parce que c'étaient mes ordres, général. Je vous appelle colonel, vous m'appelez général.

— Si ça peut vous faire plaisir, général. »

Giap frappe sur la table de sa main à plat.

« Il n'est pas question de me faire plaisir. C'est mon grade. Vous êtes mon subordonné. Je vous ai vaincu et vous êtes mon prisonnier. Alors, soyez poli.

— C'est entendu, général, concède Charton qui s'en fout.

— Que pensiez-vous de ces ordres que vous avez reçus ?

— Je n'ai pas à discuter les ordres que je reçois. »

Triomphant, Giap s'adresse au groupe des élèves studieux.

« Vous avez entendu ? Notez : « Dans les armées « impérialistes, un officier supérieur, jouissant de la « notoriété du colonel Charton, n'est qu'une machine « qui exécute les ordres sans discuter, même si on lui « ordonne d'assassiner les femmes et les enfants. »

— Je n'ai pas dit ça, objecte Charton.

— C'est ce que vous avez fait, car vous saviez que je vous vaincrais, colonel.

— Ce n'est pas vous qui m'avez vaincu, général, c'est la jungle, la nature, la proximité de la frontière, l'appui de la population civile que vous vous êtes assuré par la terreur. »

Furieux, Giap se lève.

« C'est un mensonge ! (S'adressant aux spectateurs, il poursuit :) Ne notez pas ça. »

Toute la nuit, le dialogue s'éternise sans qu'il en sorte rien. A l'aube, les militaires disparaissent. Un nouvel homme arrive, c'est le premier commissaire politique.

« *Camarade Charton*, nous allons vous rééduquer », déclare-t-il en guise de préambule.

Aussitôt, Charton pense au lieutenant Faulque, mourant, sur sa civière. « Attention, mon colonel, quand ils vous appelleront camarade, méfiez-vous... »

Ce n'est que quatre ans plus tard, lors de sa libération des camps viets, que le colonel Charton apprendra que Faulque a survécu. Le lieutenant du B. E. P. a fait partie du troupeau de morts-vivants que le Viet-minh rendit aux Français sous condition qu'un *Junker* vienne les chercher sur la piste de That-Khé — une piste trop courte pour un avion de cette puissance et où son atterrissage était considéré comme impossible.

Le pilote qui avait réalisé l'exploit de poser son appareil, de charger les mourants et de repartir sans casse, était le capitaine de Fontange. On prétend que ce jour-là il était plus soûl que d'habitude. Ce n'est pas les quarante hommes à qui il sauva la vie qui le lui reprochèrent...

REMERCIEMENTS

Je tiens à remercier le service de presse du ministère des Armées qui a bien voulu m'ouvrir l'accès des archives de la Légion étrangère et m'a permis de consulter les journaux de marche de ses régiments en Indochine.

Le colonel commandant le 1er régiment étranger d'infanterie, les officiers et sous-officiers du service historique de la Légion ainsi que l'équipe de *Képi Blanc* me procurèrent, à cet égard, un inestimable secours. Qu'ils soient ici remerciés pour leur amicale et efficace coopération.

La rédaction de cet ouvrage n'aurait pas été possible, en outre, sans l'aide des officiers, sous-officiers et légionnaires qui acceptèrent de me recevoir longuement pour évoquer à mon profit leurs souvenirs de ces combats. Je remercie donc : le général Gaultier ; les colonels Charton, Mattei, Raphanaud, Jacquot ; les commandants Magnillat et Lalague ; les capitaines Sallard et Roux ; le lieutenant Frajder, l'adjudant-chef Giacoletto, les sergents-chefs Clary, Dora, Zorro, Spies ; les caporaux et légionnaires Berger, Woliner, Dolinko, Capron, Saliceti, Giordano, Legrain, Stanis, Zeisel, Helft et Pravikoff ; ainsi que tous ceux qui m'ont demandé de respecter leur anonymat.

La mort subite du sergent-chef Maréchal me permet, hélas ! de ne pas respecter cette dernière règle en ce qui le concerne et de dire à quel point son amour et

sa connaissance de la Légion, à laquelle il avait voué
toute sa vie, m'ont été précieux.

A propos des officiers dont les noms reviennent fréquemment au cours de ce récit, je tiens à préciser
que leurs exploits me furent dévoilés par les hommes
qui servirent sous leurs ordres. En plus de ma
gratitude, qu'ils acceptent mes excuses si j'ai blessé
leur modestie que je sais immense : en les décrivant,
j'ai surtout voulu que tous les officiers de la Légion
étrangère et des Troupes coloniales ayant combattu
en Indochine puissent se reconnaître à travers eux.

collection tempus
Perrin

DÉJÀ PARU

170. *Les douze Césars* – Régis F. Martin.
171. *L'épopée cathare*, tome III, *Le lys et la croix* – Michel Roquebert.
172. *L'épopée cathare*, tome IV, *Mourir à Montségur* –
     Michel Roquebert.
173. *Henri III* – Jean-François Solnon.
174. *Histoires des Antilles françaises* – Paul Butel.
175. *Rodolphe et les secrets de Mayerling* – Jean des Cars.
176. *Oradour, 10 juin 1944* – Sarah Farmer.
177. *Volontaires français sous l'uniforme allemand* – Pierre Giolitto.
178. *Chute et mort de Constantinople* – Jacques Heers.
179. *Nouvelle histoire de l'Homme* – Pascal Picq.
180. *L'écriture. Des hiéroglyphes au numérique.*
181. *C'était Versailles* – Alain Decaux.
182. *De Raspoutine à Poutine* – Vladimir Fedorovski.
183. *Histoire de l'esclavage aux États-Unis* – Claude Fohlen.
184. *Ces papes qui ont fait l'histoire* – Henri Tincq.
185. *Classes laborieuses et classes dangereuses* – Louis Chevalier.
186. *Les enfants soldats* – Alain Louyot.
187. *Premiers ministres et présidents du Conseil* – Benoît Yvert.
188. *Le massacre de Katyn* – Victor Zaslavsky.
189. *Enquête sur les apparitions de la Vierge* – Yves Chiron.
190. *L'épopée cathare*, tome V, *La fin des Amis de Dieu* –
     Michel Roquebert.
191. *Histoire de la diplomatie française*, tome I.
192. *Histoire de la diplomatie française*, tome II.
193. *Histoire de l'émigration* – Ghislain de Diesbach.
194. *Le monde des Ramsès* – Claire Lalouette.
195. *Bernadette Soubirous* – Anne Bernet.
196. *Cosa Nostra. La mafia sicilienne de 1860 à nos jours* – John Dickie.
197. *Les mensonges de l'Histoire* – Pierre Miquel.
198. *Les négriers en terres d'islam* – Jacques Heers.
199. *Nelson Mandela* – Jack Lang.
200. *Un monde de ressources rares* – Le Cercle des économistes
     et Érik Orsenna.
201. *L'histoire de l'univers et le sens de la création* – Claude Tresmontant.
202. *Ils étaient sept hommes en guerre* – Marc Ferro.
203. *Précis de l'art de la guerre* – Antoine-Henri Jomini.

204. *Comprendre les États-unis d'aujourd'hui* – André Kaspi.
205. *Tsahal* – Pierre Razoux.
206. *Pop philosophie* – Mehdi Belahj Kacem, Philippe Nassif.
207. *Le roman de Vienne* – Jean des Cars.
208. *Hélie de Saint Marc* – Laurent Beccaria.
209. *La dénazification* (dir. Marie-Bénédicte Vincent).
210. *La vie mondaine sous le nazisme* – Fabrice d'Almeida.
211. *Comment naissent les révolutions.*
212. *Comprendre la Chine d'aujourd'hui* – Jean-Luc Domenach.
213. *Le second Empire* – Pierre Miquel.
214. *Les papes en Avignon* – Dominique Paladilhe.
215. *Jean Jaurès* – Jean-Pierre Rioux.
216. *La Rome des Flaviens* – Catherine Salles.
217. *6 juin 44* – Jean-Pierre Azéma, Philippe Burrin,
    Robert O. Paxton.
218. *Eugénie, la dernière impératrice* – Jean des Cars.
219. *L'homme Robespierre* – Max Gallo.
220. *Les Barbaresques* – Jacques Heers.
221. *L'élection présidentielle en France, 1958-2007* – Michel Winock.
222. *Histoire de la Légion étrangère* – Georges Blond.
223. *1 000 ans de jeux Olympiques* – Moses I. Finley, H. W. Pleket.
224. *Quand les Alliés bombardaient la France* – Eddy Florentin.
225. *La crise des années 30 est devant nous* – François Lenglet.
226. *Le royaume wisigoth d'Occitanie* – Joël Schmidt.
227. *L'épuration sauvage* – Philippe Bourdrel.
228. *La révolution de la Croix* – Alain Decaux.
229. *Frédéric de Hohenstaufen* – Jacques Benoist-Méchin.
230. *Savants sous l'Occupation* – Nicolas Chevassus-au-Louis.
231. *Moralement correct* – Jean Sévillia.
232. *Claude Lévi-Strauss, le passeur de sens* – Marcel Hénaff.
233. *Le voyage d'automne* – François Dufay.
234. *Erbo, pilote de chasse* – August von Kageneck.
235. *L'éducation des filles en France au XIXᵉ siècle* – Françoise Mayeur.
236. *Histoire des pays de l'Est* – Henry Bogdan.
237. *Les Capétiens* – François Menant, Hervé Martin,
    Bernard Merdrignac, Monique Chauvin.
238. *Le roi, l'empereur et le tsar* – Catrine Clay.
239. *Neanderthal* – Marylène Patou-Mathis.
240. *Judas, de l'Évangile à l'Holocauste* – Pierre-Emmanuel Dauzat.
241. *Le roman vrai de la crise financière* – Olivier Pastré,
    Jean-Marc Sylvestre.
242. *Comment l'Algérie devint française* – Georges Fleury.
243. *Le Moyen Âge, une imposture* – Jacques Heers.
244. *L'île aux cannibales* – Nicolas Werth.
245. *Policiers français sous l'Occupation* – Jean-Marc Berlière.

246. *Histoire secrète de l'Inquisition* – Peter Godman.
247. *La guerre des capitalismes aura lieu* –
   Le Cercle des économistes (dir. Jean-Hervé Lorenzi).
248. *Les guerres bâtardes* – Arnaud de La Grange, Jean-Marc Balencie.
249. *De la croix de fer à la potence* – August von Kageneck.
250. *Nous voulions tuer Hitler* – Philipp Freiherr von Boeselager.
251. *Le soleil noir de la puissance, 1796-1807* – Dominique de Villepin.
252. *L'aventure des Normands, VIIIᵉ- XIIIᵉ siècle* – François Neveux.
253. *La spectaculaire histoire des rois des Belges* – Patrick Roegiers.
254. *L'islam expliqué par* – Malek Chebel.
255. *Pour en finir avec Dieu* – Richard Dawkins.
256. *La troisième révolution américaine* – Jacques Mistral.
257. *Les dernières heures du libéralisme* – Christian Chavagneux.
258. *La Chine m'inquiète* – Jean-Luc Domenach.
259. *La religion cathare* – Michel Roquebert.
260. *Histoire de la France,* tome I, *1900-1930* – Serge Berstein,
   Pierre Milza.
261. *Histoire de la France,* tome II, *1930-1958* – Serge Berstein,
   Pierre Milza.
262. *Histoire de la France,* tome III, *1958 à nos jours* – Serge Berstein,
   Pierre Milza.
263. *Les Grecs et nous* – Marcel Detienne.
264. *Deleuze* – Alberto Gualandi.
265. *Le réenchantement du monde* – Michel Maffesoli.
266. *Spinoza* – André Scala.
267. *Les Français au quotidien, 1939-1949* – Éric Alary,
   Bénédicte Vergez-Chaignon, Gilles Gauvin.
268. *Teilhard de Chardin* – Jacques Arnould.
269. *Jeanne d'Arc* – Colette Beaune.
270. *Crises, chaos et fins de monde.*
271. *Auguste* – Pierre Cosme.
272. *Histoire de l'Irlande* – Pierre Joannon.
273. *Les inconnus de Versailles* – Jacques Levron.
274. *Ils ont vécu sous le nazisme* – Laurence Rees.
275. *La nuit au Moyen Âge* – Jean Verdon.
276. *Ce que savaient les Alliés* – Christian Destremau.
277. *François Iᵉʳ* – Jack Lang.
278. *Alexandre le Grand* – Jacques Benoist-Méchin.
279. *L'Égypte des Mamelouks* – André Clot.
280. *Les valets de chambre de Louis XIV* – Mathieu Da Vinha.
281. *Les grands sages de l'Égypte ancienne* – Christian Jacq.
282. *Armagnacs et Bourguignons* – Bertrand Schnerb.
283. *La révolution des Templiers* – Simonetta Cerrini.
284. *Les crises du capitalisme.*
285. *Communisme et totalitarisme* – Stéphane Courtois.

286. *Les chasseurs noirs* – Christian Ingrao.
287. *Averroès* – Ali Benmakhlouf.
288. *Les guerres préhistoriques* – Lawrence H. Keeley.
289. *Devenir de Gaulle* – Jean-Luc Barré.
290. *Lyautey* – Arnaud Teyssier.
291. *Fin de monde ou sortie de crise?* – Le Cercle des économistes
    (dir. Pierre Dockès et Jean-Hervé Lorenzi).
292. *Madame de Montespan* – Jean-Christian Petitfils.
293. *L'extrême gauche plurielle* – Philippe Raynaud.
294. *La guerre d'indépendance des Algériens* (prés. Raphaëlle Branche).
295. *La France de la Renaissance* – Arlette Jouanna.
296. *Verdun 1916* – Malcolm Brown.
297. *Lyotard* – Alberto Gualandi.
298. *Catherine de Médicis* – Jean-François Solnon.
299. *Le XXe siècle idéologique et politique* – Michel Winock.

À PARAÎTRE

L'art nouveau en Europe – Roger-Henri Guerrand.
Les salons de la IIIe République – Anne Martin-Fugier.
Lutèce – Joël Schmidt.

Impression réalisée par

C P I
Brodard & Taupin

La Flèche (Sarthe), le 06-10-2009
pour le compte des Éditions Perrin
11, rue de Grenelle
Paris 7e
N° d'édition : 2209 – N° d'impression : 54757
Dépôt légal : janvier 2007
Imprimé en France